2학년 영어듣기평가
{ 분석 및 학습법 }

1 시험 개요

- 1학기(4월), 2학기(9월)에 각각 1회씩 실시한다.
- 서울시에서는 보통 6월과 11월에 실시한다.
- 총 20문항으로 오지선다형 문제로만 출제된다.
- 시험 시간은 20분 이내이다.
- 모든 문제는 한 번씩만 들려준다. 따라서 집중해서 들어야 한다.

2 시험 난이도

- 〈전국 16개 시·도교육청 주관 영어듣기평가〉보다는 일반적으로 〈서울시 영어듣기평가〉가 조금 더 어렵게 출제된다.
- 대본에 사용되는 어휘 수와 발화 속도의 차이는 다음과 같다.

영어듣기평가별 대본 전체 어휘 수 비교

시험 학년	전국 16개 시·도교육청	서울 ○○교육지원청	서울 △△교육지원청
1학년	876	968	981
2학년	1,262	1,116	1,444
3학년	1,344	1,371	1,592

- 1학년 시험은 대체로 쉽게 출제되는 편이다. 하지만 2학년 시험에서는 난이도가 급격하게 올라간다. 따라서 너무 쉬운 문제만 풀어서는 안 된다.
- 서울시 영어듣기평가는 산하 각 교육지원청에 따라 난이도가 16개 시·도교육청의 시험과 비슷하거나 높은 경향을 보인다.

영어듣기평가별 발화 속도(WPM) 비교

시험 학년	전국 16개 시·도교육청	서울 ○○교육지원청	서울 △△교육지원청
1학년	111	139	158
2학년	114	145	157
3학년	124	146	158

* WPM은 1분 동안 발음되는 단어의 수를 의미한다.

- 각 시험별로 학년이 높아져도 발화 속도는 크게 빨라지지 않는다.
- 16개 시·도교육청 시험의 발화 속도는 대체로 느린 편이다.
- 서울 교육지원청 시험의 발화 속도는 대체로 조금 빠른 편이다.

3 문제 유형

- 16개 시·도교육청 듣기평가와 서울시 듣기평가 시험 간의 문제 유형은 순서만 다를 뿐 큰 차이는 없다.
- 문제 유형은 16개 시·도교육청 듣기평가에서 정선되어 있고, 서울시 문제 출제자도 이를 참고하여 내는 경향이 있다.
- 4월과 9월에 실시하는 두 시험 간의 유형 차이는 거의 없거나 혹은 1~2문항 정도 유형이 다르게 출제되기도 한다.
- 대본은 대개 3개의 담화(Monologue)와 17개의 대화(Dialogue)로 구성되어 있다.
 ※담화(談話):어떤 단체나 공적인 자리에 있는 사람이 특정 사안에 대하여 자신의 의견이나 태도를 공식적으로 밝히는 말.
- 대본의 길이는 담화는 5~6개 문장, 대화는 6~10개의 문장으로 구성되어 있다.

【 2학년 듣기평가 문제 유형_최신 기준 】

01 날씨
일기 예보를 듣고 특정한 날 또는 지역의 날씨 파악하기

① ② ③ ④ ⑤

02 그림 묘사
대화에서 묘사하고 있는 것 고르기

① ② ③ ④ ⑤

03 심정
대화에서 남자나 여자의 심리 상태 추론하기

04 과거에 한 일
대화에서 남자나 여자가 특정한 과거에 한 일 파악하기

05 장소
대화를 하고 있는 장소 추론하기

06 말의 의도
대화를 듣고 마지막 말의 의도 파악하기

07 세부 정보
대화를 듣고 구체적인 정보 파악하기

08 바로 할 일
대화가 끝난 직후에 할 일 파악하기

09 언급하지 않은 것 ①
대화에서 말하지 않은 내용 고르기

10 언급하지 않은 것 ②
담화에서 말하지 않은 내용 고르기

11 담화 화제
담화가 무엇에 관한 내용인지 핵심 파악하기

12 일치하지 않는 것
대화에서 언급된 내용과 일치하지 않는 것 고르기

13 목적
대화에서 남자나 여자가 무엇을 하는 목적 파악하기

14 금액
대화에서 남자나 여자가 지불해야 할 금액 파악하기

15 시각/날짜
대화에서 남자나 여자가 약속을 정한 시각, 날짜 파악하기

16 두 사람의 관계
현재 대화를 하고 있는 두 사람의 관계 추론하기

17 부탁한 일
대화에서 상대방에게 부탁하거나 요청한 일 파악하기

18 이유
남자나 여자가 어떤 행동을 한 이유 파악하기

19 그림 상황
다섯 개의 짧은 대화 중 그림 상황에 맞는 것 고르기

20 이어질 말
대화에서 마지막 말에 이어질 가장 적당한 말 고르기

4 대학수학능력시험 듣기평가와의 연계성

- 듣기평가 문제 유형은 궁극적으로 대학수학능력시험의 듣기평가 문제 유형과도 일치한다.
- 아래 표는 중학영어듣기평가 문항과 대학수학능력시험 듣기평가 문항과의 연계성을 나타낸 표이다.
- 같은 유형끼리는 같은 색으로 표시하였다. 대학수학능력시험의 듣기 문제 유형 중 90%가 전국 시·도교육청 듣기평가 문제 유형과 중복되는 것을 알 수 있다. 대화 길이만 늘어났을 뿐 문제 유형은 같다.
- 듣기 문항은 대체적으로 유형이 정해져 있어서 유형 연습만 철저히 한다면 대학수학능력시험 듣기 평가도 쉽게 대비할 수 있음을 알 수 있다.

【 듣기 문제 유형 상호 연계표_중학영어듣기평가 VS 대수능 듣기평가 】

번호	중학영어듣기평가 문항 분석			대학수학능력시험 듣기평가 문항 분석
	1학년	2학년	3학년	
01	그림 지칭	날씨	그림 묘사	적절한 응답 ①
02	그림 묘사	그림 묘사	언급되지 않은 것 ①	적절한 응답 ②
03	날씨	언급하지 않은 것 ①	전화한 목적	목적
04	말의 의도	과거에 한 일	심정 / 말의 의도	의견
05	언급하지 않은 것	장소	그림 상황	두 사람의 관계
06	시각 / 금액	말의 의도	장소	그림 묘사
07	장래 희망	세부 정보	부탁한 일	할 일
08	일치하지 않는 것	바로 할 일	언급되지 않은 것 ②	이유
09	바로 할 일	언급하지 않은 것 ②	담화 화제	금액
10	대화 화제	담화 화제	어색한 대화	언급하지 않은 것 ①
11	교통수단	일치하지 않는 것	할 일	일치하지 않는 것
12	이유	목적	날짜 / 요일	표 정보
13	장소 / 관계	금액 / 시각 / 날짜	그림 위치 / 표 정보	적절한 응답 ③
14	그림 위치	두 사람의 관계	과거에 한 일	적절한 응답 ④
15	부탁한 일	부탁한 일	세부 정보	상황에 맞는 말
16	제안한 것	이유	시각 / 금액	주제
17	과거에 한 일 / 어색한 대화	그림 상황	적절한 응답 ①	언급하지 않은 것 ②
18	직업	언급하지 않은 것 ③	적절한 응답 ②	
19	이어질 말 ①	이어질 말 ①	적절한 응답 ③	
20	이어질 말 ②	이어질 말 ②	상황에 맞는 말	

【 대학수학능력시험 듣기평가 문제와 얼마나 유사할까? 】

3 다음을 듣고, 남자가 하는 말의 목적으로 가장 적절한 것을 고르시오.
① 백화점 주말 특별 행사를 안내하려고
② 백화점 층별 신규 매장을 소개하려고
③ 주차장 이용 요금 변경을 공지하려고
④ 고객 만족도 조사 참여를 요청하려고
⑤ 백화점 회원 가입 방법을 설명하려고

⑫ 대화를 듣고, 여자가 전화를 건 목적으로 가장 적절한 것을 고르시오.
① 분실물을 찾기 위해서
② 주문을 변경하기 위해서
③ 수리 기사를 요청하기 위해서
④ 식당 예약을 확인하기 위해서
⑤ 전시회 일정을 알아보기 위해서

5 대화를 듣고, 두 사람의 관계를 가장 잘 나타낸 것을 고르시오.
① 곤충학자 – 학생
② 동물 조련사 – 사진작가
③ 농부 – 잡지기자
④ 요리사 – 음식 평론가
⑤ 독자 – 소설가

⑭ 대화를 듣고, 두 사람의 관계로 가장 적절한 것을 고르시오.
① 안과 의사 – 환자
② 구급 대원 – 시민
③ 뮤지컬 배우 – 기자
④ 옷가게 직원 – 손님
⑤ 자동차 정비사 – 고객

9 대화를 듣고, 여자가 지불할 금액을 고르시오. [3점]
① $72 ② $74 ③ $76
④ $78 ⑤ $80

⑬ 대화를 듣고 여자가 지불해야 할 금액으로 가장 적절한 것을 고르시오.
① $6 ② $8 ③ $12
④ $16 ⑤ $20

10 대화를 듣고, Ten Year Class Reunion Party에 관해 언급되지 않은 것을 고르시오.
① 장소 ② 날짜 ③ 회비
④ 음식 ⑤ 기념품

⑨ 대화를 듣고, 여자가 *Queen Furniture Store*에 대해 언급하지 않은 것을 고르시오.
① 할인 기간 ② 상점 위치 ③ 할인 품목
④ 배송 요금 ⑤ 영업 시간

11 *Green Ocean* 영화 시사회에 관한 다음 내용을 듣고, 일치하지 않는 것을 고르시오.
① 100명을 초대할 예정이다.
② 다음 주 토요일 오후 4시에 시작할 것이다.
③ 영화 출연 배우와 사진을 찍을 수 있다.
④ 입장권을 우편으로 보낼 예정이다.
⑤ 초대받은 사람은 극장에서 포스터를 받을 것이다.

⑪ 다음을 듣고, 여자의 동아리에 대한 내용으로 일치하지 않는 것을 고르시오.
① 뮤지컬 동아리이다.
② 영어로 연습한다.
③ 20명의 회원이 있다.
④ 일주일에 두 번 만난다.
⑤ 동아리실은 301호이다.

13 대화를 듣고, 여자의 마지막 말에 대한 남자의 응답으로 가장 적절한 것을 고르시오.
Man: _____
① It's worthwhile to spend money on my suit.
② It would be awesome to borrow your brother's.
③ Your brother will have a fun time at the festival.
④ I'm looking forward to seeing you in a new suit.
⑤ You're going to build a great reputation as an MC.

⑳ 대화를 듣고, 여자의 마지막 말에 이어질 남자의 말로 가장 적절한 것을 고르시오.
Man: _____
① Almost twice a week.
② He is my favorite actor.
③ It is open from 7 to 10.
④ I want to make great movies.
⑤ Let's meet in front of the ticket office.

90%나 똑같다고??

그렇지! 중학교 듣기 문제만 잘 풀어도 수능 듣기평가 대비는 문제 없다니까! 문제는, 어떤 책으로 공부하느냐에 달렸다고 봐야겠지?

5 학습법

(1) 평상시 : 점수를 올리는 듣기 훈련
- 틀린 문제 유형은 반드시 받아쓰기를 한다.
- 맞힌 문제라도 받아쓰기를 해 보도록 한다. 왜냐하면 본인이 정확히 이해하지 못한 상태에서 맞힌 문제일 수도 있기 때문이다. 완벽한 실전 대비를 위해서는 모든 문제를 받아쓰기 하는 것이 좋다.
- 듣기 내용은 가능한 한 빠른 속도로 듣도록 한다.
- 무엇을 묻는 문제인지 지시문의 핵심 키워드에 동그라미를 한다.
  (일치하는 것, 일치하지 않는 것, 언급되지 않은 것, 시각 등 핵심어에 표시하기)
- 들으면서 핵심 표현이나 숫자 등은 빠른 속도로 간단히 메모하는 습관을 들이도록 한다.
  (메모에 치중하느라 녹음 내용을 듣지 못하는 불상사도 피해야 한다. 즉, 순간적으로 메모하면서 들어야 한다.)

(2) 시험 하루 전
- 시험 하루 전날에는 기출 문제를 풀어보거나 기출 문제 동영상을 보며 마음속으로 정리한다.
- 문제집에서 그동안 틀린 문제들만 모아서 다시 풀어본다.
- 새로운 어휘나 표현을 외우려 하지 말고 이미 알고 있는 표현들을 복습하는 선에서 마무리한다.

(3) 시험 당일
- 시험이 시작되고, 방송이 나오기 전에 시험 문제들을 재빨리 훑어본다.
- 문제와 문제 사이의 빈 시간 동안에는 다음 문제의 지시문과 선택지를 살펴보고 대화의 내용을 유추해 본다.
- 한 번 푼 문제는 다시 보지 않는다. 다음 문제에 집중한다.
- 내용을 끝까지 잘 듣고 함정에 유의하며 답을 고르도록 한다.

이 책의 특장

🎧 바로 Listening 중학영어듣기 모의고사 24회에서는...
- 최신 경향의 전국 시·도교육청 듣기 기출 문제 유형을 반영하였습니다.
- 시·도교육청 문제보다 조금 더 긴 대본과 빠른 속도의 듣기 자료를 제공하며 영국식(15%) 및 호주식 영어(5%) 발음도 포함하여 녹음하였습니다.
- Native speaker가 대본을 직접 작성하였습니다. 실용적이고 authentic한 표현들이 가득합니다.
- 서울시 현직 교사도 문제 및 대본 작성에 참여하였습니다. 서울시 영어듣기평가도 완벽하게 대비할 수 있습니다.
- 대학수학능력시험 영어듣기평가도 연계하여 대비할 수 있도록 구성이나 내용이 알찹니다.
- 틀린 문제를 확실하게 풀고 넘어갈 수 있도록 받아쓰기를 3단계로 설계하였습니다.
  Step 1 들으면서 대본의 빈칸 채우기
  Step 2 축쇄 문제를 보며 다시 풀어 보기
  Step 3 해석을 보며 영어로 말하거나 영작해 보기
- 소리로 확실하게 듣고 이해할 수 있도록 QR코드로 연결되는 App에서 빠른 속도의 듣기 자료, 문항별 듣기 자료 등을 제공합니다.
- 시험 직전 활용할 수 있도록 최신 기출 문제 강의 동영상을 제공합니다.

전국 16개 시·도교육청 영어듣기평가 및 서울시 영어듣기평가를 대비하기 위한 최적의 학습 시스템을 갖췄습니다.

일반 수준 학습 로드맵 ➜ Vocabulary ➜ 실전 모의고사 24회 ➜ Dictation

상위 수준 학습 로드맵 ➜ 실전 모의고사 24회 ➜ Dictation ➜ Vocabulary

Vocabulary

QR 코드 활용법 »

• Vocabulary

1. 어휘 목록과 어휘 테스트의 음성 녹음을 들을 수 있습니다.

2. 원어민의 음성을 들으며 어휘를 익힐 수 있습니다.

· 실전 모의고사에 나오는 주요 표현을 미리 듣고 익힐 수 있습니다.

· 어휘를 듣고 쓰며 연습할 수 있습니다.

· 복습용으로도 활용 가능합니다.

실전 모의고사 [24]회

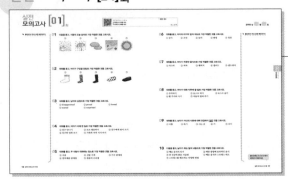

• 실전 모의고사 24회

1. 시험은 보통 속도, 빠른 속도를 선택해서 들을 수 있습니다.

2. 시험 볼 때는 보통 속도, 복습할 때는 빠른 속도로 들으세요.

3. 상위 수준 학습자는 처음부터 빠른 속도로 들으셔도 됩니다.

· 최신 경향의 기출 문제 유형을 반영하였습니다.

· 메모하면서 푸는 습관을 들이도록 설계되었습니다.

· 고난도 문제가 표시되어 있습니다.

Dictation

• Dictation

1. 받아쓰기 전체 듣기 및 문항별 듣기가 가능합니다.

2. 틀린 문제만 콕 집어 반복해서 듣기 연습을 할 수 있어 편합니다.

· 영어 문장을 자세히 듣고 받아 적으면서 실력을 키웁니다.

· 구문 설명 및 해석을 함께 제시하여 공부하기가 편합니다.

· 틀린 문제는 오답 노트처럼 활용할 수 있습니다.

· 해석을 보며 영어로 말하거나 영작 연습을 할 수 있습니다.

자기 주도 학습 관리표

스스로 매일 조금씩 공부하며 성취도를 체크할 수 있는 자기 주도 학습 관리표를 제공합니다.

A 아주 잘함 B 잘함 C 보통 D 조금 부족함 F 아주 부족함

실전 모의고사		공부한 날 (월/일)			나의 성취도 체크		
		어휘	실전 모의고사	받아쓰기	어휘 모두 암기	모의고사 점수 만족도	틀린 문제는 꼭 받아쓰기
p. 8	01회						
p. 24	02회						
p. 40	03회						
p. 56	04회						
p. 72	05회						
p. 88	06회						
p. 104	07회						
p. 120	08회						
p. 136	09회						
p. 152	10회						
p. 168	11회						
p. 184	12회						
p. 200	13회						
p. 216	14회						
p. 232	15회						
p. 248	16회						
p. 264	17회						
p. 280	18회						
p. 296	19회						
p. 312	20회						
p. 328	21회						
p. 344	22회						
p. 360	23회						
p. 376	24회						

📝 작성 방법

- 공부한 날에 간단히 월/일을 기록합니다. (e.g. 3월 5일에 공부했으면 ➡ 3/5)
- 나의 성취도 체크에는 A, B, C, D, F 중에서 하나를 골라 각 칸에 적습니다. 스스로 평가해 보세요.
- D나 F가 많은 실전 모의고사는 나중에 반드시 복습을 하도록 합니다.

[VOCABULARY] 실전 모의고사 01회

어휘를 알아야 들린다

모의고사를 먼저 풀고 싶으면 10쪽으로 이동하세요.

🎧 다음 표현을 듣고 모르는 것에 표시하시오.

- 01 **unusual** 드문, 특이한
- 02 **continue** 계속되다
- 03 **increase** 증가시키다
- 04 **have a look** 보다
- 05 **flea market** 벼룩시장
- 06 **school supplies** 학용품
- 07 **donate** 기부하다
- 08 **Go ahead.** (허락을 나타내어) 그렇게 해.
- 09 **shortly** 곧, 얼마 안 되어
- 10 **introduce** 소개하다
- 11 **go to a movie** 영화를 보러 가다
- 12 **skip** 건너뛰다
- 13 **drop by** 들르다
- 14 **recommend** 추천하다
- 15 **inexpensive** 비싸지 않은, 저렴한
- 16 **tray** 쟁반, 접시
- 17 **independence movement** 독립운동
- 18 **check out** 대출하다
- 19 **overdue** 기한이 지난
- 20 **return** 돌려주다, 반납하다
- 21 **memorial hall** 기념관
- 22 **anyway** 어쨌든
- 23 **lose weight** 몸무게를 줄이다, 살을 빼다
- 24 **in total** 총, 모두 합해서

- 25 **quite** 꽤
- 26 **spicy** 매운
- 27 **give a discount** 할인을 해 주다
- 28 **burn** 타다, 태우다
- 29 **fasten** 매다, 채우다
- 30 **somewhere** 어딘가에
- 31 **land** 착륙하다
- 32 **rather** 오히려, 차라리
- 33 **site** 장소
- 34 **rent** 빌리다, 대여하다
- 35 **extremely** 극도로, 극히
- 36 **whole** 전체의
- 37 **yet** (부정문에서) 아직
- 38 **historical** 역사적인
- 39 **borrow** 빌리다
- 40 **take an order** 주문을 받다
- 41 **cabinet** 찬장
- 42 **else** 또 다른

📖 **알아두면 유용한 선택지 어휘**

- 43 **bored** 지루해하는
- 44 **proud** 자랑스러운
- 45 **scared** 겁먹은, 두려운
- 46 **sold out** 다 팔린, 매진된

🎧 들으면서 표현을 완성한 다음, 뜻을 고르시오.

표현의 의미를 생각하며 다시 써 보기!

01 ra　her　　☐ 오히려　☐ 다시　　→ _____

02 fa　ten　　☐ 매다　☐ 달리다　　→ _____

03 Go　head.　　☐ 따라가.　☐ 그렇게 해.　　→ _____

04 s　ortly　　☐ 곧　☐ 전에　　→ _____

05 over　ue　　☐ 기한이 지난　☐ 압도하는　　→ _____

06 　hole　　☐ 전체의　☐ 일부의　　→ _____

07 do　ate　　☐ 모집하다　☐ 기부하다　　→ _____

08 　eturn　　☐ 저축하다　☐ 반납하다　　→ _____

09 bur　　　☐ 태우다　☐ 묻다　　→ _____

10 histo　ical　　☐ 역사적인　☐ 지역의　　→ _____

11 contin　e　　☐ 쉬다　☐ 계속되다　　→ _____

12 　nyway　　☐ 어쨌든　☐ 멀리　　→ _____

13 　nexpensive　　☐ 저렴한　☐ 무료의　　→ _____

14 qu　te　　☐ 조용한　☐ 꽤　　→ _____

15 u　usual　　☐ 평범한　☐ 드문　　→ _____

16 sk　p　　☐ 건너뛰다　☐ 지키다　　→ _____

17 ch　ck out　　☐ 가져다주다　☐ 대출하다　　→ _____

18 in to　al　→　☐ 모두 합해서　☐ 실내의　　→ _____

실전
모의고사 [01]회

실전 모의고사 01회 →
- 모의고사 보통 속도
- 모의고사 빠른 속도

✎ 듣으면서 주요 표현 메모하기!

01 다음을 듣고, 서울의 오늘 날씨로 가장 적절한 것을 고르시오.

①   ②   ③   ④  ⑤

02 대화를 듣고, 여자가 구입할 양말로 가장 적절한 것을 고르시오.

①   ②   ③   ④   ⑤

03 대화를 듣고, 남자의 심정으로 가장 적절한 것을 고르시오.
① disappointed   ② proud   ③ bored
④ scared   ⑤ surprised

04 대화를 듣고, 여자가 어제 한 일로 가장 적절한 것을 고르시오.
① 친구 만나기   ② 모교 방문하기   ③ 친구에게 편지 쓰기
④ 친구와 영화 보기   ⑤ 가족과 저녁 식사 하기

05 대화를 듣고, 두 사람이 대화하는 장소로 가장 적절한 곳을 고르시오.
① 서점   ② 신발 가게   ③ 가구 판매점
④ 전자제품 판매점   ⑤ 컴퓨터 수리점

06 대화를 듣고, 여자의 마지막 말의 의도로 가장 적절한 것을 고르시오.

① 감사   ② 조언   ③ 동의   ④ 변명   ⑤ 칭찬

✎ 들으면서 주요 표현 메모하기!

07 대화를 듣고, 여자가 주문한 음식으로 가장 적절한 것을 고르시오.

① 파스타   ② 피자   ③ 햄버거   ④ 샐러드   ⑤ 샌드위치

08 대화를 듣고, 여자가 대화 직후에 할 일로 가장 적절한 것을 고르시오.

① 주차하기   ② 토스트 먹기   ③ 토스트 굽기
④ 빵 가지러 가기   ⑤ 자동차 열쇠 주기

09 대화를 듣고, 남자가 자신의 사촌에 대해 언급하지 <u>않은</u> 것을 고르시오.

① 이름   ② 특기   ③ 사는 곳   ④ 키   ⑤ 나이

10 다음을 듣고, 남자가 하는 말의 내용으로 가장 적절한 것을 고르시오.

① 매운 음식의 인기   ② 체중 감량에 효과적인 음식
③ 위 건강에 좋은 식습관   ④ 매운 음식과 스트레스 해소
⑤ 스트레스를 해소하는 다양한 방법

틀린 문제는 Dictation에서
완벽하게 이해하세요!

실전 모의고사 [01]회

들으면서 주요 표현 메모하기!

11 대화를 듣고, 벼룩시장에 대한 내용으로 일치하지 <u>않는</u> 것을 고르시오.

① 남자의 동아리에서 주최한다.　　② 오늘과 내일 이틀간 열린다.
③ 학교 건물 2층에서 열린다.　　④ 학용품 외에 의류도 팔 예정이다.
⑤ 수익금은 기부할 예정이다.

12 대화를 듣고, 여자가 집에 걸어가는 목적으로 가장 적절한 것을 고르시오.

① 떡볶이를 먹기 위해서　　② 용돈을 절약하기 위해서
③ 걷기 운동을 하기 위해서　　④ 잃어버린 물건을 찾기 위해서
⑤ 가는 길에 서점에 들르기 위해서

고난도 | 숫자 메모하며 듣기

13 대화를 듣고, 남자가 지불할 금액을 고르시오.

① 3,000원　　② 5,000원　　③ 25,000원
④ 70,000원　　⑤ 75,000원

14 대화를 듣고, 두 사람의 관계로 가장 적절한 것을 고르시오.

① 엄마 – 아들　　② 경찰관 – 시민　　③ 의사 – 환자
④ 교사 – 학생　　⑤ 항공 승무원 – 승객

15 대화를 듣고, 여자가 남자에게 부탁한 일로 가장 적절한 것을 고르시오.

① 민지에게 책 전해 주기　　② 민지의 집 위치 알려 주기
③ 민지의 전화번호 알려 주기　　④ 자신의 과학 숙제 도와 주기
⑤ 민지에게 전화하기

12 실전 모의고사 01회

16 대화를 듣고, 여자가 점심을 먹지 못한 이유로 가장 적절한 것을 고르시오.

① 배탈이 나서 ② 돈이 부족해서 ③ 시간이 없어서
④ 음식이 상해서 ⑤ 식당이 문을 닫아서

✎ 들으면서 주요 표현 메모하기!

17 다음 그림의 상황에 가장 적절한 대화를 고르시오.

① ② ③ ④ ⑤

고난도 선택지 하나씩 체크하며 듣기

18 다음을 듣고, 남자가 단체 체험 학습에 대해 언급하지 <u>않은</u> 것을 고르시오.

① 목적지 ② 학습 내용 ③ 교통편 ④ 참가 비용 ⑤ 신청 방법

[19-20] 대화를 듣고, 여자의 마지막 말에 이어질 남자의 말로 가장 적절한 것을 고르시오.

19 Man: _____

① I ride a bicycle to school.
② My dad gives me a ride to school.
③ I usually arrive at school before 8.
④ It's a 3 minute walk from our school.
⑤ They live very far away from my school.

20 Man: _____

① The tickets are sold out.
② That's not an action movie.
③ I want to see a mystery movie.
④ I'm not sure how long the movie is.
⑤ Let's meet at the new restaurant at 12.

틀린 문제는 **Dictation**에서
완벽하게 이해하세요!

01 날씨
*들을 때마다 체크 □□

다음을 듣고, 서울의 오늘 날씨로 가장 적절한 것을 고르시오.

①   ②   ③

④   ⑤

W　Good morning. Here's the world _____ report for today. The snow will continue to _____ in New York. It will snow _____ _____ in London, too. In Seoul, it _____ _____ but it will be cloudy. It'll be very cold and windy in Beijing. However, it'll be hot and _____ in Sydney.

🎵정답 근거

여　안녕하십니까. 오늘의 세계 날씨입니다. 뉴욕에는 눈이 계속 내리겠습니다. 런던에도 눈이 많이 오겠습니다. 서울은 비가 오지는 않겠지만 흐리겠습니다. 베이징은 매우 춥고 바람이 불겠습니다. 하지만 시드니는 덥고 화창하겠습니다.

02 그림 묘사 □□

대화를 듣고, 여자가 구입할 양말로 가장 적절한 것을 고르시오.

①   ②   ③

④   ⑤

M　Hello. _____ may I help you?

W　I'd like to buy a _____ of socks.

M　Have a look at these. Knee socks with _____ are very popular.
　　🐢함정 주의　= these socks

W　I'm _____ _____ short socks.
　　　　　　　　　　🎵정답 근거

M　Then how about these? These cannot be _____ when you wear sneakers.
　　How about ~?: ~은 어때?　　　　　　　　　　~할 때

W　I like them. _____ me those black ones.

남　안녕하세요. 어떻게 도와드릴까요?
여　양말 한 켤레를 사고 싶어요.
남　이것들을 한번 보세요. 줄무늬가 있는 무릎까지 오는 양말이 아주 인기가 있어요.
여　저는 짧은 양말을 찾고 있어요.
남　그럼 이것들은 어떠세요? 이것들은 운동화를 신으시면 보이지 않아요.
여　저는 그것들이 좋아요. 그 검은색 양말을 주세요.

Dictation 01회 →
└ 전체 듣기
└ 문항별 듣기

Dictation의 효과적인 활용법
STEP1 들으면서 대본의 빈칸 채우기
STEP2 축쇄 문제를 보며 다시 풀어 보기
STEP3 해석을 보며 영어로 말하거나 영작해 보기

공부한 날   월   일

03 심정

대화를 듣고, 남자의 심정으로 가장 적절한 것을 고르시오.
① disappointed   ② proud
③ bored   ④ scared
⑤ surprised

W What are you _____ at?

M A picture book. I made it _____.

W I can't believe it! Can I read it?
= the picture book

M Of course. _____ _____.

W Wow. You are very good at _____.
be good at: ~을 잘하다

M I _____ a lot of time coloring them.

W I see. I like the story, too.

M Thank you. I'm _____ that you like it.
정답 근거

여 너 무엇을 보고 있니?
남 그림책. 내가 직접 만들었어.
여 믿기지 않아! 내가 읽어 봐도 되니?
남 물론이지. 읽어 봐.
여 와. 너는 그림을 아주 잘 그리는구나.
남 색칠하는 데 시간이 많이 걸렸어.
여 그랬구나. 이야기도 좋다.
남 고마워. 네가 그것을 좋아하니 기쁘다.

04 과거에 한 일

대화를 듣고, 여자가 어제 한 일로 가장 적절한 것을 고르시오.
① 친구 만나기   ② 모교 방문하기
③ 친구에게 편지 쓰기   ④ 친구와 영화 보기
⑤ 가족과 저녁 식사 하기

M You _____ happy today.

W Yes. I met my _____ _____ in elementary school
정답 근거   초등학교
yesterday.

M Wow. That's great.

W Yes. It's been two years _____ I met her last time.

M Can you _____ her to me?

go to a movie: 영화 보러 가다
W Sure. We're going to a movie this weekend. Will you
_____ _____?

M Yes, I will. I'm _____ _____.

남 너 오늘 행복해 보인다.
여 응. 나는 어제 초등학교 때 가장 친했던 친구를 만났어.
남 와. 그거 정말 멋지다.
여 응. 내가 그 애를 마지막으로 만난 이후로 2년이 되었어.
남 그 애를 나에게 소개해 줄 수 있니?
여 물론이지. 우리는 이번 주말에 영화를 보러 갈 거야. 너도 우리랑 같이 갈래?
남 응, 그럴게. 나 벌써 신나.

Sound Tip last time
last time과 같이 같은 소리의 자음([t])으로 끝나고 시작하는 어구는 한 단어처럼 발음된다.

01회

받아쓰기

05 장소

대화를 듣고, 두 사람이 대화하는 장소로 가장 적절한 곳을 고르시오.
① 서점
② 신발 가게
③ 가구 판매점
④ 전자제품 판매점
⑤ 컴퓨터 수리점

남 도와드릴까요?
여 네. 컴퓨터 책상이 있나요?
남 물론이죠. 많은 종류가 있습니다. 이 책상들을 보세요.
여 좋네요. 어떤 것을 추천하세요?
남 이 회색이요. 비싸지 않지만 아주 튼튼해요. 키보드 받침대도 있고요.
여 좋아 보이네요. 그걸로 할게요.
남 잘 선택하셨어요. 이것에는 사은품으로 북엔드를 받으실 수 있습니다.
여 그거 아주 좋네요.

M Can I help you?

W Yes, please. Do you have a computer desk? ♪정답 근거

M Sure. We have _____ _____ of computer desks. Look at these.

W Great. Which one do you _____?
= computer desk

M This grey one. It's inexpensive but very strong. It also has a keyboard tray.

W It looks fine. I'll _____ _____.

M Good choice. For this one, you _____ _____ a free gift of bookends. 함정 주의

W That's great.

06 말의 의도

대화를 듣고, 여자의 마지막 말의 의도로 가장 적절한 것을 고르시오.
① 감사
② 조언
③ 동의
④ 변명
⑤ 칭찬

남 Megan, 뭐 해?
여 아, 나는 역사 보고서를 쓰고 있어.
남 이 책들은 네 거니?
여 아니. 보고서 때문에 시립도서관에서 빌렸어. 아, 기한이 지났다.
남 난 오후에 도서관에 갈 거야. 같이 가서 그 책들 반납하자.
여 안 돼. 오늘 보고서를 끝내야 해.
남 그럼 내가 너를 위해 그걸 반납해 줄게. 나는 어차피 도서관에 갈 거야.
여 정말? 그렇게 해 주다니 정말 친절하구나.

M Megan, what are you doing?

W Oh, I'm doing my history report.

M Are these books yours?

W No. I _____ them _____ from the city library for my report. Oh, they're overdue.
기한이 지난

M I'm going to the library in the afternoon. Let's go together
가까운 미래를 나타낼 때 현재진행형 사용
and _____ _____.

W I can't. I have to finish the report today.

M Then I can return them _____ _____. I'm going to the library _____.
♪정답 근거

W Really? It's very kind _____ _____ to do so.

07 세부 정보

대화를 듣고, 여자가 주문한 음식으로 가장 적절한 것을 고르시오.
① 파스타   ② 피자   ③ 햄버거
④ 샐러드   ⑤ 샌드위치

M May I take your order?
   take an order: 주문을 받다

W Yes, please. _____ _____ to order the garlic pasta.

M The garlic pasta is quite spicy. Are you okay _____ it?
   꽤

W Oh, no. Then I'll order a cheese pizza _____.

M I'm sorry, but you can only order it _____ lunch hours.

W Oh, then _____ _____ a double bacon hamburger?

M No problem. You'll like it. 🎵정답 근거

W Okay. I'll _____ _____ then.

남 주문하시겠어요?
여 네. 저는 마늘 파스타를 주문하고 싶어요.
남 마늘 파스타는 꽤 맵습니다. 괜찮으신가요?
여 아, 아니요. 그럼 저는 대신 치즈피자를 주문할게요.
남 죄송하지만, 그것은 점심시간 동안에만 주문하실 수 있습니다.
여 아, 그러면 더블베이컨햄버거는요?
남 가능합니다. 마음에 드실 거예요.
여 좋아요. 그럼 그것을 먹을게요.

08 바로 할 일

대화를 듣고, 여자가 대화 직후에 할 일로 가장 적절한 것을 고르시오.
① 주차하기   ② 토스트 먹기
③ 토스트 굽기   ④ 빵 가지러 가기
⑤ 자동차 열쇠 주기

M Mom, I _____ this toast. Do we have any more bread?

W There's a _____ _____ of bread in the cabinet.

M Well, I can't see any here. Did you put it somewhere _____?

W Oh, I bought it and _____ _____ in my car.

M Give me the key. I'll go get it.   👻함정 주의
   🎵정답 근거   = go and get it

W No, I'll go. I parked the car at an _____ place. You can have mine instead.
   = my toast

M Thanks, Mom.

남 엄마, 제가 이 토스트를 태웠어요. 빵이 좀 더 있나요?
여 찬장에 새 빵 한 봉지가 있어.
남 음, 여기에 안 보이는데요. 어디 다른 데 두셨어요?
여 아, 내가 그걸 사서 내 차에다가 뒀구나.
남 열쇠 주세요. 제가 가지러 갈게요.
여 아니야, 내가 갈게. 평소와 다른 곳에 차를 주차했어. 대신 내 것을 먹으렴.
남 고마워요, 엄마.

09 언급하지 않은 것 ①

대화를 듣고, 남자가 자신의 사촌에 대해 언급하지 <u>않</u>은 것을 고르시오.
① 이름　　② 특기　　③ 사는 곳
④ 키　　　⑤ 나이

W What are you _____ _____ ?
M This is my family photo.
W Who is this boy _____ to you? I have never seen him.
　　　　　　🔑정답 근거　　　　　　경험의 의미를 나타내는 현재완료
M He's my cousin, Tom. He moved to New York 10 years _____.
W He's very tall.
M Yeah, he's 6 feet tall. He's _____ _____ me.
　　　　　　1 foot = 30.48cm
W How old is he?
M He is _____ years old.

여 너 무엇을 보고 있니?
남 이건 내 가족사진이야.
여 네 옆의 이 소년은 누구니? 나는 그를 본 적이 없어.
남 그는 내 사촌 Tom이야. 그는 10년 전에 뉴욕으로 이사 갔어.
여 그는 아주 키가 크네.
남 응, 그는 키가 6피트야. 그는 나보다 나이가 많아.
여 그가 몇 살인데?
남 그는 18살이야.

10 담화 화제

다음을 듣고, 남자가 하는 말의 내용으로 가장 적절한 것을 고르시오.
① 매운 음식의 인기
② 체중 감량에 효과적인 음식
③ 위 건강에 좋은 습관
④ 매운 음식과 스트레스 해소
⑤ 스트레스를 해소하는 다양한 방법

　　　　　　　　　　　　🔑정답 근거
M Do spicy foods drop stress levels? Some people eat extremely hot spicy foods when they _____ _____.
　　극도로
If they enjoy the spicy taste, they will feel _____.
Actually, spicy foods are _____ _____ your heart.
They can also help you _____ weight. However, don't eat them too much because they can _____
　　　　= spicy foods
your stomach. In that case, spicy foods might _____ _____ your stress level.

남 매운 음식은 스트레스 수준을 떨어트릴까요? 어떤 사람들은 스트레스를 받을 때 극도로 매운 음식을 먹습니다. 만약 그들이 그 매운맛을 즐긴다면, 그들은 기분이 더 좋아질 것입니다. 사실은, 매운 음식은 심장에 좋습니다. 그것은 당신이 몸무게를 줄이는 데 도움을 줄 수도 있습니다. 하지만 너무 많이는 먹지 마세요. 왜냐하면 그런 음식은 위를 상하게 할 수 있기 때문입니다. 그렇게 되면 아마 매운 음식은 오히려 당신의 스트레스 수준을 높일 것입니다.

← **Solution Tip**
여자가 하는 말 전체를 아우를 수 있는 것을 찾아야 한다.

11 일치하지 않는 것

대화를 듣고, 벼룩시장에 대한 내용으로 일치하지 <u>않</u>는 것을 고르시오.
① 남자의 동아리에서 주최한다.
② 오늘과 내일 이틀간 열린다.
③ 학교 건물 2층에서 열린다.
④ 학용품 외에 의류도 팔 예정이다.
⑤ 수익금은 기부할 예정이다.

남 Olivia, 우리 동아리가 내일 벼룩시장을 열어. 와 줘.
여 좋아. 어딘데?
남 학교 2층에서 열릴 거야.
여 시장에서 뭘 팔 거야?
남 주로 학용품이지만, 우리는 옷도 좀 팔 거야.
여 좋아. 나는 공책이 좀 필요해.
남 우리는 그린피스에 돈을 기부할 거야.
여 그거 정말 좋다.

M Olivia, my club will open a _____ _____ tomorrow. Please come. **🔑 정답 근거**

W Okay. Where is it?

M It'll be on the _____ floor of the school.

W What will you _____ at the market?

M Mostly school supplies, but we'll also sell some clothes, too.
<u>대부분, 주로</u>   <u>학용품</u>

W Good. I need _____ _____.

M We'll _____ the money to Greenpeace.

W That sounds great.

---

12 목적

대화를 듣고, 여자가 집에 걸어가는 목적으로 가장 적절한 것을 고르시오.
① 떡볶이를 먹기 위해서
② 용돈을 절약하기 위해서
③ 걷기 운동을 하기 위해서
④ 잃어버린 물건을 찾기 위해서
⑤ 가는 길에 서점에 들르기 위해서

남 Sarah, 집에 가자.
여 음, 나는 오늘 집에 걸어갈 거야. 너도 집에 걸어갈래?
남 왜? 돈을 절약하려고 그러니?
여 아니야. 나는 집에 가는 길에 서점에 들러야 해.
남 좋아. 걷는 좋은 운동이지. 나도 너랑 서점에 걸어갈게.
여 서점에 들렀다가 분식집에 가자. 내가 너에게 떡볶이를 살게.
남 대단히 좋은 계획 같구나.

M Sarah, let's go home.

W Well, I'll _____ _____ today. Will you walk home, too?

M Why? Are you trying to _____ money?

W No. I have to _____ _____ the bookstore on the way home. **🔑 정답 근거**
= on my way home

M Okay. Walking is good exercise. I'll _____ to the bookstore with you.

W _____ _____ to the snack bar after visiting the **💣 함정 주의**
bookstore. I'll buy you *tteokbokki*.
= after we visit the bookstore

M Sounds _____ a great plan.

13 금액

대화를 듣고, 남자가 지불할 금액을 고르시오.
① 3,000원 ② 5,000원
③ 25,000원 ④ 70,000원
⑤ 75,000원

남 실례합니다. 저는 학교 체육 대회를 위한 단체 티셔츠를 사고 싶어요.
여 이건 어때요?
남 아, 그거 정말 좋네요. 하지만 저는 7만 원밖에 없어요. 이건 얼마예요?
여 한 벌당 3천 원이에요. 몇 벌 사실 거예요?
남 저는 25벌이 필요해요. 그럼 전부 합쳐 7만 5천 원이네요. 저는 돈이 충분하지 않아요.
여 5천 원 할인해 드릴게요.
남 정말 감사합니다.

M Excuse me. I'd like _____ _____ group T-shirts for my school sports day.

W How about this one?
　　　= T-shirt

M Oh, I like it very much. But I _____ _____ 70,000 won. How much is this?

W They're 3,000 won _____. How many are you going to buy?

M I need 25. Then it will be 75,000 won _____ _____. I don't have enough money. 🔑정답 근거

W I'll give you a discount of _____ won.

M Thank you so much.

14 두 사람의 관계

대화를 듣고, 두 사람의 관계로 가장 적절한 것을 고르시오.
① 엄마 – 아들 ② 경찰관 – 시민
③ 의사 – 환자 ④ 교사 – 학생
⑤ 항공 승무원 – 승객

여 실례합니다. 손님, 지금 걸어 다니시면 안 됩니다.
남 죄송하지만, 제가 컵을 떨어뜨려서요.
여 제가 주워 드리겠습니다. 안전벨트를 매고 앉아 계세요.
남 알겠습니다.
여 여기 있습니다.
남 감사합니다.
여 접이 테이블도 올려 주세요. 곧 착륙합니다.
남 네, 그러겠습니다.

W Excuse me. Sir, you shouldn't _____ _____ now.

M I'm sorry, but I dropped my cup.

W I'll pick _____ up for you. Please fasten your seat belt and _____ _____. 🔑정답 근거

M Okay.

W Here you are.
　 여기 있습니다.

M Thank you.

W Please put your tray table up, too. We _____ _____ _____ shortly.

M Yes, I will.

15 부탁한 일

대화를 듣고, 여자가 남자에게 부탁한 일로 가장 적절한 것을 고르시오.
① 민지에게 책 전해 주기
② 민지의 집 위치 알려 주기
③ 민지의 전화번호 알려 주기
④ 자신의 과학 숙제 도와주기
⑤ 민지에게 전화하기

남 Hannah, 이거 민지 책 아니니?
여 응, 맞아. 과학 숙제 때문에 내가 민지에게서 빌렸어.
남 민지도 이 책이 필요하지 않니? 그 애도 오늘 과학 숙제를 끝내야 해.
여 맞아. 그래서 이걸 민지에게 돌려주려고 가져왔어.
남 하지만 그녀는 벌써 집에 갔어. 그녀가 학교 밖으로 나가는 걸 내가 봤거든.
여 아마 이 책을 돌려받는 걸 잊어버렸나 봐. 그 애의 전화번호를 아니?
남 응, 알아. 네게 줄까?
여 응, 부탁해.

M Hannah, isn't this Minji's book?

W Yes, it is. I _____ _____ from her for my science homework.

M Doesn't she need this book, too? She has to _____ her science homework today.

W Right. So I brought this to _____ _____ to Minji.
= Minji's book

M But she already went home. I saw her _____ school.
이미

W Maybe she forgot to get this book _____. Do you know
forget+to부정사: ~해야 할 것을 잊다 cf. forget+동명사: ~한 것을 잊다
🔑정답 근거
her phone number?

M Yes, I do. Do you want me to _____ _____ to you?

W Yes, please.

16 이유

대화를 듣고, 여자가 점심을 먹지 못한 이유로 가장 적절한 것을 고르시오.
① 배탈이 나서   ② 돈이 부족해서
③ 시간이 없어서   ④ 음식이 상해서
⑤ 식당이 문을 닫아서

남 너 왜 그렇게 슬퍼 보이니?
여 나는 슬프지 않아. 점심을 건너뛰어서 그냥 배가 고픈 거야.
남 왜? 점심을 먹을 시간이 없었니?
여 아니야. 나는 배탈이 났어. 어젯밤에 뭔가 상한 것을 먹은 것 같아.
남 곧 나아지면 좋겠다.
여 고마워. 힘이 하나도 없는 느낌이야.

M Why do you look so sad?

W I'm not sad. I'm just hungry because I _____ lunch.

M Why? Did you have _____ time to have lunch?
time+to부정사: ~할 시간

W No. I have an upset stomach. I guess I ate something
= have a stomachache
🔑정답 근거
_____ last night.

M I hope you get _____ soon.

W Thank you. I _____ _____ I have no energy.

01 학
받아쓰기

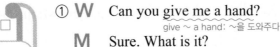

17 그림 상황

다음 그림의 상황에 가장 적절한 대화를 고르시오.

① ② ③ ④ ⑤

① **여** 너 나를 도와줄 수 있니?
남 물론이지, 뭔데?
② **여** 뭐가 문제야?
남 나는 내 지갑을 찾을 수가 없어.
③ **여** 조부모님 댁에 얼마나 머물 거니?
남 나는 한 달 내내 거기에 머물 거야.
④ **여** 그 스웨터는 얼마입니까?
남 3만 원입니다.
⑤ **여** 이 영화 본 적 있니?
남 아니, 아직 없어.

① **W** Can you give me a hand?
give ~ a hand: ~을 도와주다
M Sure. What is it?

② **W** What's _____ _____?
M I can't find my wallet.

③ **W** How long will you _____ _____ your grandparents'
얼마나 오래
house?
M I'll stay there for a whole month.

④ **W** How much is _____ _____?
M It's 30,000 won.

⑤ **W** Have you seen this movie? 정답 근거
M No, I _____ yet.
아직

18 언급하지 않은 것 ②

다음을 듣고, 남자가 단체 체험 학습에 대해 언급하지
않은 것을 고르시오.
① 목적지   ② 학습 내용   ③ 교통편
④ 참가 비용   ⑤ 신청 방법

남 안녕하세요, 여러분. 여러분의 단체 체험 학습에 관해
말씀드리겠습니다. 우리는 안동으로 가서 독립운동에
관해 배울 겁니다. 우리는 독립운동기념관과 안동의
사적지를 방문할 겁니다. 점심으로는 안동의 유명한
닭 요리인 찜닭을 먹을 겁니다. 투어 버스를 빌려서 함
께 움직일 거고, 여러분은 5만 원을 내야 합니다. 질문
있으세요?

M Hello, guys. Let me tell you about your group field
체험 학습
trip. We're going to Andong to _____ _____
정답 근거
the independence movement. _____ _____ the
독립운동
independence movement memorial hall and some
_____ sites in Andong. We'll have *jjimdak*, Andong's
famous chicken dish, _____ _____. We're going to
rent a tour bus and _____ _____, and you have to
pay 50,000 won. **Any questions?**
질문 있으세요?

 Sound Tip field trip
field trip과 같이 앞 단어의 끝 자음과 뒷 단어의 첫 자음을 발음할 때 혀의 위치가 비슷하면 앞 단어
의 끝 자음은 거의 소리 나지 않는다.

19 이어질 말 ①

Man: _____

① I ride a bicycle to school.
② My dad gives me a ride to school.
③ I usually arrive at school before 8.
④ It's a 3 minute walk from our school.
⑤ They live very far away from my school.

남 너 어디 사니?
여 나는 통인동에 살아.
남 학교까지 오래 걸리니?
여 버스로 15분 정도 걸려. 너는 어떠니?
남 나는 우리 학교에 아주 가까이 살아.
여 학교에서 얼마나 먼데?
남 ④ 우리 학교에서 걸어서 3분 거리야.

M _____ do you live?

W I live in Tongin-dong.

M Does it _____ _____ to go to school?

W It takes about 15 minutes _____ _____. How about
   <u>take+시간: (시간이) ~ 걸리다</u>
   you?
                                    🎵정답 근거

M I live very close to our school.

W How far _____ _____ from the school?
   <u>얼마나 멀리</u>

M It's a 3 minute walk from our school.
        <u>걸어서 3분 거리</u>

20 이어질 말 ②

Man: _____

① The tickets are sold out.
② That's not an action movie.
③ I want to see a mystery movie.
④ I'm not sure how long the movie is.
⑤ Let's meet at the new restaurant at 12.

남 내일 영화 보러 가자.
여 나도 그걸 생각하고 있었어.
남 11시에 만나자.
여 좋아. 표를 사고 점심을 먹자.
남 우리 극장 옆에 새로 생긴 식당에 가 보는 게 어때?
여 완벽해. 그런데, 너는 어떤 종류의 영화를 보고 싶니?
남 ③ 난 추리 영화를 보고 싶어.

M Let's _____ _____ a movie tomorrow.

W I was thinking about that, too.

M Let's meet _____ _____.

W Okay. Let's buy tickets and _____ _____.

M Why don't we try the new restaurant _____ to the
   <u>Why don't we ~?: 우리 ~하는 게 어때? (제안, 권유)</u>
   theater?
                        <u>그런데 (화제를 전환할 때)</u>
W _____ perfect. By the way, what _____ _____

   movie do you want to see?
                        🎵정답 근거

M I want to see a mystery movie.

[VOCABULARY] 실전 모의고사 02회

어휘를 알아야 들린다

모의고사를 먼저 풀고 싶으면 26쪽으로 이동하세요.

🎧 다음 표현을 듣고 모르는 것에 표시하시오.

- ☐ 01 **guide** 안내하다
- ☐ 02 **outside** 외부의, 바깥의
- ☐ 03 **front** 앞
- ☐ 04 **side** 옆
- ☐ 05 **pattern** 무늬, 패턴
- ☐ 06 **snowstorm** 눈보라
- ☐ 07 **depart** 출발하다
- ☐ 08 **back tooth** 어금니
- ☐ 09 **peace** 평화
- ☐ 10 **scale** 저울
- ☐ 11 **actually** 사실, 실제로
- ☐ 12 **check** 확인하다
- ☐ 13 **make a mistake** 실수하다
- ☐ 14 **originally** 원래
- ☐ 15 **used bookstore** 중고 서점
- ☐ 16 **escape** 빠져나가다, 탈출하다
- ☐ 17 **pass by** 지나치다
- ☐ 18 **sign up** 등록하다
- ☐ 19 **emergency** 비상, 비상시
- ☐ 20 **relative** 친척
- ☐ 21 **get a refund** 환불받다
- ☐ 22 **toothache** 치통
- ☐ 23 **main entrance** 정문
- ☐ 24 **special delivery** 빠른우편

- ☐ 25 **fresh** 상쾌한
- ☐ 26 **be welcomed** 환영을 받다
- ☐ 27 **dynasty** 왕조
- ☐ 28 **cavity** 충치, 치아가 썩어서 생긴 구멍
- ☐ 29 **instruction** 안내, 지시
- ☐ 30 **exchange** 교환하다
- ☐ 31 **fly a kite** 연을 날리다
- ☐ 32 **trendy** 유행을 따르는, 최신 유행의
- ☐ 33 **bright** 밝은
- ☐ 34 **staff** 직원
- ☐ 35 **convenience store** 편의점
- ☐ 36 **get off** (탈것에서) 내리다
- ☐ 37 **taste** 맛보다
- ☐ 38 **price** 가격
- ☐ 39 **community center** 주민 센터, 지역 문화 센터
- ☐ 40 **exit** 출구
- ☐ 41 **security** 안보

📖 알아두면 유용한 선택지 **어휘**

- ☐ 42 **get on** (탈것에) 타다
- ☐ 43 **teller / bank clerk** 은행원
- ☐ 44 **author** 작가
- ☐ 45 **conductor** 지휘자
- ☐ 46 **vet[veterinarian]** 수의사

🎧 들으면서 표현을 완성한 다음, 뜻을 고르시오.

표현의 의미를 생각하며 다시 써 보기!

01 d▢part ⬜ 버리다 ⬜ 출발하다 ➡ _____

02 actu▢lly ⬜ 실제로 ⬜ 조용히 ➡ _____

03 bri▢ht ⬜ 밝은 ⬜ 어두운 ➡ _____

04 or▢ginally ⬜ 오랜만에 ⬜ 원래 ➡ _____

05 cav▢ty ⬜ 상처 ⬜ 충치 ➡ _____

06 esca▢e ⬜ 잡다 ⬜ 탈출하다 ➡ _____

07 sec▢rity ⬜ 계약 ⬜ 안보 ➡ _____

08 e▢change ⬜ 개정하다 ⬜ 교환하다 ➡ _____

09 em▢rgency ⬜ 비상 ⬜ 경고 ➡ _____

10 relativ▢ ⬜ 과목 ⬜ 친척 ➡ _____

11 sp▢cial d▢livery ⬜ 빠른우편 ⬜ 특별지구 ➡ _____

12 exi▢ ⬜ 복도 ⬜ 출구 ➡ _____

13 g▢t ▢ff ⬜ 내리다 ⬜ 타다 ➡ _____

14 convenienc▢ ▢tore ⬜ 백화점 ⬜ 편의점 ➡ _____

15 ins▢ruction ⬜ 안내 ⬜ 관광 ➡ _____

16 snowsto▢m ⬜ 눈사람 ⬜ 눈보라 ➡ _____

17 g▢ide ⬜ 안내하다 ⬜ 취소하다 ➡ _____

18 g▢t a re▢und ⬜ 환불받다 ⬜ 대여하다 ➡ _____

실전 모의고사 [02]회

실전 모의고사 02회 →
┌ 모의고사 보통 속도
└ 모의고사 빠른 속도

✎ 들으면서 주요 표현 메모하기!

01 다음을 듣고, 싱가포르의 오늘 날씨로 가장 적절한 것을 고르시오.

①   ②   ③   ④   ⑤

02 대화를 듣고, 남자가 선택한 가방으로 가장 적절한 것을 고르시오.

①   ②   ③   ④   ⑤

03 대화를 듣고, 여자의 심정으로 가장 적절한 것을 고르시오.

① upset   ② proud   ③ bored
④ scared   ⑤ satisfied

04 대화를 듣고, 남자가 지난 일요일에 한 일로 가장 적절한 것을 고르시오.

① 연날리기   ② 자전거 타기   ③ 친척 방문하기
④ 영화 보기   ⑤ 배드민턴 치기

05 대화를 듣고, 두 사람이 대화하는 장소로 가장 적절한 곳을 고르시오.

① 병원   ② 은행   ③ 도서관   ④ 식당   ⑤ 서점

06 대화를 듣고, 남자의 마지막 말의 의도로 가장 적절한 것을 고르시오.

① 동의   ② 비난   ③ 조언   ④ 용서   ⑤ 축하

✎ 들으면서 주요 표현 메모하기!

07 대화를 듣고, 여자가 주문할 음료로 가장 적절한 것을 고르시오.

① 키위 주스   ② 수박 주스   ③ 콜라
④ 아이스티   ⑤ 아이스커피

08 대화를 듣고, 남자가 대화 직후에 할 일로 가장 적절한 것을 고르시오.

① 기차 타기   ② 전화하기   ③ 우산 사러 가기
④ 기차표 사기   ⑤ 창문 닫기

고난도 메모하며 듣기

09 대화를 듣고, 남자가 자신의 동아리에 대해 언급하지 <u>않은</u> 것을 고르시오.

① 모임 장소   ② 모임 빈도   ③ 회원 수
④ 회원 연령대   ⑤ 회원 성별 분포

10 다음을 듣고, 여자가 하는 말의 내용으로 가장 적절한 것을 고르시오.

① 강의 계획 안내   ② 영화 관람 예절   ③ 극장 좌석 안내
④ 다음 상영작 안내   ⑤ 비상시 행동 요령

틀린 문제는 Dictation에서
완벽하게 이해하세요!

✎ 들으면서 주요 표현 메모하기!

11 대화를 듣고, 요리 강습에 대한 내용으로 일치하지 <u>않는</u> 것을 고르시오.

① 매주 화요일 오후 수업이다.　　② 수업은 다음 달에 시작한다.
③ 수업 장소는 학교이다.　　④ 수강 요금은 한 달에 3만 원이다.
⑤ 등록은 주민 센터에서 받는다.

12 대화를 듣고, 남자가 중고 서점에 가는 목적으로 가장 적절한 것을 고르시오.

① 책을 싸게 사기 위해서　　② 자신의 책을 팔기 위해서
③ 오래된 책을 구하기 위해서　　④ 다양한 책을 구경하기 위해서
⑤ 잃어버린 책이 있나 찾아보기 위해서

고난도 숫자 메모하며 듣기

13 대화를 듣고, 여자가 지불할 금액을 고르시오.

① 2,800원　　② 4,200원　　③ 5,800원
④ 6,200원　　⑤ 7,800원

14 대화를 듣고, 두 사람의 관계로 가장 적절한 것을 고르시오.

① 치과의사 – 환자　　② 수의사 – 개 주인　　③ 은행원 – 고객
④ 작가 – 독자　　⑤ 지휘자 – 연주자

15 대화를 듣고, 남자가 여자에게 부탁한 일로 가장 적절한 것을 고르시오.

① 가방을 사 줄 것　　② 가방을 교환해 줄 것
③ 가방을 고쳐 줄 것　　④ 가방을 환불받아 줄 것
⑤ 가방을 할인해 줄 것

16 대화를 듣고, 여자가 머리를 짧게 자른 이유로 가장 적절한 것을 고르시오.

들으면서 주요 표현 메모하기!

① 짧은 머리가 유행이어서　　　　② 긴 머리가 지겨워서
③ 미용사가 자를 것을 권해서　　　④ 긴 머리를 관리하기가 힘들어서
⑤ 긴 머리를 좋아하지 않아서

17 다음 그림의 상황에 가장 적절한 대화를 고르시오.

①　　　　②　　　　③　　　　④　　　　⑤

18 다음을 듣고, 남자가 체험 학습에 대해 언급하지 <u>않은</u> 것을 고르시오.

① 장소　　　　② 참가 인원　　　　③ 학습 내용
④ 출발 시각　　　⑤ 집에 돌아오는 시각

[19-20] 대화를 듣고, 여자의 마지막 말에 이어질 남자의 말로 가장 적절한 것을 고르시오.

19 Man: _____

① That's alright.
② That sounds perfect.
③ I walk my dog every day.
④ I'm going to Jay's house.
⑤ Yes, I like taking a bus, too.

20 Man: _____

① Three times a week.
② I go swimming at 6 a.m.
③ The water is not that cold.
④ I'm not good at swimming.
⑤ My favorite sport is swimming.

틀린 문제는 Dictation에서
완벽하게 이해하세요!

01 날씨
*들을 때마다 체크

다음을 듣고, 싱가포르의 오늘 날씨로 가장 적절한 것을 고르시오.

①
②
③
④
⑤

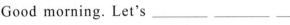

W Good morning. Let's _____ _____ _____ at today's world weather. It'll be very foggy in Seoul. London will be _____ and cold today, and there will be a strong _____ in New York. In Singapore, **it was very**

함정 주의 어제 날씨를 설명하고 있다.

_____ **and cloudy yesterday,** but the wind _____

정답 근거

_____ and it will be sunny today.

여 안녕하십니까. 오늘의 세계 날씨를 보겠습니다. 서울은 안개가 심하겠습니다. 런던은 오늘 비가 오고 춥겠으며, 뉴욕에는 강한 눈보라가 오겠습니다. 싱가포르는 어제 바람이 심하고 흐렸지만, 오늘은 바람이 멈추고 화창하겠습니다.

02 그림 묘사

대화를 듣고, 남자가 선택한 가방으로 가장 적절한 것을 고르시오.

①
②
③
④
⑤

M Mom, I need a new backpack.

W I know. _____ from this website. I'll buy you _____.

M Umm... I like this **one** with an outside pocket _____
= backpack
_____ _____.

W That looks cool. Isn't it _____ to buy a backpack with side pockets?

M You are right. I'll choose one with a front pocket, and also side pockets. 정답 근거

W What about patterns? _____ _____ do you want?
What about ~?: ~은 어때?(다른 제안)

M I _____ _____ any pattern. Please buy me this one
with no pattern.
buy+me(간접목적어)+
this one(직접목적어)

W Okay.

남 엄마, 저 새 가방이 필요해요.
여 알아. 이 웹 사이트에서 골라 보렴. 내가 하나 사 줄게.
남 어… 저는 앞에 바깥 주머니가 있는 이것이 좋아요.
여 그거 멋져 보인다. 옆 주머니가 있는 가방을 사는 것이 더 낫지 않니?
남 그렇네요. 앞 주머니, 그리고 옆 주머니도 있는 것을 고를게요.
여 무늬는 어때? 어떤 무늬를 원하니?
남 저는 무늬를 원하지 않아요. 무늬가 없는 이걸 사 주세요.
여 알았다.

Dictation 02회→
┌ 전체 듣기
└ 문항별 듣기

Dictation의 효과적인 활용법
STEP1 들으면서 대본의 빈칸 채우기
STEP2 축쇄 문제를 보며 다시 풀어 보기
STEP3 해석을 보며 영어로 말하거나 영작해 보기

공부한 날 　월　일

03 심정

대화를 듣고, 여자의 심정으로 가장 적절한 것을 고르시오.
① upset ② proud ③ bored
④ scared ⑤ satisfied

M What are you looking at?

W I'm _____ my answers on the history exam.

M Did you do well?

W Well, _____ _____ is not bad. But I made a few _____.

M That's okay. You'll surely _____ _____ next time.

W Thank you, but I feel bad that I _____ making mistakes. 　🎵정답 근거

M Don't think that way. You got a _____ _____ anyway.

남 너 무엇을 보고 있니?
여 나는 내 역사 시험의 답들을 확인하고 있어.
남 잘 했니?
여 음, 점수는 나쁘지 않아. 하지만 나는 실수를 몇 개 했어.
남 괜찮아. 다음에는 분명히 더 잘할 거야.
여 고마워, 하지만 나는 내가 계속 실수를 하는 것 때문에 기분이 안 좋아.
남 그렇게 생각하지 마. 어쨌든 좋은 점수를 받았잖아.

04 과거에 한 일

대화를 듣고, 남자가 지난 일요일에 한 일로 가장 적절한 것을 고르시오.
① 연날리기 ② 자전거 타기
③ 친척 방문하기 ④ 영화 보기
⑤ 배드민턴 치기

W Did you _____ a kite at the park last Sunday? I think I saw you at the park. 　🎵정답 근거

M I did. Why didn't you _____ _____?

W I was riding a bike and just passing _____.

M Do you often _____ _____ _____ there?

W Yes, I go there _____ _____. Do you like playing badminton, too?

M Sure. Shall we play badminton together this Sunday?
　Shall we ~?: ~할래?(제안)

W I can't because I'm _____ my relatives this weekend. How about next Sunday? 　⚠함정 주의 다음주 일요일에 할 일

M That sounds fine. Then I will _____ a movie at home
　제안의 내용을 가리킴
this weekend.

여 너 지난 일요일에 공원에서 연을 날렸니? 너를 공원에서 본 것 같아.
남 그랬지. 왜 인사 안 했어?
여 나는 자전거를 타고 있어서 그냥 지나쳤어.
남 거기에서 자주 자전거를 타니?
여 응, 나는 그곳에 주말마다 가. 너 배드민턴 치는 것도 좋아하니?
남 그럼. 이번 일요일에 같이 배드민턴 칠까?
여 이번 주말에는 친척들을 방문할 거라서 안 돼. 다음 일요일은 어때?
남 좋아. 그럼 이번 주말에는 집에서 영화나 봐야겠다.

05 장소

대화를 듣고, 두 사람이 대화하는 장소로 가장 적절한 곳을 고르시오.

① 병원 ② 은행 ③ 도서관
④ 식당 ⑤ 서점

남 너는 좋은 책을 찾았니?
여 응. 이 두 권을 찾았어. 나는 이제 역사 보고서를 쓸 수 있을 것 같아.
남 그거 대출했니?
여 아니, 아직. 너는?
남 나는 조선 왕조에 관한 책 한 권을 이미 대출했어.
여 그럼 잠깐만 기다려. 내가 이 책들 대출하고 난 다음에 간식 먹으러 가자.
남 알았어. 햄버거 어때?
여 좋아. 정문에서 만나자.

M Did you find a good book? ⟨함정 주의⟩
W Yes. I've _____ these two. I think now I can write my history _____. *two 뒤에 books가 생략되었다고 볼 수 있다.*
M Did you check them out? ⟨정답 근거⟩ *check out: (책 등을) 대출하다*
W No, _____ _____. How about you?
M I've already _____ _____ a book about the Joseon Dynasty.
W Then wait a moment. After I check these books out, let's go eat _____ _____.
M Okay. How about hamburgers? ⟨함정 주의⟩
W Great. _____ _____ at the main entrance.

06 말의 의도

대화를 듣고, 남자의 마지막 말의 의도로 가장 적절한 것을 고르시오.

① 동의 ② 비난 ③ 조언
④ 용서 ⑤ 축하

여 저 왔어요, 아빠.
남 너 조깅하러 갔었니?
여 네, 아침에 조깅하는 건 정말 상쾌해요.
남 잘했다. 지금은 조금 춥지 않니? 거의 겨울이잖니.
여 조금 춥지만, 달리기 시작하면 괜찮아요.
남 너 언제 나가니? 같이 운동하자.
여 좋아요! 저는 6시 정도에 나가요. 내일부터 시작하는 게 어때요?
남 좋아. 알람을 설정해 놓을게.

W I'm home, Dad. *다녀왔습니다*
M Did you go for _____ _____?
W Yes, it feels really _____ jogging in the morning.
M Good for you. _____ _____ a little cold now? It's almost winter.
W It is a little cold, but it's okay after I start running.
M When do you _____ _____? Let's exercise together.
W I love that idea! I go out around 6. How about starting _____ _____? *현재의 습관은 현재시제로 나타냄*
M Great. I'll _____ the alarm. ⟨정답 근거⟩

🔔 **Solution Tip**
내일부터 같이 조깅을 하자는 제안에 알람을 맞추어 놓겠다고 응답했으므로, 이른 시간에 일어나 같이 조깅하겠다는 의미로 동의하는 것임을 알 수 있다.

07 세부 정보

대화를 듣고, 여자가 주문할 음료로 가장 적절한 것을 고르시오.

① 키위 주스　　② 수박 주스
③ 콜라　　　　 ④ 아이스티
⑤ 아이스커피

M Are you going _____ _____?

W Yes. I'd like to order kiwi juice.
　　would like to: ～하고 싶다

M I'm sorry, but we're out of kiwis.

W Then _____ _____ watermelon juice?

M We sell it only _____ _____. I'm so sorry.

W Well, I don't know what to order. What do you _____?
　　= what I should order

M Our iced tea is very popular. 🎣정답 근거

W Okay. I'll _____ that then.

남 주문하시겠어요?
여 네. 저는 키위 주스를 주문하고 싶어요.
남 죄송하지만, 키위가 떨어졌습니다.
여 그러면, 수박 주스는요?
남 그건 여름에만 팔아요. 정말 죄송합니다.
여 음, 무엇을 주문할지 모르겠어요. 무엇을 추천하세요?
남 저희 아이스티가 아주 인기 있어요.
여 좋아요. 그럼 그걸로 할게요.

08 바로 할 일

대화를 듣고, 남자가 대화 직후에 할 일로 가장 적절한 것을 고르시오.

① 기차 타기　　② 전화하기
③ 우산 사러 가기　④ 기차표 사기
⑤ 창문 닫기

M Look out the window. It's _____.

W Do you have an umbrella? I _____.

M I don't _____. What should we do?

W Let's buy one before going _____ _____ the station.　🔺함정 주의
　　= an umbrella

M Okay. We can _____ _____ at the convenience store in the station.

W By the way, when will the train arrive?

M At 7:30. My parents will be at the station.

W Then we have _____ _____ before getting off the
　　　　　　　　　　　전치사 before가 있으므로 동명사를 씀
train. Why don't you _____ _____ to bring us an
　　　Why don't you ～?: ～하는 게 어때? (권유)
umbrella?
　　　　　　　　　　　　　🎣정답 근거
M That's a great idea. I'll make a phone call now.
　　　　　　　　　　전화를 걸다

남 창밖을 봐. 비가 오고 있어.
여 너 우산 있어? 난 없어.
남 나도 없어. 어떻게 하지?
여 기차역에서 나가기 전에 하나 사자.
남 알았어. 역 안의 편의점에서 살 수 있을 거야.
여 그런데, 기차가 언제 도착하지?
남 7시 30분. 부모님이 기차역에 계실 거야.
여 그럼 기차에서 내릴 때까지 30분이 있네. 우리에게 우산을 가져다 달라고 부모님께 전화 드리는 게 어때?
남 좋은 생각이야. 내가 지금 전화할게.

09 언급하지 않은 것 ①

대화를 듣고, 남자가 자신의 동아리에 대해 언급하지 않은 것을 고르시오.
① 모임 장소
② 모임 빈도
③ 회원 수
④ 회원 연령대
⑤ 회원 성별 분포

W What are you going to do this Saturday?

M I'll play _____ with my club members.

W Are you _____ a baseball club?

M Yes. We meet _____ _____ and play baseball at Hana Elementary School grounds.
현재의 습관은 현재시제로 나타냄
🔑정답 근거

W That's near my house. Can I go _____ you play?

M Of course. You can actually _____ our club. We have 17 members, and about _____ of them are girls. You'll be welcomed.

W Well, I'll _____ _____ that.
야구 동아리에 가입하는 일

여 너 이번 토요일에 무엇을 할 거니?
남 나는 내 동아리 회원들과 야구를 할 거야.
여 너 야구 동아리 회원이니?
남 응. 우리는 매주 토요일에 하나 초등학교 운동장에서 만나서 야구를 해.
여 거기는 우리 집 근처인데. 나 너 야구하는 거 보러 가도 돼?
남 물론이지. 너는 사실 우리 동아리에 가입을 해도 돼. 우리는 회원이 17명 있는데, 그 중 거의 절반이 여자야. 너는 환영받을 거야.
여 음, 생각해 볼게.

10 담화 화제

다음을 듣고, 여자가 하는 말의 내용으로 가장 적절한 것을 고르시오.
① 강의 계획 안내
② 영화 관람 예절
③ 극장 좌석 안내
④ 다음 상영작 안내
⑤ 비상시 행동 요령

W Hello, everyone. Let me inform you about what you
Let me+동사원형: 허락을 구할 때 쓰는 표현
🔑정답 근거
should do in an _____ situation. When there's an emergency, our staff will _____ _____ to the
집합 명사
emergency exits, and you should quickly _____ following staff instructions. The emergency exits are in the _____ _____ of the theater. Please check the screen for the _____ _____ to your seat.

여 안녕하세요, 여러분. 비상 상황 시 어떻게 행동해야 할지 알려드립니다. 비상 상황이 발생했을 때에는 저희 직원이 여러분을 비상 출구로 안내해 드리니, 직원의 안내에 따라 신속히 빠져나가셔야 합니다. 비상 출구는 극장의 네 모퉁이에 있습니다. 여러분의 좌석에서 가장 가까운 출구를 화면에서 확인해 주십시오.

 Solution Tip
안내 방송의 경우 보통 도입부에서 무엇에 관하여 말할지 나오고 뒤따라 세부 사항이 나온다.

11 일치하지 않는 것

대화를 듣고, 요리 강습에 대한 내용으로 일치하지 않는 것을 고르시오.
① 매주 화요일 오후 수업이다.
② 수업은 다음 달에 시작한다.
③ 수업 장소는 학교이다.
④ 수강 요금은 한 달에 3만 원이다.
⑤ 등록은 주민 센터에서 받는다.

여 Jack, 이 포스터를 봐.
남 와. 이건 요리 강습에 관한 포스터네. 나 관심 있어.
여 나도. 수업은 매주 화요일 오후 5시에 있을 거라고 하네.
남 수업은 다음 달에 주민 센터에서 시작할 거라고도 적혀 있어. 그곳은 집에 가는 길에 있어.
여 그리고 한 달에 3만 원밖에 안 해.
남 이거 좋은 기회야. 같이 이 수업 듣는 게 어때?
여 물론이야. 우리 어떻게 등록하지?
남 등록하려면 주민 센터를 들러야 한대.
여 오늘 집에 가는 길에 등록하러 가자.
남 좋아. 정말 신난다.

W Jack, look at this _____.

M Wow. This is a poster about a cooking class. I'm interested.

W I am, too. It says the class will be on _____ at 5 p.m.
　　__It says ~: ~라고 쓰여 있다, ~라고 한다__ 🎵정답 근거

M It also says the class will start _____ _____ at the community center. It's on the way home.

W And it's only _____ won for a month.

M This is a good opportunity. How about _____ this class together?

W Sure. How can we _____ _____?

M We should drop by the community center to sign up.
　　__들르다__

W Let's go to sign up _____ the way home today.

M Sure. I'm so excited.

12 목적

대화를 듣고, 남자가 중고 서점에 가는 목적으로 가장 적절한 것을 고르시오.
① 책을 싸게 사기 위해서
② 자신의 책을 팔기 위해서
③ 오래된 책을 구하기 위해서
④ 다양한 책을 구경하기 위해서
⑤ 잃어버린 책이 있나 찾아보기 위해서

여 너 어디 가니, Nathan?
남 나는 중고 서점에 가고 있어.
여 거기서 오래된 책을 좀 사려고 그러니?
남 아니, 나는 내 책 중 몇 권을 팔려고 해.
여 오, 서점에서 책을 사기도 하는 줄 몰랐네.
남 책이 마음에 들 때만 사거든. 그래서 내 책들을 먼저 보여 주어야 해.
여 나도 너랑 같이 가도 되니? 거기를 둘러보고 싶어.
남 응. 거기에는 많은 종류의 책들이 있고, 가격은 꽤 저렴해.

W Where are you going, Nathan?

M I'm going to a _____ bookstore.

W Are you going to buy some _____ books there?

M No, I'm going to _____ some of my books. 🎵정답 근거

W Oh, I didn't know they _____ books.

M They buy books only when they like them. So I have to
　　__they 앞에 접속사 that이 생략됨__
　　_____ my books first.
　　　　__~할 때에만__

W Can I go with you? I want to _____ _____ there.

M Yeah. There are many _____ _____ of books there, and the price is quite low.

13 금액

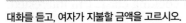

대화를 듣고, 여자가 지불할 금액을 고르시오.

① 2,800원   ② 4,200원
③ 5,800원   ④ 6,200원
⑤ 7,800원

M Next, please.

W I'd like to _____ this package by special delivery.
_{빠른우편으로}

M Okay. Put it down on _____ _____.
_{= the package}

W How much is it?

M It's originally _____ won, but you have to pay 2,000
_{정답 근거}
won more for _____ _____.
_{have to+동사원형: ~해야 한다}

W I have to _____ for this box, too. How much is this?

M The box is _____ won.

W Okay. Here you are.
_{물건 등을 상대방에게 건넬 때 쓰는 표현}

남 다음 분이요.
여 이 소포를 빠른우편으로 보내고 싶어요.
남 알겠습니다. 저울에 그것을 내려놓으세요.
여 얼마인가요?
남 원래는 5,000원이지만 빠른우편은 2,000원을 더 내셔야 합니다.
여 이 상자 가격도 지불해야 해요. 이것은 얼마인가요?
남 그 상자는 800원입니다.
여 알겠어요. 여기 있습니다.

Solution Tip

소포 비용이 원래 5,000원이지만 빠른우편 요금 2,000원이 추가되고 상자 값 800원을 더 내야 하므로 총 7,800원(5,000원+2,000원+800원)을 지불해야 한다.

14 두 사람의 관계

대화를 듣고, 두 사람의 관계로 가장 적절한 것을 고르시오.

① 치과의사 - 환자   ② 수의사 - 개 주인
③ 은행원 - 고객   ④ 작가 - 독자
⑤ 지휘자 - 연주자

W What's the _____, sir?

M I have a toothache. It hurts when I _____ food.
_{정답 근거}   _{~할 때}

W Let me see. Open your mouth _____, please. Umm,
_{제가 볼게요.}
you have _____ _____ on your back tooth.
_{어금니(= molar)}

M Oh, my. What should I do?

W We should fill the cavity. Do you want to do it now?
_{충치를 때우다}

M Does it hurt a lot?

W Well, it doesn't _____ that much.
_{그렇게 많이, that이 much를 강조함}

M Okay, please _____ _____.

여 어디가 아프신가요, 환자분?
남 치통이 있어요. 음식을 씹을 때 아파요.
여 제가 볼게요. 입을 크게 벌리세요. 음, 어금니에 충치가 있네요.
남 오, 이런. 어떻게 해야 하죠?
여 충치를 때워야 합니다. 지금 하기를 원하세요?
남 많이 아픈가요?
여 음, 그렇게 아프지는 않아요.
남 좋아요. 해 주세요.

15 부탁한 일

대화를 듣고, 남자가 여자에게 부탁한 일로 가장 적절한 것을 고르시오.
① 가방을 사 줄 것
② 가방을 교환해 줄 것
③ 가방을 고쳐 줄 것
④ 가방을 환불받아 줄 것
⑤ 가방을 할인해 줄 것

남 엄마, 내일 바쁘세요?
여 별로. 왜?
남 어제 엄마가 사 주신 가방 말인데요. 제 마음에 안 들어서요.
여 그게 뭐가 문제인데?
남 저한테 조금 작아요. 색도 너무 밝은 것 같고요.
여 내가 그걸 교환해 주면 좋겠니?
남 아뇨, 제가 이번 주말에 다른 걸 직접 고르러 가야 할 것 같아요. 그 가방 환불 좀 받아 주실 수 있으세요?
여 그래. 그럴게.

M Mom, are you _____ tomorrow?

W Not really. Why?
그렇게 바빠지는 않아.

M It's about the bag you _____ for me yesterday. I don't
the bag을 선행사로 하는 관계대명사 that 또는 which가 생략된 구조
like it.

W What's _____ _____ with it?

M It is a little small for me. Also, I think the color is too
_____.

W Do you want me to _____ it? 함정 주의

M No, I think I should go and choose _____ one myself
this weekend. Can you get a _____ for it? 정답 근거

W No problem. I will.

16 이유

대화를 듣고, 여자가 머리를 짧게 자른 이유로 가장 적절한 것을 고르시오.
① 짧은 머리가 유행이어서
② 긴 머리가 지겨워서
③ 미용사가 자를 것을 권해서
④ 긴 머리를 관리하기가 힘들어서
⑤ 긴 머리를 좋아하지 않아서

남 수진아, 너 머리 잘랐구나.
여 응, 그랬어. 어때 보여?
남 아주 멋져 보여. 왜 짧게 잘랐어?
여 미용사가 권했어. 그녀가 짧은 머리가 내게 어울릴 거라고 하더라고.
남 그녀가 옳았던 것 같아. 그게 굉장히 유행이거든.
여 고마워. 나는 내 긴 머리를 좋아했지만, 이 짧은 머리도 마음에 들어. 아주 시원하고 가벼워.

M Sujin, you _____ your hair cut.

W Yes, I did. How does _____ _____?

M It looks very nice. Why did you have it cut short?
감각동사 look + 형용사 보어   정답 근거

W The hairdresser recommended it to me. She said short hair
would look _____ _____ me.

M I think she was _____. It's very trendy.

W Thank you. I liked my _____ _____, but I like this
short hair, too. It _____ very cool and light.

Sound Tip **this short**
this의 끝소리 [s]와 short의 첫소리 [ʃ]가 이어져서 한 단어처럼 소리 난다.

02회

받아쓰기

17 그림 상황

다음 그림의 상황에 가장 적절한 대화를 고르시오.

① ② ③ ④ ⑤

① 여 이걸 네가 직접 요리했니?
　 남 응. 먹어 봐.
② 여 주문하시겠습니까?
　 남 네.
③ 여 너는 이 요리를 어떻게 만드는지 아니?
　 남 응. 내가 나중에 네게 요리법을 줄게.
④ 여 쿠키 맛이 어떠니?
　 남 나는 그것들을 아직 먹어 보지 않았어.
⑤ 여 좀 더 먹을래?
　 남 아니, 괜찮아요. 배불러요.

① W　Did you cook this _____?
　 M　Yes, I did. Please try it.

② W　Would you _____ _____ order?
　 M　Yes, please.

③ W　Do you know how to make this dish?
　 M　Yes. I'll give you the recipe _____.

④ W　How do the cookies taste?
　 M　I _____ _____ them yet.
　　　　　　　　　아직

⑤ W　Would you like to have some _____?
　　　음식을 권하는 표현　　　　　　　정답 근거
　 M　No, thank you. I'm full.
　　　거절하는 표현

18 언급하지 않은 것 ②

대화를 듣고, 남자가 체험 학습에 대해 언급하지 않은 것을 고르시오.
① 장소　　　　② 참가 인원
③ 학습 내용　　④ 출발 시각
⑤ 집에 돌아오는 시각

남 안녕하세요, 여러분. 알다시피 내일은 우리 학교 체험 학습 날이에요. 우리는 파주에 갈 거고, 비무장지대와 몇몇 다른 장소를 방문할 거예요. 우리는 역사를 바탕으로 평화와 안보에 관해서 배울 거예요. 우리가 학교에서 7시에 출발할 거니까, 6시 30분까지는 학교에 와 주세요. 그리고 우리는 5시 정도에 집으로 돌아올 거예요. 좋습니다, 집에 가서 내일 체험 학습을 준비하세요.

M　Good afternoon, class. As you _____ know, tomorrow
　　　　　　　　　　　　　　　　　　　정답 근거
is our school field trip day. We are going to Paju, we'll
　　　　　　　체험 학습
visit the DMZ and _____ _____ places. We will
_____ _____ peace and security based on our
　　　　　　　　　　　　　　　　　　　　～에 근거하여
history. We'll _____ at 7 from school, so please come
to school by 6:30. And we'll _____ _____ home
around 5. Okay, let's go home and _____ _____ for
약, ~쯤
tomorrow's field trip.

19 이어질 말 ①

Man: _____

① That's alright.
② That sounds perfect.
③ I walk my dog every day.
④ I'm going to Jay's house.
⑤ Yes, I like taking a bus, too.

M Hey, Rachel. Are you _____ _____ a bus?

W Yes, I am.

M _____ bus will you take?

W I will take no. 1000.

M I'm going to take that one, too. Are you _____ _____?
   = no. 1000 (bus)

W No, I _____ walk home. I'm going to the _____
   부사로 쓰임
   _____ now. How about you?   🔑정답 근거

M I'm going to Jay's house.

남 안녕, Rachel. 너 버스 기다리고 있니?
여 응, 그래.
남 너는 무슨 버스 탈 건데?
여 나는 1000번 버스를 타려고.
남 나도 그거 탈 거야. 집에 가는 거야?
여 아니, 나는 보통 집에 걸어가. 지금은 영화관에 가는
    거야. 너는?
남 ④ 나는 Jay의 집에 가.

> 🔵 **Solution Tip**
> 여자가 가는 곳을 말한 다음 'How about you?'라고 물었으므로 남자는 자신이 어디에 가는지를 답
> 하는 것이 자연스럽다.

① 괜찮아.   ② 그거 완벽한데.
③ 나는 매일 내 개를 산책시켜.   ⑤ 응, 나도 버스 타는 거 좋아해.

20 이어질 말 ②

Man: _____

① Three times a week.
② I go swimming at 6 a.m.
③ The water is not that cold.
④ I'm not good at swimming.
⑤ My favorite sport is swimming.

W Did you _____ some weight?

M Yes, I did. I think _____ helps me lose weight.

W I didn't know you started swimming.
                    └ you 앞에 명사절을 이끄는 접속사 that 생략

M I _____ _____ last month.

W What time do you go swimming?

M I go before school. At _____.
                              🔑정답 근거

W Wow, you really are an _____ _____! How often do
   you go?

M Three times a week.

여 너 몸무게가 좀 줄었니?
남 응, 그랬어. 수영이 내가 몸무게를 줄이는 데 도움이
    되는 것 같아.
여 네가 수영을 시작한 줄 몰랐는걸.
남 지난달에 시작했어.
여 너는 언제 수영하러 가니?
남 나는 학교 가기 전에 가. 6시에.
여 와, 너 진짜 부지런하다! 얼마나 자주 가니?
남 ① 일주일에 세 번.

② 나는 오전 6시에 수영하러 가.   ③ 물이 그렇게 차갑지 않아.
④ 나는 수영을 잘하지는 않아.   ⑤ 내가 가장 좋아하는 운동은 수영이야.

모의고사를 먼저 풀고 싶으면 42쪽으로 이동하세요.

🎧 다음 표현을 듣고 모르는 것에 표시하시오.

- [ ] 01 **fortunately** 다행히도
- [ ] 02 **turn** 차례, 순번
- [ ] 03 **seasonal** 계절의, 제철의
- [ ] 04 **quantity** 양
- [ ] 05 **effect** 효과
- [ ] 06 **recover** 회복하다
- [ ] 07 **turn into** ~으로 바뀌다
- [ ] 08 **short-sleeved** 반팔의
- [ ] 09 **underneath** ~의 아래에
- [ ] 10 **defender** 수비수
- [ ] 11 **referee** 심판
- [ ] 12 **prepare** 준비하다
- [ ] 13 **bleed** 피를 흘리다
- [ ] 14 **earthquake** 지진
- [ ] 15 **music** 악보
- [ ] 16 **science fiction** 공상 과학
- [ ] 17 **tip** 조언
- [ ] 18 **treat** 대접하다
- [ ] 19 **keep calm** 침착함을 유지하다
- [ ] 20 **confirm** 확인하다
- [ ] 21 **paperfolding** 종이접기
- [ ] 22 **arts and crafts** (수)공예
- [ ] 23 **adult** 성인
- [ ] 24 **sweep** 쓸다

- [ ] 25 **striped** 줄무늬가 있는
- [ ] 26 **allowance** 용돈
- [ ] 27 **scar** 흉터
- [ ] 28 **available** 구할 수 있는
- [ ] 29 **empty** 비우다
- [ ] 30 **replace** 교체하다
- [ ] 31 **Never mind.** 괜찮아.
- [ ] 32 **vertical** 세로의, 수직의
- [ ] 33 **succeed** 성공하다
- [ ] 34 **participate in** ~에 참가하다
- [ ] 35 **horizontal** 가로의, 수평의
- [ ] 36 **performance** 연기, 행위
- [ ] 37 **first-aid kit** 구급상자
- [ ] 38 **hurt** 다치다
- [ ] 39 **director** 감독
- [ ] 40 **judgement** 판단, 심판
- [ ] 41 **appreciate** 감사하다

📒 알아두면 유용한 선택지 **어휘**

- [ ] 42 **title** 제목
- [ ] 43 **striker** (축구의) 공격수
- [ ] 44 **manager / coach** (스포츠 팀의) 감독
- [ ] 45 **dress code** 복장 규정
- [ ] 46 **business hours** 영업시간

🎧 들으면서 표현을 완성한 다음, 뜻을 고르시오.

표현의 의미를 생각하며 다시 써 보기!

01 tu☐n　　☐ 차례　　☐ 맞추다

→

02 quan☐ity　　☐ 질　　☐ 양

→

03 de☐ender　　☐ 공격수　　☐ 수비수

→

04 hu☐t　　☐ 다치다　　☐ 놀리다

→

05 ☐dult　　☐ 성인　　☐ 아동

→

06 h☐rizontal　　☐ 가로의　　☐ 세로의

→

07 rec☐ver　　☐ 가리다　　☐ 회복하다

→

08 season☐l　　☐ 제철의　　☐ 양념의

→

09 ☐ucceed　　☐ 성공하다　　☐ 실패하다

→

10 tr☐at　　☐ 만들다　　☐ 대접하다

→

11 confi☐m　　☐ 확인하다　　☐ 고민하다

→

12 r☐place　　☐ 교체하다　　☐ 선택하다

→

13 re☐eree　　☐ 심판　　☐ 응원단

→

14 allo☐ance　　☐ 자격　　☐ 용돈

→

15 ava☐lable　　☐ 구할 수 있는　　☐ 재활용할 수 있는

→

16 ble☐d　　☐ 기침을 하다　　☐ 피를 흘리다

→

17 ju☐gement　　☐ 판단　　☐ 추측

→

18 appre☐iate　　☐ 오해하다　　☐ 감사하다

→

03회

영역

실전 모의고사 [03]회

실전 모의고사 03회 →
모의고사 보통 속도
모의고사 빠른 속도

✎ 들으면서 주요 표현 메모하기!

01 다음을 듣고, 월요일의 날씨로 가장 적절한 것을 고르시오.

①   ②   ③   ④   ⑤

   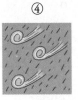

02 대화를 듣고, 남자가 구입할 셔츠로 가장 적절한 것을 고르시오.

①   ②   ③   ④   ⑤

03 대화를 듣고, 두 사람이 영화에 대해 언급하지 <u>않은</u> 것을 고르시오.
① 제목   ② 감독   ③ 장르   ④ 특수 효과   ⑤ 상영 시간

04 대화를 듣고, 남자가 어제 한 일로 가장 적절한 것을 고르시오.
① 독서하기   ② 공예 수업 듣기   ③ 할머니 댁 방문하기
④ 종이접기   ⑤ 과자 만들기

05 대화를 듣고, 두 사람이 대화하는 장소로 가장 적절한 곳을 고르시오.
① 비행기 안   ② 공항   ③ 등산로   ④ 기차 안   ⑤ 놀이공원

06 대화를 듣고, 여자의 마지막 말의 의도로 가장 적절한 것을 고르시오.
① 칭찬　　　　② 불평　　　　③ 거절　　　　④ 감사　　　　⑤ 위로

07 대화를 듣고, 남자가 축구 경기에서 맡을 역할로 가장 적절한 것을 고르시오.
① 골키퍼　　　② 수비수　　　③ 공격수　　　④ 심판　　　　⑤ 감독

08 대화를 듣고, 여자가 대화 직후에 할 일로 가장 적절한 것을 고르시오.
① 화분 옮기기　　　　② 화분에 물 주기　　　　③ 병원에 가기
④ 청소하기　　　　　⑤ 구급상자 가져오기

09 다음을 듣고, 남자가 노래 연습에 대해 언급하지 <u>않은</u> 것을 고르시오.
① 모이는 장소　　　　② 복장 규정　　　　③ 모이는 시각
④ 연습곡　　　　　　⑤ 준비물

10 다음을 듣고, 여자가 하는 말의 내용으로 가장 적절한 것을 고르시오.
① 영업시간 안내　　　② 영화 상영 안내　　　③ 특별 공연 안내
④ 할인 행사 안내　　　⑤ 신제품 판매 안내

✎ 들으면서 주요 표현 메모하기!

03회 실전 모의고사

틀린 문제는 Dictation에서
완벽하게 이해하세요!

실전 모의고사 [03]회

11 대화를 듣고, 슈퍼 콘서트에 대한 내용으로 일치하지 <u>않는</u> 것을 고르시오.

① 인터넷에서만 티켓을 판매한다. ② 티켓 가격은 10만 원 정도이다.

③ 콘서트 장소는 서울운동장이다. ④ 콘서트는 두 달 후에 열린다.

⑤ 콘서트는 저녁 7시에 시작한다.

12 대화를 듣고, 남자가 샌드위치를 만드는 목적으로 가장 적절한 것을 고르시오.

① 친구에게 주기 위해서 ② 용돈을 아끼기 위해서

③ 축제 때 판매하기 위해서 ④ 오늘 점심으로 먹기 위해서

⑤ 새로운 조리법을 고안하기 위해서

고난도 메모하며 듣기

13 대화를 듣고, 두 사람이 만날 시각을 고르시오.

① 10:00 a.m. ② 12:00 p.m. ③ 1:30 p.m.

④ 2:00 p.m. ⑤ 5:00 p.m.

14 대화를 듣고, 두 사람의 관계로 가장 적절한 것을 고르시오.

① 엄마 – 아들 ② 식당 직원 – 손님 ③ 택배 기사 – 고객

④ 미술 교사 – 학생 ⑤ 요리사 – 취재 기자

15 대화를 듣고, 여자가 남자에게 부탁한 일로 가장 적절한 것을 고르시오.

① 창문을 닫을 것 ② 책상을 옮길 것

③ 교실 바닥을 쓸 것 ④ 교실 문을 잠글 것

⑤ 쓰레기통을 비울 것

16 대화를 듣고, 남자가 버스를 타지 못한 이유로 가장 적절한 것을 고르시오.

① 늦잠을 자서　　　　　　② 버스 요금이 없어서
③ 버스 번호를 착각해서　　④ 버스 정류장이 너무 멀어서
⑤ 버스 정류장을 찾기 힘들어서

✎ 들으면서 주요 표현 메모하기!

17 다음 그림의 상황에 가장 적절한 대화를 고르시오.

①　　　　②　　　　③　　　　④　　　　⑤

18 다음을 듣고, 여자가 지진 발생 시 행동요령으로 언급하지 <u>않은</u> 것을 고르시오.

① 실내에 있을 경우 책상 밑으로 대피하라.
② 밖에 있을 경우 건물과 거리를 유지하라.
③ 떨어질 수 있는 물체와 거리를 유지하라.
④ 지진이 끝날 때까지 움직이지 마라.
⑤ 지진이 끝나면 건물 안으로 대피하라.

[19-20] 대화를 듣고, 남자의 마지막 말에 이어질 여자의 말로 가장 적절한 것을 고르시오.

19 Woman: _____

① Okay. I will.
② That's too bad.
③ Congratulations!
④ I didn't mean that.
⑤ There was nobody with me.

20 Woman: _____

① Good luck!
② It's been a week.
③ How are you doing?
④ It doesn't hurt anymore.
⑤ It will take about two weeks.

틀린 문제는 Dictation에서 완벽하게 이해하세요!

01 날씨
*들을 때마다 체크

다음을 듣고, 월요일의 날씨로 가장 적절한 것을 고르시오.

① ② ③
④ ⑤

남 안녕하십니까. 주간 날씨 예보입니다. 큰 눈보라가 가까이 다가오고 있어서, 이번 주에 폭설이 예상됩니다. 월요일에는 맑겠지만, 화요일에 눈이 시작되겠습니다. 눈은 주중 내내 계속되다가 금요일에 비로 바뀌겠습니다. 주말 동안은 구름이 끼고 바람이 불겠습니다.

M Hello. This is the _____ weather report. A big snowstorm is _____ _____, so a huge snowfall is expected this week. It'll be sunny on Monday, but the

정답 근거

예상되다, 예측되다

snow will _____ on Tuesday. It will continue through

= The snow

the week and _____ _____ rain on Friday. It will be cloudy and _____ during the weekend.

02 그림 묘사

대화를 듣고, 남자가 구입할 셔츠로 가장 적절한 것을 고르시오.

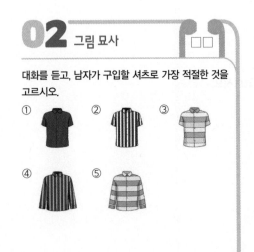

① ② ③
④ ⑤

여 도와드릴까요?
남 저는 반팔 셔츠를 사고 싶어요.
여 이 줄무늬 셔츠는 어떠세요?
남 저는 가로줄 무늬보다 세로줄 무늬가 더 좋아요.
여 여기 세로줄 무늬가 있는 것이 있어요.
남 이것이 좋네요. 살게요.

W How may I help you?

정답 근거

M I'd like to _____ a short-sleeved shirt.

W How about this _____ shirt?

M I like vertical stripes _____ _____ horizontal stripes.

W Here we have one with _____ stripes.

= a (short-sleeved) shirt

M This is perfect. I'll _____ it.

Dictation 03회→
전체 듣기
문항별 듣기

Dictation의 효과적인 활용법
STEP1 들으면서 대본의 빈칸 채우기
STEP2 축쇄 문제를 보며 다시 풀어 보기
STEP3 해석을 보며 영어로 말하거나 영작해 보기

공부한 날   월   일

03 언급하지 않은 것 ①

대화를 듣고, 두 사람이 영화에 대해 언급하지 <u>않은</u> 것을 고르시오.
① 제목 　　② 감독 　　③ 장르
④ 특수 효과 　　⑤ 상영 시간

남 Lindsay, 너 어제 뭐 했니?
여 여동생과 영화 보러 갔었어.
남 아, 너 Mike Anderson의 신작 영화를 봤구나, 그렇지?
여 응, 그는 내가 좋아하는 감독 중 한 명이잖아.
남 영화는 어땠니?
여 좋은 공상 과학 영화였어. 특수 효과가 훌륭했고, 배우들 연기도 흥미로웠어.
남 얼마나 길어?
여 80분밖에 안 돼.
남 오, 그럼 오늘 밤에 보러 가야겠다.

M Lindsay, what did you do yesterday?

W I went to _____ _____ with my sister.

M Oh, you saw Mike Anderson's new movie, right?
🔑정답 근거

W Yes, he is _____ _____ my favorite directors.

M _____ was the movie?

W It was a good _____ _____ movie. The special effects were _____, and the actors' performances were interesting.

M _____ _____ was it?

W It was _____ 80 minutes long.
~ minutes long: ~분 길이

M Oh, then I'm going to see it tonight.

03회

받아쓰기

04 과거에 한 일

대화를 듣고, 남자가 어제 한 일로 가장 적절한 것을 고르시오.
① 독서하기 　　　② 공예 수업 듣기
③ 할머니 댁 방문하기 　④ 종이접기
⑤ 과자 만들기

남 너 어제 뭐 했니?
여 할머니 생신 파티 준비를 했어. 난 쿠키와 머핀을 많이 구웠어. 너는?
남 나는 지역 문화 센터에서 Baker 선생님의 공예 수업을 들었어.
여 뭔가 만들었니?
남 나무 책갈피를 만들었어. 봐! 이게 내가 만든 거야.
여 와. 이거 멋지다. 나도 공예를 좋아해.
남 다음 토요일에는 종이접기 수업이 있을 거야. 원한다면 나랑 같이 가도 돼.

M What did you do yesterday?

W I _____ for my grandmother's birthday party. I _____ lots of cookies and muffins. What about you?

M I attended Mr. Baker's arts and crafts class at the _____ _____.
공예 🔑정답 근거

W Did you make something?

M I made a _____ bookmark. Look! This is what I made.

W Wow. This is good. I like arts and crafts, too.
what은 선행사를 포함하는 관계대명사로 쓰였다.

M _____ _____ a paperfolding class next Saturday.
⚓함정 주의
You can come with me _____ _____ _____.

05 장소

대화를 듣고, 두 사람이 대화하는 장소로 가장 적절한 곳을 고르시오.
① 비행기 안　② 공항　③ 등산로
④ 기차　⑤ 놀이공원

남 실례합니다만, 당신이 제 좌석에 앉아 계신 것 같습니다.
여 정말요? 저는 풍경 보는 걸 좋아해서 항상 창가 자리를 예약하는데요.
남 제 티켓에 24C라고 되어 있어요.
여 아, 당신 말이 맞아요. 제가 실수를 한 게 분명해요. 죄송합니다.
남 좌석 바꿔 드리는 건 상관없어요. 사실 전 통로 좌석을 더 좋아하거든요.
여 아, 그러세요? 그렇게 해 주시면 좋겠어요. 킬리만자로산 위를 비행할 거라 위에서 그 산을 보고 싶었어요.
남 그렇게 하죠.

M　Excuse me, but I think you're in my seat.

W　Are you sure? I always _____ the window seat because
　　　　　　　　　　　　　　　　　　창 쪽 좌석
I love _____ _____.

M　On my ticket, it says 24C.

W　Oh, you're right. I _____ _____ _____ a mistake.
Sorry about that.
　　　= 착각해서 남자의 자리에 앉은 일

M　I don't mind _____ seats with you. I actually prefer the
aisle seat.
통로 쪽 좌석　　　　　　　　　　　　　　　　　　🎸 정답 근거

W　Oh, really? That would be great. We'll be flying over
　　　　　　　= 자리를 바꿔 주는 일
Mount Kilimanjaro and I was hoping to see it from
　　　　　　　　　　　　　　　　　　　　　　= Mount Kilimanjaro
_____ _____.

M　No problem.

Solution Tip

창 쪽 좌석과 통로 쪽 좌석이 있는 것으로 보아 기차, 버스, 비행기 등의 교통수단 안에서 대화하는 것을 알 수 있다. '산 위를 비행할' 것이라는 여자의 말로 보아 비행기 안의 상황이다.

06 말의 의도

대화를 듣고, 여자의 마지막 말의 의도로 가장 적절한 것을 고르시오.
① 칭찬　② 불평　③ 거절
④ 감사　⑤ 위로

여 이건 정말로 맛있는 음식이네요.
남 마음에 드세요?
여 네. 이렇게 맛있는 것은 한 번도 먹어 본 적이 없어요.
남 마음에 든다니 정말 기쁩니다. 그건 제 특별 요리 중 하나거든요.
여 저를 잘 대접해 주셔서 감사합니다. 두 그릇을 다 먹었어요.
남 충분히 만들었어요. 좀 더 드세요.
여 아니요, 괜찮습니다. 배가 너무 불러요.

W　This is _____ _____ food.

M　Do you like it?

W　Yes. I've _____ tasted anything as delicious as this.
경험의 의미를 나타내는 현재완료　　　「as+형용사 원급+as」: ~만큼 …한

M　I'm very happy you like it. It is one of my special dishes.

W　Thank you for _____ me well. I've finished my second
helping.
한 번에 제공되는 양, 1인분 또는 한 그릇

M　I've made _____ of it. Please have _____ _____.
　　　　　　　　　　　　　　🎸 정답 근거

W　No, thank you. I'm too full.
거절할 때 쓰는 표현

07 세부 정보 □□

대화를 듣고, 남자가 축구 경기에서 맡을 역할로 가장 적절한 것을 고르시오.
① 골키퍼   ② 수비수   ③ 공격수
④ 심판   ⑤ 감독

W Dave, are you going to the soccer game tomorrow?

M Am I going? Sure. I'm participating _____ _____.

W Oh, are you a player in tomorrow's game? What _____ do you play?

M **함정 주의** 작년 일임에 주의한다.
I was a defender and a _____ last year, but I am not
수비수
playing this year.

W Then how are you _____?

M I'm going to be a referee of the game.   **정답 근거**

W You have a very _____ _____. It would be hard to
make a _____ judgement.
It이 가주어이고, to부정사구가
진주어인 구조이다.

M It is, but _____ _____ my best.

여 Dave, 너 내일 축구 경기에 갈 거니?
남 내가 가냐고? 물론이지. 나는 경기에 참가해.
여 아, 너 내일 경기의 선수니? 무슨 역할로 뛰는데?
남 나는 작년에는 수비수와 골키퍼였지만, 올해는 뛰지 않아.
여 그럼 어떻게 참가하는데?
남 나는 경기의 심판을 할 거야.
여 아주 중요한 역할을 맡는구나. 공정한 판단을 내리기가 쉽지 않을 것 같아.
남 맞아, 하지만 나는 최선을 다할 거야.

03회 | 받아쓰기

08 바로 할 일 □□

대화를 듣고, 여자가 대화 직후에 할 일로 가장 적절한 것을 고르시오.
① 화분 옮기기   ② 화분에 물 주기
③ 병원에 가기   ④ 청소하기
⑤ 구급상자 가져오기

W Are you busy now?

M _____ _____. What's up, Mom?

W I have to move these pots _____ and water them. Can
have to+동사원형: ~해야 한다
you help me?

M Of course. _____ _____ these?
= these pots

W Yes. _____ _____. They are very heavy.

M Don't worry. (*Pause*) Oh my! I dropped this pot and
_____ _____. I'm so sorry.

W Never mind. Oh, your foot is bleeding! I'll go get a first-   **정답 근거**
괜찮아., 신경 쓰지 마.
aid kit.
구급상자 (first aid: 응급 처치)

여 너 지금 바쁘니?
남 그렇진 않아요. 무슨 일이에요, 엄마?
여 이 화분들을 밖으로 옮겨서 물을 주어야 해. 나를 도와줄 수 있니?
남 물론이죠. 이것들 전부요?
여 응. 조심해. 아주 무거워.
남 걱정하지 마세요. (…) 이런! 이 화분을 떨어트려서 깨뜨렸어요. 정말 죄송해요.
여 괜찮아. 아, 네 발에서 피가 나! 내가 구급상자를 가져올게.

🔊 **Sound Tip** dropped this
dropped[dra:pt]의 끝소리와 this[ðɪs]의 첫소리가 연결되어 [t]는 거의 소리 나지 않는다.

09 언급하지 않은 것 ②

다음을 듣고, 남자가 노래 연습에 대해 언급하지 <u>않은</u> 것을 고르시오.

① 모이는 장소　　② 복장 규정
③ 모이는 시각　　④ 연습곡
⑤ 준비물

여 저기, 민수야. 우리 내일 노래 연습이 있다고 들었는데.
남 응. 우리 내일 음악실에서 연습해.
여 언제 시작하니?
남 오전 10시에 시작할 거야.
여 무슨 노래를 연습할 거야?
남 우리는 〈고향의 봄〉을 연습할 거야. 악보 가지고 오는 것 잊지 마.
여 잊지 않을게. 내일 봐.
남 그래. 내일 보자.

W　Hey, Minsu. I heard we have _____ _____ tomorrow.

M　Yes. We will practice in the _____ _____ tomorrow. 🎸정답 근거

W　When does it _____?

M　It will start at 10 a.m.

W　_____ _____ are we going to practice?

M　We're going to practice *Spring in My Hometown*. Don't forget to bring the music with you.

W　I _____ _____. See you tomorrow.

M　Okay. See you tomorrow.

🔄 Solution Tip
① 모이는 장소: 음악실 ③ 모이는 시각: 내일 오전 10시 ④ 연습곡: 〈고향의 봄〉 ⑤ 준비물: 악보

10 담화 화제

다음을 듣고, 여자가 하는 말의 내용으로 가장 적절한 것을 고르시오.

① 영업시간 안내　　② 영화 상영 안내
③ 특별 공연 안내　　④ 할인 행사 안내
⑤ 신제품 판매 안내

여 안녕하세요, 쇼핑객 여러분. 특별 주간 행사의 일부로, 곧 과일 코너에서 할인을 시작합니다. 사과, 포도, 배 등의 신선한 제철 과일들이 30% 할인될 것입니다. 양이 제한되어 있으니 저희 과일 코너로 서둘러 와 주세요. 내일은 해산물 할인이 있겠습니다. 저희와 함께 즐겁게 쇼핑하시기 바랍니다.

W　Good evening, shoppers. As a _____ of our Special Week Event, we will soon start a _____ on the fruit 🎸정답 근거 section. Fresh seasonal fruits like apples, grapes, pears, ~와 같은 (뒤에 예시가 나옴) and _____ _____ will be on a _____ percent discount. Quantities are limited, so please _____ to our fruit corner. Tomorrow, we are going to have a discount _____ _____. We hope you _____ shopping with us.

11 일치하지 않는 것

대화를 듣고, 슈퍼 콘서트에 대한 내용으로 일치하지 **않는** 것을 고르시오.
① 인터넷에서만 티켓을 판매한다.
② 티켓 가격은 10만 원 정도이다.
③ 콘서트 장소는 서울운동장이다.
④ 콘서트는 두 달 후에 열린다.
⑤ 콘서트는 저녁 7시에 시작한다.

남 너 오늘 밤에 슈퍼 콘서트 티켓을 예매할 거야?
여 응, 그럴 거야. 인터넷에서만 티켓을 예약할 수 있어서, PC방에 갈 거야.
남 티켓이 얼마니?
여 아주 비싸, 10만 원 정도야. 나는 두 달 동안 용돈을 모았어.
남 와. 너 정말 가고 싶었구나. 콘서트는 어디에서 언제 해?
여 11월 8일 금요일 저녁 7시에 서울운동장에서 해.
남 너 아주 신나 보인다. 티켓 사는 것 성공길 바라.
여 고마워. 나도 그러면 좋겠어.

M Will you _____ the ticket for Super Concert tonight?

W Yes, I will. The tickets are available _____ _____ the
   구할 수 있는, 이용 가능한   🎵정답 근거
   Internet, so I'll go to an Internet cafe.

M How much is a ticket?

W It's very expensive, around 100,000 won. I've saved my
   계속의 의미를 나타내는
   allowance for _____ _____.   현재완료

M Wow. You really _____ _____ go. Where and when
   is the concert?

W It's at Seoul Stadium, at _____ p.m. on November 8th,
   Friday.

M You seem very excited. I hope you _____ _____
   getting a ticket.

W Thank you. I hope so, too.

12 목적

대화를 듣고, 남자가 샌드위치를 만드는 목적으로 가장 적절한 것을 고르시오.
① 친구에게 주기 위해서
② 용돈을 아끼기 위해서
③ 축제 때 판매하기 위해서
④ 오늘 점심으로 먹기 위해서
⑤ 새로운 조리법을 고안하기 위해서

여 너 샌드위치 만드는 거야?
남 응. 이것들이 어때 보여?
여 꽤 맛있어 보여. 오늘 점심으로 먹을 거니?
남 아니, 나는 학교 축제에서 이것들을 팔 거야.
여 아, 너 요리 동아리구나.
남 응, 맞아. 거기서 내가 이 달걀 참치 샌드위치 만드는 법을 배웠어.
여 모두 네 샌드위치를 좋아할 거야. 그런데, 너 많이 만들었다. 내가 하나 먹어 봐도 되니?
남 물론이지. 여기 있어.

W Are you making sandwiches?

M Yes. How do these look?

W They look pretty good. Are you going to have them
   look+형용사: ~하게 보이다   = the sandwiches
   _____ _____ today?

M No, I'm going to _____ _____ at the school festival.
                                              🎵정답 근거

W Oh, you are in the cooking club.

M Yes, I am. There I learned _____ _____ _____
   this egg tuna sandwich.

W Everybody will like your sandwiches. By the way,
   _____ _____ a lot. Can I _____ one?
                                         = a sandwich
M Of course. Here you are.

13 시각

대화를 듣고, 두 사람이 만날 시각을 고르시오.
① 10:00 a.m.   ② 12:00 p.m.
③ 1:30 p.m.   ④ 2:00 p.m.
⑤ 5:00 p.m.

여 Jake, 우리 이번 토요일에 영화 보러 가기로 한 거 기억하지?
남 물론. 몇 시에 만날까?
여 우리가 골랐던 영화가 오전 10시, 오후 2시, 그리고 오후 5시에 있더라. 첫 번째 것을 보는 게 어때?
남 그건 너무 이른 것 같아. 우리 1시 반에 만나서 2시 영화를 보지 않을래?
여 영화 보기 전에 같이 점심 먹는 게 어때?
남 좋은 생각이다. 그럼 극장 앞에서 정오에 만나자.
여 좋아. 거기에서 봐.

W   Jake, do you remember _____ _____ to a movie this Saturday?

M   Sure. What time shall we meet?
    shall we ~?: ~할래? (제안)

W   The movie we picked is at 10 a.m., 2 p.m., and 5 p.m. How about watching the _____ _____?
    함정 주의

M   I think it's too early. Why don't we meet at 1:30 and watch the movie at 2?

W   How about having lunch together _____ the movie?

M   That's a good idea. Then let's meet at noon _____
    정답 근거
    _____ _____ the theater.

M   Good. See you there.
    = in front of the theater

14 두 사람의 관계

대화를 듣고, 두 사람의 관계로 가장 적절한 것을 고르시오.
① 엄마 – 아들   ② 식당 직원 – 손님
③ 택배 기사 – 고객   ④ 미술 교사 – 학생
⑤ 요리사 – 취재 기자

(휴대 전화가 울린다.)
남 여보세요.
여 안녕하세요. Blue Marine 레스토랑입니다. Gordon 씨 되십니까?
남 네.
여 예약을 확인하려고 전화 드렸습니다. 내일 오시는 건가요?
남 네, 갈 거예요. 6시 30분이었나요?
여 맞습니다. 일행이 어른 여섯, 아이 넷으로 열 명이시죠?
남 네. 지금 음식을 주문할 수 있나요? A 코스 여섯 개와 C 코스 네 개를 주문하고 싶은데요.
여 물론입니다. 6시 30분에 A 코스 여섯 개와 C 코스 네 개요. 도착하시는 시간까지 음식을 준비하겠습니다.

🇬🇧
📞 Cell phone rings.

M   Hello.

W   Hello. This is Blue Marine Restaurant. _____ this Mr.
    정답 근거
    Gordon?

M   Yes.

W   I'm calling to _____ your reservation. Will you come tomorrow?

M   Yes, _____ _____. Was it at 6:30?

W   That's right. Is your group 10 people, 6 _____ and 4 children?

M   Yes. Can we order food now? We'd like _____
    _____ 6 A courses and 4 C courses.

W   Sure. 6 A courses and 4 C courses at 6:30. We'll _____
    the food _____ by the time you arrive.
    ~한 시간까지

15 부탁한 일

대화를 듣고, 여자가 남자에게 부탁한 일로 가장 적절한 것을 고르시오.
① 창문을 닫을 것 ② 책상을 옮길 것
③ 교실 바닥을 쓸 것 ④ 교실 문을 잠글 것
⑤ 쓰레기통을 비울 것

남 Lucy, 빨리 와. 우리 지금 가야 해.
여 안 돼. 딱 5분만 기다려 줘.
남 왜 바닥을 쓸고 있는 거야?
여 나는 교실을 청소해야 해. 오늘이 내 차례야.
남 혼자 하니?
여 짝이 있는데, 그 애는 쓰레기통을 비우러 갔어.
남 그럼 내가 도와줄게. 책상과 의자를 옮길까?
여 그건 내가 할게. 창문을 닫아 줘.

M Lucy, come on. We should go now.
W I can't. _____ _____ me just for five minutes please.
M Why are you sweeping _____ _____?
W I have to clean up the classroom. It's my _____ today.
M Are you doing it alone?
　　= cleaning up the classroom
W I have a partner, and she went _____ _____ the trash can.
M Then let me help you. Should I _____ the desks and chairs? 🔖함정 주의
W I will do it. Please _____ the windows. 🔖정답 근거
　　= move the desks and chairs

16 이유

대화를 듣고, 남자가 버스를 타지 못한 이유로 가장 적절한 것을 고르시오.
① 늦잠을 자서
② 버스 요금이 없어서
③ 버스 번호를 착각해서
④ 버스 정류장이 너무 멀어서
⑤ 버스 정류장을 찾기 힘들어서

여 이제 오는구나, Andrew. 너 왜 늦었니?
남 버스를 놓쳤어. 그래서 지하철을 타러 갔는데, 지하철 역이 버스 정류장에서 너무 멀었어.
여 버스를 왜 놓쳤어? 늦게 일어났니?
남 아니, 버스를 잘못 탔어. 101번을 타야 하는데 201번을 타야 한다고 생각한 거야.
여 괜찮아. 아무튼 왔잖아.
남 이해해 줘서 고마워.
여 여기를 찾는 것은 힘들지 않았니?
남 아니, 그건 쉬웠어.

W You're finally here, Andrew. Why are you _____?
M I missed the bus. So I went to take the subway, and the subway station was _____ _____ _____ the bus stop.
W Why did you _____ the bus? Did you get up late? 🔖함정 주의
M No, I took the wrong bus. I thought I should take no. 201 when I _____ _____ _____ no. 101. 🔖정답 근거
W It's okay. You've come anyway.
　　결과를 나타내는 현재완료
M Thank you for understanding.
W Wasn't it _____ to find the place?
　　가주어 it과 진주어 to부정사구로 이루어진 구조이다.
M No, it was easy.

> 💡 Sound Tip You've
> You have가 축약되어 [juːv]로 소리 난다. 모음을 길게 발음하도록 한다.

17 그림 상황

다음 그림의 상황에 가장 적절한 대화를 고르시오.

① ② ③ ④ ⑤

① 여 일주일 중에 네가 좋아하는 요일이 뭐야?
   남 나는 수요일을 가장 좋아해.
② 여 이 시계의 건전지를 교체해 주실 수 있나요?
   남 한번 볼게요.
③ 여 몇 시인가요?
   남 오후 3시 35분입니다.
④ 여 내 도움이 필요하면 언제든 전화해.
   남 정말 감사합니다.
⑤ 여 몇 시에 만날까?
   남 점심 이후에 만나자.

① **W** What is your _____ _____ of the week?
   M I like Wednesday best.

② **W** Can you _____ the battery of this watch?
   M I'll have a look.
   보다

③ **W** Do you have the time?
   몇 시인가요? (시각을 묻는 표현)
   M It is 3:35 p.m.

④ **W** Call me _____ if you need my help.
   조건을 나타내는 부사절을 이끄는 접속사
   M I really _____ that.

⑤ **W** What time shall we meet?
   M _____ _____ after lunch.

18 언급하지 않은 것 ③

다음을 듣고, 여자가 지진 발생 시 행동요령으로 언급
하지 않은 것을 고르시오.
① 실내에 있을 경우 책상 밑으로 대피하라.
② 밖에 있을 경우 건물과 거리를 유지하라.
③ 떨어질 수 있는 물체와 거리를 유지하라.
④ 지진이 끝날 때까지 움직이지 마라.
⑤ 지진이 끝나면 건물 안으로 대피하라.

W Here are some _____ for what to do if you're in an earthquake. If you are _____, get underneath a desk or ~의 아래에 a bed. This will _____ you from falling things. If you are _____, stay far away _____ buildings or things that can fall. Wherever you are, don't move until the earthquake is _____. Remember to _____ _____ and follow this advice, and you will be safe.

여 다음은 지진 발생 시 어떻게 해야 할지에 대한 조언입
   니다. 만약 당신이 실내에 있다면 책상이나 침대 밑으
   로 들어가십시오. 이렇게 하면 떨어지는 것들로부터
   당신을 보호할 수 있습니다. 밖에 있을 경우에는 건물
   이나 떨어질 수 있는 것에서 멀리 떨어지세요. 당신이
   어디에 있든 지진이 끝날 때까지 움직이지 마십시오.
   침착함을 유지해야 한다는 것을 명심하고 이 조언을
   따른다면 당신은 안전할 것입니다.

19 이어질 말 ①

Woman: _____

① Okay. I will.
② That's too bad.
③ Congratulations!
④ I didn't mean that.
⑤ There was nobody with me.

M Why did you stay up _____ _____ last night?

W I was studying _____ the exam.

M You stayed up too late. You need to get _____ _____, too.

W I know. It was a _____ _____ thing.

M I think it's better to get up _____ _____ to stay up
   가주어 it과 진주어 to부정사구로 이루어진 구조
   late. Please go to bed by 11 at the latest. 🎵정답 근거

W Okay. I will.

남 너 어젯밤에 왜 그렇게 늦게까지 깨어 있었니?
여 시험공부를 했어요.
남 너무 늦게까지 깨어 있었잖아. 충분히 자기도 해야 해.
여 알아요. 한 번만이었어요.
남 늦게까지 깨어 있는 것보다는 일찍 일어나는 것이 나을 것 같구나. 늦어도 11시에는 잠자리에 들렴.
여 ① 알았어요. 그럴게요.

② 그거 정말 안됐네요.　　　③ 축하해요!
④ 그런 뜻은 아니었어요.　　⑤ 아무도 저와 함께 있지 않았어요.

20 이어질 말 ②

Woman: _____

① Good luck!
② It's been a week.
③ How are you doing?
④ It doesn't hurt anymore.
⑤ It will take about two weeks.

M I _____ my face.

W How did you get hurt?

M I _____ _____ the stairs.

W Fortunately, this is not very _____.

M Will it leave a scar?

W If I take _____ _____ of it, it won't.
   = it won't leave a scar

M _____ _____ will it take to recover? 🎵정답 근거
   take: (시간이) ~ 걸리다

W It will take about two weeks.

남 제가 얼굴을 다쳤어요.
여 어떻게 다치셨어요?
남 계단에서 굴러떨어졌어요.
여 다행히도 그렇게 많이 심각하지는 않아요.
남 흉터가 남을까요?
여 제가 잘 치료하면, 그렇지 않을 거예요.
남 회복되는 데는 얼마나 오래 걸릴까요?
여 ⑤ 2주 정도 걸릴 거예요.

① 행운을 빌어요!　　　② 일주일 되었어요.
③ 어떻게 지내세요?　　④ 더 이상 아프지 않아요.

[VOCABULARY] 실전 모의고사 04회

어휘를 알아야 들린다

모의고사를 먼저 풀고 싶으면 58쪽으로 이동하세요.

🎧 다음 표현을 듣고 모르는 것에 표시하시오.

- 01 **national** 국내의, 국가의
- 02 **transfer** 갈아타다, 환승하다
- 03 **report** 신고하다
- 04 **area** 지역
- 05 **store** 저장하다, 비축하다
- 06 **hang** 걸다
- 07 **leave** 남기다
- 08 **abandoned** 버려진
- 09 **in detail** 자세히
- 10 **supply** 공급
- 11 **pleasant** 즐거운
- 12 **full-length** 전신의, 생략이 없는
- 13 **be about to** 곧 ~하다
- 14 **prescription** 처방전
- 15 **direction** 방향
- 16 **worth** ~의 가치가 있는
- 17 **mirror** 거울
- 18 **main actor** 주연 배우
- 19 **section** 구역
- 20 **eye drops** 안약
- 21 **make a detour** 돌아가다, 우회하다
- 22 **contact** 접촉하다, 연락하다
- 23 **accomplish** 성취하다
- 24 **necessary** 필요한

- 25 **drop off** 내려 주다
- 26 **get out** (차에서) 내리다
- 27 **write down** 적다
- 28 **care** 신경 쓰다
- 29 **water pipe** 수도관
- 30 **dweller** 거주자
- 31 **record** 기록
- 32 **digest** 소화하다
- 33 **shelter** 보호소
- 34 **routine** 정례적인
- 35 **maintenance** 점검
- 36 **as usual** 평소처럼
- 37 **crispy** 바삭바삭한
- 38 **sort** 분류하다
- 39 **share** 공유하다, 나누다
- 40 **consideration** 배려
- 41 **itchy** 가려운

알아두면 유용한 선택지 **어휘**

- 42 **calm** 침착한, 차분한
- 43 **cast** (연극·영화의) 출연자들
- 44 **hand mirror** 손거울
- 45 **break a record** 기록을 갱신하다
- 46 **librarian** 사서

🎧 들으면서 표현을 완성한 다음, 뜻을 고르시오.

표현의 의미를 생각하며 다시 써 보기!

01 trans☐er ☐ 갈아타다 ☐ 운전하다 ➔

02 rep☐rt ☐ 신고하다 ☐ 배달하다 ➔

03 in d☐tail ☐ 천천히 ☐ 자세히 ➔

04 a☐andoned ☐ 버려진 ☐ 해외로 ➔

05 wor☐h ☐ ~의 가치가 있는 ☐ 모험의 ➔

06 dig☐st ☐ 요리하다 ☐ 소화하다 ➔

07 su☐ply ☐ 수요 ☐ 공급 ➔

08 ple☐sant ☐ 피곤한 ☐ 즐거운 ➔

09 prescri☐tion ☐ 처방전 ☐ 보고서 ➔

10 d☐op ☐ff ☐ 줍다 ☐ 내려 주다 ➔

11 ☐ort ☐ 분류하다 ☐ 제작하다 ➔

12 se☐tion ☐ 도로 ☐ 구역 ➔

13 di☐ection ☐ 방향 ☐ 부탁 ➔

14 maint☐nance ☐ 점검 ☐ 보상 ➔

15 con☐ideration ☐ 배려 ☐ 구입 ➔

16 sha☐e ☐ 달리다 ☐ 공유하다 ➔

17 ☐ake a ☐etour ☐ 우회하다 ☐ 속력을 내다 ➔

18 itc☐y ☐ 차가운 ☐ 가려운 ➔

✎ 들으면서 주요 표현 메모하기!

01 다음을 듣고, 부산의 오늘 날씨로 가장 적절한 것을 고르시오.

① ② ③ ④ ⑤

02 대화를 듣고, 남자의 지금 모습으로 가장 적절한 것을 고르시오.

① ② ③ ④ ⑤

03 대화를 듣고, 남자의 심정으로 가장 적절한 것을 고르시오.
① shy   ② calm   ③ excited
④ nervous   ⑤ disappointed

04 대화를 듣고, 여자가 International Book Fair에서 한 일로 가장 적절한 것을 고르시오.
① 친구 만나기   ② 책 찾아주기   ③ 과학 보고서 쓰기
④ 책 분류하기   ⑤ 독후감 발표하기

05 대화를 듣고, 두 사람이 대화하는 장소로 가장 적절한 곳을 고르시오.
① 약국   ② 안과   ③ 편의점   ④ 경찰서   ⑤ 소방서

06 대화를 듣고, 남자의 마지막 말의 의도로 가장 적절한 것을 고르시오.
① 위로　　　　② 부탁　　　　③ 칭찬　　　　④ 거절　　　　⑤ 감사

✎ 들으면서 주요 표현 메모하기!

07 대화를 듣고, 여자가 내일 점심으로 준비할 음식으로 가장 적절한 것을 고르시오.
① 김밥　　　　　　　② 유부초밥　　　　　③ 과일
④ 샌드위치　　　　　⑤ 프라이드치킨

08 대화를 듣고, 여자가 대화 직후에 할 일로 가장 적절한 것을 고르시오.
① 독서하기　　　　　② 문 열기　　　　　③ 주소 고쳐 쓰기
④ 책 가지러 가기　　⑤ 책 배송하기

09 대화를 듣고, 여자가 자신이 본 뮤지컬에 대해 언급하지 <u>않은</u> 것을 고르시오.
① 제목　　　② 내용　　　③ 공연 시간　　　④ 주연 배우　　　⑤ 티켓 가격

10 다음을 듣고, 남자가 하는 말의 내용으로 가장 적절한 것을 고르시오.
① 공연 관람 안내　　　② 주차 방법 안내　　　③ 좌석 배치 안내
④ 공연 일정 안내　　　⑤ 공연 출연진 소개

틀린 문제는 Dictation에서
완벽하게 이해하세요!

실전 모의고사 [04]회

고난도 정보 파악하며 듣기

11 다음을 듣고, 정기 점검에 대한 내용으로 일치하지 <u>않는</u> 것을 고르시오.

① 사전에 고지된 점검이다.
② 수도관 정기 점검이다.
③ 점검은 내일 아침에 있을 예정이다.
④ 점검 시간 동안 수돗물 공급이 중단된다.
⑤ 관리 사무소에서 필요한 물을 공급받을 수 있다.

12 대화를 듣고, 여자가 마라톤 대회에 참가하는 목적으로 가장 적절한 것을 고르시오.

① 완주의 기쁨을 느끼기 위해서　　② 규칙적인 생활을 하기 위해서
③ 살을 빼기 위해서　　④ 한강의 경치를 보기 위해서
⑤ 자신의 기록을 갱신하기 위해서

13 대화를 듣고, 남자가 지불할 금액을 고르시오.

① $2　　② $3　　③ $4　　④ $5　　⑤ $6

14 대화를 듣고, 두 사람의 관계로 가장 적절한 것을 고르시오.

① 작가 – 독자　　② 교사 – 학생　　③ 경찰관 – 운전자
④ 서점 직원 – 고객　　⑤ 도서관 사서 – 이용자

15 대화를 듣고, 여자가 남자에게 부탁한 일로 가장 적절한 것을 고르시오.

① 유기견 입양 주선하기　　② 돈이나 물품 기부하기
③ 동물 보호소에 전화하기　　④ 웹 사이트 주소 알려 주기
⑤ 웹 사이트 방문하기

16 대화를 듣고, 여자가 저녁을 먹지 않는 이유로 가장 적절한 것을 고르시오.

① 배가 안 고파서   ② 배가 아파서   ③ 너무 피곤해서
④ 일찍 자야 해서   ⑤ 요리하기 싫어서

✎ 들으면서 주요 표현 메모하기!

17 다음 그림의 상황에 가장 적절한 대화를 고르시오.

①   ②   ③   ④   ⑤

18 대화를 듣고, 남자가 자신의 생일 파티에 대해 언급하지 <u>않은</u> 것을 고르시오.

① 파티 날짜   ② 파티 장소   ③ 파티 음식
④ 참석하는 사람   ⑤ 도착해야 할 시간

[19-20] 대화를 듣고, 남자의 마지막 말에 이어질 여자의 말로 가장 적절한 것을 고르시오.

19 Woman: _____

① Can I try these?
② That's my brother.
③ Those look very tasty.
④ They are my baby sister's.
⑤ Why don't you have a seat?

20 Woman: _____

① Anytime, please.
② It has a white cap.
③ I bought it at the gift shop.
④ My name is written on it.
⑤ Please call me at 030-2345-9876.

틀린 문제는 Dictation에서 완벽하게 이해하세요!

01 날씨

*들을 때마다 체크

다음을 듣고, 부산의 오늘 날씨로 가장 적절한 것을 고르시오.

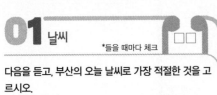

W Let's have a look at the _____ weather report. Rain clouds are _____ the whole country, except Jeju. Jeju
전국
is sunny today, but it has already _____ _____

_____ in some areas like Seoul and Daejeon. Gwangju

🔑정답 근거

and Busan are _____ today, but it will start _____

🐋함정 주의

tomorrow in these areas, too.

여 국내 일기 예보를 보겠습니다. 비구름이 제주를 제외한 전국을 덮고 있습니다. 제주는 오늘 화창하지만, 서울과 대전과 같은 몇몇 지역들에서는 이미 비가 내리기 시작했습니다. 광주와 부산은 오늘 구름만 끼었지만, 이 지역들에서도 내일은 비가 내리기 시작하겠습니다.

02 그림 묘사

대화를 듣고, 남자의 지금 모습으로 가장 적절한 것을 고르시오.

M Good afternoon. Can I see some _____, please?

W Sure. Here are the mirrors. _____ _____ of mirror do you want?

🔑정답 근거

M I want a square-shaped mirror.

W Are you going to _____ _____?

M No, I'll put it on the floor.

W How about this full-length mirror? It's square-shaped.

M Oh, I like it. I can see my _____ _____.
= the square-shaped full-length mirror

남 안녕하세요. 거울을 좀 볼 수 있을까요?
여 물론이죠. 여기 거울이 있어요. 어떤 종류의 거울을 원하세요?
남 저는 사각형의 거울을 원해요.
여 그것을 걸 건가요?
남 아니요, 바닥에 놓을 거예요.
여 이 전신 거울은 어떠세요? 사각형이에요.
남 오, 이거 마음에 드네요. 제 전신을 다 볼 수 있어요.

Dictation 04회 →
┌ 전체 듣기
└ 문항별 듣기

Dictation의 효과적인 활용법
STEP1 들으면서 대본의 빈칸 채우기
STEP2 축쇄 문제를 보며 다시 풀어 보기
STEP3 해석을 보며 영어로 말하거나 영작해 보기

공부한 날   월   일

03 심정 ▢▢

대화를 듣고, 남자의 심정으로 가장 적절한 것을 고르시오.
① shy   ② calm   ③ excited
④ nervous   ⑤ disappointed

여 있잖아, Tom. 방금 너의 삼촌에게서 이메일을 받았단다.
남 David 삼촌이요? 뭐라고 하셨어요?
여 그가 이번 여름 방학에 우리를 대만으로 초대했어.
남 그거 정말 굉장하네요! 우리 갈 수 있어요?
여 물론이지. 온 가족이 그를 방문할 거야.
남 믿을 수가 없어요. 우리 거기에 얼마나 오래 머물 거예요?
여 아직 확실히는 모르겠어. 아마 일주일 정도?
남 너무 기다려져요!

W Guess what, Tom. I _____ _____ _____ from your uncle just now.

M Uncle David? What did he say?

W He invited us to Taiwan this _____ _____.

M That's so amazing! Can we go?
= How amazing!

W Of course. _____ _____ _____ will visit him.

M I can't believe it. How long will we _____ _____?
믿을 수 없다. → 몹시 놀라운 일을 말할 때 쓰는 표현

W I'm not sure yet. Maybe about _____ _____?

M I can't wait!
기다릴 수 없다! → 몹시 기대되는 일을 말할 때 쓰는 표현

🔈 **Sound Tip** invited us
자음 [d]로 끝나는 invited와 모음 [ʌ]로 시작하는 us가 연결되어 한 단어처럼 발음된다.

04 과거에 한 일 ▢▢

대화를 듣고, 여자가 International Book Fair에서 한 일로 가장 적절한 것을 고르시오.
① 친구 만나기   ② 책 찾아주기
③ 과학 보고서 쓰기   ④ 책 분류하기
⑤ 독후감 발표하기

남 Jane, 너 피곤해 보인다. 너 어제 뭐 했니?
여 국제도서전시회에서 봉사 활동을 했어.
남 정말? 나도 거기 가서 책을 좀 샀는데 너를 못 봤어.
여 아마 내가 전시회 전에 책을 분류했기 때문일 거야.
남 아, 나는 네가 사람들이 책을 찾는 것을 도왔을 거라고 생각했어.
여 사실은, 나는 도서전이 시작하기 전에 일을 많이 하고 떠났어.
남 그랬구나. 좀 쉬었니?
여 과학 보고서를 마쳐야 해서, 충분히 쉴 수가 없었어.

M Jane, you look _____. What did you do yesterday?

W I did _____ work at the International Book Fair.
국제 도서 전시회

M Really? I also _____ _____ and bought some books, but I didn't see you.

W Maybe because I sorted the books _____ the fair.

M Oh, I thought you had helped people _____ _____.

W Actually, I worked a lot and _____ before the fair began.

M I see. Did you get some rest?
= take a rest

W I _____ _____ _____ my science report, so I couldn't get _____ rest.

05 장소

대화를 듣고, 두 사람이 대화하는 장소로 가장 적절한 곳을 고르시오.

① 약국　　② 안과　　③ 편의점
④ 경찰서　⑤ 소방서

W How can I help you?

M Please have a look at this. My eyes are really _____. They are very itchy, too.
　　　　　　　　　　　가려운

W It seems that you have eye trouble. It looks serious.

M Do you have good _____ for this?

W We do have _____ _____, but I think you should go to see a doctor first.

M Do you think so? Then I will go to the doctor right now.
　= I should go to see a doctor first

W Please _____ _____ with a doctor's prescription. Then I'll give you the _____ _____.
　　　　　　　　　　　　　　　　의사의 처방전

M Okay. Thank you.

여 어떻게 도와드릴까요?
남 여기를 좀 봐 주세요. 제 눈이 정말 빨갛게 되었어요. 아주 가렵기도 해요.
여 눈병이 생긴 것 같아요. 심각해 보이는데요.
남 여기 좋은 약이 있으세요?
여 안약이 있기는 하지만, 먼저 진찰을 받으러 가셔야 할 것 같아요.
남 그렇게 생각하세요? 그럼 바로 병원에 갈게요.
여 의사의 처방전을 가지고 오세요. 맞는 약을 드릴게요.
남 네. 감사합니다.

06 말의 의도

대화를 듣고, 남자의 마지막 말의 의도로 가장 적절한 것을 고르시오.

① 위로　　② 부탁　　③ 칭찬
④ 거절　　⑤ 감사

W Hey, Andrew! _____ are you going?

M Good afternoon, Ms. Crook. I'm going to the City Library.

W I'm going in _____ _____ direction. Do you want _____ _____?

M Where are you going?

W I'm going to Bailey Park.

M It's _____ _____ in the same direction.

W That's okay. The library is too far to walk. I can make a little detour.
make a detour: 우회하다, 돌아가다

M Thank you _____ _____, but please give me a ride next time.
　　　　　　　　　　　　　　　　　　　give ~ a ride: ~를
　　　　　　　　　　　　　　　　　　　차로 태워 주다

여 얘, Andrew! 너 어디 가니?
남 안녕하세요, Crook 아주머니. 저는 시립 도서관에 가요.
여 나도 같은 방향으로 가. 태워 줄까?
남 어디 가시는데요?
여 나는 Bailey 공원에 가.
남 거기는 정확히 같은 방향은 아닌데요.
여 괜찮아. 도서관이 걸어가기에는 너무 멀잖니. 내가 조금 돌아가면 돼.
남 물어봐 주셔서 감사하지만, 다음에 태워 주세요.

07 세부 정보

대화를 듣고, 여자가 내일 점심으로 준비할 음식으로 가장 적절한 것을 고르시오.
① 김밥　　② 유부초밥　　③ 과일
④ 샌드위치　　⑤ 프라이드치킨

M Our picnic is tomorrow.

W Yes. I'm ＿＿＿＿ ＿＿＿＿. What are you going to put in your lunchbox?

└→ 여자가 질문한 내용
(도시락에 무엇을 넣을 것인지)

M Well, I'm still ＿＿＿＿ about it.

W Why don't you bring *yubu chobap* and fruit? ＿＿＿＿ ＿＿＿＿.

M That's a great idea. ＿＿＿＿ ＿＿＿＿ ＿＿＿＿ eat sandwiches, too. Can you bring some?
= some sandwiches

W I had sandwiches for lunch today, so ＿＿＿＿ ＿＿＿＿ 🔑정답 근거 fried chicken? I know how to ＿＿＿＿ perfect crispy fried chicken.

M That sounds wonderful!

남　우리 소풍이 내일이네.
여　응. 난 정말 신나. 너는 도시락에 뭘 넣을 거야?
남　글쎄, 아직 생각 중이야.
여　유부초밥이랑 과일을 가져오지 않을래? 나눠 먹자.
남　그거 좋은 생각이다. 나는 샌드위치도 먹고 싶어. 네가 가져올 수 있니?
여　내가 오늘 점심으로 샌드위치를 먹었거든. 그러니까 프라이드치킨은 어때? 나 완전히 바삭바삭한 프라이드치킨을 만들 줄 알아.
남　그거 멋지다!

08 바로 할 일

대화를 듣고, 여자가 대화 직후에 할 일로 가장 적절한 것을 고르시오.
① 독서하기　　② 문 열기
③ 주소 고쳐 쓰기　　④ 책 가지러 가기
⑤ 책 배송하기

📞 Telephone rings.

M Hello.

W Hi. This is Hana Delivery. Is this Mr. Kim Wontae?

M Yes, that's me.

W Did you ＿＿＿＿ ＿＿＿＿ from Bug Bookstore? 🔑정답 근거

M Yes, I did. Is ＿＿＿＿ wrong?

W I'm at 103 Red Hill Apartment now, and there is ＿＿＿＿ under the name Kim Wontae.
under the name+이름: ~라는 이름으로

M Oh my goodness. The ＿＿＿＿ ＿＿＿＿ is 1103. I think I made a mistake.

W Then I'll go up right now. Please ＿＿＿＿ ＿＿＿＿
아파트 1층에서 11층으로 올라가야 하는 상황
＿＿＿＿ when I ring your doorbell.
~할 때, ~하면

M I will. Thank you for ＿＿＿＿ me.

(전화벨이 울린다.)
남　여보세요.
여　안녕하세요. 하나 택배입니다. 김원태 씨 되시나요?
남　네, 접니다.
여　Bug 문고에서 책을 주문하셨어요?
남　네, 그랬습니다. 뭐가 잘못되었나요?
여　제가 지금 Red Hill 아파트 103호에 있는데요, 여기 김원태라는 분은 안 계시네요.
남　세상에. 맞는 주소는 1103호입니다. 제가 실수를 한 것 같아요.
여　그럼 지금 바로 올라가겠습니다. 제가 초인종을 누르면 문을 열어 주세요.
남　그럴게요. 전화 주셔서 감사합니다.

04회

받아쓰기

[Dictation] 실전 모의고사 **04**회

09 언급하지 않은 것 ①

대화를 듣고, 여자가 자신이 본 뮤지컬에 대해 언급하지 않은 것을 고르시오.
① 제목　　② 내용　　③ 공연 시간
④ 주연 배우　⑤ 티켓 가격

남 민서야, 너 지난 주말에 뭐 했니?
여 나는 〈십이야〉라는 뮤지컬을 보러 갔었어. 그건 아주 흥미로운 사랑 이야기야.
남 너는 그거 추천하니?
여 응, 아주 좋았어. 시청 근처의 Louis Art Hall에서 공연되고 있어.
남 그거 좋다. 주연 배우들이 누구였어?
여 유명한 아이돌 가수인 지훈과 예리야. 그들의 연기는 멋졌어!
남 표가 비싸진 않았니?
여 8만 원이었어. 나에게는 꽤 비쌌지만, 가격만큼의 가치가 있었다고 생각해.

M　Minseo, what did you do _____ _____?

W　I went to see a musical, *Twelfth Night*. It's a very interesting _____ _____. 🎸정답 근거

M　Do you recommend it?
= the musical

W　Yes, I liked it so much. It's _____ at Louis Art Hall near City Hall.

M　That's good. Who were the _____ _____?

W　The famous idol singers, Jihun and Yeri. Their _____ were great!

M　Wasn't the ticket expensive?

W　It was 80,000 won. It was _____ _____ for me, but I think it was _____ the price.

10 담화 화제

다음을 듣고, 남자가 하는 말의 내용으로 가장 적절한 것을 고르시오.
① 공연 관람 안내　② 주차 방법 안내
③ 좌석 배치 안내　④ 공연 일정 안내
⑤ 공연 출연진 소개

남 안녕하십니까, 신사 숙녀 여러분. Grand Circus Night에 오신 것을 환영합니다. 쇼가 곧 시작되겠습니다. 쇼가 시작되고 나면, 휴식 시간인 8시 30분까지는 들어오거나 나가실 수 없습니다. 여러분의 쾌적한 관람을 위하여, 휴대 전화의 전원을 꺼 주십시오. 또한, 쇼가 진행되는 동안에는 사진을 촬영하실 수 없습니다. 배려에 감사드리며 쇼를 즐기시길 바랍니다.

🎸정답 근거

M　Hello, ladies and gentlemen. _____ to the Grand Circus Night. The show is about to _____. After the
be about + to부정사: 곧 ~하다
show begins, you can't _____ _____ or come in _____ the break at 8:30. For your pleasant viewing, please _____ _____ your mobile phone. Also, you are _____ _____ to take photographs during the show. Thank you for your _____ and I hope you enjoy the show.

👍 Solution Tip
공연 시작을 알리고, 공연 도중에 해서는 안 될 행동을 안내하며 쇼를 즐기라고 했으므로 '공연 관람 안내'가 적절하다.

11 일치하지 않는 것 ☐☐

다음을 듣고, 정기 점검에 대한 내용으로 일치하지 <u>않</u>는 것을 고르시오.
① 사전에 고지된 점검이다.
② 수도관 정기 점검이다.
③ 점검은 내일 아침에 있을 예정이다.
④ 점검 시간 동안 수돗물 공급이 중단된다.
⑤ 관리 사무소에서 필요한 물을 공급받을 수 있다.

여 안녕하세요, Blue Forest 아파트 주민 여러분. 이미 공지한 대로, 저희는 수도관 정기 점검을 실시할 예정입니다. 점검은 내일 아침 5시부터 8시까지이므로, 이 시간 동안 수돗물 공급이 중단될 것입니다. 내일 아침에 물을 사용할 필요가 있으시면, 점검이 시작되기 전에 물을 받아 두십시오. 추가 정보를 원하시면 관리 사무소로 연락해 주십시오. 감사합니다.

🇬🇧
W Good morning, Blue Forest Apartment dwellers. As already _____, we are going to have <u>routine maintenance</u> on the _____ _____. The maintenance will be <u>from</u> _____ to _____ tomorrow morning, so the <u>water supply</u> will be _____ _____ during this time. If you need to _____ _____ tomorrow morning, store some water _____ the maintenance starts. For more information, please contact the management office. Thank you.

🔑 정답 근거
⚠️ 함정 주의

💡 Solution Tip
관리 사무소에서 물을 공급받을 수 있다는 언급은 없으며, 물이 필요한 경우 미리 받아 두라고 말하고 있다.

12 목적 ☐☐

대화를 듣고, 여자가 마라톤 대회에 참가하는 목적으로 가장 적절한 것을 고르시오.
① 완주의 기쁨을 느끼기 위해서
② 규칙적인 생활을 하기 위해서
③ 살을 빼기 위해서
④ 한강의 경치를 보기 위해서
⑤ 자신의 기록을 갱신하기 위해서

남 너는 다음 토요일에 무엇을 할 거니?
여 나는 한강 공원에서 마라톤을 할 거야. 난 아주 신나.
남 마라톤은 아주 힘들잖아. 너는 그걸 살을 빼려고 하니?
여 아니. 나는 결승점에 도달하는 기분이 정말 좋아서 하는 거야.
남 시간이 많이 걸리겠다. 너는 너의 마라톤 기록을 알고 있니?
여 하하, 나는 그렇게 빠르지 않아서 기록은 신경 쓰지 않아.
남 무언가를 성취하려고 노력한다는 게 그냥 멋지다고 생각해.
여 그럼 너도 다음에는 나랑 같이 할래?
남 고맙지만 됐어. 나는 내가 코스를 완주할 수 있을지 모르겠어.

M What are you going to do next Saturday?
W I'm going to _____ a marathon at Hangang Park. I'm so excited.
M Marathons are very hard. Do you <u>do it for</u> _____ _____?
(= run a marathon)
W No. I do it because it _____ so good when I <u>reach the finish line</u>.
(결승점에 도달하다)
🔑 정답 근거
M It must take a lot of time. Do you know your marathon record times?
W Haha, I'm not that fast, so I don't care about my _____.
M I think trying to _____ something is just wonderful.
W Then will you _____ _____ next time?
M No, thank you. I'm not sure if I can _____ the course.

13 금액

대화를 듣고, 남자가 지불할 금액을 고르시오.
① $2   ② $3   ③ $4
④ $5   ⑤ $6

여 다음 분이요.
남 껌 두 통과 물 한 병이요. 이 껌 한 통은 얼마인가요?
여 1달러입니다. 그 껌은 2개를 사시면 1개를 더 드리는 행사 중이에요. 한 통을 더 가지세요.
남 무슨 말씀이시죠?
여 두 개를 사면, 세 번째 것은 공짜로 받는다는 말이에요.
남 그럼 제가 세 통에 2달러만 내면 되는군요. 물은 얼마인가요?
여 1달러입니다.

W Next, please.

M Two _____ of gum and a bottle of water, please. _____ _____ is a pack of this gum?
<u>껌 한 통(a pack of gum)의 가격</u>

W It's $1. The gum is Buy 2 Get 1 Free. Take _____ _____ pack.

M What do you mean?

W It means if you buy _____, you'll get the _____ one for free.
<u>조건의 부사절을 이끄는 접속사</u>

M So I _____ _____ $2 for three packs. How much is the water?

W It's $1.

Solution Tip
껌은 한 통에 1달러이며 두 통 가격(2달러)을 지불했을 때 세 통을 살 수 있는 것이고, 물은 한 병에 1달러라고 했으므로 총 3달러이다.

14 두 사람의 관계

대화를 듣고, 두 사람의 관계로 가장 적절한 것을 고르시오.
① 작가 – 독자   ② 선생님 – 학생
③ 경찰관 – 운전자   ④ 서점 직원 – 고객
⑤ 도서관 사서 – 이용자

여 도와드릴까요?
남 네, 저는 〈바다의 노래〉라는 책을 찾고 있는데요.
여 그것은 P 구역에 있습니다.
남 거기 갔었는데 찾을 수가 없었어요.
여 제가 확인해 볼게요. 아, 그 책이 다 팔렸네요.
남 그럼 그것을 주문할 수 있나요?
여 물론입니다. 하지만 사흘 정도 걸릴 거예요.
남 저는 괜찮습니다. 지금 계산할게요.
여 알겠습니다. 14달러입니다. 그리고 전화번호를 남겨 주세요.

W Can I help you?

M Yes, I'm _____ _____ a book, *A Song of the Sea*.

W It's _____ section P.

M I went there but couldn't _____ it.

W <u>Let me _____</u>. Oh, the book is <u>sold out</u>.
제가 ~해 볼게요.   매진된, 다 팔린

M Then can I order it?

W Of course. It will _____ about three days, though.

M That's fine with me. I'll _____ _____ it now.
<u>저는 괜찮아요.</u>

W Okay. It's 14 dollars. And please _____ your phone number.

15 부탁한 일

대화를 듣고, 여자가 남자에게 부탁한 일로 가장 적절한 것을 고르시오.
① 유기견 입양 주선하기
② 돈이나 물품 기부하기
③ 동물 보호소에 전화하기
④ 웹 사이트 주소 알려 주기
⑤ 웹 사이트 방문하기

남 숙녀분, 실례합니다. 유기견에 관심이 있으신가요?
여 네, 그래요. 그들을 돕고 계세요?
남 네. 저희는 동물 보호소를 방문해서 그들을 돌보고 있어요.
여 저도 그들을 돕고 싶어요. 어떻게 하면 될까요?
남 돈이나 필요한 물품을 기부하실 수 있어요.
여 제가 보호소를 방문해서 개들을 위해 일할 수도 있나요?
남 물론이죠. 그리고 싶으시다면, 저희 웹 사이트를 방문해 주세요. 가장 가까운 보호소로 연결시켜 드리겠습니다.
여 웹 사이트 주소를 써 주시겠어요? 집에 가서 방문할게요.

M Excuse me, ma'am. Are you _____ _____ abandoned dogs?
버려진 개들, 유기견

W Yes, I am. Are you _____ them?

M Yes. We are visiting animal shelters and _____ care of them.

W I'd like to help them, too. What can I do?

M You can _____ some money or necessary items.

W Can I also visit a shelter and _____ _____ the dogs?

M Of course. If you want to, please visit our website. We can help you _____ the nearest animal shelter.

W Could you _____ _____ the website address? I'll visit it when I'm home.
= the website

정답 근거

16 이유

대화를 듣고, 여자가 저녁을 먹지 않는 이유로 가장 적절한 것을 고르시오.
① 배가 안 고파서
② 배가 아파서
③ 너무 피곤해서
④ 일찍 자야 해서
⑤ 요리하기 싫어서

남 저녁 다 됐다, Judy!
여 죄송해요, 아빠. 저는 저녁을 건너뛰어야 할 것 같아요.
남 왜? 배고프지 않니?
여 배고프긴 한데요, 지금 먹으면 안 될 것 같아요. 배가 아파요.
남 점심을 너무 많이 먹었니?
여 아뇨, 평소처럼 먹었어요. 아직 괜찮은 것 같지 않아 불안해요.
남 알았다. 오늘은 일찍 자렴. 내일 아침은 소화하기 쉬운 것으로 만들어 줄게.
여 고마워요, 아빠.

M Dinner is _____, Judy!

W Sorry, Dad. I think I have to _____ dinner.

M Why? Aren't you hungry?

W I'm hungry, but I think I _____ _____ now. I have a stomachache. 정답 근거

M Did you eat too much _____ _____?

W No, I ate _____ _____. I'm afraid I'm not okay yet.
I'm afraid + 걱정하는 내용: ~일까 봐 걱정된다

M Okay. Go to bed early tonight. I'll make something _____ to digest tomorrow morning.

W Thank you, Dad.

17 그림 상황

다음 그림의 상황에 가장 적절한 대화를 고르시오.

① ② ③ ④ ⑤

① 여 너의 형과 너의 아빠 중에 누가 더 키가 크니?
  남 우리 아빠가 형보다 더 키가 크세요.
② 여 어디에 내려 드릴까요?
  남 기차역에 내려 주세요.
③ 여 지하철역으로 가는 길을 알려 주실 수 있으세요?
  남 죄송하지만 저는 여기 처음이에요.
④ 여 실례합니다. 이 역에서 갈아탈 수 있나요?
  남 네, 할 수 있으세요.
⑤ 여 무슨 소리 들리니?
  남 누군가가 계단을 올라가는 소리가 들려요.

🇬🇧

① W Who is taller, your brother or your dad?

  M My dad is _____ than my brother.

② W Where shall I drop you off? 🎵정답 근거

drop ~ off: (차에서) ~을 내려 주다

  M Please let me _____ _____ at the train station.

③ W Can you show me the way to the subway station? 🔔함정 주의

  M I'm sorry, but I'm _____ here.

④ W Excuse me. Can I _____ at this station?

  M Yes, you can.

⑤ W Can you hear something?

  M I can hear _____ _____ up the stairs.

18 언급하지 않은 것 ②

대화를 듣고, 남자가 자신의 생일 파티에 대해 언급하지 않은 것을 고르시오.
① 파티 날짜   ② 파티 장소
③ 파티 음식   ④ 참석하는 사람
⑤ 도착해야 할 시간

남 Mary, 너 이번 토요일인 10월 26일에 바쁘니?
여 별로, 왜?
남 내가 그날 내 생일 파티를 열 거야. 와 줘.
여 물론이지. 너희 집에서?
남 아니, 학교 앞에 있는 J's Cafe로 와.
여 그렇게. 또 누가 오니?
남 Tom과 Jennifer도 올 거야.
여 몇 시에 가면 돼?
남 12시 30분까지 와 줘.

M Mary, are you busy this Saturday, _____ 26th?

W Not really. Why? 🎵정답 근거

M I'll have my birthday party _____ that day. Please come.

W Sure. Will it be _____ your place?
  = your birthday party

M No, please come to J's Cafe in front of the school.

W Okay. _____ _____ will come?

M Tom and Jennifer will come _____ _____.

W What time should I go?

M Please come _____ 12:30.

🔖 **Solution Tip**
① 파티 날짜: 10월 26일   ② 파티 장소: 학교 앞 J's Cafe   ④ 참석하는 사람: Tom과 Jennifer
⑤ 도착해야 할 시간: 12시 30분

19 이어질 말 ①

Woman: _____

① Can I try these?
② That's my brother.
③ Those look very tasty.
④ They are my baby sister's.
⑤ Why don't you have a seat?

W Welcome, Samuel. Come in.

M Thank you _____ _____ me. Here I brought some dessert.

W _____ _____! Thank you so much. Make yourself _____ _____.

M Oh, who are the people in this picture?

W They are my _____. They live here with us.

M These shoes are so cute. _____ are these? 🔑정답 근거

W They are my baby sister's.

여 환영해, Samuel. 들어와.
남 초대해 줘서 고마워. 여기 후식을 좀 가져왔어.
여 참 다정하구나! 정말 고마워. 편하게 있어.
남 오, 이 사진 속의 사람들은 누구니?
여 우리 조부모님이셔. 그분들은 우리와 같이 여기 사셔.
남 이 신발은 너무 귀엽다. 누구 거야?
여 ④ 그건 내 여동생의 것이야.

① 나 이거 신어 봐도 되니?
③ 저것들은 아주 맛있어 보인다.
② 저 아이는 내 남동생이야.
⑤ 너 자리에 앉지 그래?

20 이어질 말 ②

Woman: _____

① Anytime, please.
② It has a white cap.
③ I bought it at the gift shop.
④ My name is written on it.
⑤ Please call me at 030-2345-9876.

W Excuse me. I'd like to report a _____ _____.
    신고하다

M Can you tell us about it _____ _____?

W Well, it was here in the theater. My _____ was H32. I couldn't _____ _____ after I watched the movie.
    카메라를 잃어버린 상황

M Would you write down what your camera _____ _____, and your name?
    적다, 쓰다

W Sure.

M Where can we _____ when we find it? 🔑정답 근거
    = your camera

W Please call me at 030-2345-9876.

여 실례합니다. 잃어버린 제 카메라를 분실 신고 하고 싶은데요.
남 자세히 말씀해 주실 수 있으세요?
여 음, 여기 극장에서요. 제 자리는 H32번이었어요. 영화를 본 후에 찾을 수가 없었어요.
남 여기에 당신의 카메라가 어떻게 생겼는지, 그리고 성함을 적어 주시겠어요?
여 네.
남 그것을 찾으면 우리가 어디로 연락을 드릴까요?
여 ④ 030-2345-9876으로 제게 전화 주세요.

① 아무 때나요.
③ 저는 그것을 기념품 가게에서 샀어요.
② 그건 흰색 뚜껑이 있어요.
④ 제 이름이 그 위에 쓰여 있어요.

모의고사를 먼저 풀고 싶으면 74쪽으로 이동하세요.

🎧 다음 표현을 듣고 모르는 것에 표시하시오.

- [ ] 01 **text** 문자를 보내다
- [ ] 02 **last** 계속되다
- [ ] 03 **make sure** 반드시 ~하다
- [ ] 04 **include** 포함하다
- [ ] 05 **interest** 흥미를 끌다
- [ ] 06 **serve** 제공하다, 차려 주다
- [ ] 07 **zookeeper** (동물원) 사육사
- [ ] 08 **display** 전시
- [ ] 09 **helpful** 도움이 되는
- [ ] 10 **come over** (~의 집에) 들르다
- [ ] 11 **shelf** 선반
- [ ] 12 **do one's best** 최선을 다하다
- [ ] 13 **guess** 추측하다
- [ ] 14 **disabled** 장애를 가진
- [ ] 15 **all night** 밤새도록
- [ ] 16 **reschedule** 일정을 변경하다
- [ ] 17 **get married** 결혼하다
- [ ] 18 **stationery** 문구
- [ ] 19 **clear up** (날씨가) 개다
- [ ] 20 **set the table** 상을 차리다
- [ ] 21 **be over** 끝나다
- [ ] 22 **priority** 우선, 우선 사항
- [ ] 23 **be finished with** ~을 끝내다
- [ ] 24 **grocery store** 식료품점
- [ ] 25 **seat** 좌석
- [ ] 26 **period** 기간, 시기
- [ ] 27 **in person** 직접
- [ ] 28 **selfie** 셀피(스스로 자신의 모습을 찍는 사진)
- [ ] 29 **place** (개인의) 집
- [ ] 30 **beverage** 음료
- [ ] 31 **final** 최종의, 마지막의
- [ ] 32 **sleeve** 소매
- [ ] 33 **slippery** 미끄러운
- [ ] 34 **side dish** 곁들임 요리, 반찬
- [ ] 35 **calendar** 달력
- [ ] 36 **awkward** 어색한
- [ ] 37 **aquarium** 수족관
- [ ] 38 **topic** 주제
- [ ] 39 **offer** 제공하다
- [ ] 40 **ingredient** 재료
- [ ] 41 **prefer** 선호하다

📖 알아두면 유용한 선택지 **어휘**

- [ ] 42 **swimming[bathing] cap** 수영모
- [ ] 43 **peel** 껍질을 깎다[벗기다]
- [ ] 44 **ride** (놀이공원의) 놀이 기구
- [ ] 45 **drawback** 단점(= disadvantage)
- [ ] 46 **return** 반납; 반납하다

🎧 들으면서 표현을 완성한 다음, 뜻을 고르시오.

표현의 의미를 생각하며 다시 써 보기!

01 la☐t   ☐ 계속되다 ☐ 끝나다   →

02 inc☐ude   ☐ 버리다 ☐ 포함하다   →

03 dis☐lay   ☐ 전시 ☐ 목록   →

04 co☐e ove☐   ☐ 마치다 ☐ 들르다   →

05 help☐ul   ☐ 쓸모없는 ☐ 도움이 되는   →

06 be☐erage   ☐ 한계 ☐ 음료   →

07 pe☐iod   ☐ 기간 ☐ 계약   →

08 slip☐ery   ☐ 미끄러운 ☐ 졸린   →

09 int☐rest   ☐ 가입하다 ☐ 흥미를 끌다   →

10 shel☐   ☐ 선반 ☐ 언덕   →

11 ma☐e su☐e   ☐ 반드시 ~하다 ☐ 도움을 청하다   →

12 ☐riority   ☐ 최고 ☐ 우선   →

13 disab☐ed   ☐ 장애를 가진 ☐ 피곤한   →

14 a☐kward   ☐ 무서워하는 ☐ 어색한   →

15 te☐t   ☐ 시험을 보다 ☐ 문자를 보내다   →

16 pre☐er   ☐ 선호하다 ☐ 준비하다   →

17 off☐r   ☐ 만들다 ☐ 제공하다   →

18 res☐hedule   ☐ 일정을 변경하다 ☐ 되돌아가다   →

05회 어휘

실전 모의고사 05회 →
┌ 모의고사 보통 속도
└ 모의고사 빠른 속도

✎ 들으면서 주요 표현 메모하기!

01 다음을 듣고, 내일 아침의 날씨로 가장 적절한 것을 고르시오.

① ② ③ ④ ⑤

02 대화를 듣고, 남자가 구입할 티셔츠로 가장 적절한 것을 고르시오.

① ② ③ ④ ⑤

03 대화를 듣고, 여자가 Pacific Water Park에 대해 언급하지 <u>않은</u> 것을 고르시오.

① 위치 　　　　② 입장권 가격 　　　　③ 놀이 기구 종류
④ 휴관일 　　　　⑤ 입장권 할인 일정

04 대화를 듣고, 남자가 학교 특별 프로그램에서 한 일로 가장 적절한 것을 고르시오.

① 직업에 관해 조사하기 　② 사육사 인터뷰하기 　　③ 동물 돌보기
④ 동물과 사진 찍기 　　　⑤ 동물 우리 청소하기

05 대화를 듣고, 두 사람이 대화하는 장소로 가장 적절한 곳을 고르시오.

① 은행 창구 　　　　② 영화관 매표소 　　　　③ 식당
④ 학교 매점 　　　　⑤ 가구 판매점

06 대화를 듣고, 여자의 마지막 말의 의도로 가장 적절한 것을 고르시오.

① 승낙   ② 거절   ③ 의심   ④ 감사   ⑤ 제안

07 대화를 듣고, 여자가 구입할 물건으로 가장 적절한 것을 고르시오.

① 수족관 입장권   ② 수영모   ③ 인형
④ 휴대 전화   ⑤ 동물 먹이

08 대화를 듣고, 여자가 대화 직후에 할 일로 가장 적절한 것을 고르시오.

① 오래된 사진 찾기   ② 역사책 구입하기
③ 역사 선생님과 면담하기   ④ 도서관 웹 사이트 방문하기
⑤ 도서관에서 빌릴 책 고르기

고난도 선택지에 하나씩 체크하며 듣기

09 다음을 듣고, 남자가 학교 급식에 대해 언급하지 않은 것을 고르시오.

① 급식 시작 시각   ② 제공 반찬 수
③ 배식 방법   ④ 제공 음료 종류
⑤ 식기 반납 방법

10 다음을 듣고, 여자가 하는 말의 내용으로 가장 적절한 것을 고르시오.

① 올바른 휴대 전화 사용법   ② 지하철 탑승 예절
③ 음악 감상의 즐거움   ④ 대중교통 이용의 단점
⑤ 노약자를 배려해야 하는 이유

✎ 들으면서 주요 표현 메모하기!

틀린 문제는 Dictation에서
완벽하게 이해하세요!

✎ 들으면서 주요 표현 메모하기!

11 대화를 듣고, Dear Cat Cafe에 대한 내용으로 일치하지 <u>않는</u> 것을 고르시오.

① 탁자는 대부분 2인용이다.　　② 8인용 탁자가 하나 있다.
③ 월요일에는 열지 않는다.　　④ 음료만 마실 수 있다.
⑤ 고양이용 사료를 판매한다.

12 대화를 듣고, 남자가 지금 공원에 가는 목적으로 가장 적절한 것을 고르시오.

① 바람을 쐬기 위해서　　② 개를 산책시키기 위해서
③ 조깅을 하기 위해서　　④ 농구를 하기 위해서
⑤ 저녁을 먹기 위해서

고난도 시간에 유의하며 듣기

13 대화를 듣고, 내일 Superstar Talent Show가 시작되는 시각을 고르시오.

① 7:00　　② 7:30　　③ 8:00　　④ 8:30　　⑤ 9:00

14 대화를 듣고, 두 사람의 관계로 가장 적절한 것을 고르시오.

① 영화배우 – 감독　　② 축구팀 코치 – 축구 선수
③ 농구 선수 – 기자　　④ 가수 – 녹음 엔지니어
⑤ 은행원 – 고객

15 대화를 듣고, 여자가 남자에게 부탁한 일로 가장 적절한 것을 고르시오.

① 감자 껍질 깎기　　② 감자 스튜 끓이기
③ 음식 재료 사 오기　　④ 숙제 도와주기
⑤ 식탁 차리기

16 대화를 듣고, 여자가 동아리 회의에 갈 수 없는 이유로 가장 적절한 것을 고르시오.

① 감기에 걸려서　　　　　　② 음악 숙제를 해야 해서
③ 치과에 가야 해서　　　　　④ 동생을 돌봐야 해서
⑤ 다른 회의가 있어서

✎ 들으면서 주요 표현 메모하기!

17 다음 그림의 상황에 가장 적절한 대화를 고르시오.

①　　　②　　　③　　　④　　　⑤

18 다음을 듣고, 남자가 학교에 대해 언급하지 <u>않은</u> 것을 고르시오.

① 학교가 세워진 때　　　　　② 개교 당시 학생 수
③ 개교 당시 학교 규모　　　　④ 현재의 학교 규모
⑤ 교내 도서관의 위치

[19-20] 대화를 듣고, 여자의 마지막 말에 이어질 남자의 말로 가장 적절한 것을 고르시오.

19 Man: _____

① Do you know her favorite song?
② Let's buy a nice present for her.
③ No, thank you. I'm already full.
④ I got some allowance from Mom.
⑤ That's a good idea. She'll love that.

20 Man: _____

① I don't know where he lives.
② How can I meet a new friend?
③ Not at all. We talk every day.
④ I don't use the Internet these days.
⑤ I want to visit England someday.

틀린 문제는 Dictation에서
완벽하게 이해하세요!

05회 리스닝

01 날씨
*들을 때마다 체크

다음을 듣고, 내일 아침의 날씨로 가장 적절한 것을 고르시오.

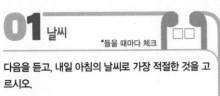

① ② ③

④ ⑤

M Good morning! I'm Peter Perkins, and this is your weather report. Today, it will be _____ and quite _____. But, tonight while everyone is sleeping, a big _____
~하는 동안
will come to town. It will rain _____ _____ and
🔑정답 근거
continue through tomorrow morning. However, the
🍎함정 주의
weather will _____ _____ by the afternoon.

남 안녕하세요! 저는 Peter Perkins이고, 날씨를 전해 드리겠습니다. 오늘은 화창하고 꽤 따뜻하겠습니다. 그러나 오늘 밤 모두가 잠든 사이 큰 폭풍우가 도시로 오겠습니다. 비는 밤새 내리겠고 내일 아침까지 계속되겠습니다. 하지만 오후가 되면 날이 개겠습니다.

🔘 Solution Tip

밤새 내린 비가 내일 아침까지 계속되다가 오후에 그칠 것이라고 했으므로, 내일 아침 날씨는 비를 나타내는 ③이 알맞다.

02 그림 묘사

대화를 듣고, 남자가 구입할 티셔츠로 가장 적절한 것을 고르시오.

① ② ③

④ ⑤

M Excuse me. Can I get _____ _____ over here?
이쪽에
W Of course. I see you're _____ at the T-shirts. Would you _____ long sleeves or short sleeves?
🔑정답 근거
M I'd like a short-sleeved T-shirt.
W Okay, they are on this shelf. This one with a _____ on
= short-sleeved T-shirts
it is popular. 🍎함정 주의
M Um, I don't like _____. What else would you _____?
다른, 또 다른
W How about that T-shirt on the mannequin over there?
저쪽에
M You mean the one with a _____? I love it. I'll _____
_____ in a medium size.
W Great. Just a moment, please.

남 실례합니다. 여기 좀 도와주시겠어요?
여 물론이죠. 티셔츠를 보고 계시는군요. 긴 소매를 원하세요, 아니면 짧은 소매를 원하세요?
남 저는 짧은 소매 티셔츠를 원해요.
여 알겠습니다, 그것들은 이 선반에 있어요. 거미가 그려진 이 티셔츠가 인기 있어요.
남 음, 저는 거미를 싫어해요. 다른 걸 추천해 주시겠어요?
여 저쪽의 마네킹에 입혀진 저 티셔츠는 어떠세요?
남 무지개가 그려진 것 말씀하시는 거죠? 좋아요. 그걸 중간 사이즈로 살게요.
여 좋습니다. 잠시만 기다리세요.

Dictation 05회 →
┌ 전체 듣기
└ 문항별 듣기

Dictation의 효과적인 활용법
STEP1 들으면서 대본의 빈칸 채우기
STEP2 축쇄 문제를 보며 다시 풀어 보기
STEP3 해석을 보며 영어로 말하거나 영작해 보기

공부한 날 　월　　일

03 언급하지 않은 것 ①

대화를 듣고, 여자가 Pacific Water Park에 대해 언급하지 <u>않은</u> 것을 고르시오.
① 위치　　　　② 입장권 가격
③ 놀이 기구 종류　④ 휴관일
⑤ 입장권 할인 일정

여　Ted, 나는 여름이 끝나기 전에 Pacific Water Park에 가고 싶어.
남　Pacific Water Park? 그게 어딘데?
여　Superior 호수 근처야. 입장권이 한 장에 15달러밖에 안 해.
남　좋아. 이번 일요일에 가는 게 어때?
여　나는 그날 시간 괜찮아. 웹 사이트에서 공원 일정 확인할게. (…) 아, 이번 일요일에 닫는구나.
남　음. 저, 나는 토요일과 일요일만 시간이 돼. 넌 어느 요일이 괜찮아?
여　다음 토요일에 가자. 웹 사이트에서 그날 입장권 할인이 있대.
남　완벽하네. 지금 바로 달력에 써 놓을게.

W　Ted, I want to go to Pacific Water Park before summer _____ _____.

M　Pacific Water Park? Where is it?

W　Near Lake Superior. The tickets are only _____ _____ each. 🔑정답 근거
각각 → 입장권 한 장에

M　Okay. How about going this Sunday?

W　I'm free <u>that day</u>. Let me _____ the park schedule on
　　= this Sunday
their website. (*Pause*) Oh, it's _____ this Sunday.

M　Hmm. Well, I'm _____ free on Saturdays and Sundays. What day is good for you?

W　Let's go _____ Saturday. The website says there is a discount _____ tickets <u>that day</u>.
　　　　　　　　　　　　　　　= next Saturday

M　Perfect. I'll _____ it in my calendar right now.
　　　　　　　　약속한 일정

04 과거에 한 일

대화를 듣고, 남자가 학교 특별 프로그램에서 한 일로 가장 적절한 것을 고르시오.
① 직업에 관해 조사하기
② 사육사 인터뷰하기
③ 동물 돌보기
④ 동물과 사진 찍기
⑤ 동물 우리 청소하기

남　엄마, 여기 계세요?
여　응, 부엌에서 수프 만들고 있단다. 오늘 하루 어땠니?
남　좋았어요. 사육사 한 분이 특별 프로그램을 위해 오늘 우리 학교에 오셨어요.
여　정말이니? 더 얘기해 보렴.
남　그분은 우리에게 자신의 직업에 관해 전부 말씀해 주셨고 동물까지 데려오셨어요.
여　너는 동물을 만져 볼 수 있었니?
남　아뇨. 그러고 싶었지만 사육사 분이 위험할 수도 있다고 하셨어요.
여　그렇구나. 그 프로그램에서 가장 좋았던 것은 뭐니?
남　코알라와 셀카 찍기요! 여기, 제 사진을 보세요. 코알라가 정말 귀엽지 않아요?

M　Mom, are you here?

W　Yes, I'm in the kitchen _____ soup. How was your day?

M　It was great. A zookeeper came to our school today for a special program.

W　Really? Tell me _____ about it.

M　The zookeeper told us all about _____ _____ and even brought some animals with him.

W　Did you get to touch _____ _____ the animals?
　　get+to부정사: ~하게 되다

M　No. <u>I wanted to</u>, but the zookeeper said it might _____
　　　　　　　→ to 뒤에 touch some of the animals가 생략된 형태
_____.

W　I see. So what was your _____ part of the program?
　　　　　　　　　　　🔑정답 근거

M　_____ a selfie with a koala! Here, look at my picture. Doesn't the koala look cute?

05 장소

대화를 듣고, 두 사람이 대화하는 장소로 가장 적절한 곳을 고르시오.
① 은행 창구　　② 영화관 매표소
③ 식당　　　　④ 학교 매점
⑤ 가구 판매점

여 다음 분이요.
남 안녕하세요. 〈The Best Man〉 표 두 장 주세요.
여 알겠습니다. 화면을 보고 좌석을 고르세요.
남 E4와 E5가 좋아 보여요.
여 잘 고르셨어요. 그 좌석들이 영화 스크린이 잘 보여요.
남 그렇군요. 아, 이 극장은 학생 할인이 있나요?
여 네, 학생 표는 한 장에 9달러입니다. 두 장이니, 18달러가 되겠네요.
남 여기 있습니다.

W　Next _____ _____, please.　정답 근거

M　Hello. I'd like two tickets for *The Best Man*.

W　Okay. Please look at the screen and choose your _____.

M　E4 and E5 look _____ _____.
　　좌석 번호를 가리킨다.

W　Good choice. Those seats have a good _____ of the movie screen.

M　Okay. Oh, does this theater _____ a student discount?

W　Yes, student tickets are nine dollars each. For two tickets, it'll be _____ dollars.
　　각각 → 한 장에

M　Here you are.

06 말의 의도

대화를 듣고, 여자의 마지막 말의 의도로 가장 적절한 것을 고르시오.
① 승낙　　② 거절　　③ 의심
④ 감사　　⑤ 제안

남 Sally, 너 이번 목요일에 학교 끝나고 무슨 일 있니?
여 없는 것 같아.
남 시간 있으면 나와 같이 도서관에 가 주면 좋겠는데.
여 도서관에서 네가 해야 할 일이 있어?
남 응, 옛날 패션 잡지를 좀 찾아야 해. 내가 패션의 역사에 관한 보고서를 쓰고 있거든.
여 그렇구나. 그런데 왜 내가 같이 가길 바라는 건데?
남 네가 패션에 대해 많이 아니까 도서관에서 네 도움을 좀 받을까 해서.
여 음, 나도 아는 게 적지만 최선을 다해 볼게.

M　Sally, are you doing _____ this Thursday after school?

W　I don't think so.

M　If you're _____, I would love it if you came to the library with me.

W　Is there something you _____ to do at the library?

M　Yes, I have to find some old fashion magazines. I'm doing a report on the _____ of _____.
　　~에 관한 보고서

W　I see. But why do you want me to _____ with you?

M　You know a lot about fashion, so I _____ _____ your help at the library.

W　Well, I only know _____ little _____, but I'll do my best.　정답 근거

 Solution Tip
　　도움을 받고 싶다는 말에 최선을 다해 보겠다고 했으므로 승낙한다는 것을 알 수 있다.

07 세부 정보

대화를 듣고, 여자가 구입할 물건으로 가장 적절한 것을 고르시오.
① 수족관 입장권   ② 수영모
③ 인형   ④ 휴대 전화
⑤ 동물 먹이

남 Robin, 너 지난 주말에 뭐 했니?
여 가족들과 수족관에 갔었어.
남 재미있었겠다! 너 바다 동물 좋아하잖아.
여 맞아. 처음에는 즐거운 시간을 보냈지. 그리고 내 휴대 전화를 잃어버렸어. 정말 속상했어.
남 정말 안됐구나. 휴대 전화는 찾았니?
여 응, 감사하게도 거기서 보관하고 있대. 그래서 방과 후에 찾을 거야.
남 와, 운이 좋은데.
여 나도 그렇게 생각해. 거기 간 김에 그날 못 산 귀여운 인형들을 사야겠어.

M Robin, what did you do _____ _____?

W I went to the aquarium with my family.
　　　　　　　　　수족관

M How _____! I know that you love _____ animals.

W Right. At first, I was having a great time. <u>Then I</u> _____ 🔺함정 주의
<u>my cell phone.</u> I was so upset.

M That's too bad. Did you ever _____ _____?

W Yes, thankfully they're _____ _____ for me. So I'll pick it up after school.

M Wow, you're lucky.

W I agree. I will buy some cute dolls I couldn't buy that day _____ I'm there. 🔑정답 근거

08 바로 할 일

대화를 듣고, 여자가 대화 직후에 할 일로 가장 적절한 것을 고르시오.
① 오래된 사진 찾기
② 역사책 구입하기
③ 역사 선생님과 면담하기
④ 도서관 웹 사이트 방문하기
⑤ 도서관에서 빌릴 책 고르기

여 Evans 선생님, 역사 과제에 관해 이야기해도 될까요?
남 물론이지, Jen. 해 보렴.
여 음, 큰 프로젝트라 무엇을 먼저 해야 할지 잘 모르겠어요.
남 우선 주제를 선택해야 해. 그건 했니?
여 아직 못 했어요. 어디에서 아이디어를 얻을 수 있을까요?
남 역사책을 보다 보면 네가 흥미 있는 주제를 발견할 수 있을 거야.
여 알겠어요, 도서관에 가서 해 볼게요. 도서관이 오늘 열었을까요?
남 나도 잘 모르겠구나. 가기 전에 도서관 웹 사이트에서 확인해 보렴.
여 네, 지금 해 볼게요.

W Mr. Evans, can I talk to you about the _____ project?

M Sure, Jen. Go ahead.

W Well, it's such a big project that I'm not sure _____ to do first.
　　　　　　　　　　　　　　　= Have you chosen a topic?
　　　　　　　　　　　　　　　(완료의 의미를 나타내는 현재완료)

M First, you need to _____ a topic. <u>Have you done that?</u>

W Not yet. Where can I get _____ _____?

M You can look at some history books and find a topic that _____ you.

W Okay, I'll go to the library and <u>do that.</u> Is it _____
　　　　　　　　　　　　　　　　　= look at ~ that interests me
　　　　　　　　　　　　　　　　　(남자가 제시한 방법)
today?

M I don't know for _____. You should check the library website _____ you go. 🔑정답 근거

W Okay, I'll <u>do that now.</u>
　　　　= check the library website

09 언급하지 않은 것 ②

다음을 듣고, 남자가 학교 급식에 대해 언급하지 <u>않은</u> 것을 고르시오.

① 급식 시작 시각
② 제공 반찬 수
③ 배식 방법
④ 제공 음료 종류
⑤ 식기 반납 방법

M Welcome, students. I _____ _____ your school cafeteria, and I will tell you more about your school _____. Every day, your class will come to the cafeteria at 12:15 p.m. **(정답 근거)** Each day, we will offer _____ <u>main dish</u> and _____ <u>side dishes</u>. You can <u>serve yourselves</u>.
주 요리　반찬, 곁들임 요리　자율 배식을 하다(자신이 먹을 만큼 가져가는 방식)
Please take _____ _____ much food as you can eat. For beverages, water, tea, and milk will be _____. Your lunch period _____ _____ 30 minutes.

남 환영합니다, 학생 여러분. 저는 여러분의 학교 식당에서 일하고 있고, 학교 점심 식사에 대해 더 이야기하려고 합니다. 매일 여러분 학급은 오후 12시 15분에 식당으로 오세요. 저희는 매일 주 요리 한 종류와 반찬 두 종류를 제공합니다. 자율 배식을 합니다. 먹을 수 있는 양의 음식만 담으세요. 음료는 물, 차, 그리고 우유가 있습니다. 여러분의 점심시간은 30분간입니다.

Solution Tip
① 급식 시작 시각: 오후 12시 15분　② 제공 반찬 수: 두 종류　③ 배식 방법: 자율 배식
④ 제공 음료 종류: 물, 차, 우유

10 담화 화제

다음을 듣고, 여자가 하는 말의 내용으로 가장 적절한 것을 고르시오.

① 올바른 휴대 전화 사용법
② 지하철 탑승 예절
③ 음악 감상의 즐거움
④ 대중교통 이용의 단점
⑤ 노약자를 배려해야 하는 이유

W **(정답 근거)** When you are on the subway, please _____ _____ loudly with others or on the phone. If you listen to music or _____ _____ on your phone, you _____ _____ headphones or earphones. It's also important
It은 가주어, that이 이끄는 명사절이
that you _____ people get off before you get on. You
진주어이다.
should not eat or drink _____ _____ the subway.
Make sure to leave the priority seats _____ for the
반드시 ~하다, ~을 확실히 하다
elderly and _____.

여 지하철 안에서는 다른 사람과, 혹은 전화로 큰 소리로 이야기하지 마세요. 전화기로 음악을 듣거나 영상을 본다면 헤드폰이나 이어폰을 사용해야 합니다. 또한 타기 전에 사람들이 내리도록 하는 것도 중요합니다. 지하철을 타는 동안에는 음식을 먹거나 마셔서는 안 됩니다. 우대석은 노인과 장애인을 위해 반드시 비워 두세요.

Sound Tip get off
get off는 한 단어처럼 발음되는데, get의 끝소리 [t]가 뒤의 모음과 연결되어 [r]에 가깝게 발음된다.

11 일치하지 않는 것

대화를 듣고, Dear Cat Cafe에 대한 내용으로 일치하지 <u>않는</u> 것을 고르시오.
① 탁자는 대부분 2인용이다.
② 8인용 탁자가 하나 있다.
③ 월요일에는 열지 않는다.
④ 음료만 마실 수 있다.
⑤ 고양이용 사료를 판매한다.

(전화벨이 울린다.)
남 여보세요, Dear Cat Cafe입니다. 어떻게 도와드릴까요?
여 안녕하세요, 친구 다섯 명과 카페에 가고 싶은데요. 큰 탁자가 있나요?
남 네, 저희 탁자는 대부분 2인용입니다만, 8인용 큰 탁자가 하나 있습니다.
여 잘됐네요. 월요일 영업시간은 언제인가요?
남 월요일은 오전 10시부터 저녁 9시까지 열려 있습니다.
여 알겠습니다. 거기에서 음식도 파나요?
남 죄송하지만, 음료만 가능합니다. 그렇지만 고양이에게 줄 고양이용 사료는 구입하실 수 있어요.
여 정말 감사합니다. 도움이 많이 됐어요.

📞 Telephone rings.

M Hello, this is Dear Cat Cafe. _____ can I help you?

W Hi, I'm interested in _____ to your cafe with five friends. Do you have a large table?

M Yes, _____ _____ our tables are for two people, but we have one large table that has eight chairs.

W Great. What are your _____ on Monday?

M On Monday, we're _____ from 10 a.m. to 9 p.m. 🎵정답 근거

W Okay. And do you serve food there?
카페에서 음식도 파는지 묻고 있다.

M Sorry, _____ _____ are available. However, you can buy some cat food to _____ the cats.

W Thanks very much. You've been very _____.

12 목적

대화를 듣고, 남자가 지금 공원에 가는 목적으로 가장 적절한 것을 고르시오.
① 바람을 쐬기 위해서
② 개를 산책시키기 위해서
③ 조깅을 하기 위해서
④ 농구를 하기 위해서
⑤ 저녁을 먹기 위해서

남 엄마, 저 잠깐 나갔다 올게요.
여 잠깐만. 어디에 가니?
남 길 건너편 공원에 가요.
여 공원에 가는 거니까 개를 데리고 갈래? 개가 운동을 좀 해야 해.
남 죄송하지만 안 돼요.
여 왜? 보통은 공원에 조깅하러 가는 거 아니니?
남 네, 하지만 오늘은 아니에요. 친구들과 농구하러 가는 거예요.
여 알겠다. 음, 너무 오래 있지는 말아라. 저녁 식사는 7시야.

M Mom, I'm _____ _____ for a little while.

W Wait. Where are you going?

M I'm going to the park _____ the street.

W Since you're going to the park, can you _____ the dog 🔔함정 주의
~하므로, ~ 때문에: 개를 산책시키라고 부탁하는 이유
with you? He needs some _____.

M Sorry, I can't.

W Why not? Don't you usually go _____ at the park? 🎵정답 근거

M Yes, but not today. I'm going to play basketball with my
보통은 조깅하러 가는 게 맞지만, 오늘은 아니라는 뜻으로 쓰였다.
friends.

W Okay. Well, _____ _____ too long. Dinner is at 7.

13 시각 □□

대화를 듣고, 내일 Superstar Talent Show가 시작되는 시각을 고르시오.

① 7:00 ② 7:30 ③ 8:00
④ 8:30 ⑤ 9:00

남 Patty, 너 TV에서 Superstar Talent Show 보니?
여 물론이지. 절대 놓치지 않아. 내가 제일 좋아하는 프로그램이야.
남 나도. 마지막 방송이 내일이잖아. 같이 볼래?
여 그래, 우리 집에 8시쯤 올래?
남 음, 프로그램이 그때 시작하니까 내가 조금 더 일찍 가야 할 것 같아.
여 무슨 소리야? 프로그램은 항상 8시 30분에 시작해.
남 내일이 마지막 방송이라 30분 일찍 시작해.
여 아, 그건 몰랐어! 좋아, 그럼 7시 30분에 올래?

🇬🇧

M Patty, do you _____ _____ the Superstar Talent Show on TV?

W Of course. I never _____ it. It's my favorite show.

M Me too. The _____ episode is tomorrow. Do you want to watch it together?
= the final episode

W Sure, do you want to _____ _____ to my place around 8?
나의 집 (place: 개인의 집)

M Well, the show starts then, so I think I should come a little _____.
= around 8

W What do you mean? The show always _____ at 8:30.

M Since tomorrow is the final episode, it starts _____ _____ _____. 🔑정답 근거

W Oh, I didn't know that! Okay, then how about at 7:30? 함정 주의
방송이 30분 일찍 시작된다는 사실

14 두 사람의 관계 □□

대화를 듣고, 두 사람의 관계로 가장 적절한 것을 고르시오.

① 영화배우 - 감독
② 축구팀 코치 - 축구 선수
③ 농구 선수 - 기자
④ 가수 - 녹음 엔지니어
⑤ 은행원 - 고객

여 Jordan 씨, 질문을 몇 가지 드려도 될까요? 저는 The Daily Newspaper의 Wendy Chan이라고 합니다.
남 네, 그렇지만 인터뷰를 녹음하지는 마세요.
여 좋습니다. 먼저, 이 팀에서 얼마나 오래 뛰었는지 물어봐도 될까요?
남 음, 저는 10년 동안 농구를 했지만 이 팀에는 2년 전에 합류했어요.
여 이번 시즌의 목표가 무엇인가요?
남 전 그저 저희 팀이 많은 경기에서 이기도록 돕기를 바랍니다.
여 알겠습니다, 시간 내 주셔서 감사합니다. 제가 기사를 쓰면 내일 신문에 나갈 거예요.
남 기사 읽기를 기대할게요.

W Mr. Jordan, can I _____ you a few questions? I'm Wendy Chan with *The Daily Newspaper*. 🔑정답 근거

M Sure, but please _____ _____ the interview.

W That's fine. First, can I ask _____ _____ you have played on this team?

M Well, I've been playing basketball for ten years, but I _____ this team two years ago.

W What is your _____ for this season?

M I just _____ _____ help my team win many games.
help+목적어+(to) 동사원형: ~이 …하도록 돕다

W Okay, thanks for your time. I will _____ a story and it will be in the newspaper tomorrow.

M I'm looking forward to _____ it.

15 부탁한 일

대화를 듣고, 여자가 남자에게 부탁한 일로 가장 적절한 것을 고르시오.
① 감자 껍질 깎기　② 감자 스튜 끓이기
③ 음식 재료 사 오기　④ 숙제 도와주기
⑤ 식탁 차리기

여　Steve, 저녁으로 감자 스튜를 만들고 있어.
남　왜! 제가 제일 좋아하는 거예요. 언제 다 돼요?
여　조금 후에. 너 숙제는 끝냈니?
남　네, 학교 끝나자마자 다 했어요.
여　잘했구나. 그러면 나를 좀 도와줬으면 해.
남　식료품점에 가길 원하시는 게 아니면 좋겠어요. 저 거기 가는 거 싫어요.
여　걱정하지 마. 재료는 이미 다 있어. 그냥 식탁을 차리면 돼.
남　오, 좋아요. 그거야 쉽죠.

W　Steve, I'm cooking potato stew for dinner.

M　Wow! It's my favorite. When will it _____ _____?

W　In a little while. Are you _____ with your homework?
　잠시 후에
🐟 함정 주의

M　Yes, I finished it _____ after school.

W　Great. Then I _____ _____ to do something for me.

M　I hope you don't need me to go to the grocery store. I hate
　_____ _____.
hate는 to부정사와 동명사 둘 다 목적어로 쓴다. ↵

W　Don't worry. I already have all the ingredients. I just need
🔑 정답 근거
you to _____ the table.

M　Oh, good. That's easy.
= Setting the table

16 이유

대화를 듣고, 여자가 동아리 회의에 갈 수 없는 이유로 가장 적절한 것을 고르시오.
① 감기에 걸려서
② 음악 숙제를 해야 해서
③ 치과에 가야 해서
④ 동생을 돌봐야 해서
⑤ 다른 회의가 있어서

남　Tina, 너 목요일에 음악 동아리 회의에 올 거지?
여　목요일? 우리 회의는 오늘이야, 목요일이 아니라.
남　아, 너 일정이 변경된 걸 못 들은 모양이구나.
여　응, 못 들었어. 왜 회의 시간이 변경된 거야?
남　동아리 회장이 감기 때문에 학교에 결석했어.
여　알았어. 음, 나 그날 회의에는 못 가겠다. 여동생을 돌봐 줘야 해.
남　안됐구나. 우리가 회의에서 한 일은 나중에 알려 줄게.

M　Tina, will you be at the music club _____ on Thursday?

W　Thursday? Our meeting is today, not Thursday.

M　Oh, I guess you _____ _____ about the schedule change.

W　No, I didn't. _____ was the meeting rescheduled?
reschedule: 일정을 변경하다

M　The club president is _____ _____ school because of a cold.

W　I see. Well, I can't go to the meeting that day. I have to _____ _____ _____ my little sister. 🔑 정답 근거

M　That's too bad. I'll _____ you know later what we did at the meeting.
선행사를 포함하는 관계대명사 what이 이끄는 명사절

17 그림 상황

다음 그림의 상황에 가장 적절한 대화를 고르시오.

① ② ③ ④ ⑤

① 여 그녀가 너의 누나니?
　남 아니, 나보다 키가 큰 것뿐이야.
② 여 너는 왜 프랑스에 갔었니?
　남 우리 이모가 거기에서 결혼하셨어.
③ 여 그곳에 가는 가장 빠른 방법이 무엇인가요?
　남 기차예요, 하지만 가장 비싸요.
④ 여 미끄러운 길에서는 조심해서 운전해라.
　남 걱정하지 마세요. 그럴게요.
⑤ 여 너는 왜 동아리에 가입하지 않았어?
　남 음, 거기에 흥미가 없었어.

① W　Is she your older sister?

　M　No, she's just _____ _____ me.

② W　Why did you _____ _____ France?

　M　My aunt got married there.
　　　　　　　get married: 결혼하다

③ W　What's the fastest way to get there?

　M　By _____, but it's the most expensive.

④ W　Drive _____ on the slippery road. 정답 근거

　M　Don't worry. I will.

⑤ W　Why didn't you join the club?

　M　Well, I wasn't _____ _____ it.

18 언급하지 않은 것 ③

다음을 듣고, 남자가 학교에 대해 언급하지 <u>않은</u> 것을 고르시오.
① 학교가 세워진 때　② 개교 당시 학생 수
③ 개교 당시 학교 규모　④ 현재의 학교 규모
⑤ 교내 도서관의 위치

M　Students, I want to tell you a little about the _____ of
정답 근거
our school. This school was built sixty years ago. When
the school first _____, there were around 200 students
and _____ teachers. There was just _____ building
at the time. **As you know,** we now have three buildings
알다시피
_____ the gym. If you want to _____ _____
about how our school has changed _____ _____,
계속되어 온 일을 나타내는 현재완료
check out the display in the library.

남 학생 여러분, 저는 우리 학교의 역사에 관해 여러분께 조금 말해 주고 싶습니다. 이 학교는 60년 전에 세워졌습니다. 학교가 처음 개교했을 때에는 약 200명의 학생과 10명의 교사가 있었습니다. 당시에는 건물이 한 동만 있었습니다. 알다시피, 이제는 체육관을 포함해 세 동의 건물이 있습니다. 세월이 흐르면서 우리 학교가 어떻게 변해 왔는지 더 알고 싶다면 도서관에 있는 전시를 확인해 보세요.

🔔 **Solution Tip**
학교의 변천사에 대해 더 알고 싶으면 도서관의 전시를 확인하라고 했으나, 도서관의 위치를 알려 주지는 않았다.

19 이어질 말 ①

Man: _____

① Do you know her favorite song?
② Let's buy a nice present for her.
③ No, thank you. I'm already full.
④ I got some allowance from Mom.
⑤ That's a good idea. She'll love that.

남 Jessica, 엄마 생신이 언제지?
여 이번 달 25일이야.
남 엄마께 뭔가 좋은 것을 드려야 하는데. 용돈 남은 거 있어?
여 아니, 문구점에서 다 써 버렸어.
남 나도 남은 돈이 없어. 돈이 없는데 어떻게 선물을 사 드리지?
여 뭔가를 사야 하는 건 아니야. 우리가 직접 엄마께 저녁 식사를 준비해 드리자.
남 ⑤ 그거 좋은 생각이다. 엄마가 좋아하실 거야.

M Jessica, when is Mom's birthday?

W It's on the _____ of this month.

M We should give her something nice. Do you have any _____ _____?
-thing으로 끝나는 대명사 뒤에 형용사가 와서 꾸민다.

W No, I spent _____ _____ at the stationery store.

M I don't have _____ _____, either. How can we buy her a gift if we have no money?
조건을 나타내는 부사절을 이끄는 접속사

W We don't have to buy anything. We can _____ _____ for her ourselves.
정답 근거
재귀대명사의 강조 용법으로 쓰였다.

M That's a good idea. She'll love that.

① 엄마가 좋아하는 노래를 알아?
② 엄마께 멋진 선물을 사 드리자.
③ 고맙지만 됐어. 난 이미 배불러.
④ 나는 엄마한테 용돈을 좀 받았어.

20 이어질 말 ②

Man: _____

① I don't know where he lives.
② How can I meet a new friend?
③ Not at all. We talk every day.
④ I don't use the Internet these days.
⑤ I want to visit England someday.

여 너 누구에게 문자를 보내니?
남 영국에 있는 제 친구에게요. 그 아이가 곧 한국을 방문하러 오거든요. 이번이 첫 번째 방문이에요.
여 아, 그럼 너는 어떻게 그 애를 만났니?
남 우리는 온라인에서 만났어요. 이번에 실제로 처음 만나는 거예요.
여 그렇구나. 그를 만나는 게 조금 어색할지도 모르겠다. 긴장되지 않니?
남 ③ 전혀요. 우리는 매일 이야기하는 걸요.

W Who are you _____?

M My friend from England. He's coming to visit Korea soon. It's his _____ _____.

W Oh, then how did you meet him?

M We met _____. This is the first time we're going to meet _____ _____.

W I see. It might be a little awkward _____ _____. Do you feel nervous about it?
정답 근거 어색한
한 번도 본 적 없는 친구를 처음으로 만나는 일

M Not at all. We talk every day.

① 저는 그가 어디에 사는지 몰라요.
② 어떻게 해야 새 친구를 만날 수 있죠?
④ 저는 요즘 인터넷을 사용하지 않아요.
⑤ 저는 언젠가 영국에 가 보고 싶어요.

05회
받아쓰기

모의고사를 먼저 풀고 싶으면 90쪽으로 이동하세요.

🎧 다음 표현을 듣고 모르는 것에 표시하시오.

☐ 01 **Exactly.** 맞아.	☐ 25 **wrap** 포장하다, 싸다
☐ 02 **high-speed train** 고속 열차	☐ 26 **take out** 내놓다
☐ 03 **bin** 쓰레기통	☐ 27 **hook** 고리, 갈고리
☐ 04 **extra** 추가; 추가로	☐ 28 **field** 분야
☐ 05 **pay attention** 주의를 기울이다	☐ 29 **show up** 나타나다
☐ 06 **crash** 부딪히다, 박살나다	☐ 30 **silent** 고요한
☐ 07 **search for** ~을 찾다	☐ 31 **take place** 열리다, 개최되다
☐ 08 **across the nation** 전국적으로	☐ 32 **plate** 접시
☐ 09 **request** 요청	☐ 33 **dust** 먼지를 털다
☐ 10 **expect** 기대하다, 예상하다	☐ 34 **teachers' office** 교무실
☐ 11 **expert** 전문가	☐ 35 **chilly** 쌀쌀한, 추운
☐ 12 **concentrate** 집중하다	☐ 36 **find out** 알아내다
☐ 13 **uncomfortable** 불편한	☐ 37 **happen** 일어나다
☐ 14 **get in trouble** 곤경에 처하다	☐ 38 **perform** 공연하다
☐ 15 **freezing** 꽁꽁 얼게 추운	☐ 39 **allow** 허락하다, 용납하다
☐ 16 **bother** 성가시게 하다	☐ 40 **excuse** 용서하다
☐ 17 **purchase** 구매하다	☐ 41 **cut into pieces** 조각을 내어 자르다
☐ 18 **customer** 고객	
☐ 19 **option** 선택	**알아두면 유용한 선택지 어휘**
☐ 20 **play** 연극	☐ 42 **confident** 자신감 있는
☐ 21 **still** 여전히, 아직도	☐ 43 **print out** 출력[인쇄]하다
☐ 22 **wet** 젖은	☐ 44 **music** 악보(= sheet music)
☐ 23 **pick up** ~을 태우러 가다	☐ 45 **mop** (대걸레로) 닦다
☐ 24 **waterproof** 방수의	☐ 46 **expense** 경비, 비용

🎧 들으면서 표현을 완성한 다음, 뜻을 고르시오.

표현의 의미를 생각하며 다시 써 보기!

01 ex▢ra ☐ 추가 ☐ 벌점 ➡

02 cras▢ ☐ 박살나다 ☐ 머무르다 ➡

03 E▢actly. ☐ 맞아. ☐ 기다려. ➡

04 both▢r ☐ 양보하다 ☐ 성가시게 하다 ➡

05 waterproo▢ ☐ 물이 부족한 ☐ 방수의 ➡

06 all▢w ☐ 허락하다 ☐ 훔치다 ➡

07 fi▢ld ☐ 전문가 ☐ 분야 ➡

08 per▢orm ☐ 공연하다 ☐ 쉬다 ➡

09 ex▢use ☐ 때리다 ☐ 용서하다 ➡

10 re▢uest ☐ 요청 ☐ 장난 ➡

11 conc▢ntrate ☐ 파묻다 ☐ 집중하다 ➡

12 purcha▢e ☐ 구매하다 ☐ 따르다 ➡

13 free▢ing ☐ 지저분한 ☐ 꽁꽁 얼게 추운 ➡

14 ta▢e ▢ut ☐ 내놓다 ☐ 포장하다 ➡

15 sho▢ ▢p ☐ 나타나다 ☐ 묘사하다 ➡

16 p▢ate ☐ 냄비 ☐ 접시 ➡

17 sile▢t ☐ 고요한 ☐ 정상의 ➡

18 t▢ke ▢lace ☐ 개최되다 ☐ 고치다 ➡

실전 모의고사 [06]회

실전 모의고사 06회 →
모의고사 보통 속도
모의고사 빠른 속도

✎ 들으면서 주요 표현 메모하기!

01 다음을 듣고, 부산의 주말 날씨로 가장 적절한 것을 고르시오.

①   ②   ③   ④  ⑤

고난도 그림 그리며 듣기

02 대화를 듣고, 남자가 놓은 상차림으로 가장 적절한 것을 고르시오.

①   ②   ③   ④   ⑤

03 대화를 듣고, 여자의 심정으로 가장 적절한 것을 고르시오.
① confident   ② excited   ③ anxious
④ satisfied   ⑤ curious

04 대화를 듣고, 여자가 산 물건으로 가장 적절한 것을 고르시오.
① 선글라스   ② 방수 재킷   ③ 목도리   ④ 운동화   ⑤ 우산

05 대화를 듣고, 두 사람이 대화하는 장소로 가장 적절한 곳을 고르시오.
① 농장   ② 식당   ③ 수영장   ④ 정육점   ⑤ 문구점

06 다음을 듣고, 남자의 마지막 말의 의도로 가장 적절한 것을 고르시오.

① 감사 　　② 충고 　　③ 축하 　　④ 거절 　　⑤ 사과

✎ 들으면서 주요 표현 메모하기!

07 대화를 듣고, 여자가 이용한 교통수단으로 가장 적절한 것을 고르시오.

① 버스 　　② 비행기 　　③ 고속 열차 　　④ 지하철 　　⑤ 택시

고난도 ㅣ 대화의 흐름 파악하며 듣기

08 대화를 듣고, 남자가 대화 직후에 할 일로 가장 적절한 것을 고르시오.

① 설거지하기 　　② 쓰레기 버리기 　　③ 쓰레기봉투 찾기
④ 선반 먼지 털기 　　⑤ 바닥 닦기

09 대화를 듣고, 여자가 영어 캠프에 대해 언급하지 <u>않은</u> 것을 고르시오.

① 장소 　　② 기간 　　③ 하는 일
④ 가는 방법 　　⑤ 등록 방법

10 다음을 듣고, 남자가 하는 말의 내용으로 가장 적절한 것을 고르시오.

① 즐겁게 일하는 방법 　　② 좋은 꿈을 꾸는 방법
③ 꿈꾸는 직업을 갖는 방법 　　④ 전문가가 되는 방법
⑤ 정보를 쉽게 찾는 방법

틀린 문제는 Dictation에서
완벽하게 이해하세요!

실전 모의고사 [06]회

들으면서 주요 표현 메모하기!

11 대화를 듣고, 여자가 알아본 여행 상품 내용으로 일치하지 <u>않는</u> 것을 고르시오.

① 제주도 여행 상품이다.
② 3일과 4일 일정 중 선택할 수 있다.
③ 등산을 가거나 스쿠버 다이빙을 할 수 있다.
④ 바다가 보이는 방에 묵을 수 있다.
⑤ 전체 경비는 1인당 100달러이다.

12 대화를 듣고, 남자가 오늘 PC방에 가는 목적으로 가장 적절한 것을 고르시오.

① 컴퓨터 게임을 하기 위해서
② 과제에 필요한 자료를 찾기 위해서
③ 어제 놓고 온 옷을 찾기 위해서
④ 기타 악보를 인쇄하기 위해서
⑤ 친구를 만나기 위해서

13 대화를 듣고, 여자가 지불할 금액을 고르시오.

① $10　　② $20　　③ $30　　④ $40　　⑤ $60

14 대화를 듣고, 두 사람의 관계로 가장 적절한 것을 고르시오.

① 식당 종업원 – 손님
② 호텔 직원 – 투숙객
③ 기자 – 정치인
④ 택시 운전사 – 승객
⑤ 상담 교사 – 학생

15 대화를 듣고, 여자가 남자에게 부탁한 일로 가장 적절한 것을 고르시오.

① 집에 같이 가기
② 상자 포장하기
③ 상자 옮기기
④ 교실 청소하기
⑤ 선생님께 전화하기

16 대화를 듣고, 여자가 새 헤드폰을 산 이유로 가장 적절한 것을 고르시오.

✎ 들으면서 주요 표현 메모하기!

① 쓰던 헤드폰을 잃어버려서　　② 부모님이 용돈을 주셔서

③ 쓰던 헤드폰이 고장 나서　　④ 더 좋은 헤드폰을 갖고 싶어서

⑤ 쓰던 헤드폰을 동생에게 줘서

17 다음 그림의 상황에 가장 적절한 대화를 고르시오.

①　　　　②　　　　③　　　　④　　　　⑤

18 다음을 듣고, 여자가 Sunflower 스터디 카페에 대해 언급하지 않은 것을 고르시오.

① 가방 보관 방법　　② 화장실 위치　　③ 음료 가격

④ 카페 영업 시간　　⑤ 음료당 이용 가능 시간

[19-20] 대화를 듣고, 남자의 마지막 말에 이어질 여자의 말로 가장 적절한 것을 고르시오.

19 Woman: _____

① Let's practice together.

② I don't like rock music.

③ I need to study math today.

④ Oh, I see. I'll turn it down.

⑤ Would you stop the music please?

20 Woman: _____

① You are a really good baseball player.

② I don't want anyone to know it was me.

③ First, heat the pan. Then put some oil in it.

④ It's not right to run away. You should tell the truth.

⑤ I didn't mean to bother you, but I broke your window.

틀린 문제는 Dictation에서
완벽하게 이해하세요!

01 날씨

*들을 때마다 체크

다음을 듣고, 부산의 주말 날씨로 가장 적절한 것을 고르시오.

① ② ③

④ ⑤

남 안녕하세요. 휴일 주말 동안 여행을 하실 거라면 이번 전국 도시 일기 예보에 귀를 기울이고 싶으실 겁니다. 서울은 몹시 춥고 많은 눈이 예상됩니다. 대전 또한 폭설이 내리겠습니다. 부산은 눈이 내리지 않겠습니다. 그러나, 주말 내내 비가 오겠습니다. 광주는 날씨는 쌀쌀하겠지만 하늘은 맑고 화창하겠습니다.

M Good evening. If you _____ _____ over the
~ 동안
holiday weekend, you'll want to _____ _____ to
this weather forecast for _____ across the nation. In
전국에 걸쳐
Seoul, expect _____ weather and lots of snow. Daejeon
will also have heavy _____. In Busan, there won't be
정답 근거
_____ _____. However, it will rain all weekend. In
Gwangju, the weather will be chilly, but the skies will be
_____ and sunny.

02 그림 묘사

대화를 듣고, 남자가 놓은 상차림으로 가장 적절한 것을 고르시오.

① ② ③

④ ⑤

여 Ben, 저녁 식사 상을 차려 줄 수 있겠니?
남 그럼요. 접시를 매트 위 어디에 놓을까요?
여 가운데에 놓으렴. 그리고 접시 왼쪽에 젓가락을 놔.
남 알겠어요. 그리고 숟가락은 어디에 놔요?
여 숟가락은 접시 오른쪽에 놓으렴.
남 알겠어요, 말씀하신 대로 다 했어요. 끝난 것 같아요.
여 아직 아니야. 컵도 필요해. 컵을 젓가락 위쪽에 놔.
남 문제없어요. 자, 상이 다 차려졌어요.

W Ben, can you please _____ the table for dinner?
M Okay. Where should I put the _____ on the mat?
정답 근거
W Put it in the middle. And put the chopsticks to _____
= in the middle of the mat
_____ of the plate.
M Sure. And where should I _____ the spoon?
W Please put the spoon to _____ _____ of the plate.
M Okay, I did everything you said. I think I'm _____.
everything 뒤에 목적격 관계대명사 that이 생략된 구조이다.
W Not yet. We need a cup _____ _____. Put it above
= a cup
the chopsticks.
M No problem. Okay, the table is _____ _____.

Solution Tip

매트 가운데에 접시를 놓고, 접시 왼쪽에 젓가락을, 오른쪽에 숟가락을 놓은 다음 컵을 젓가락 위쪽에 놓는다. 접시를 기준으로 숟가락과 젓가락 위치를 정하는 것에 유의한다.

Dictation 06회 →
전체 듣기
문항별 듣기

Dictation의 효과적인 활용법
STEP1 들으면서 대본의 빈칸 채우기
STEP2 축쇄 문제를 보며 다시 풀어 보기
STEP3 해석을 보며 영어로 말하거나 영작해 보기

공부한 날   월   일

03 심정

대화를 듣고, 여자의 심정으로 가장 적절한 것을 고르시오.
① confident
② excited
③ anxious
④ satisfied
⑤ curious

남 Jenny, 너 내일 뭐 하니?
여 아무 계획 없어.
남 그럼 나와 함께 파티에 갈래?
여 음. 난 파티를 별로 좋아하지 않아.
남 파티는 재미있잖아! 왜 좋아하지 않는 거야?
여 난 새로운 사람들 옆에서는 수줍음을 타서, 파티에선 항상 불안한 기분이야.
남 알아, 하지만 파티에 가면 새로운 친구들을 사귈 수 있잖아.
여 그건 맞아. 갈게. 하지만 파티 생각을 하면 여전히 조금 불편해져.

M Jenny, what are you doing tomorrow?
    가까운 미래의 계획을 묻고 있으므로 현재진행 시제를 쓸 수 있다.
W I don't have _____ _____.
M Then do you want to go to a party with me?
W Um. I don't really like _____.
M Parties are _____! Why don't you like them?
W I'm shy _____ new people, so I always _____ _____ at parties.
    '그래서'라는 의미의 접속사로 so 앞에는 이유가, 뒤에는 결과가 온다.
M I know, but if you go to the party, you can make some new friends.
W That's true. I'll go, but the idea of a party _____ makes me a bit uncomfortable.
     정답 근거

04 세부 정보

대화를 듣고, 여자가 산 물건으로 가장 적절한 것을 고르시오.
① 선글라스
② 방수 재킷
③ 목도리
④ 운동화
⑤ 우산

남 엄마, 문 옆에 쇼핑백들이 왜 있어요?
여 내일 내가 여행을 가잖아, 그래서 가져갈 것들을 좀 사야 했단다.
남 여행을 가신다고요? 전 몰랐어요.
여 내가 어제 저녁 식사 때 너에게 내 여행 얘기를 했어.
남 아, 제가 잊어버렸나 봐요. 그럼 제일 큰 가방에는 뭐가 들어 있어요?
여 그 안에는 방수 재킷이 있단다.
남 그렇군요. 엄마가 가시는 곳 날씨가 비가 와요?
여 아니. 나이아가라 폭포에 가는데 너무 젖고 싶지 않아서야.

M Mom, why are there shopping bags by the door?
W I'm leaving for _____ _____ tomorrow, and I had to buy some things to take with me.
M You're going on a trip? I didn't know that.
    = you're going on a trip
W I _____ _____ about my trip yesterday at dinner.
M Oh, I guess I _____. So what's in _____ _____ bag?
    = the biggest bag
W There is a waterproof jacket in it.   정답 근거
M I see. Will the weather _____ _____ where you're going?
    엄마가 가시는 곳에
W No. I'm going to Niagara Falls and don't want to get _____ _____.

05 장소

대화를 듣고, 두 사람이 대화하는 장소로 가장 적절한 곳을 고르시오.
① 농장　　② 식당　　③ 수영장
④ 정육점　　⑤ 문구점

M　I can help the next _____.

W　Hi. I need some pork belly and steak, please.　🔑정답 근거

M　Sure. How many grams would you like of each?
　　= How many grams of each would you like?

W　300 grams of pork belly and _____ grams of steak.

M　Okay. And would you like me to _____ it _____ small pieces?

W　No, thanks. I can cut it up when I get home.
　　「동사+부사」인 동사구의 목적어가 대명사일 때 동사와 부사 사이에 쓴다.

M　Okay. I'll _____ it _____. (*Pause*) That'll be _____ dollars, please.

W　Here you are. Oh, this meat looks _____ _____. Thank you.

남　다음 손님 도와드릴게요.
여　안녕하세요. 돼지고기 삼겹살이랑 스테이크 주세요.
남　네. 각각 몇 그램씩 드릴까요?
여　삼겹살 300g이랑 스테이크 500g이요.
남　알겠습니다. 작게 조각으로 썰어 드릴까요?
여　아뇨, 괜찮아요. 제가 집에 가서 썰면 돼요.
남　알겠습니다. 고기를 싸 드릴게요. (…) 20달러입니다.
여　여기 있어요. 오, 이 고기 정말 신선해 보이네요. 감사합니다.

🔈 **Sound Tip** cut it up
cut의 끝소리 [t]가 it의 모음 [i]와 만나 [r]과 비슷한 소리로 발음되며, it의 끝소리 [t]도 뒤의 모음 [ʌ]를 만나 비슷한 현상이 일어난다.

06 말의 의도

다음을 듣고, 남자의 마지막 말의 의도로 가장 적절한 것을 고르시오.
① 감사　　② 충고　　③ 축하
④ 거절　　⑤ 사과

M　Hey, Catherine. What's up?

W　Hi, Harry. Um, _____ were you last night?

M　Last night? I was _____ _____ just watching TV.
　　동시에 일어난 일을 나타내는 분사구문

W　Then why didn't you _____ to my birthday party?

M　Your birthday party was last night?

W　Yes, it was last night. I was really _____ that you didn't show up.
　　that절이 감정의 이유를 나타낸다.

M　Oh, no! I thought the party was _____ _____. Please excuse my huge _____.　🔑정답 근거

남　이봐, Catherine. 잘 있었어?
여　안녕, Harry. 음, 너 어젯밤에 어디 있었어?
남　어젯밤? 집에서 그냥 TV 봤는데.
여　그럼 왜 내 생일 파티에 오지 않았어?
남　네 생일 파티가 어젯밤이었어?
여　그래, 어젯밤이었어. 네가 오지 않아서 나 정말 실망했어.
남　아, 이런! 난 파티가 다음 주인 줄 알았어. 내 엄청난 실수를 용서해 줘.

07 세부 정보

대화를 듣고, 여자가 이용한 교통수단으로 가장 적절한 것을 고르시오.
① 버스　② 비행기　③ 고속 열차
④ 지하철　⑤ 택시

남　Sarah, 너 어제 왜 학교에 결석했니?
여　가족들과 여행을 갔었어. 3일 동안 Sunshine Beach에 갔다 왔어.
남　멋지다. 바닷가 근처의 호텔에서 묵었니?
여　아니. 삼촌 댁이 바닷가에서 걸어서 5분 거리라, 그곳에서 묵었어.
남　그렇구나. 그런데 여기에서 Sunshine Beach는 꽤 멀지 않아? 어떻게 갔어?
여　고속 열차를 탔어. 2시간 반밖에 안 걸리더라고. 그리고 기차역에는 삼촌이 마중 나오셨어.
남　그랬구나. 너는 Sunshine Beach에 자주 가니?
여　응, 우리는 매년 여름에 그곳에 가.

M Sarah, why were you _____ from school yesterday?

W I was _____ _____ _____ with my family. We went to Sunshine Beach for three days.

M Cool. Did you stay at a hotel _____ the beach?

W No. My uncle's house is a five-minute walk from the beach, so we _____ with him.
걸어서 5분 거리

M I see. But isn't Sunshine Beach pretty far from here? How did you _____ _____?

W 🎵정답 근거 We took the high-speed train. It only took _____ and a half hours. Then my uncle _____ _____ _____ at the train station.
take: (시간이) 걸리다

M Got it. Do you go to Sunshine Beach _____?

W Yeah, we go there every summer.

90회 어휘 듣기

08 바로 할 일

대화를 듣고, 남자가 대화 직후에 할 일로 가장 적절한 것을 고르시오.
① 설거지하기　② 쓰레기 버리기
③ 쓰레기봉투 찾기　④ 선반 먼지 털기
⑤ 바닥 닦기

여　집이 너무 엉망이야. 밤에 파티하기 전에 오늘 청소를 해야 해.
남　맞아. 네가 선반 먼지를 털면 내가 설거지를 할게.
여　좋아. 우리 쓰레기도 버려야 해.
남　그거야 간단하지. 내가 지금 바로 할게.
여　버리고 나면 쓰레기통에 새 쓰레기봉투 넣는 것을 잊지 마.
남　물론이지. (…) 아, 우리 쓰레기봉투가 떨어진 것 같아.
여　확실하진 않지만, 싱크대 밑에 더 있을 거야.
남　아, 거기를 확인 안 했어. 지금 확인할게.

W The house is so messy. We should _____ _____ today before the party tonight.

M Okay. I'll _____ the dishes if you dust the shelves.

W Sounds good. We also need to take out _____ _____.

M That's easy. I'll do that right now.
🔔함정 주의
= take out the trash

W When you're _____, don't forget to put a new trash bag in the bin.

M Sure. (Pause) Oh, I think we're _____ _____ trash bags.

W I'm not sure, but I think there are _____ under the sink.

M Oh, I didn't _____ there. I'll do that now.
🎵정답 근거
= under the sink　= check there

09 언급하지 않은 것 ①

대화를 듣고, 여자가 영어 캠프에 대해 언급하지 <u>않은</u> 것을 고르시오.
① 장소　　② 기간　　③ 하는 일
④ 가는 방법　　⑤ 등록 방법

남　이번 여름 방학에 뭐 할 거니, Emily?
여　나는 방금 여름 영어 캠프에 등록했어! 캠프는 Jordan Village에서 열릴 거야.
남　와, 너 신나겠다. 캠프 기간은 얼마나 돼?
여　다음 2주에 걸쳐 있을 거야. 영어 수업이랑 재미있는 활동이 있을 거래.
남　재미있는 활동? 거기에서 무슨 활동을 할 수 있는데?
여　이틀에 한 번씩 특별 미술 활동이 있을 거야. 그리고 영어 연극 공연도 할 거야.
남　아, 나 그 캠프에 관심이 생겼어. 캠프에는 어떻게 등록할 수 있어?
여　캠프 웹 사이트에서 할 수 있어. 내가 링크를 보내 줄게.

M　What are you going to do this summer _____, Emily?

W　I've just _____ _____ for the summer English camp! It will be at Jordan Village. ♪정답 근거

M　Wow, you must be excited. How long is the camp?

W　It will take place over the next _____ weeks. There will be English classes and fun activities.
（~에 걸쳐）

M　_____ _____? What activities can you do there?

W　There will be a special _____ activity every other day.
（이틀마다）
And we're going to _____ in an English play as well.

M　Oh, I'm _____ in it. How can I sign up for the camp?
（= the camp）

W　You can do it on their website. I'll _____ you the link.

▶ Solution Tip
① 장소: Jordan Village　　② 기간: 다음 2주에 걸쳐 열린다.
③ 하는 일: 영어 수업, 미술 활동, 연극 공연 등을 한다.　　⑤ 등록 방법: 웹 사이트에서 등록한다.

10 담화 화제

다음을 듣고, 남자가 하는 말의 내용으로 가장 적절한 것을 고르시오.
① 즐겁게 일하는 방법
② 좋은 꿈을 꾸는 방법
③ 꿈꾸는 직업을 갖는 방법
④ 전문가가 되는 방법
⑤ 정보를 쉽게 찾는 방법

남　당신이 꿈꾸는 직업은 무엇인가요? 다시 말해 당신에게 꼭 맞는 직업이요. 물론 당신의 일을 즐겨야겠죠. 먼저, 당신이 하기 좋아하는 것을 찾으세요. 그리고, 당신이 관심이 있는 그 직업에 대한 정보를 찾아보세요. 그 분야의 전문가를 방문할 수도 있어요. 마지막으로, 그 직업을 갖기 위해 무엇을 해야 하는지 알아보세요.

M　What's your _____ job? I mean the job that is _____
　　♪정답 근거　　　　　　　　　　　（다시 말해）
for you. Of course, you should _____ your work. First,
find things that you like to do. Then, _____ _____
（우선, 첫째로）　　　　　　　　　　　　　　（그 다음에, 그리고）
information about the job that you are interested in. You
can visit the _____ in that field. Finally, find out what
（마지막으로）
you have to do to _____ the job.

▶ Solution Tip
세 가지 사항을 나열하며 하나의 주제를 설명하고 있다. 전체 내용을 포괄하는 주제를 선택해야 한다.

11 일치하지 않는 것

대화를 듣고, 여자가 알아본 여행 상품 내용으로 일치하지 않는 것을 고르시오.
① 제주도 여행 상품이다.
② 3일과 4일 일정 중 선택할 수 있다.
③ 등산을 가거나 스쿠버 다이빙을 할 수 있다.
④ 바다가 보이는 방에 묵을 수 있다.
⑤ 전체 경비는 1인당 100달러이다.

여 Kevin, 난 오늘 여행사에 갔었어.
남 잘했어. 제주도 패키지여행에 대한 정보를 더 얻었니?
여 응, 선택 사항이 많더라고. 3일 일정과 4일 일정이 있어.
남 난 4일 일정이 더 좋아. 너는?
여 나도. 좋아, 다음으로는 활동을 선택해야 해. 등산을 가거나 스쿠버 다이빙을 할 수 있어.
남 우리 전에 이미 스쿠버 다이빙을 갔었잖아. 이번에는 등산을 가자.
여 알았어. 바다가 보이는 호텔 방을 원하니? 그건 추가 요금 100달러가 들어.
남 꽤 비싸구나. 하지만 그만한 가치가 있을 것 같아.

W Kevin, I went to the travel agency today.

M Good. Did you _____ more information on package tours to Jeju-do?

W Yes, there are lots of _____. They have a three-day trip and a four-day trip.

M I prefer _____ _____. How about you?

W Me, too. Okay, next we have to _____ an activity. We can go hiking or scuba diving.

M We _____ went scuba diving before. Let's go hiking this time.

W Sure. Do you want a hotel room _____ an ocean view? It costs 100 dollars extra.

M That's quite expensive. But I think it's _____ _____.

12 목적

대화를 듣고, 남자가 오늘 PC방에 가는 목적으로 가장 적절한 것을 고르시오.
① 컴퓨터 게임을 하기 위해서
② 과제에 필요한 자료를 찾기 위해서
③ 어제 놓고 온 옷을 찾기 위해서
④ 기타 악보를 인쇄하기 위해서
⑤ 친구를 만나기 위해서

여 Ricky, 네 기타 수업은 5시에 시작하잖니. 왜 이렇게 빨리 가니?
남 수업 전에 PC방에 들러야 해서요.
여 너 어제도 거기 갔잖아. 요즘 거기에서 시간을 너무 많이 보내는구나.
남 알아요, 엄마. 아빠가 벌써 그 문제로 말씀하셨어요. 주말에만 PC방에 가겠다고 약속드렸어요.
여 좋아. 그럼 오늘 왜 가는 거니? 월요일인데.
남 제가 어제 거기에 겉옷을 두고 온 것 같아요.
여 아, 알겠다. 옷을 찾기를 바랄게.

W Ricky, your guitar class _____ _____ until 5. Why are you leaving so early?

M I need to _____ by the Internet cafe before my class.

W You were just there yesterday. You're _____ too much time there these days.

M I know, Mom. Dad already talked to me about it. I promised that I would only go to the Internet cafe _____ _____.

W Good. Then why are you going today? It's Monday.

M I think I _____ my jacket there yesterday.

W Oh, I see. I hope you _____ _____.

13 금액

대화를 듣고, 여자가 지불할 금액을 고르시오.
① $10   ② $20   ③ $30
④ $40   ⑤ $60

남 안녕하세요. 이 셔츠 세 벌만이죠? 60달러입니다.
여 뭐라고요? 60달러요? 저는 한 벌에 10달러라고 생각했는데요.
남 아, 그건 할인 가격이었어요. 할인은 어제 끝났습니다.
여 정말요? 그럼 전 돈이 충분하지 않은데요. 이 셔츠 두 벌만 살게요.
남 잠깐만요. 30달러에 셔츠 세 벌을 전부 살 수 있는 방법이 있어요.
여 그게 어떻게 가능해요?
남 저희 가게 회원 카드 등록만 해 주시면 됩니다. 할인 가격은 카드 회원에게는 여전히 적용되거든요.
여 알겠어요. 지금 바로 등록하고 세 벌 살게요.

M   Hi. Just these three shirts? That'll be 60 dollars.
    계산대에서 점원이 물건을 가져온 손님에게 확인을 위해 하는 말
W   Excuse me? 60 dollars? I thought _____ _____ was ten dollars.

M   Ah, that was the discount price. _____ _____
    셔츠 한 장에 10달러
_____ yesterday.

W   Really? Then I don't have enough money. I'll only take
    함정 주의
these _____ shirts.

M   Wait. There's a way to get _____ three shirts for 30 dollars. 정답 근거

W   How is that possible?
    할인 기간이 끝났는데도 셔츠 세 벌을 30달러에 사는 것
M   All you have to do is _____ _____ for our store membership card. The discount price is still _____ to card members.

W   Okay. I'll sign up right now and _____ all three shirts.

14 두 사람의 관계

대화를 듣고, 두 사람의 관계로 가장 적절한 것을 고르시오.
① 식당 종업원 – 손님   ② 호텔 직원 – 투숙객
③ 기자 – 정치인   ④ 택시 운전사 – 승객
⑤ 상담 교사 – 학생

여 손님, 방이 마음에 드세요?
남 아주 좋아요, 감사합니다. 그런데 부탁이 하나 있어요.
여 물론입니다. 저희는 저희 손님들이 가능한 한 편안하게 지내시기를 바랍니다.
남 베개가 두 개 더 필요해요.
여 알겠습니다. 직원에게 객실로 즉시 베개를 가져다드리도록 하겠습니다.
남 감사합니다. 아, 그리고 제가 내일 몇 시에 체크아웃을 해야 하나요?
여 프런트 데스크로 오전 11시까지 오셔서 체크아웃 해 주세요. 기분 좋게 묵으시길 바랍니다.

W   Sir, how do you _____ your room? 정답 근거

M   It's very nice, thanks. I have a _____, though.

W   Of course. We want our guests to be _____ _____ _____ possible.

M   I need two more pillows.

W   Certainly. I'll have a _____ member bring them to your
    = two pillows
room right away.
    사역동사(have)+목적어+동사원형(목적격 보어): ~가 …하게 하다

M   Thanks. Oh, and what time do I need to check out tomorrow?

W   Please come to the front desk and _____ _____ by 11 a.m. We hope you have a pleasant _____.

15 부탁한 일

대화를 듣고, 여자가 남자에게 부탁한 일로 가장 적절한 것을 고르시오.
① 집에 같이 가기 ② 상자 포장하기
③ 상자 옮기기 ④ 교실 청소하기
⑤ 선생님께 전화하기

남 미나야, 갈 준비 됐니? 집에 같이 걸어가자.
여 아직 안 됐어. 우리 선생님을 돕겠다고 자원했거든.
남 선생님을 무슨 일로 도와드려?
여 이 상자들 다 보이지. 이것들을 교무실로 옮겨야 해.
남 와, 상자 정말 많다.
여 그래, 20개가 넘어. 저, 네가 이 중 몇 개를 옮겨 줄 수 있겠니?
남 물론이지. 같이 하면 더 빨리 끝낼 수 있어.

🇬🇧

M Mina, are you ready _____ _____? Let's walk home together.

W Not yet. I volunteered to help our teacher.

M Help her with what?

W You see all these boxes. They need to _____ _____ to the teachers' office.
＝ All these boxes

M Wow, that's a lot of _____.

W Yeah, there are _____ twenty. Actually, could you carry _____ _____ of them? 🔑정답 근거

M Sure thing. If we do it together, we can get it _____ faster.
＝ carry the boxes

16 이유

대화를 듣고, 여자가 새 헤드폰을 산 이유로 가장 적절한 것을 고르시오.
① 쓰던 헤드폰을 잃어버려서
② 부모님이 용돈을 주셔서
③ 쓰던 헤드폰이 고장 나서
④ 더 좋은 헤드폰을 갖고 싶어서
⑤ 쓰던 헤드폰을 동생에게 줘서

여 내 새 헤드폰 좀 봐.
남 와, 진짜 좋아 보인다.
여 정말 고마워. 나도 이거 정말 마음에 들어.
남 부모님이 선물해 주셨니?
여 아니, 내 돈으로 샀어.
남 네가 쓰던 헤드폰은 어떻게 됐어?
여 내가 그걸 빗속에 떨어뜨렸어. 작동이 더는 안 돼.
남 아, 새 걸 산 이유가 그거야?
여 맞아.

W _____ _____ my new headphones.

M Wow, they look really _____.

W Thanks a lot. I'm really happy with _____.

M Were they _____ _____ from your parents?

W No, I bought them with my _____ money.

M What _____ to your old headphones?

W I dropped _____ in the rain. They don't work anymore. 🔑정답 근거
작동하다

M Oh, is that why you _____ new ones?
why는 앞에 the reason이 생략된
형태의 관계부사절을 이끈다.

W Exactly.

17 그림 상황

다음 그림의 상황에 가장 적절한 대화를 고르시오.

① ② ③ ④ ⑤

① 남 저길 봐! 큰 폭포가 있어.
　여 멋지다! 그 위에 무지개 보여?
② 남 주문하시겠어요?
　여 네, 저는 달걀 샌드위치로 하겠어요.
③ 남 우리는 이 배 위에서 저녁을 먹을 거야.
　여 와! 진짜 크다!
④ 남 이 수족관에는 무슨 프로그램이 있을까?
　여 시간표를 봐. 정오에 물고기들에게 먹이를 줄 수 있어.
⑤ 남 무서워하지 마. 그냥 물속으로 뛰어들어.
　여 물이 너무 차가울까 봐 걱정돼.

① M　Look over there! There is a big _____.
　W　That's amazing! Do you see the rainbow over it?
　　　= the waterfall

② M　Are you ready _____ _____?
　W　Yes, I would like an egg sandwich, please.

③ M　We're going to have dinner on this boat.
　W　Wow! It's _____!

④ M　What programs are _____ in this aquarium?　정답 근거
　W　Look at the timetable. We can feed the fish _____ _____.

⑤ M　Don't be afraid. Just _____ into the water.
　W　I'm _____ the water is too cold.
　　　앞에 접속사 that이 생략된 형태로, 감정의 이유를 나타낸다.

18 언급하지 않은 것 ②

다음을 듣고, 여자가 Sunflower 스터디 카페에 대해 언급하지 않은 것을 고르시오.
① 가방 보관 방법　　② 화장실 위치
③ 음료 가격　　④ 카페 영업 시간
⑤ 음료당 이용 가능 시간

여 알려드립니다, 여러분. Sunflower 스터디 카페에 와주셔서 감사합니다. 이 카페에서는 다른 손님들을 위해 조용히 해 주십시오. 가방이 있다면 각 탁자 아래의 고리에 거시면 됩니다. 화장실은 2층에 있습니다. 이 카페를 이용하시려면 음료를 사셔야 합니다. 음료 하나에 2시간 동안 머무르실 수 있습니다. 영업시간은 오전 9시에서 밤 10시 30분까지입니다. 감사합니다.

W　Attention, customers. Thank you for _____ to Sunflower Study Cafe. In this cafe, please _____ _____ for other customers. If you have a bag, you can _____ it on the hook under each table. You can find the restrooms on the second floor. In order _____ _____ this cafe, you must purchase a drink. _____ _____ allows you to stay for two hours. We're _____ from
allow+목적어+to부정사: ~가 …하도록 허락하다
9:00 a.m. to 10:30 p.m. Thank you.

정답 근거

🔁 Solution Tip
① 가방 보관 방법: 탁자 아래의 고리에 걸기　　② 화장실 위치: 2층
④ 카페 영업 시간: 오전 9시 ~ 밤 10시 30분　　⑤ 음료당 이용 가능 시간: 2시간

19 이어질 말 ①

Woman: _____

① Let's practice together.
② I don't like rock music.
③ I need to study math today.
④ Oh, I see. I'll turn it down.
⑤ Would you stop the music please?

🇬🇧

M Olivia, I'm really upset _____ you.

W Why? I'm just _____ for the dance contest.

M Your music is really bothering me. I can't concentrate on studying at all. 〔정답 근거〕

W Is it _____ _____? I don't think so.
= it is so loud

M I have a big test tomorrow. It's very important to me, so I _____ _____ _____ more.

W Oh, I see. I'll turn it down.
= the music, 「동사+부사」인 동사구의 목적어로 대명사가 왔기 때문에 동사와 부사 사이에 쓴다.

남 Olivia, 나 너한테 정말 화가 나.
여 왜? 난 그냥 춤 경연대회 연습하는 거야.
남 네 음악이 나한테 정말 거슬려. 공부에 전혀 집중할 수가 없어.
여 그렇게 크니? 난 그렇게 생각하지 않는데.
남 난 내일 중요한 시험이 있어. 나한테 아주 중요한 거라 공부를 더 해야 해.
여 ④ 아, 알았어. 소리를 줄일게.

① 우리 같이 연습하자.
② 나는 록 음악을 안 좋아해.
③ 나는 오늘 수학 공부를 해야 해.
⑤ 음악 좀 멈춰 줄래?

---

20 이어질 말 ②

Woman: _____

① You are a really good baseball player.
② I don't want anyone to know it was me.
③ First, heat the pan. Then put some oil in it.
④ It's not right to run away. You should tell the truth.
⑤ I didn't mean to bother you, but I broke your window.

M Did you see that? I _____ the ball _____ the building.

W Um, did you hear that _____ sound?

M Uh-oh. It _____ _____ I broke a window.

W Right. It was probably a window of the apartment building behind the school.

M I'm going to _____ home. I don't want to get _____ _____. 〔정답 근거〕

W It's not right to run away. You should tell the truth.
It은 가주어이고 to부정사구가 진주어이다.

남 너 저거 봤어? 내가 건물을 넘겨 공을 쳤어.
여 음, 너 저 깨지는 소리 들었니?
남 이런. 내가 창문을 깬 것 같아.
여 맞아. 아마 학교 뒤의 아파트 건물 창인 것 같다.
남 얼른 집에 가야겠어. 곤란해지기 싫어.
여 ④ 도망치는 건 옳지 않아. 사실을 말해야 해.

① 너는 정말 훌륭한 야구 선수야.
② 난 그게 나라는 걸 누군가 알기를 원치 않아.
③ 먼저 팬을 달구세요. 그런 다음 기름을 약간 넣으세요.
⑤ 너를 귀찮게 할 생각은 아니었는데, 네 창문을 깼어.

[VOCABULARY] 실전 모의고사 07회

어휘를 알아야 들린다

모의고사를 먼저 풀고 싶으면 106쪽으로 이동하세요.

🎧 다음 표현을 듣고 모르는 것에 표시하시오.

- 01 **surround** 둘러싸다
- 02 **shore** 호숫가
- 03 **ocean** 바다, 대양
- 04 **broken** 부서진
- 05 **discover** 발견하다
- 06 **flyer** 전단지
- 07 **hand out** 나눠 주다
- 08 **deliver** 배달하다
- 09 **above** ~의 위에
- 10 **cough** 기침하다
- 11 **decorate** 장식하다
- 12 **awake** 깨어 있는
- 13 **be into** ~에 관심이 있다, 좋아하다
- 14 **flight** 비행, 항공편
- 15 **ankle** 발목
- 16 **presentation** 발표
- 17 **charger** 충전기
- 18 **protect** 보호하다
- 19 **sneeze** 재채기하다
- 20 **own** 소유하다
- 21 **discuss** 논의하다
- 22 **plenty of** 많은
- 23 **sidewalk** 인도, 보도
- 24 **relief** 안도, 안심

- 25 **wheel** 바퀴
- 26 **litter** 쓰레기를 버리다
- 27 **pottery** 도자기, 도예
- 28 **aisle** 통로
- 29 **mention** 언급하다
- 30 **careless** 부주의한, 경솔한
- 31 **neighborhood** 이웃, 근처
- 32 **suitcase** 여행 가방
- 33 **fill out** (양식을) 작성하다
- 34 **startle** 깜짝 놀라게 하다
- 35 **selection** 선택, 선택된 것
- 36 **twist** 삐다, 비틀다
- 37 **open an account** 계좌를 개설하다
- 38 **look up** 찾아보다
- 39 **grab** 잡다, 잡아채다
- 40 **serious** 심각한, 진지한
- 41 **spread** 퍼뜨리다

✎ 알아두면 유용한 선택지 **어휘**

- 42 **apply for** ~에 지원하다
- 43 **explain** 설명하다
- 44 **flight attendant** 승무원
- 45 **disease** 질병
- 46 **sorrowful** 슬픈

🎧 들으면서 표현을 완성한 다음, 뜻을 고르시오.

표현의 의미를 생각하며 다시 써 보기!

01 ab▢ve ☐ ~의 위에 ☐ ~의 옆에 ➜ _____

02 litt▢r ☐ 쓰레기통 ☐ 쓰레기를 버리다 ➜ _____

03 tw▢st ☐ 삐다 ☐ 줍다 ➜ _____

04 disco▢er ☐ 분장하다 ☐ 발견하다 ➜ _____

05 pre▢entation ☐ 발표 ☐ 선물 ➜ _____

06 surr▢und ☐ 소리치다 ☐ 둘러싸다 ➜ _____

07 care▢ess ☐ 부주의한 ☐ 다정한 ➜ _____

08 spre▢d ☐ 달리다 ☐ 퍼뜨리다 ➜ _____

09 sh▢re ☐ 호숫가 ☐ 나누다 ➜ _____

10 dis▢uss ☐ 배달하다 ☐ 논의하다 ➜ _____

11 re▢ief ☐ 안도 ☐ 소지품 ➜ _____

12 snee▢e ☐ 넘어지다 ☐ 재채기하다 ➜ _____

13 ▢ook ▢p ☐ 찾아보다 ☐ 잃어버리다 ➜ _____

14 potte▢y ☐ 도자기 ☐ 요리하다 ➜ _____

15 bro▢en ☐ 즐거운 ☐ 부서진 ➜ _____

16 ai▢le ☐ 통로 ☐ 계단 ➜ _____

17 ▢ill o▢t ☐ 고치다 ☐ (양식을) 작성하다 ➜ _____

18 neighb▢rhood ☐ 마당 ☐ 근처 ➜ _____

어휘 07회

실전 모의고사 [07]회

실전 모의고사 07회 →
┌ 모의고사 보통 속도
└ 모의고사 빠른 속도

✎ 들으면서 주요 표현 메모하기!

01 다음을 듣고, 일요일의 날씨로 가장 적절한 것을 고르시오.

①   ②   ③   ④  ⑤

02 대화를 듣고, 여자가 선생님께 드릴 카드로 가장 적절한 것을 고르시오.

①   ②  ③   ④  ⑤

03 대화를 듣고, 두 사람의 심정으로 가장 적절한 것을 고르시오.
① pleasant   ② angry   ③ bored
④ excited   ⑤ sorrowful

04 대화를 듣고, 여자가 오늘 축제에서 만든 것으로 가장 적절한 것을 고르시오.
① 모형 자동차   ② 곰 인형   ③ 수저꽂이
④ 과일 접시   ⑤ 구슬 목걸이

05 대화를 듣고, 두 사람이 대화하는 장소로 가장 적절한 곳을 고르시오.
① 식료품점   ② 치과   ③ 교무실   ④ 문구점   ⑤ 주차장

06 대화를 듣고, 여자의 마지막 말의 의도로 가장 적절한 것을 고르시오.

① 권유　　　② 반박　　　③ 감사　　　④ 사과　　　⑤ 유감

✎ 들으면서 주요 표현 메모하기!

07 대화를 듣고, 여자가 남자에게 준 것으로 가장 적절한 것을 고르시오.

① 축구 경기 티켓　　　② 축구화　　　③ 야구 배트
④ 영화 티켓　　　⑤ 엽서

08 대화를 듣고, 남자가 대화 직후에 할 일로 가장 적절한 것을 고르시오.

① 가방 꺼내기　　　② 가방 사러 가기　　　③ 짐 챙기기
④ 운동화 찾기　　　⑤ 옷장 정리하기

고난도　선택지에 하나씩 체크하며 듣기

09 대화를 듣고, 전단지에 언급되지 <u>않은</u> 것을 고르시오.

① 축제에 전시된 작품의 종류　　　② 강좌의 종류
③ 강좌가 열리는 곳의 위치　　　④ 강좌가 열리는 요일
⑤ 강좌를 여는 사람의 전화번호

10 다음을 듣고, 남자가 하는 말의 내용으로 가장 적절한 것을 고르시오.

① 손을 씻는 올바른 방법　　　② 겨울철 건강 관리법
③ 건강한 식단을 구성하는 법　　　④ 겨울에 즐길 수 있는 스포츠
⑤ 기침으로 옮길 수 있는 병의 종류

틀린 문제는 Dictation에서
완벽하게 이해하세요!

실전 모의고사 [07]회

✎ 들으면서 주요 표현 메모하기!

11 대화를 듣고, 남자가 오늘 들은 발표에 대한 내용과 일치하지 <u>않는</u> 것을 고르시오.
① 프랑스 식당에서 발표를 들었다.
② 식당을 경영하는 사람이 발표를 했다.
③ 프랑스 요리에 관한 발표였다.
④ 프랑스 음식 만드는 법을 배울 수 있었다.
⑤ 발표에서 만든 음식을 맛볼 수 있었다.

12 대화를 듣고, 여자가 컴퓨터를 사용하려는 목적으로 가장 적절한 것을 고르시오.
① 동영상을 보기 위해서   ② 이메일을 보내기 위해서
③ 게임을 하기 위해서   ④ 보고서를 쓰기 위해서
⑤ 스포츠 기사를 읽기 위해서

13 대화를 듣고, 두 사람이 만날 시각을 고르시오.
① 6:30   ② 6:45   ③ 7:00   ④ 7:30   ⑤ 8:00

14 대화를 듣고, 두 사람의 관계로 가장 적절한 것을 고르시오.
① 항공 승무원 – 탑승객   ② 은행원 – 고객   ③ 요가 강사 – 강습생
④ 극장 안내원 – 관객   ⑤ 야구 선수 – 감독

15 대화를 듣고, 남자가 여자에게 부탁한 일로 가장 적절한 것을 고르시오.
① 숙제 도와주기   ② 모르는 문제 설명하기   ③ 요리하기
④ 음식 주문하기   ⑤ 전화 충전기 빌려주기

16 대화를 듣고, 남자가 일찍 일어난 이유로 가장 적절한 것을 고르시오.

① 생일 파티를 준비하려고
② 학교에 일찍 가려고
③ 엄마의 출근 준비를 도우려고
④ 등교 전에 운동을 하려고
⑤ 할아버지의 아침 식사를 준비하려고

✎ 들으면서 주요 표현 메모하기!

17 다음 그림의 상황에 가장 적절한 대화를 고르시오.

①　　　　②　　　　③　　　　④　　　　⑤

고난도 선택지에 하나씩 체크하며 듣기

18 다음을 듣고, 여자가 Sliver 호수에 대해 언급하지 <u>않은</u> 것을 고르시오.

① 이름의 유래
② 주변 나무의 종류
③ 산책로를 걷는 데 걸리는 시간
④ 근처 식당의 개수
⑤ 잡히는 물고기의 종류

[19-20] 대화를 듣고, 남자의 마지막 말에 이어질 여자의 말로 가장 적절한 것을 고르시오.

19 Woman: _____

① I really don't like ice cream.
② Do you go to school by bus?
③ We can talk to the bus driver.
④ I'm sorry but I don't have enough money.
⑤ I know, but it's my way of saying thank you.

20 Woman: _____

① I also have an interview today.
② Why don't you apply for another job?
③ I already have one. You can keep it.
④ Look at the sky. It's going to rain soon.
⑤ Could you bring me some water please?

틀린 문제는 Dictation에서
완벽하게 이해하세요!

01 날씨

*들을 때마다 체크

다음을 듣고, 일요일의 날씨로 가장 적절한 것을 고르시오.

① ② ③

④ ⑤

W Now we'll take a _____ _____ from the news for the weather report. On Friday, it will be very _____, so the sun will be hidden all day. The gray, cloudy weather will _____ the entire weekend. On Monday, the sun
주말 내내
will _____ _____, and the skies will be clear all day. However, the nice weather will be short-lived as Tuesday
오래가지 못하는
will bring lots of _____.

여 이제 날씨 예보를 위해 잠시 뉴스를 멈추겠습니다. 금요일에는 매우 흐리고, 종일 해가 가려져 있을 것입니다. 우중충한 구름 낀 날씨가 주말 내내 지속되겠습니다. 월요일에는 마침내 태양이 돌아오고, 하늘은 하루 종일 맑겠습니다. 그러나 화요일에 많은 비가 오면서 화창한 날씨는 오래가지 못하겠습니다.

02 그림 묘사

대화를 듣고, 여자가 선생님께 드릴 카드로 가장 적절한 것을 고르시오.

① ② ③

④ ⑤

M Eva, I see you made a few cards. _____ one are you going to give to our teacher?

W I _____ _____ which one. Maybe I'll give her this one with a picture of a flower.

M Hmm. I think she would like that one _____, the one
= that one
with a picture of a cat.

W You're right. I'll give her that one. And I'm going to write "_____ _____" above the cat.

M That will look nice. And why don't you _____ a heart
고양이 그림 위에 '감사합니다'라는 말을 쓰는 것
next to the cat?

W Good idea. I'll put a heart _____ _____ _____ of the cat picture.

남 Eva, 너 카드 여러 장 만든 거 알아. 우리 선생님께 어느 것을 드릴 거니?
여 어느 것을 드릴지 결정 못하겠어. 아마 선생님께는 꽃 그림이 있는 이 카드를 드릴 것 같아.
남 음. 내 생각엔 선생님께서는 저것, 고양이 그림이 있는 것을 더 좋아하실 것 같아.
여 맞아. 저걸 드려야겠다. 그리고 고양이 위에 '감사합니다'라고 써야겠어.
남 보기 좋을 것 같아. 그리고 고양이 옆에 하트를 그리는 건 어때?
여 좋은 생각이야. 고양이 그림 오른쪽에 하트를 넣을래.

Sound Tip next to
앞 단어의 끝소리와 뒷 단어의 첫소리가 [t]로 같으므로 연결되어 한 소리처럼 발음된다.

Dictation 07회 →
전체 듣기
문항별 듣기

Dictation의 효과적인 활용법
STEP1 들으면서 대본의 빈칸 채우기
STEP2 축쇄 문제를 보며 다시 풀어 보기
STEP3 해설을 보며 영어로 말하거나 영작해 보기

공부한 날　월　일

03 심정

대화를 듣고, 두 사람의 심정으로 가장 적절한 것을 고르시오.

① pleasant　② angry　③ bored
④ excited　⑤ sorrowful

남　오늘 우리가 바닷가에 와서 아주 기뻐.
여　맞아. 신선한 바닷바람에 기분이 좋아.
남　조금 이따 수영하러 갈래?
여　물론이지, 좋아. (…) 아, 저런! 저 남자가 방금 한 일을 좀 봐.
남　빨간색 반바지 입은 남자 말이야?
여　응. 저 쓰레기 보여? 저 남자가 방금 그걸 버리고 걸어가 버렸어.
남　너무해. 왜 저걸 그냥 쓰레기통에 넣지 않은 걸까?
여　나는 사람들이 쓰레기를 버리면 너무 화가 나. 정말 경솔해!

M　I'm so happy that we came to the beach today.

W　I agree. The fresh ocean breeze feels _____.

M　Do you want to go for a _____ in a little while?
　　수영하러 가자는 제안

W　Sure, that sounds nice. (*Pause*) Oh, no! Look at what that
man just _____.
　　　　　　　　　　　　　　　　선행사를 포함하는
　　　　　　　　　　　　　　　　관계대명사
　　　　　　　　　　　　　　　　(= the thing that)

M　The one in the red shorts?
　　　　의복을 나타낼 때 쓰는 전치사

W　Yes. Do you see that trash? He just _____ it and walked
away.
　　정답 근거

M　That's terrible. Why didn't he just throw it in the _____
_____?

W　It makes me _____ _____ when people litter. It's so
careless!

04 과거에 한 일

대화를 듣고, 여자가 오늘 축제에서 만든 것으로 가장 적절한 것을 고르시오.

① 모형 자동차　② 곰 인형　③ 수저꽂이
④ 과일 접시　⑤ 구슬 목걸이

남　너 기분 좋아 보이는구나. 오늘 학교에서 무슨 특별한 일이 있었니?
여　네, 오늘은 공예 축제였어요.
남　재미있겠는데.
여　재미있었어요! 선생님들이 각자 부스를 열고 학생들에게 특정한 공예품을 만드는 법을 가르쳐 주셨어요.
남　흥미롭네. 너는 몇 개나 만들었니?
여　딱 하나예요. 여기 있어요. 멋지지 않아요?
남　와! 나무젓가락으로 만든 모형 자동차라니! 굉장하구나.
여　고마워요, 아빠. 시간이 많이 걸렸지만 전 제 작품이 자랑스러워요.

M　You look happy. Did you do _____ _____ at school
today?

W　Yes, today was the arts and crafts festival.

M　That sounds like _____.

W　It was! Each teacher _____ a booth and _____
　　= It was fun!
students how to make a certain craft.
　　　　　　how+to부정사: ~하는 법

M　Interesting. How many crafts did you make?

W　_____ _____. Here it is. Isn't it cool?

M　Wow! A model car made _____ _____ wooden　정답 근거
chopsticks! It's incredible.

W　Thanks, Dad. It _____ a lot of time, but I'm really
proud of my work.

05 장소

대화를 듣고, 두 사람이 대화하는 장소로 가장 적절한 곳을 고르시오.

① 식료품점 ② 치과 ③ 교무실
④ 문구점 ⑤ 주차장

여 공책이 어디 있죠?
남 5번 통로에 있습니다. 잘 아시다시피, 저희는 지금 할인 판매 중이에요. 공책 두 권을 사시면, 한 권을 더 드립니다.
여 잘됐네요! 학교가 곧 시작되어서 공책이 많이 필요하거든요.
남 사실 학교생활에 필요할 법한 모든 것을 할인 판매 중이에요.
여 그렇군요. 연필, 펜, 필통도 할인에 포함되나요?
남 물론입니다. 저희는 소지품을 꾸미는 데 쓰는 스티커도 많이 선별해 두고 있답니다.
여 완벽하네요! 둘러봐야겠어요.
남 좋습니다. 그 밖에 도움이 필요하시면 알려 주세요.

W Where are the notebooks?
M They're in _____ 5. And just so you know, we're
참고로 말하자면, 당신도 알다시피
having a sale right now. Buy two notebooks, get one
_____.
W Great! I need lots _____ school is starting soon.
M Actually, we're having a sale on _____ you might need
정답 근거
for school.
W Okay. Does that _____ pencils, pens, and pencil cases?
할인 판매 품목을 가리킨다.
M Of course. We also have a big selection of stickers for
_____ your things.
W Perfect! I'll have _____ _____.
M Okay. Let me know if you _____ help with anything
조건의 부사절을 이끄는 접속사
else.

06 말의 의도

대화를 듣고, 여자의 마지막 말의 의도로 가장 적절한 것을 고르시오.

① 권유 ② 반박 ③ 감사
④ 사과 ⑤ 유감

여 정말 신난다! 스키 여행에서 우리 같이 정말 재미있게 보낼 거야.
남 아, 그거 말인데… 너한테 할 말이 있어.
여 이런. 너 심각해 보인다. 나쁜 소식이 아니면 좋겠는데.
남 불행하게도, 맞아. 나 여행 못 가.
여 뭐라고? 우리 이 여행 정말 오래 준비해 왔잖아.
남 알아, 하지만 발목을 삐었어. 스키를 타러 가는 게 나에겐 안전하지 않을 거야.
여 알았어. 네가 여행에 오면 정말 좋을 텐데. 네가 없다면 같을 순 없을 거야.

W I'm so _____! We're going to have so much fun
_____ on our ski trip.
M Oh, about that… I have something to tell you.
W Uh-oh. You look serious. I hope it isn't _____ _____.
M Unfortunately, it is. I _____ go on the trip.
= it is bad news
W What? We have been _____ this trip for so long.
M I know, but I twisted my ankle. It wouldn't be _____
for me to go skiing.
가주어 it ~+to부정사의 의미상의 주어(for+목적
격)+진주어(to부정사구): ~가 …하는 것은 -하다
정답 근거
W Okay. I really wish you were _____ on the trip. It won't
be the same without you.

 Solution Tip
여자는 여행을 가지 못하게 되었다는 남자의 말에 아쉬워하며 유감의 뜻을 전하고 있다.

07 세부 정보

대화를 듣고, 여자가 남자에게 준 것으로 가장 적절한 것을 고르시오.
① 축구 경기 티켓　② 축구화
③ 야구 배트　④ 영화 티켓
⑤ 엽서

W Todd, you like soccer, right? Do you like the Cardinals?

M Yes, they're _____ _____ team! I go to their games at least once a month.
적어도 한 달에 한 번　🔑정답 근거

W Then you might want these tickets. I got them _____ _____ in a contest.

M Free Cardinals tickets? You're _____ _____! But don't you want to go?

W I'm not into soccer. I only like baseball. Take this
be into ~: ~을 좋아하다
envelope. There are _____ tickets inside.
= inside the envelope

M Thank you! I'm going to take my dad and two friends with me.

W Good. I hope you _____ _____.

M Surely I will!

여 Todd, 너 축구 좋아하는 거 맞지? Cardinals 좋아해?
남 응, 내가 제일 좋아하는 팀이야! 최소한 한 달에 한 번은 그 팀 경기에 가.
여 그럼 이 티켓 좋아하겠다. 내가 대회에서 이걸 무료로 받았거든.
남 Cardinals의 무료 티켓이라고? 너 진짜 운 좋다! 그런데 넌 가고 싶지 않니?
여 난 축구를 좋아하지 않아. 난 야구만 좋아해. 이 봉투 받아. 안에 티켓 4장이 있어.
남 고마워! 아빠랑 친구 두 명이랑 같이 가야지.
여 잘됐다. 재미있게 보길 바라.
남 물론 그럴 거야!

08 바로 할 일

대화를 듣고, 남자가 대화 직후에 할 일로 가장 적절한 것을 고르시오.
① 가방 꺼내기　② 가방 사러 가기
③ 짐 챙기기　④ 운동화 찾기
⑤ 옷장 정리하기

M Anna, our flight _____ early tomorrow morning.

W I know. We have to _____ _____ our bags tonight.

M Okay, don't forget to bring _____ shoes. We'll be
don't forget+to부정사: 잊지 말고 ~해라
walking a lot.

W I don't know where my sneakers are. Have you _____ them?
= my sneakers

M Check in the closet. And grab the suitcase _____ you're there.
= in the closet

W No problem, I can do that. (*Pause*) _____ _____ we have a problem.

M What? You can't find your shoes?

W No, one wheel on the suitcase is _____. We need to buy a new one.
= suitcase　🔑정답 근거

M Okay, I'll drive to the store and _____ one now.

남 Anna, 우리 비행편이 내일 아침 일찍 떠나.
여 알아. 오늘 밤에 가방 꾸리는 걸 마쳐야 해.
남 좋아, 편한 신발 가져가는 걸 잊지 마. 우리는 많이 걸을 테니까.
여 내 운동화가 어디 있는지 모르겠어. 너는 봤어?
남 벽장 안을 찾아봐. 그리고 거기에 간 김에 여행 가방도 꺼내줘.
여 물론, 그렇게 할게. (…) 우리 문제가 생긴 것 같아.
남 뭔데? 신발을 못 찾겠어?
여 아니, 여행 가방에 달린 바퀴 하나가 부서졌어. 새 것을 사야 해.
남 알았어, 내가 지금 차로 가게에 가서 하나 사 올게.

09 언급하지 않은 것 ①

대화를 듣고, 전단지에 언급되지 <u>않은</u> 것을 고르시오.
① 축제에 전시된 작품의 종류
② 강좌의 종류
③ 강좌가 열리는 곳의 위치
④ 강좌가 열리는 요일
⑤ 강좌를 여는 사람의 전화번호

M Mom, I got this flyer for you.

W At the art festival yesterday?

M Yes, an artist there was _____ them _____.
= at the art festival   = the flyers   🎸정답 근거

W Oh, it has info on pottery classes in our neighborhood.

M Yeah, Dad mentioned that you want to learn _____ _____ _____ pottery.

W That's right. Thanks so much for _____ of me.

M Look here. It's Mr. Hopper's Pottery Class. The classes are on Thursdays and _____.

W There is his phone number at _____ _____. I'm going to contact him soon.

남 엄마, 제가 이 전단지를 엄마를 위해 가져왔어요.
여 어제 미술 축제에서 가져온 거니?
남 네, 거기에서 한 예술가가 전단지를 나눠 주고 있었어요.
여 오, 우리 집 근처에서 하는 도자기 강좌 정보가 있구나.
남 네, 아빠가 엄마는 도자기 만드는 법을 배우고 싶어 하신다고 말씀하셨거든요.
여 맞아. 날 생각해 줘서 정말 고맙다.
남 여기 보세요. Hopper 씨의 도자기 강좌래요. 목요일과 토요일에 강좌가 있네요.
여 아래에 그의 전화번호가 있어. 곧 연락해 봐야겠다.

Solution Tip
② 강좌의 종류: 도자기 공예 ③ 강좌가 열리는 곳의 위치: 집 근처 ④ 강좌가 열리는 요일: 목요일과 토요일 ⑤ 강좌를 여는 사람의 전화번호: 전단지 하단에 나와 있다.

10 담화 화제

다음을 듣고, 남자가 하는 말의 내용으로 가장 적절한 것을 고르시오.
① 손을 씻는 올바른 방법
② 겨울철 건강 관리법
③ 건강한 식단을 구성하는 법
④ 겨울에 즐길 수 있는 스포츠
⑤ 기침으로 옮길 수 있는 병의 종류

🎸정답 근거

M Today, we'll be discussing <u>how to stay healthy</u> in the
건강을 유지하는 방법
wintertime. During the winter, it's easy for people to _____ a cold. However, there are some things you can do to _____ _____ and others. You should wash your hands often. You should also get _____ _____ sleep. <u>Make sure to</u> eat a healthy diet _____
반드시 ~하도록 하다
green vegetables. If you catch a cold, try not to _____ _____ to others. It's important to <u>cover your mouth if</u>
It이 가주어, to부정사구가 진주어인 구조의 문장
you _____ or sneeze.

남 오늘 우리는 겨울철에 건강을 유지하는 방법에 대해 이야기하려 합니다. 겨울 동안 사람들은 감기에 걸리기 쉽습니다. 그러나 여러분과 다른 사람들을 보호하기 위해 할 수 있는 일이 몇 가지 있습니다. 손을 자주 씻어야 합니다. 또한 잠을 충분히 자야 합니다. 초록색 채소를 포함한 건강한 식사를 하세요. 감기에 걸리면 다른 사람들에게 옮기지 않도록 노력하세요. 기침을 하거나 재채기를 할 때 입을 가리는 것이 중요합니다.

11 일치하지 않는 것

대화를 듣고, 남자가 오늘 들은 발표에 대한 내용과 일치하지 <u>않는</u> 것을 고르시오.
① 프랑스 식당에서 발표를 들었다.
② 식당을 경영하는 사람이 발표를 했다.
③ 프랑스 요리에 관한 발표였다.
④ 프랑스 음식 만드는 법을 배울 수 있었다.
⑤ 발표에서 만든 음식을 맛볼 수 있었다.

여 Adam, 오늘 너희 반에 초청 연사가 오셨다고 들었어.
남 맞아요, 한 여자분이 오셔서 체육 시간 동안 발표를 하셨어요.
여 그러면 체육 수업을 못 했겠구나?
남 네. 처음에는 화가 났는데, 발표가 실제로는 꽤나 재미있었어요.
여 오, 다행이구나. 뭐에 관한 거였니?
남 프랑스 요리요. 그 여자분이 프랑스 음식점을 하신대요.
여 그렇구나. 프랑스 요리 만드는 법도 배웠니?
남 네. 그분이 라타투이를 어떻게 만드는지 보여 주셨어요. 그리고 우리는 맛도 보게 되었어요.

W Adam, I heard that a _____ _____ came to your class today.

M Yeah, a woman came and gave a presentation _____ our P.E. time. 🔑정답 근거

W So you couldn't go to your P.E. class?

M Right. I was _____ at first, but the presentation was actually pretty _____.

W Oh, that's a relief. What was it about?
　　　　　다행이다　　　　　　　　　　　= the presentation

M About French food. The woman _____ a French restaurant.
　　　　🔑함정 주의

W I see. Did you learn how to make any _____ _____?

M Yes, she showed us how to make ratatouille. And we got to _____ _____ as well.
　　　　또한　　　여러 가지 채소를 넣은
　　　　　　　　 일종의 프랑스식 스튜

12 목적

대화를 듣고, 여자가 컴퓨터를 사용하려는 목적으로 가장 적절한 것을 고르시오.
① 동영상을 보기 위해서
② 이메일을 보내기 위해서
③ 게임을 하기 위해서
④ 보고서를 쓰기 위해서
⑤ 스포츠 기사를 읽기 위해서

여 Miles, 내가 잠깐 네 랩톱 컴퓨터를 빌려도 될까?
남 거실에 있는 데스크톱 컴퓨터를 쓸 수 없어?
여 그건 지난주에 고장이 났잖아. 아직 안 고쳐졌어.
남 알았어, 내 랩톱을 써도 돼, 그렇지만 컴퓨터 게임은 하지 마.
여 안 해. 엄마는 내가 일주일 동안 컴퓨터 게임하는 걸 허락 안 한다고 하셨어.
남 그래, 엄마가 그것에 대해 나한테 말씀하셨어.
여 내 걱정하지 마. 선생님께 이메일을 보내야 하는 것뿐이야.
남 알았어, 좋아. 여기 랩톱 있어.

W Miles, can I _____ your laptop for a little while?

M Can't you use the desktop computer in the living room?

W It _____ _____ last week, and it hasn't been fixed yet.
　　　　　　　　　현재완료 부정문의 수동태

M Okay, you can use _____ _____, but don't play any computer games.

W I won't. Mom said I'm _____ _____ to play computer games for a week.

M Yeah, she told me about that.
　　　엄마가 여자의 컴퓨터 게임을 금지한 일

W Don't worry about me. I just _____ _____ _____ an email to my teacher. 🔑정답 근거

M Okay, that's fine. Here's the laptop.

13 시각

대화를 듣고, 두 사람이 만날 시각을 고르시오.
① 6:30　② 6:45　③ 7:00
④ 7:30　⑤ 8:00

남 안녕, Becca! 내일 아침에 버스 정류장에서 만나.
여 잠깐만! 몇 시에?
남 매일 만나는 것처럼 8시에 만나.
여 내일이 체육 대회인 거 기억 안 나?
남 아, 잊어버렸어! 7시 30분까지 학교에 도착해야 하는 거지?
여 맞아. 그러면 7시에 버스 정류장에서 만나면 될까?
남 아침엔 차가 밀릴지도 몰라. 6시 45분이 나을 거야.
여 좋아, 그때 봐.

M Bye, Becca! _____ _____ tomorrow morning at the bus stop.

W Wait! What time?

M Let's meet at 8 as we do every day.
= as we meet

W Don't you _____ that tomorrow is sports day?
체육 대회

M Oh, I forgot! We have to _____ _____ school by 7:30, right?
7시 30분까지

W Right. Then should we meet at the bus stop _____ _____?
🎵정답 근거

M There might be _____ in the morning. 6:45 would be better.

W Okay, see you then.
= at 6:45

14 두 사람의 관계

대화를 듣고, 두 사람의 관계로 가장 적절한 것을 고르시오.
① 항공 승무원 – 탑승객
② 은행원 – 고객
③ 요가 강사 – 강습생
④ 극장 안내원 – 관객
⑤ 야구 선수 – 감독

남 5번 번호표 가지신 분 도와드리겠습니다.
여 저예요. 여기 번호표 있습니다.
남 안녕하세요. 부인. 어떻게 도와드릴까요?
여 당좌 예금 계좌를 개설하고 싶은데요.
남 알겠습니다. 이 은행에 다른 계좌를 갖고 계신가요?
여 아뇨. 다른 은행을 이용하고 있었는데, 거기 서비스가 이제 맘에 안 들어요.
남 그렇군요. 자, 저희 은행에 오셔서 계좌를 개설하신다니 기쁩니다.
여 가능하면 신용 카드도 만들고 싶어요.
남 물론이죠. 이 신청서를 작성해 주세요.

M I can help the person with ticket number 5.
5번 번호표

W That's me. Here's my ticket.

M Hello, ma'am. How can I help you?
🎵정답 근거

W I want to _____ a checking account.
당좌 예금 계좌: 예금자가 수표를 발행하면 예금액으로 은행에서 수표에 대한 지급을 하는 계좌

M Certainly. Do you already have _____ account here?

W No. I was using _____ _____, but I don't like their service anymore.
🎵정답 근거

M I see. Well, I'm glad you chose to come here and open _____ _____.

W I would also like to get a credit card _____ _____.

M Sure. Please fill out this application form.
신청서

15 부탁한 일

대화를 듣고, 남자가 여자에게 부탁한 일로 가장 적절한 것을 고르시오.
① 숙제 도와주기　② 모르는 문제 설명하기
③ 요리하기　④ 음식 주문하기
⑤ 전화 충전기 빌려주기

여 벌써 7시라니 믿을 수 없어. 우리 하루 종일 공부했어.
남 그래, 시간 빠르다. 배고프니?
여 응! 저녁 먹으러 식당에 가자.
남 아주 춥고 바람도 불어. 음식 배달시켜 먹는 게 어때?
여 좋은 생각이야. 주문하는 데 음식 배달 앱을 쓰면 돼.
남 좋아, 내 전화로 할게. 아, 내 전화 배터리가 거의 다 됐어. 네 전화 충전기를 빌릴 수 있을까?
여 물론이지. 여기 있어.
남 고마워. 좋아, 연결했어. 이제 무슨 음식을 주문할지 결정하자.

W I can't believe it's already 7. We've been studying all day. *현재완료 진행형*

M Yeah, the _____ _____ _____. Are you hungry?

W Yes! Let's go out to a restaurant for dinner.

M It's so cold and windy. How about _____ some food delivered?

W Good idea. We can use a food delivery app _____ _____.

M Okay, I can do it on my phone. Oh, my phone's battery is almost _____. *= use a food delivery app* Can I borrow your phone charger? *정답 근거*

W Sure. Here it is.

M Thanks. Okay, I _____ it _____. Now let's decide what kind of food to order.
「의문사＋to부정사」의 구조이다.

16 이유

대화를 듣고, 남자가 일찍 일어난 이유로 가장 적절한 것을 고르시오.
① 생일 파티를 준비하려고
② 학교에 일찍 가려고
③ 엄마의 출근 준비를 도우려고
④ 등교 전에 운동을 하려고
⑤ 할아버지의 아침 식사를 준비하려고

여 Jason, 너 때문에 깜짝 놀랐다. 이렇게 일찍 일어난 적이 없잖니.
남 알아요, 하지만 오늘은 할아버지 생신이잖아요.
여 그게 일찍 일어나는 것과 무슨 상관이 있니?
남 직접 만든 아침 식사로 할아버지를 놀라게 해 드리고 싶어요.
여 그렇구나. 도움이 필요하니?
남 아뇨, 괜찮아요. 이건 제가 할아버지께 드리는 생신 선물이니까 제가 혼자 하고 싶어요.
여 무슨 말인지 알겠다. 그러면 나는 출근할게.
남 알았어요, 엄마. 오늘 밤 할아버지 생신 파티 때 봬요.

W Jason, you _____ me. You're never awake this early. *이렇게 일찍*

M I know, but today is Grandpa's birthday.

W What does that have to do with _____ _____ early? *~와 무슨 상관이 있어?*

M I want to _____ _____ with a home-cooked breakfast. *정답 근거*

W I see. Do you need any help?

M No, thanks. This is my birthday gift for him, so I want to do it _____.

W I understand. I'll just _____ _____ _____ then.

M Okay, Mom. I'll _____ _____ tonight at Grandpa's birthday party. *함정 주의 생신 파티는 아침이 아니라 오늘 밤에 있다.*

17 그림 상황

다음 그림의 상황에 가장 적절한 대화를 고르시오.

① ② ③ ④ ⑤

①남 나는 이 단어들을 많이 모르겠어.
　여 사전에서 찾아봐.
②남 이 방은 너무 어두워.
　여 전등을 켜는 게 어때?
③남 아야! 그거 정말 아파!
　여 너 괜찮니?
④남 제가 여기 앉아도 될까요?
　여 죄송하지만, 제 친구가 여기 앉을 거예요.
⑤남 내 생일 파티는 이번 토요일이야.
　여 반 전체를 다 초대했니?

① M　I don't know a lot of _____ _____.

　W　Look them _____ in the dictionary.

② M　This room is too dark.

　W　Why don't you _____ _____ the lights?

③ M　Ouch! That really _____!

　W　Are you okay?

　🔑정답 근거

④ M　Can I sit here?

　W　Sorry, my friend is _____ here.

⑤ M　My birthday party is this Saturday.

　W　Did you invite _____ _____ _____?

18 언급하지 않은 것 ②

다음을 듣고, 여자가 Sliver 호수에 대해 언급하지 않은 것을 고르시오.
① 이름의 유래
② 주변 나무의 종류
③ 산책로를 걷는 데 걸리는 시간
④ 근처 식당의 개수
⑤ 잡히는 물고기의 종류

여 여러분, 이 여행의 다음 목적지는 Silver 호수입니다. 호수를 발견한 남자가 John Silver라는 이름이었기 때문에 Silver 호수라 불립니다. 수많은 떡갈나무가 호수를 둘러싸고 있고, 숲을 통과하는 산책로가 있습니다. 끝까지 걷는 데 약 한 시간이 걸립니다. 호숫가에 식당이 네 군데 있는데 그 중 한 곳에 멈춰 멋진 생선 요리를 먹을 것입니다. 생선은 전부 호수에서 잡은 것입니다.

W　Everyone, the next stop on this tour is Silver Lake. It _____ _____ Silver Lake because the man who _____ it was named John Silver. Numerous oak trees are surrounding the lake, and there is a sidewalk that _____ _____ the trees. It takes about _____ _____ to walk all the way. There are _____ _____ on the shore, so we will stop at one of them and have wonderful _____ _____. All the fish are _____ the lake.

= Silver Lake
🔑정답 근거
'who ~ it'은 관계대명사절로 선행사 the man을 꾸민다.
내내, 끝까지
= the restaurants

🔖 Solution Tip

⑤ 잡히는 물고기의 종류: 식당에서 호수에서 잡은 생선 요리를 먹을 수 있다고 했지만, 종류는 언급하지 않았다.

19 이어질 말 ①

Woman: _____

① I really don't like ice cream.
② Do you go to school by bus?
③ We can talk to the bus driver.
④ I'm sorry but I don't have enough money.
⑤ I know, but it's my way of saying thank you.

M The sign says the bus is _____ _____.

W Okay, I'll take my _____ _____ out. Oh, no! I _____ my wallet at home.

M Don't worry. _____ _____ for both of us. 🔑정답 근거

W That's _____ of you. I'll buy you some ice cream tomorrow.

M You don't have to do that.
   ~할 필요가 없다

W I know, but it's my way of saying thank you.

남 전광판을 보니 버스가 여기 거의 다 왔대.
여 좋아, 버스 카드를 꺼내야겠다. 아, 안 돼! 지갑을 집에 두고 왔어.
남 걱정 마. 내가 우리 둘 요금을 낼게.
여 친절하구나. 내가 내일 아이스크림 사 줄게.
남 그럴 필요 없어.
여 ⑤ 알아, 하지만 그건 고마움을 표현하는 내 방식이야.

① 나는 아이스크림 진짜 안 좋아해.　　② 너는 학교에 버스 타고 가니?
③ 버스 기사님께 말해 볼 수 있어.　　④ 미안하지만 난 돈이 충분하지 않아.

20 이어질 말 ②

Woman: _____

① I also have an interview today.
② Why don't you apply for another job?
③ I already have one. You can keep it.
④ Look at the sky. It's going to rain soon.
⑤ Could you bring me some water please?

M Hey, Emma. Thanks again _____ _____ _____ yesterday.

W You're welcome. How did the interview go?
   (일이 어떻게) 되다

M _____ _____. Thanks to you, I was able to make it there without _____ _____ in the rain.
   해내다, (시간에) 맞춰 가다

W I'm glad I had an _____ umbrella to lend you. 🔑정답 근거

M I wanted to bring it _____ to you today, but I forgot.

W I already have one. You can keep it.

남 안녕, Emma. 어제 도와줘서 다시 한 번 고마워.
여 천만에. 면접은 어떻게 됐니?
남 꽤 잘 봤어. 네 덕분에 비가 오는데도 젖지 않고 도착할 수 있었어.
여 너한테 빌려줄 여분의 우산이 있었던 게 기뻐.
남 너한테 오늘 돌려주고 싶었는데, 깜빡했어.
여 ③ 난 이미 하나 있는걸. 그건 네가 가져.

🔊 Sound Tip lend you
lend의 끝소리 [d]와 you의 첫소리인 [ju]가 만나 [쥬]에 가깝게 소리 난다.

① 나도 오늘 면접이 하나 있어.　　② 다른 일에 지원하는 게 어때?
④ 하늘을 봐. 곧 비가 올 거야.　　⑤ 제게 물 좀 가져다주시겠어요?

[VOCABULARY] 실전 모의고사 08회

어휘를 알아야 들린다

모의고사를 먼저 풀고 싶으면 122쪽으로 이동하세요.

🎧 다음 표현을 듣고 모르는 것에 표시하시오.

- 01 **urgent** 긴급한, 다급한
- 02 **sew** 꿰매다, 깁다
- 03 **intermission** 중간 휴식 시간
- 04 **act** (연극 등의) 막
- 05 **thick** 두꺼운
- 06 **bracelet** 팔찌
- 07 **laugh at** 비웃다, 놀리다
- 08 **remind** 생각나게 하다
- 09 **fish tank** 수조, 어항
- 10 **recital** 발표회, 연주회
- 11 **outdoor** 야외의
- 12 **thankfully** 고맙게도, 다행히도
- 13 **costume** 의상
- 14 **nocturnal** 야행성의
- 15 **decoration** 장식
- 16 **completely** 완전히
- 17 **reservation** 예약
- 18 **wrap** 싸다, 두르다
- 19 **crowd** 군중
- 20 **out of order** 고장 난
- 21 **daytime** 낮, 주간
- 22 **probably** 아마
- 23 **native** ~ 원산의, 토종의
- 24 **in a cast** 깁스를 한

- 25 **view** 시야
- 26 **flavor** 맛
- 27 **turn** 차례
- 28 **get rid of** ~을 없애다
- 29 **definitely** 분명히, 절대
- 30 **facial expression** 얼굴 표정
- 31 **straight** 곧장, 똑바로
- 32 **furniture** 가구
- 33 **awesome** 엄청난, 굉장한
- 34 **seat** 좌석
- 35 **body temperature** 체온
- 36 **drop off** 갖다 놓다
- 37 **tiring** 피곤한
- 38 **bandage** 반창고
- 39 **fit** 맞다
- 40 **school health room** 학교 보건실
- 41 **enter** 참가하다, 들어가다

📖 **알아두면 유용한 선택지 어휘**

- 42 **give a ride** 차를 태워 주다
- 43 **practice** 연습; 연습하다
- 44 **performance test** 실기 시험
- 45 **seedling** 모종, 묘목
- 46 **match** 어울리다

🎧 들으면서 표현을 완성한 다음, 뜻을 고르시오.

표현의 의미를 생각하며 다시 써 보기!

01 fla　or　　☐ 맛　　☐ 색

➜ _____

02 defin　tely　　☐ 분명히　　☐ 조용히

➜ _____

03 fu　niture　　☐ 가구　　☐ 영양

➜ _____

04 re　ind　　☐ 돌려주다　　☐ 생각나게 하다

➜ _____

05 outd　or　　☐ 야외의　　☐ 실내의

➜ _____

06 noct　rnal　　☐ 야행성의　　☐ 잡식성의

➜ _____

07 band　ge　　☐ 동아리　　☐ 반창고

➜ _____

08 e　ter　　☐ 참가하다　　☐ 말하다

➜ _____

09 g　t　id of　　☐ ~을 없애다　　☐ ~을 넣다

➜ _____

10 thi　k　　☐ 생각하다　　☐ 두꺼운

➜ _____

11 res　rvation　　☐ 예약　　☐ 공상

➜ _____

12 o　t of　rder　　☐ 순서대로　　☐ 고장 난

➜ _____

13 na　ive　　☐ 토종의　　☐ 어려운

➜ _____

14 bra　elet　　☐ 팔찌　　☐ 반지

➜ _____

15 d　ytime　　☐ 하루　　☐ 낮, 주간

➜ _____

16 se　　　☐ 꿰매다　　☐ 상을 차리다

➜ _____

17 bo　y temp　rature　　☐ 체온　　☐ 체격

➜ _____

18 awe　ome　　☐ 어리석은　　☐ 굉장한

➜ _____

실전 모의고사 [08]회

✎ 들으면서 주요 표현 메모하기!

01 다음을 듣고, 내일 광주의 날씨로 가장 적절한 것을 고르시오.

①   ②   ③   ④   ⑤

02 대화를 듣고, 여자가 보여 준 어항으로 가장 적절한 것을 고르시오.

①   ②   ③   ④   ⑤

03 대화를 듣고, 남자가 캠핑 여행에 대해 언급하지 <u>않은</u> 것을 고르시오.
① 장소   ② 기간   ③ 교통수단   ④ 한 일   ⑤ 먹은 음식

04 대화를 듣고, 여자가 딸기 축제에서 한 일로 가장 적절한 것을 고르시오.
① 딸기파이 굽기   ② 딸기 따기   ③ 딸기 먹기
④ 딸기 모종 심기   ⑤ 딸기잼 만들기

05 대화를 듣고, 두 사람이 대화하는 장소로 가장 적절한 곳을 고르시오.
① 극장   ② 도서관   ③ 백화점   ④ 병원   ⑤ 야구장

06 대화를 듣고, 남자의 마지막 말의 의도로 가장 적절한 것을 고르시오.

① 경고　　　② 사과　　　③ 감사　　　④ 후회　　　⑤ 부탁

✎ 들으면서 주요 표현 메모하기!

07 대화를 듣고, Furniture Barn이 문을 닫는 시각으로 가장 적절한 것을 고르시오.

① 8:00 a.m.　　　② 9:00 a.m.　　　③ 10:00 a.m.
④ 8:00 p.m.　　　⑤ 10:00 p.m.

08 대화를 듣고, 여자가 대화 직후에 할 일로 가장 적절한 것을 고르시오.

① 축구 경기장 가기　　② 동아리 회의 가기　　③ 병원 가기
④ 약국 가기　　　　　⑤ 보건실 가기

고난도 선택지에 하나씩 체크하며 듣기

09 다음을 듣고, 여자가 조깅에 대해 언급하지 <u>않은</u> 것을 고르시오.

① 조깅을 하는 이유　　② 조깅을 하는 장소　　③ 조깅을 하지 않는 때
④ 조깅을 시작한 시기　　⑤ 조깅을 같이 하는 사람

10 다음을 듣고, 남자가 하는 말의 내용으로 가장 적절한 것을 고르시오.

① 새 친구를 사귀는 법　　　　② 일할 때 실수를 줄이는 법
③ 좋은 친구가 되는 법　　　　④ 대화에 집중하는 법
⑤ 휴대 전화 사용을 줄이는 법

틀린 문제는 Dictation에서
완벽하게 이해하세요!

실전 모의고사 [08]회

✎ 들으면서 주요 표현 메모하기!

고난도 세부 정보에 유의하기

11 대화를 듣고, 배구 결승전에 대한 내용으로 일치하지 <u>않는</u> 것을 고르시오.

① 두 사람의 학교가 결승전에 나간다.　② 다음 주 화요일에 열린다.
③ 시 주민 센터에서 열린다.　④ 학생은 무료로 입장할 수 있다.
⑤ 오후 1시에 시작한다.

12 대화를 듣고, 여자가 음악실에 가는 목적으로 가장 적절한 것을 고르시오.

① 음악실을 청소하기 위해서　② 발표회 의상을 입어 보기 위해서
③ 춤 연습을 하기 위해서　④ 실기 시험을 준비하기 위해서
⑤ 음악 선생님을 돕기 위해서

13 대화를 듣고, 남자가 지불할 금액을 고르시오.

① $25　② $30　③ $45　④ $50　⑤ $55

14 대화를 듣고, 두 사람의 관계로 가장 적절한 것을 고르시오.

① 약사 – 손님　② 간호사 – 환자　③ 의사 – 간호사
④ 버스 기사 – 승객　⑤ 식당 종업원 – 손님

15 대화를 듣고, 남자가 여자에게 부탁한 일로 가장 적절한 것을 고르시오.

① 컴퓨터를 수리하는 것　② 컴퓨터를 빌려주는 것
③ 컴퓨터를 수리점에서 찾아오는 것　④ 컴퓨터 수리비를 지불하는 것
⑤ 수리점까지 차를 태워 주는 것

16 대화를 듣고, 남자가 양말을 산 이유로 가장 적절한 것을 고르시오.

① 옷에 어울리는 양말이 없어서　　② 양말의 무늬가 마음에 들어서
③ 가지고 있는 양말이 낡아서　　④ 양말을 거의 갖고 있지 않아서
⑤ 엄마께 양말을 선물하고 싶어서

✎ 들으면서 주요 표현 메모하기!

17 다음 그림의 상황에 가장 적절한 대화를 고르시오.

①　　②　　③　　④　　⑤

고난도 선택지에 하나씩 체크하며 듣기

18 다음을 듣고, 남자가 코알라에 대해 언급하지 <u>않은</u> 것을 고르시오.

① 서식지　　② 곰과에 속하는 이유　　③ 별명이 생긴 이유
④ 활동 시간　　⑤ 가장 좋아하는 먹이

[19-20] 대화를 듣고, 여자의 마지막 말에 이어질 남자의 말로 가장 적절한 것을 고르시오.

19 Man: _____

① We can't go. It will be rainy and windy.
② I don't like Hangang Park. It is too crowded.
③ I'm okay with it. Crowds don't bother me.
④ What kinds of outdoor activities do you like?
⑤ They are the best snack for a weekend picnic.

20 Man: _____

① Where is the game arcade?
② I'm sorry I can't help you.
③ I know who designed the arcade.
④ Playing car racing games is really fun.
⑤ Thanks. Let's go there together sometime.

틀린 문제는 Dictation에서
완벽하게 이해하세요!

01 날씨

*들을 때마다 체크

다음을 듣고, 내일 광주의 날씨로 가장 적절한 것을 고르시오.

①   ②   ③

④   ⑤

남 안녕하세요, Nightly News Korea로 돌아오신 것을 환영합니다. 내일 전국의 일기 예보입니다. 서울은 아침에 폭우가 오고, 오후에는 눈이 올 것입니다. 부산과 통영은 맑고 화창한 하늘이 기대되겠습니다. 이 두 도시에서는 멋진 하루가 되겠네요! 광주는 종일 두꺼운 구름으로 덮여 있겠지만 다행히도 비는 오지 않겠습니다.

M Hello and welcome back to *Nightly News Korea*. Here is the weather report _____ _____ across the country. Seoul will experience _____ _____ in the morning and snow in the afternoon. In Busan and Tongyeong, clear, _____ _____ are expected. It will be a beautiful day in these two cities! Gwangju will be _____ with thick clouds all day, but thankfully, there won't be _____ _____.

🔑정답 근거

02 그림 묘사

대화를 듣고, 여자가 보여 준 어항으로 가장 적절한 것을 고르시오.

①   ②   ③

④   ⑤

남 이게 네 어항이야?
여 응. 어떻게 생각하니?
남 정말 멋지다! 바닥에 있는 돌들이 마음에 들어.
여 고마워. 장식용으로 저 수초 두 개도 넣었어.
남 수초 옆에서 헤엄치는 물고기 한 마리만 보이네. 물고기가 더 있니?
여 응. 어항 안에는 물고기 두 마리가 있어. 다른 물고기도 찾을 수 있겠니?
남 오, 이제 다른 물고기가 보여. 어항 맨 위 가까이에 있구나.

M Is this your _____ _____?
W Yes. What do you think of it?
M It's really nice! I like the _____ at the bottom.
W Thanks. I put in those two plants for _____ as well.
M I can see one fish swimming _____ _____ the plants. Are there more fish?
W Yes, there are _____ fish in the tank. Can you find the _____ one?

= fish
M Oh, now I see the second fish. It's near the _____ of the tank.

🔑정답 근거

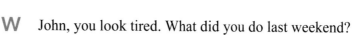

Dictation 08회 →
┌ 전체 듣기
└ 문항별 듣기

Dictation의 효과적인 활용법
STEP1 들으면서 대본의 빈칸 채우기
STEP2 축쇄 문제를 보며 다시 풀어 보기
STEP3 해석을 보며 영어로 말하거나 영작해 보기

공부한 날 ☐ 월 ☐ 일

03 언급하지 않은 것 ①

대화를 듣고, 남자가 캠핑 여행에 대해 언급하지 <u>않은</u> 것을 고르시오.

① 장소   ② 기간   ③ 교통수단
④ 한 일   ⑤ 먹은 음식

W John, you look tired. What did you do last weekend?

M I went camping with my family. It was a _____ but tiring trip.

W _____? Where did you go?

M We went to the shore of Lake Jade and stayed _____ _____ _____. ♪정답 근거

W Oh, what did you do there? Did you go canoeing?

M Yes, it was my _____ _____. It was a little difficult
              카누 탄 일을 가리킨다.
but exciting.

W What else did you do?
     그 외에는 무엇을

M We had a great barbecue! I ate _____ _____ sausages and shrimp.

W Wow! It _____ _____ you had a lot of fun.

여 John, 너 피곤해 보인다. 지난 주말에 뭐 했니?
남 가족들과 캠핑을 갔었어. 재미있었지만 피곤한 여행이었지.
여 캠핑? 어디로 갔는데?
남 Jade 호숫가로 가서 이틀을 머물렀어.
여 오, 거기에서 뭘 했니? 카누 탔니?
남 응, 처음 해 봤어. 조금 어려웠지만 재미있었어.
여 다른 건 뭘 했는데?
남 우리는 멋진 바비큐 파티를 했어! 나는 소시지와 새우를 많이 먹었어.
여 와! 정말 재미있었겠다.

💬 **Solution Tip**

① 장소: Jade 호숫가   ② 기간: 이틀   ④ 한 일: 카누 타기, 바비큐 파티
⑤ 먹은 음식: 소시지와 새우

08회 | 받아쓰기

04 과거에 한 일

대화를 듣고, 여자가 딸기 축제에서 한 일로 가장 적절한 것을 고르시오.

① 딸기파이 굽기   ② 딸기 따기
③ 딸기 먹기   ④ 딸기 모종 심기
⑤ 딸기잼 만들기

M Sally, what are you doing?

W I'm _____ _____ the photos I took at the strawberry festival.

M Oh, let me see. Did you get any pictures of the strawberry eating contest?

W No. I didn't make it to the contest because I was _____ _____ strawberries. ♪정답 근거

M Really? The contest was my _____ part of the festival.

W Did you _____ the contest?

M Yes, all the boys in my class did. I got _____ _____!
                = entered the contest

남 Sally, 뭐 하고 있어?
여 딸기 축제에서 찍은 사진들을 훑어보고 있어.
남 오, 나도 보자. 딸기 먹기 대회에서 사진을 찍었니?
여 아니. 딸기 따느라 바빠서 대회엔 가지 못했어.
남 정말이야? 그 대회는 축제에서 내가 제일 좋아하는 부분이란 말이야.
여 너는 대회에 참가했니?
남 응, 우리 반 남학생들은 다 참가했지. 난 3등을 했어!

💡 **Sound Tip** let me

let의 끝소리 [t]는 뒤에 오는 me의 첫소리 [m]과 만나 [n]에 가깝게 소리 난다.

05 장소

대화를 듣고, 두 사람이 대화하는 장소로 가장 적절한 곳을 고르시오.
① 극장　　② 도서관　　③ 백화점
④ 병원　　⑤ 야구장

여　여기가 우리 좌석이야.
남　오, 여기 좋은 좌석이네. 무대가 아주 잘 보여.
여　맞아. 배우들의 얼굴 표정까지 볼 수 있을 거야.
남　봐! 막이 열리고 있어!
여　쉿! 여기에서는 말하면 안 된다는 거 알잖아.
남　아, 그러고 보니 생각난다. 휴대 전화를 꺼야 해.
여　그래, 연극 시작하기 전에 지금 바로 해.
남　알았어, 껐어. 그런데, 중간 휴식 시간은 언제지?
여　연극 1막 끝나고 나서야. 좋아, 더 말하지 매! 이제 시작한다.

W　Here are our seats.
M　Oh, these are ＿＿＿＿ ＿＿＿＿. We have a great view of the stage. 　🔑정답 근거
W　Right. We'll even be able to ＿＿＿＿ the actors' facial expressions.
M　Look! The curtain is ＿＿＿＿!
W　Shh! You know we're not supposed to ＿＿＿＿ here.
M　Oh, that ＿＿＿＿ me. I need to turn off my cell phone.
　　여기에서는 말을 하면 안 된다는 것
W　Yes, do that right now before the play begins.
　　= turn off your cell phone
M　Okay, I ＿＿＿＿ ＿＿＿＿ ＿＿＿＿. By the way, when is the intermission?
W　It's after the first act of the play. Okay, ＿＿＿＿ ＿＿＿＿
　　(연극 등의) 제 1막
talking! It's starting.

06 말의 의도

대화를 듣고, 남자의 마지막 말의 의도로 가장 적절한 것을 고르시오.
① 경고　　② 사과　　③ 감사
④ 후회　　⑤ 부탁

여　이 아이스크림 가게 좋아 보여.
남　들어가서 먹어 보자.
여　좋아. 와, 아주 많은 맛이 있어.
남　그래, 무슨 맛으로 할지 결정하기가 어려워.
여　음. 난 초콜릿 아이스크림을 주문할까 해.
남　난 레몬 크림으로 먹을래. (…) 오, 우리 아이스크림이 나왔어.
여　맛있다! 이건 내가 먹어 본 중에 최고의 초콜릿 아이스크림이야!
남　그렇구나. 레몬 크림 맛은 훌륭하지 않아. 나도 초콜릿을 주문했다면 좋았을 걸.

W　This ice cream shop looks good.
M　Let's ＿＿＿＿ ＿＿＿＿ and try it out.
W　Okay. Wow, they have so many flavors.
M　Yeah, it's hard to ＿＿＿＿ which one to get. 　「의문사 which+to부정사」: 어떤 ～을 …할지
W　Hmm. I think ＿＿＿＿ ＿＿＿＿ a chocolate ice cream.
M　I'll get a lemon cream. (*Pause*) Oh, our ice cream ＿＿＿＿ ＿＿＿＿.
W　Yum! This is the best chocolate ice cream I've ＿＿＿＿ ＿＿＿＿!
M　I see. The lemon cream flavor ＿＿＿＿ ＿＿＿＿. I wish I had ordered chocolate. 　🔑정답 근거

🔊 **Sound Tip** hard to
hard의 끝소리 [d]는 to의 첫소리 [t] 앞에서 거의 발음되지 않는다.

07 세부 정보

대화를 듣고, Furniture Barn이 문을 닫는 시각으로 가장 적절한 것을 고르시오.
① 8:00 a.m. ② 9:00 a.m. ③ 10:00 a.m.
④ 8:00 p.m. ⑤ 10:00 p.m.

(전화벨이 울린다.)
남 안녕하십니까, Furniture Barn입니다. 어떻게 도와드릴까요?
여 안녕하세요. 오늘 영업시간이 어떻게 되나요?
남 저희는 오전 10시부터 오후 8시까지 문을 엽니다.
여 알겠습니다, 좋아요. 오늘이 휴일이라 문을 일찍 닫을지도 모른다고 생각했어요.
남 아뇨. 저희 영업시간은 연중 내내 동일합니다.
여 고맙습니다. 아, 질문이 하나 더 있어요. 가구 배송이 되나요?
남 네. 저희 가구라면 무엇이든 댁으로 배송해 드릴 수 있습니다.
여 배송비는 얼마인가요?
남 자택 배송은 완전히 무료입니다.

📞 Telephone rings.

M Hello, this is Furniture Barn. How may I help you?

W Hi. What are your _____ _____ today?

M We are _____ from 10 a.m. to 8 p.m. 〔정답 근거〕

W Okay, good. I thought that you might _____ _____ because today is a holiday.

M No. Our hours are the _____ every day of the year.

W Thanks. Oh, I have _____ question. Can you _____ furniture?

M Yes. We can deliver any of our furniture pieces to your home.
furniture는 셀 수 없는 명사로, 단위를 통해 수를 나타낼 때 piece를 쓴다. (e.g. a piece of furniture)

W How much does it _____?

M Home delivery is completely _____.

08 바로 할 일

대화를 듣고, 여자가 대화 직후에 할 일로 가장 적절한 것을 고르시오.
① 축구 경기장 가기 ② 동아리 회의 가기
③ 병원 가기 ④ 약국 가기
⑤ 보건실 가기

남 너 괜찮아? 아주 느리게 걷고 있네.
여 아니. 축구를 하다가 엄지발가락을 다쳤어.
남 안됐구나. 병원에 갈 거니?
여 응, 하지만 내일까지는 갈 수 없어.
남 오늘은 왜 못 가니?
여 오늘 중요한 동아리 회의가 두 개 있어.
남 그렇구나. 음, 반창고로 발가락을 감으면 좀 낫게 느껴질지도 몰라.
여 좋은 생각인데 반창고가 없어.
남 보건실에서 받을 수 있어.
여 아, 그건 몰랐어. 지금 가서 받아야겠어.

M Are you okay? You're walking so slowly.

W No. I hurt my big toe playing soccer.
엄지발가락

M Sorry to hear that. Are you going to _____ _____?

W Yes, but I can't go _____ tomorrow. 〔함정 주의 병원은 내일 갈 예정이다.〕

M Why can't you go today?

W I have _____ important club meetings today.

M I see. Well, your toe might _____ _____ if you _____ it with a bandage.
= your (big) toe

W That's a good idea, but I don't have a bandage.

M You can _____ _____ from the school health room. 〔정답 근거〕
학교 보건실

W Oh, I didn't know that. I'll go do that now.
= get a bandage from the school health room

09 언급하지 않은 것 ②

다음을 듣고, 여자가 조깅에 대해 언급하지 <u>않은</u> 것을 고르시오.
① 조깅을 하는 이유   ② 조깅을 하는 장소
③ 조깅을 하지 않는 때 ④ 조깅을 시작한 시기
⑤ 조깅을 같이 하는 사람

W Let me tell you about my favorite hobby. It's jogging.
🔑정답 근거
I like going jogging because I can _____ _____
like 뒤에 목적어로 동명사와 to부정사가 모두 올 수 있다.
_____ my stress. I do it every morning _____ I go
⚠함정 주의 '학교 가기 전'은 시간을 나타내는 표현이다.
to school. On the weekends, I don't jog because my body
_____ _____ _____. I started jogging three years
start 뒤에 목적어로 동명사와 to부정사가 모두 올 수 있다.
ago. I usually _____ _____, but sometimes, my dad

joins me. I think everyone should try jogging!

여 제가 가장 좋아하는 취미에 대해 말씀드리겠습니다. 그것은 조깅입니다. 저는 스트레스를 없앨 수 있어서 조깅하러 가는 것을 좋아합니다. 저는 학교 가기 전에 매일 아침 조깅을 합니다. 주말에는 제 몸이 휴식을 필요로 하므로 조깅을 하지 않아요. 저는 조깅을 3년 전에 시작했습니다. 보통은 혼자 조깅하지만, 때로 아빠가 같이 하십니다. 저는 모두가 조깅을 해 봐야 한다고 생각해요!

🔙 Solution Tip
① 조깅을 하는 이유: 스트레스를 없앨 수 있어서 ③ 조깅을 하지 않는 때: 주말 ④ 조깅을 시작한 시기: 3년 전 ⑤ 조깅을 같이 하는 사람: 아빠

10 담화 화제

다음을 듣고, 남자가 하는 말의 내용으로 가장 적절한 것을 고르시오.
① 새 친구를 사귀는 법
② 일할 때 실수를 줄이는 법
③ 좋은 친구가 되는 법
④ 대화에 집중하는 법
⑤ 휴대 전화 사용을 줄이는 법

M Hello, everyone. Do you want to be a good friend to those
🔑정답 근거
_____ to you? First, you need to be _____ _____

them. Don't laugh at them if they _____ a mistake.
비웃다, 놀리다
You also need to _____ _____ your friends. When

they are talking to you, you should pay _____ closely.

Don't look at your phone while they're talking. It is also

important to be helpful. If a friend has _____ _____,

you can help him or her _____ it.

남 안녕하세요, 여러분. 가까운 사람들에게 좋은 친구가 되고 싶나요? 먼저, 그들에게 친절하게 대해야 합니다. 그들이 실수를 했다면 놀리지 마세요. 또한 친구들의 말을 잘 들어야 합니다. 그들이 당신에게 이야기할 때 주의를 기울이세요. 그들이 말하고 있을 때 전화를 보지 마세요. 도움이 되어 주는 것도 중요합니다. 친구에게 문제가 있다면 그것을 해결하도록 도우세요.

11 일치하지 않는 것

대화를 듣고, 배구 결승전에 대한 내용으로 일치하지 <u>않는</u> 것을 고르시오.
① 두 사람의 학교가 결승전에 나간다.
② 다음 주 화요일에 열린다.
③ 시 주민 센터에서 열린다.
④ 학생은 무료로 입장할 수 있다.
⑤ 오후 1시에 시작한다.

여 왜! 우리 학교 배구팀이 결승에 가게 되다니 굉장해.
남 다음 주 화요일에 결승전을 볼 때까지 못 기다리겠어.
여 정말 재미있을 거야. 우리 학교 체육관에서 하는 거지?
남 아니, 시 주민 센터에서 열릴 거야.
여 무료야, 아니면 입장권을 사야 해?
남 대부분은 입장권을 사야 하지만 학생들은 무료로 입장할 수 있어.
여 잘됐다. 경기는 언제 시작하는지 알아?
남 오후 2시에 시작하지만, 1시까지는 도착해야 해.
여 알았어, 난 꼭 보러 갈 거야!

W Wow! It's awesome that our school volleyball team is going
　　It이 가주어이고, that이 이끄는 명사절이 진주어인 문장이다.
to _____ _____.

M I can't wait to see the final game next Tuesday.

W It's going to be really exciting. Is it going to be in our school gym?

M No, it will _____ _____ at the city community center.

W Is it free or do we have to _____ _____?

M Most people have to buy tickets, but students _____ _____ for free.

W Great. Do you know when the game _____?
　　🎵정답 근거

M It will start at 2:00 p.m., but you _____ _____ there
　= The game
by 1:00 p.m. 🔔함정 주의 1시는 관중이 도착해야 하는 시각이다.

W Okay, I'll definitely be there!

12 목적

대화를 듣고, 여자가 음악실에 가는 목적으로 가장 적절한 것을 고르시오.
① 음악실을 청소하기 위해서
② 발표회 의상을 입어 보기 위해서
③ 춤 연습을 하기 위해서
④ 실기 시험을 준비하기 위해서
⑤ 음악 선생님을 돕기 위해서

남 Lisa, 수업 끝나고 교실 청소하러 남을 거지?
여 미안하지만 안 돼. 수업 끝나면 곧장 음악실에 가야 해.
남 나중에 가면 안 돼? 네가 교실 청소할 차례야.
여 알아, 하지만 음악실에 가는 건 급한 일이야.
남 왜 그렇게 중요한데?
여 춤 동아리 발표회에 입을 의상을 입어 봐야 해.
남 춤 동아리에서 오늘 밤에 발표회를 하니?
여 아니. 그건 다음 주인데 오늘 의상이 잘 맞는지 확인해야 해.
남 알았어. 하지만 내일은 네가 청소해야 해.

M Lisa, are you staying _____ _____ to clean the classroom?

W I'm sorry, but I can't. I have to _____ _____ to the music room after class.

M Can't you go later? It's _____ _____ to clean the classroom.
　　　　　　　　　　　　　형용사적 용법의 to부정사로 앞의 명사를 꾸민다.

W I know, but it's _____ that I go to the music room.

M Why is it so important?
　　　　　　　　　　　　🎵정답 근거

W I have to try on my costume for the dance club recital.
　　　　　　입어 보다

M The dance club is having a _____ tonight?

W No. It's next week, but we have to _____ _____ our
　= The recital
costumes _____ today.

M Okay. But you need to clean the classroom tomorrow.

13 금액

대화를 듣고, 남자가 지불할 금액을 고르시오.
① $25 ② $30 ③ $45
④ $50 ⑤ $55

W Good afternoon. How may I help you?

M I'm _____ _____ a gift for my mom.

W Okay. I recommend these _____ _____.

M They're very nice. How much are they?

W They're 50 dollars.

M That's too much. I only have 30 dollars _____ _____. 함정 주의

W Then how about this bracelet? It's only _____ _____. 정답 근거

M Perfect. I'll take it.

여 안녕하세요. 어떻게 도와드릴까요?
남 엄마께 드릴 선물을 찾고 있어요.
여 좋습니다. 이 금 귀걸이를 추천해요.
남 정말 멋지네요. 얼마인가요?
여 50달러입니다.
남 너무 비싸네요. 저는 쓸 돈이 30달러뿐이에요.
여 그러면 이 팔찌는 어떠세요? 25달러밖에 안 해요.
남 좋아요. 그걸로 할게요.

14 두 사람의 관계

대화를 듣고, 두 사람의 관계로 가장 적절한 것을 고르시오.
① 약사 – 손님 ② 간호사 – 환자
③ 의사 – 간호사 ④ 버스 기사 – 승객
⑤ 식당 종업원 – 손님

W Hello, sir. Why did you _____ _____ today?

M I think I have a cold. I keep coughing and _____.
감기에 걸리다   keep + -ing: 계속해서 ~하다

W Okay. Let me _____ your body temperature. Oh, you have a fever. 정답 근거

M Are you going to give me _____ _____?

W Well, I'm not a doctor. You need to _____ the doctor to get medicine.
목적을 나타내는 부사적 용법의 to부정사

M Okay, when can the doctor see me?

W In a little while. He's with _____ patient right now.

M Okay, I can wait.

W The doctor is _____ _____ see you now. I'll take you to his office.

여 안녕하십니까. 오늘 왜 오셨나요?
남 제가 감기에 걸린 것 같아요. 계속 기침을 하고 재채기도 나고요.
여 알겠습니다. 체온을 재 볼게요. 아, 열이 있네요.
남 약을 주실 건가요?
여 음, 전 의사가 아니에요. 약을 받으려면 진찰을 받으셔야 합니다.
남 알겠어요, 의사선생님은 언제 만날 수 있을까요?
여 잠시 후에요. 지금은 다른 환자분과 계세요.
남 알겠습니다, 기다릴게요.
여 의사선생님이 당신을 만날 준비가 됐어요. 진찰실로 안내할게요.

← Solution Tip
여자가 남자의 체온을 재고 의사의 진료실로 안내하는 것으로 보아 간호사와 환자의 관계임을 알 수 있다.

15 부탁한 일

대화를 듣고, 남자가 여자에게 부탁한 일로 가장 적절한 것을 고르시오.
① 컴퓨터를 수리하는 것
② 컴퓨터를 빌려주는 것
③ 컴퓨터를 수리점에서 찾아오는 것
④ 컴퓨터 수리비를 지불하는 것
⑤ 수리점까지 차를 태워 주는 것

M Mom, what are you doing tomorrow morning?

W Nothing. I don't have to go to work until the afternoon.

M Then can you _____ _____ my computer from the repair shop? 🎵정답 근거

W Oh, they already _____ it?

M Yeah, they called me today to say it was done.
완료된, 다 끝난

W Okay. I'll go at _____ _____ to pick it up. Did you already _____ _____ the service?

M Yes, don't worry about that. I paid when I _____ it off there.
= paying for the service   = my computer

남 엄마, 내일 오전에 무슨 일 있으세요?
여 아무 일도 없어. 오후에 출근하면 되거든.
남 그러면 수리점에서 제 컴퓨터 좀 찾아와 주시겠어요?
여 오, 벌써 수리를 했대?
남 네, 다 되었다고 오늘 전화를 했더라고요.
여 알았다. 10시쯤에 가지러 갈게. 수리비는 벌써 냈니?
남 네, 그건 걱정하지 마세요. 거기에 맡길 때 제가 계산했어요.

듣기 80회

16 이유

대화를 듣고, 남자가 양말을 산 이유로 가장 적절한 것을 고르시오.
① 옷에 어울리는 양말이 없어서
② 양말의 무늬가 마음에 들어서
③ 가지고 있는 양말이 낡아서
④ 양말을 거의 갖고 있지 않아서
⑤ 엄마께 양말을 선물하고 싶어서

W Jack, did you _____ _____ today?

M Yes, how did you know?

W I saw the shopping bag in your room. What did you buy?

M Just some socks.

W Socks? But you already have _____ _____ socks. Why did you buy new ones?
= socks   🎵정답 근거

M Most of my old socks have _____ in them.

W I see. You know, I can _____ _____ some of the holes.

M Um, that's okay. The socks with holes are really _____. I'll just _____ them _____.
= the socks with holes

여 Jack, 너 오늘 쇼핑하러 갔었니?
남 네, 어떻게 아셨어요?
여 네 방에서 쇼핑백을 봤거든. 뭘 샀니?
남 그냥 양말 몇 켤레요.
여 양말? 하지만 넌 이미 양말이 많잖아. 왜 새것을 샀니?
남 신던 양말 대부분이 구멍 났어요.
여 그렇구나. 알다시피 내가 구멍을 좀 꿰매 줄 수 있어.
남 음, 괜찮아요. 구멍 난 양말들은 정말 오래된 거예요. 그것들은 그냥 버릴래요.

17 그림 상황

다음 그림의 상황에 가장 적절한 대화를 고르시오.

① ② ③ ④ ⑤

① 남 죄송합니다. 이 화장실은 고장이 났어요.
　여 알겠습니다. 2층에 다른 화장실이 있나요?
② 남 마실 것은 무엇으로 가져다 드릴까요?
　여 저는 오렌지 주스를 마실게요.
③ 남 내 연필이 부러졌어. 네 것을 빌릴 수 있을까?
　여 미안해, 내가 지금 쓰고 있어.
④ 남 안녕하세요. 예약하셨나요?
　여 네, 오늘 아침에 전화해서 두 사람 자리를 예약했어요.
⑤ 남 아, 이런. 다리에 깁스를 했구나. 무슨 일이 있었니?
　여 계단에서 넘어져서 다리가 부러졌어.

① M　Sorry, this bathroom is out of order.
　　　　　　　　　　　　　　　고장이 난
　 W　Okay. Is there _____ _____ on the second floor?

② M　What can I get for you _____ _____?
　 W　I'll have an orange juice, please.

③ M　My pencil broke. Can I _____ yours?
　　　　　　　　　　　　　　　　　　　= your pencil
　 W　Sorry, I'm using it right now.

　　　　　　　　　　　　　　　　　🔑정답 근거
④ M　Hello. Do you have a reservation?
　 W　Yes, I called this morning and _____ a table for _____.

⑤ M　Oh, no. Your leg is in a cast. What happened?
　　　　　　　　　　　　　　　깁스를 한
　 W　I _____ _____ the stairs and broke my leg.

18 언급하지 않은 것 ③

다음을 듣고, 남자가 코알라에 대해 언급하지 **않은** 것을 고르시오.
① 서식지　　　　　② 곰과에 속하는 이유
③ 별명이 생긴 이유　④ 활동 시간
⑤ 가장 좋아하는 먹이

남 안녕하세요, 학생 여러분. 오늘 수업은 코알라에 관한 것입니다. 코알라는 오스트레일리아에서 서식하며 귀여운 곰 인형 같아 보여서 때로는 코알라 곰이라고 불립니다. 그러나 코알라는 곰이 아닙니다. 만약 여러분이 코알라를 낮에 보려고 한다면, 그들은 아마 자고 있을 겁니다. 야행성 동물로서, 코알라는 밤에 활동하고 낮 시간 대부분은 잠을 잡니다. 먹이로는 오직 풀만 먹습니다. 가장 좋아하는 먹이는 유칼립투스 잎입니다.

M　Good morning, students. Today's lesson is _____ koalas. Koalas are native to Australia and are
　　　　　　　　　　　　　　　　　~이 원산지[서식지]인
sometimes _____ koala bears because they _____
　　　　　　　　　　　　　　　　　🔑정답 근거
_____ cute teddy bears. However, they aren't bears.
If you try to see them in the _____, they will probably
_____ _____. As nocturnal animals, they are active
　　　　　　　　　　　　　　야행성 동물
_____ _____ and sleep most of _____ _____.
As for their diet, koalas only eat _____. Their favorite
~에 관해 말하자면
thing to eat is eucalyptus leaves.

🔄 Solution Tip
① 서식지: 오스트레일리아　　③ 별명이 생긴 이유: 곰 인형처럼 생겨서　　④ 활동 시간: 밤
⑤ 가장 좋아하는 먹이: 유칼립투스 잎

19 이어질 말 ①

Man: _____

① We can't go. It will be rainy and windy.
② I don't like Hangang Park. It is too crowded.
③ I'm okay with it. Crowds don't bother me.
④ What kinds of outdoor activities do you like?
⑤ They are the best snack for a weekend picnic.

M　Jenny, do you want to _____ _____ a picnic this weekend?

W　Maybe. Have you _____ the weather forecast?

M　Not yet. I'll check it now. (*Pause*) The report says it'll be _____ and _____.

W　That's _____ for a picnic. I'm in!
　　　　　　　　　　　　나도 낄래!

M　Great. How about _____ to Hangang Park?
　　　　　　　　　　　　　　　　　　　🔑 정답 근거

W　_____ _____ that it's usually very crowded.

M　I'm okay with it. Crowds don't bother me.
　　　　　　　　　　붐비는 것

남　Jenny, 이번 주말에 소풍 갈래?
여　글쎄. 일기 예보는 확인했어?
남　아직. 지금 확인할게. (…) 예보상으로는 따뜻하고 맑을 거래.
여　소풍 가기엔 완벽하네. 나도 낄래!
남　좋아. 한강 공원으로 가는 게 어때?
여　그곳은 대개 굉장히 붐빈다고 들었어.
남　③ 난 괜찮아. 붐비는 건 신경 안 쓰여.

① 우린 갈 수 없어. 비가 오고 바람이 불 거야.　② 나는 한강 공원을 좋아하지 않아. 거긴 너무 붐벼.
④ 너는 어떤 종류의 야외 활동을 좋아하니?　⑤ 그건 주말 소풍에 어울리는 최고의 간식이야.

20 이어질 말 ②

Man: _____

① Where is the game arcade?
② I'm sorry I can't help you.
③ I know who designed the arcade.
④ Playing car racing games is really fun.
⑤ Thanks. Let's go there together sometime.

M　Have you _____ _____ the new video game arcade?

W　Not yet, but I really want to go and see what _____ _____.

M　I went yesterday and it was really fun.

W　_____ _____ of games did you play there?

M　I _____ played car racing games. I wasn't very good at them though.
　　　　　　　= car racing games

W　Oh, I'm really good at those games. I could _____ you
　　　　　　　　　　　　　= car racing games　　　🔑 정답 근거
　　how to play them.

M　Thanks. Let's go there together sometime.

남　너 새로운 비디오 게임방에 가 봤니?
여　아직, 하지만 꼭 가서 어떤지 보고 싶어.
남　난 어제 갔는데 정말 재미있었어.
여　거기에서 무슨 종류의 게임을 했어?
남　대부분은 자동차 경주 게임을 했어. 하지만 난 별로 잘하지 못했어.
여　오, 난 그런 게임 정말 잘해. 내가 어떻게 하는지 가르쳐 줄 수 있어.
남　⑤ 고마워. 언제 그곳에 같이 가자.

① 게임방이 어디에 있어?　② 미안하지만 나는 너를 도울 수 없어.
③ 난 누가 게임방을 디자인했는지 알아.　④ 자동차 경주 게임하는 건 정말 재미있어.

[VOCABULARY] 실전 모의고사 09회

어휘를 알아야 들린다

모의고사를 먼저 풀고 싶으면 138쪽으로 이동하세요.

🎧 다음 표현을 듣고 모르는 것에 표시하시오.

☐ 01 tremendous 엄청난	☐ 25 unique 독특한
☐ 02 sold out 매진된, 다 팔린	☐ 26 cost 가격; ~의 비용이 들다
☐ 03 candidate 후보	☐ 27 tryout 입단 테스트
☐ 04 hang out 많은 시간을 보내다	☐ 28 create 창조하다
☐ 05 rather 차라리	☐ 29 perform 공연하다
☐ 06 moving 감동적인	☐ 30 nearby 인근에
☐ 07 personal 개개인을 위한	☐ 31 script 원고, 대본
☐ 08 cancel 취소하다	☐ 32 proper 적당한, 적절한
☐ 09 copy (책 등의) 한 부	☐ 33 whatever 무엇이든
☐ 10 add 더하다	☐ 34 tough 힘든, 거친
☐ 11 be stuck in ~에서 꼼짝 못하다	☐ 35 typhoon 태풍
☐ 12 condition 조건	☐ 36 get in line 줄을 서다
☐ 13 a couple of 몇몇의	☐ 37 search 검색하다
☐ 14 session 기간, 시간	☐ 38 speech 연설
☐ 15 drastically 급격히, 과감히	☐ 39 school assembly 학생회
☐ 16 gardener 정원사	☐ 40 school president 학생회장
☐ 17 stretch 스트레칭을 하다	
☐ 18 absolutely 굉장히, 전적으로	📝 **알아두면 유용한 선택지 어휘**
☐ 19 run for 출마하다	☐ 41 direct 직행의, 직접적인
☐ 20 get lost 길을 잃다	☐ 42 reserve 예약하다
☐ 21 explore 탐험하다	☐ 43 traditional food 전통 음식
☐ 22 adventure 모험	☐ 44 iron 다리미
☐ 23 get started 시작하다	☐ 45 desperate 필사적인
☐ 24 tomb 무덤	☐ 46 relieved 안도하는

🎧 들으면서 표현을 완성한 다음, 뜻을 고르시오.

표현의 의미를 생각하며 다시 써 보기!

01 candid　te　　☐ 후보　　☐ 조사관　　➜ --------

02 mov　ng　　☐ 지루한　　☐ 감동적인　　➜ --------

03 can　el　　☐ 취소하다　　☐ 나누다　　➜ --------

04 c　ndition　　☐ 조건　　☐ 온도　　➜ --------

05 　remendous　　☐ 엄청난　　☐ 멀리 있는　　➜ --------

06 dras　ically　　☐ 잔인하게　　☐ 급격히　　➜ --------

07 per　onal　　☐ 개개인을 위한　　☐ 공동의　　➜ --------

08 g　t l　st　　☐ 길을 잃다　　☐ 이익을 얻다　　➜ --------

09 uni　ue　　☐ 서툰　　☐ 독특한　　➜ --------

10 creat　　　☐ 창조하다　　☐ 구입하다　　➜ --------

11 r　n fo　　　☐ 출마하다　　☐ 획득하다　　➜ --------

12 tou　h　　☐ 거친　　☐ 만지다　　➜ --------

13 se　rch　　☐ 반대하다　　☐ 검색하다　　➜ --------

14 explo　e　　☐ 증가하다　　☐ 탐험하다　　➜ --------

15 absolu　ely　　☐ 굉장히　　☐ 조심스럽게　　➜ --------

16 scri　t　　☐ 화면　　☐ 대본　　➜ --------

17 p　oper　　☐ 적당한　　☐ 짧은　　➜ --------

18 nea　by　　☐ 인근에　　☐ 단정히　　➜ --------

✎ 들으면서 주요 표현 메모하기!

01 다음을 듣고, 월요일의 날씨로 가장 적절한 것을 고르시오.

① ② ③ ④ ⑤

02 대화를 듣고, 남자가 구매할 휴대 전화 케이스로 가장 적절한 것을 고르시오.

① ② ③  ④  ⑤

03 대화를 듣고, 여자의 심정으로 가장 적절한 것을 고르시오.
① pleasant   ② desperate   ③ proud
④ relieved   ⑤ disappointed

04 대화를 듣고, 남자가 경주에서 한 일로 가장 적절한 것을 고르시오.
① 수영하러 가기   ② 자원봉사 하기   ③ 도시 탐방하기
④ 전통 음식 만들기   ⑤ 등산하기

05 대화를 듣고, 두 사람이 대화하는 장소로 가장 적절한 곳을 고르시오.
① 박물관   ② 제과점   ③ 꽃집   ④ 문구점   ⑤ 유람선

06 대화를 듣고, 여자의 마지막 말의 의도로 가장 적절한 것을 고르시오.
① 사과　　　② 감사　　　③ 반대　　　④ 의심　　　⑤ 축하

✎ 들으면서 주요 표현 메모하기!

07 대화를 듣고, 두 사람이 수리를 맡길 물건으로 가장 적절한 것을 고르시오.
① 다리미　　　　② 전자레인지　　　③ 세탁기
④ 휴대 전화　　　⑤ 컴퓨터

08 대화를 듣고, 여자가 대화 직후에 할 일로 가장 적절한 것을 고르시오.
① 장보기　　　　② 식당에 가기　　　③ 설거지하기
④ 채소 썰기　　　⑤ 음식 배달시키기

고난도 선택지에 하나씩 체크하며 듣기

09 대화를 듣고, 남자가 학생회장 선거 준비에 대해 언급하지 <u>않은</u> 것을 고르시오.
① 후보 등록 장소　　② 후보 등록 가능 기간　　③ 후보 연설 시기
④ 후보 연설 내용　　⑤ 포스터 준비 수량

10 다음을 듣고, 남자가 하는 말의 내용으로 가장 적절한 것을 고르시오.
① 원예용품 광고　　② 정원 관리 비결　　③ 현장 학습 안내
④ 유망 직업 소개　　⑤ 취미 생활 추천

틀린 문제는 Dictation에서
완벽하게 이해하세요!

실전 모의고사 [09]회

✎ 들으면서 주요 표현 메모하기!

고난도 선택지에 하나씩 체크하며 듣기

11 대화를 듣고, 영화에 대한 내용과 일치하지 <u>않는</u> 것을 고르시오.

① AA 스튜디오에서 만든다.　　　　② 만화 영화이다.
③ 부모를 잃은 코끼리 이야기이다.　　④ 영화에서 코끼리는 새 친구들을 만난다.
⑤ 3D 효과를 넣지 않고 만들어질 것이다.

12 대화를 듣고, 여자가 인천에 가는 목적으로 가장 적절한 것을 고르시오.

① 새로 생긴 서점을 방문하기 위해서　② 음악 페스티벌에 가기 위해서
③ 새 악기를 구입하기 위해서　　　　④ 친구를 만나기 위해서
⑤ 연주회에서 공연하기 위해서

13 대화를 듣고, 두 사람이 내일 만날 시각을 고르시오.

① 5:00　　　② 7:00　　　③ 8:00　　　④ 10:00　　　⑤ 12:00

14 대화를 듣고, 두 사람의 관계로 가장 적절한 것을 고르시오.

① 헬스 트레이너 – 고객　② 녹음 기사 – 가수　　③ 경찰 – 범인
④ 영화배우 – 팬　　　　⑤ 육상 선수 – 코치

15 대화를 듣고, 남자가 여자에게 부탁한 일로 가장 적절한 것을 고르시오.

① 피자 주문하기　　② 채소 사 오기　　③ 식당 예약하기
④ 개 산책시키기　　⑤ 일찍 돌아오기

16 대화를 듣고, 남자가 태권도 수업에 가지 못한 이유로 가장 적절한 것을 고르시오.

① 버스를 놓쳐서
② 휴대 전화가 고장 나서
③ 선생님이 편찮으셔서
④ 친구들과 줄넘기를 해야 해서
⑤ 병원에 가야 해서

✎ 들으면서 주요 표현 메모하기!!

17 다음 그림의 상황에 가장 적절한 대화를 고르시오.

①   ②   ③   ④   ⑤

18 다음을 듣고, 여자가 Tech World에 대해 언급하지 <u>않은</u> 것을 고르시오.

① 영업시간
② 계산대 위치
③ 반품 방법
④ 할인 정보
⑤ 직원 복장

[19-20] 대화를 듣고, 남자의 마지막 말에 이어질 여자의 말로 가장 적절한 것을 고르시오.

19 Woman: _____

① Which is the quickest way?
② If I were you, I would walk there.
③ There's no direct bus. Take the subway.
④ There are a lot of things to see there.
⑤ I don't know where the art museum is.

20 Woman: _____

① When is the final match?
② You also need to take a shower.
③ Don't worry. I'm sure you'll do well.
④ Why don't you go to bed early tonight?
⑤ I should have prepared for the test harder.

틀린 문제는 Dictation에서 완벽하게 이해하세요!

01 날씨

*들을 때마다 체크

다음을 듣고, 월요일의 날씨로 가장 적절한 것을 고르시오.

① ② ③ ④ ⑤

남 안녕하세요, 여러분! 일기 예보입니다. 오늘과 내일은 날씨가 따뜻하고 화창하겠습니다. 야외에서 시간을 보내시기에 완벽한 날씨가 되겠습니다. 태풍이 우리 지역으로 다가오고 있기 때문에 월요일에는 기상 조건이 급격히 변할 것으로 예상됩니다. 월요일과 화요일에는 종일 폭우와 강풍에 대비하십시오. 태풍은 수요일까지는 물러가겠습니다.

M Good morning, everyone! Here is the weather report. The weather will be _____ and _____ today and tomorrow. It would be perfect to hang out _____.
많은 시간을 보내다
On Monday, weather conditions _____ _____ to change drastically as a typhoon is coming to our
~ 때문에
_____. Be prepared for heavy rain and strong winds
정답 근거
all day Monday and Tuesday. The typhoon will _____
_____ by Wednesday.

02 그림 묘사

대화를 듣고, 남자가 구매할 휴대 전화 케이스로 가장 적절한 것을 고르시오.

① ② ③

④ ⑤

여 안녕하세요. 도와드릴까요?
남 네. 휴대 전화 케이스 있나요?
여 물론이죠. 바로 여기에 있습니다. 곰이 그려진 이것이 매우 잘 나가요.
남 괜찮네요, 하지만 글자가 없네요. 저는 그림과 글자가 있는 케이스를 원해요.
여 아, 저희는 손님을 위해 맞춤 케이스를 제작해 드릴 수 있어요. 케이스에 원하시는 어떤 말이든 넣을 수 있답니다.
남 좋아요. 저는 별이 그려진 이 케이스가 마음에 들어요. 그것에 'A Lucky Star'라는 문구를 넣어 주시겠어요?
여 물론이죠. 글자를 별 위에 넣을까요, 아니면 아래에 넣을까요?
남 위에 넣어 주세요.

W Hi. Can I help you?
M Yes. Do you _____ cell phone cases?
W Of course. They are right here. This one _____ a bear
= cell phone case
on it is very popular.
M It's okay, but there are _____ _____ on it. I want a case with a picture and words.
W Oh, we can _____ a personal case for you. You can add _____ words you want to a case.
M Great. I like this case with a _____ on it. Can you _____ the words "A Lucky Star" to it? 정답 근거
= the case with a star on it
W Sure. Do you want the words _____ or below the star?
M Above it, please.
= the star

Dictation 09회 →
┌ 전체 듣기
└ 문항별 듣기

Dictation의 효과적인 활용법
STEP1 들으면서 대본의 빈칸 채우기
STEP2 축쇄 문제를 보며 다시 풀어 보기
STEP3 해석을 보며 영어로 말하거나 영작해 보기

공부한 날   월   일

03 심정

대화를 듣고, 여자의 심정으로 가장 적절한 것을 고르시오.

① pleasant   ② desperate   ③ proud
④ relieved   ⑤ disappointed

남   Jessica, 너 새 신발 샀니?
여   응, 어제 샀어.
남   디자인이 정말 독특하다. 굉장히 마음에 들어.
여   고마워. 나도 괜찮은 것 같아.
남   무슨 소리야? 정말 멋져 보인다니깨!
여   음, 사실, 이건 내가 원했던 신발이 아니야.
남   아니라고?
여   그래. 내가 원했던 건 품절됐어. 이 신발을 원한 건 아니지만 어쩔 수 없었어.

M   Jessica, did you get _____ _____?

W   Yeah, I bought them yesterday.

M   The design is really _____. I like them a lot.

W   Thanks. They're _____, I guess.

M   What do you mean? They _____ really cool!

W   Well, actually, these _____ the shoes I wanted.   🎵정답 근거

M   They're not?
      = They're not the shoes you wanted?

W   No. The pair I wanted was _____ _____. I didn't want these shoes, but I had no choice.

💡 **Sound Tip** bought them
bought의 끝소리 [t]는 뒤의 them의 첫소리 [ð]를 만나 거의 발음되지 않는다.

---

04 과거에 한 일

대화를 듣고, 남자가 경주에서 한 일로 가장 적절한 것을 고르시오.

① 수영하러 가기   ② 자원봉사 하기
③ 도시 탐방하기   ④ 전통 음식 만들기
⑤ 등산하기

여   여름 방학이 벌써 끝났다니 믿을 수 없어.
남   맞아. 너무 빨리 지나갔어. 너는 방학 동안 뭘 했니?
여   수영하러 몇 번 갔었어. 너는?
남   나는 역사 캠프 때문에 경주에 갔었어.
여   역사 캠프라고? 따분하게 들리는데. 교실에서 역사 공부하면서 틀어박혀 있었던 거야?
남   아니, 교실에선 아침에 한 시간씩만 공부했어.
여   그렇구나. 그러면 하루의 나머지 시간엔 뭘 했어?
남   우리는 나가서 선생님들과 도시를 돌아다녔어. 커다란 무덤에도 들어갔었어!

W   I can't believe summer vacation is _____ _____.

M   I know. It went by too fast. What did you do during the vacation?

W   I _____ swimming a few times. What about you?   🍎함정 주의

M   I went to Gyeongju for a _____ _____.

W   A history camp? That sounds boring. Were you _____ _____ a classroom studying history?
      '~하면서'라는 뜻으로 동시에 일어나는 일을 나타내는 분사구문

M   No, we only studied in a classroom for one hour each morning.

W   I see. So what did you do for the _____ of the day?

M   We went out and explored the city with our teachers. We   🎵정답 근거
even _____ a big tomb!

05 장소

대화를 듣고, 두 사람이 대화하는 장소로 가장 적절한
곳을 고르시오.
① 박물관　　② 제과점　　③ 꽃집
④ 문구점　　⑤ 유람선

M　It smells _____ in here!

W　Yes, I think they _____ _____ fresh bread right now.　🎵정답 근거

M　I heard the bread here is _____ _____ in town. My
uncle recommended we come here.

W　I can't wait to buy some and _____ _____.

M　Look! They have cakes as well.

W　They look absolutely _____. Shall we buy a cake too?

M　Sure. Why not?

남　여기 안은 냄새가 아주 좋아!
여　응, 지금 신선한 빵을 굽고 있는 것 같아.
남　이곳의 빵이 시내에서 최고라고 들었어. 삼촌이 여기
　　에 와 봐야 한다고 추천하셨거든.
여　빵을 사서 먹을 때까지 못 기다릴 것 같아.
남　봐! 케이크도 있어.
여　진짜 맛있어 보인다. 케이크도 하나 살까?
남　물론. 그거 좋지.

06 말의 의도

대화를 듣고, 여자의 마지막 말의 의도로 가장 적절한
것을 고르시오.
① 사과　　② 감사　　③ 반대
④ 의심　　⑤ 축하

M　I'm glad we're finally _____ with our homework.

W　Me too! It took us _____ _____ to do it.

M　Well, now we can do _____ we want.

W　Hmm. Shall we go the movies?

M　The weather is really nice today. Let's do _____
_____ _____.

W　Okay. Do you have any ideas?

M　What about _____? I know a great course near the town.

W　That sounds _____ difficult to me. Can we do something
_____? 🎵정답 근거

남　우리가 마침내 숙제를 끝내서 기뻐.
여　나도! 이걸 하는 데 우리 정말 오래 걸렸어.
남　자, 이제 우리는 하고 싶은 건 뭐든지 할 수 있어.
여　음. 영화 보러 갈까?
남　오늘 날씨가 정말 좋아. 대신 밖에서 뭔가 하자.
여　좋아. 좋은 생각 있니?
남　등산 어때? 동네 근처에 멋진 코스를 알고 있어.
여　그건 나한테 꽤 어렵겠는걸. 다른 걸 할 수 있을까?

◀ **Solution Tip**
등산은 어려울 것 같으니 다른 걸 하자는 제안으로 보아, 거절하고 있다는 것을 알 수 있다.

07 세부 정보

대화를 듣고, 두 사람이 수리를 맡길 물건으로 가장 적절한 것을 고르시오.
① 다리미　　② 전자레인지　③ 세탁기
④ 휴대 전화　⑤ 컴퓨터

M Oh, god. It's _____ again!
　　뒤에 나오는 The washing machine을 가리킨다.
W What happened?
　🔑정답 근거
M The washing machine doesn't _____ _____. I need to wash these shirts today!

W We should _____ a repair service company. Can you _____ _____ one on the Internet?
　　　　　　　　　　　　　　　= a repair service company

M Sure. Okay, I found a company _____. I'll call them now.

W Oh, don't forget to _____ the cost.

M Okay. (Pause) I just called and they said it will cost 25 dollars.
　　　　　　　　　　　　　　　　　cost: ~만큼의 비용이 들다

W That's fine. When can they come and fix it?
　　　　　　　　　　　　　　　= the washing machine
M In about _____ _____.

남 아, 이런. 또 고장 났어!
여 무슨 일이야?
남 세탁기가 켜지지 않아. 난 오늘 이 셔츠들을 빨아야 한다고!
여 수리 서비스 회사에 전화해야 해. 네가 인터넷에서 찾아볼래?
남 알았어. 좋아, 근처에 한 군데 찾았어. 지금 전화할게.
여 아, 비용 묻는 거 잊지 마.
남 알았어. (…) 방금 전화했는데 25달러가 들 거래.
여 그 정도면 괜찮아. 언제 와서 고쳐 준대?
남 세 시간 정도 후에.

08 바로 할 일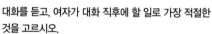

대화를 듣고, 여자가 대화 직후에 할 일로 가장 적절한 것을 고르시오.
① 장보기　　　　② 식당에 가기
③ 설거지하기　　④ 채소 썰기
⑤ 음식 배달시키기

M I'm hungry. How about you?

W Me too. I'm _____ _____ dinner.

M Good. Shall we _____ at home or go to a restaurant?

W I would rather stay home. I _____ _____ cooking.
　　would rather+동사원형: ~하겠다, ~하고 싶다
M Okay, sounds good. We have lots of vegetables. Can you make vegetable soup?
　　　　　　　　　　　　　　　　🔑정답 근거
W Sure. First, I need to _____ _____ all the vegetables.
　　　　　　　　　　　　= cutting up the vegetables
M Okay. I'll do the dishes _____ you're doing that.
　　　　　　　👻함정 주의 남자가 설거지를 하겠다고 했다.
W Great. Let's get _____ now.

남 난 배가 고파. 너는?
여 나도. 저녁을 먹어야겠어.
남 좋아. 집에서 요리를 할까, 아니면 식당에 갈까?
여 난 집에 있고 싶어. 요리하는 건 괜찮아.
남 알았어, 그게 좋겠다. 채소가 많이 있어. 너 채소 수프 만들 수 있니?
여 물론이지. 우선 채소를 전부 썰어야겠다.
남 그래. 나는 네가 그걸 하는 동안 설거지를 할게.
여 좋아. 지금 시작하자.

 Solution Tip
일을 분담한 뒤 시작하자고 했으므로, 여자는 채소를 썰고 남자는 설거지를 할 것이다.

09 언급하지 않은 것 ①

대화를 듣고, 남자가 학생회장 선거 준비에 대해 언급
하지 **않은** 것을 고르시오.

① 후보 등록 장소 ② 후보 등록 가능 기간
③ 후보 연설 시기 ④ 후보 연설 내용
⑤ 포스터 준비 수량

여 이 선생님, 저 학생회장에 출마하고 싶어요. 무엇을 해
　야 하죠?
남 우선, 교장실에서 등록을 해야 한단다.
여 알겠습니다. 등록을 한 후에 해야 할 게 더 있나요?
남 연설을 준비해. 모든 후보는 다음 주 금요일 학생회에
　서 연설을 할 거야.
여 연설에서 뭘 말해야 하죠?
남 네가 학생회장이 되고 싶은 이유와 회장으로서 할 일
　을 모두에게 말해야 해.
여 알겠어요, 오늘 원고를 쓸게요.
남 하나 더 있어. 후보 포스터가 필요하단다. 최소한 20
　장은 준비하도록 해.
여 정말 감사합니다, 이 선생님. 도움이 많이 됐어요.

W　Mr. Lee, I want to _____ _____ school president.
　What do I have to do?
　　　자격을 나타낼 때에는 명사
　　　앞에 관사를 쓰지 않는다.
　　　🎵정답 근거

M　First, you need to sign up in the principal's office.

W　I see. After I _____ _____, is there anything else I
　need to do?

M　_____ a speech. All candidates will _____ a speech
　at the school assembly next Friday.
　　　　학생회

W　What should I say in the speech?

M　You should tell everyone why you want to be _____
　and what you will do as president.

W　Okay, I will write a _____ today.

M　One more thing. You need your candidate _____. Make
　sure to prepare _____ _____ 20 copies.
　　　　　　　　copy: 책, 악보 등의 부수를 셀 때 사용하는 단위

W　Thank you very much, Mr. Lee. It _____ a lot.

▶ **Solution Tip**

① 후보 등록 장소: 교장실 ③ 후보 연설 시기: 다음 주 금요일 ④ 후보 연설 내용: 학생회장이 되고
싶은 이유와 학생회장이 되면 할 일 ⑤ 포스터 준비 수량: 최소 20장

10 담화 화제

다음을 듣고, 남자가 하는 말의 내용으로 가장 적절한
것을 고르시오.

① 원예용품 광고 ② 정원 관리 비결
③ 현장 학습 안내 ④ 유망 직업 소개
⑤ 취미 생활 추천

남 잘 들으세요, 여러분. 우리 반은 다음 주 화요일에 아
　름다운 화원을 방문할 것입니다. 그곳의 정원사가 우
　리에게 정원을 안내해 주실 거예요. 그분이 우리에게
　다양한 종류의 꽃에 대해 이야기해 주시고 꽃을 기르
　는 방법에 관한 조언도 해 주실 거예요. 정원 가꾸기에
　대해 여러분이 그분께 질문을 할 수도 있습니다. 만약
　가지 못한다면 이 모임이 끝난 뒤에 저에게 알려 주세
　요.

M　Listen up, everyone. Our class is going to visit a beautiful
　　　　　　　　　🎵정답 근거
　flower garden next Tuesday. The gardener there will
　give us _____ _____ of the garden. He will tell us
　about the _____ _____ of flowers and give us tips
　about _____ _____ _____ flowers. You can also
　ask him questions about gardening. If you can't make it,
　　　　　　　　　　　　　　　　　　시간에 맞춰 가다, 참석하다
　please _____ _____ _____ after this meeting is
　finished.
　시간을 나타내는 부사절에서는 미래의 일을 현재시제로 나타낸다.

11 일치하지 않는 것

대화를 듣고, 영화에 대한 내용과 일치하지 <u>않는</u> 것을 고르시오.

① AA 스튜디오에서 만든다.
② 만화 영화이다.
③ 부모를 잃은 코끼리 이야기이다.
④ 영화에서 코끼리는 새 친구들을 만난다.
⑤ 3D 효과를 넣지 않고 만들어질 것이다.

남 오늘 저는 AA 스튜디오의 Ezra Miller 씨와 인터뷰하겠습니다. 그들은 신작 애니메이션 영화를 작업 중이죠. 안녕하세요, Miller 씨.
여 안녕하세요. 여기 오게 되어 기쁩니다.
남 자, Miller 씨, 우리에게 당신들의 새로운 영화에 관해 얘기해 주세요. 무엇에 관한 이야기인가요?
여 부모를 잃은 어린 코끼리에 관한 이야기입니다. 그는 고향을 떠나서 많은 모험을 하죠.
남 그리고 제 생각엔 새 친구들도 만날 것 같은데요, 맞죠?
여 네, 몇몇 새로운 친구들을 만나죠.
남 이 영화에서 굉장한 3D 효과를 경험할 수 있다고 들었어요.
여 네, 맞아요. 그렇지만 우리의 최종 목표는 여전히 감동적이고 마음이 따뜻해지는 이야기를 만드는 것이랍니다.

M Today, I'm interviewing Ezra Miller of AA Studio. They are _____ _____ a new animated film. Good morning, Ms. Miller.
interviewee: 인터뷰 대상자 (↔ interviewer)

W Good morning. It's a pleasure to _____ _____.

M So, Ms. Miller, tell us about your _____ _____. What is the story about?

W It is about a little elephant who lost his parents. He _____ his home and has a lot of adventures.

M And I guess he meets new friends, right?

W Yes, he meets _____ _____ _____ new friends.

M I heard that we can experience the tremendous 3D effects of this film. 🎸정답 근거

W Yes, we can. But our _____ _____ is still to make a moving, warm-hearted story.
주격 보어 역할을 하는 명사적 용법의 to부정사

12 목적

대화를 듣고, 여자가 인천에 가는 목적으로 가장 적절한 것을 고르시오.

① 새로 생긴 서점을 방문하기 위해서
② 음악 페스티벌에 가기 위해서
③ 새 악기를 구입하기 위해서
④ 친구를 만나기 위해서
⑤ 연주회에서 공연하기 위해서

남 나 내일 새로 생긴 서점에 가 볼 거야. 같이 갈래?
여 그러고 싶지만, 내일은 동네에 없을 거야.
남 어디에 가니?
여 인천에 가.
남 인천에는 왜 가는데?
여 록 음악 축제가 있어. 난 거기에서 공연할 몇몇 밴드의 팬이야.
남 와, 네가 록 음악을 좋아하는 줄 몰랐어.
여 맞아, 대부분의 사람들이 나에 대해서 그건 몰라.
남 축제 기간은 얼마나 돼?
여 이틀인데, 나는 첫날에만 갈 거야.

M ┌ 가까운 미래의 계획을 나타낼 때 현재진행형을 쓸 수 있다.
I'm going to a new bookstore tomorrow. Do you want to _____ _____ me?

W I'd love to, but I'll be _____ _____ town tomorrow.

M Where are you going?

W I'm going to Incheon.

M Why are you _____ _____?
🎸정답 근거

W There's a rock music festival. I'm a fan of _____ bands that are performing there.
= at the rock music festival
가까운 미래에 예정된 일을 나타낼 때 현재진행형을 쓸 수 있다.

M Wow, I didn't know you _____ rock music.

W Yeah, _____ _____ don't know that about me.
록 음악을 좋아한다는 사실

M How long is the festival?

W It's two days, but I'm only _____ for the first day.

[Dictation] 실전 모의고사 09회

13 시각

대화를 듣고, 두 사람이 내일 만날 시각을 고르시오.
① 5:00   ② 7:00   ③ 8:00
④ 10:00   ⑤ 12:00

여 너 The Up Girls가 내일 Sun 극장에서 팬 행사를 한다는 얘기 들었니?
남 물론이지. 내가 제일 좋아하는 걸그룹이야.
여 그러면 너도 행사에 가겠구나. 같이 갈래?
남 그래. 줄을 서려면 거기에 오전 7시에는 도착해야 해.
여 왜? 10시까지는 행사가 시작도 안 할 텐데.
남 맞아, 하지만 팬 행사에서는 보통 줄을 길게 서거든. 어떤 사람들은 5시간 전에 도착해.
여 정말? 그러면 우리도 더 일찍 가야 할까?
남 아니, 내 생각엔 7시면 충분할 것 같아. 거기에서 보자.

W Did you hear that The Up Girls _____ _____ a fan event at Sun Theater tomorrow?

M Of course. They're my favorite girl group.

W Then I _____ you're going to the event. Do you want to go together?

M Sure. We should _____ _____ by 7 a.m. to get in line.

정답 근거
줄을 서다

W Why? The event doesn't even start _____ _____.

M Right, but there are usually _____ _____ at fan events. Some people get there 5 hours _____.

W Really? Then should we _____ _____?

M No, I think 7 o'clock is good enough. See you there.
적합한, 만족스러운

14 두 사람의 관계

대화를 듣고, 두 사람의 관계로 가장 적절한 것을 고르시오.
① 헬스 트레이너 – 고객
② 녹음 기사 – 가수
③ 경찰 – 범인
④ 영화배우 – 팬
⑤ 육상 선수 – 코치

남 좋아요, 계속하세요! 윗몸 일으키기 다섯 번만 더 하면 돼요.
여 5, 4, 3, 2, 1. 휘! 힘든 운동이었어요.
남 아직 끝난 게 아니에요. 스트레칭을 해야 합니다.
여 알겠습니다, 스트레칭을 하는 알맞은 방법을 알려 주시겠어요?
남 물론이죠. 저를 보고 제가 하는 대로만 하세요.
여 고맙습니다. 전 우리 운동 시간이 늘 즐거워요.
남 그런 말을 들으니 기쁘네요. 저는 제 고객들을 위해 운동을 더 재미있게 하려고 노력하죠.
여 아, 이번 달 수업료를 내는 걸 잊었어요.
남 다음 수업에 오실 때 내세요.
여 알겠어요, 그렇게 할게요. 또 뵐게요!

M Okay, _____ going! Only five more sit-ups left.
윗몸 일으키기

W Five, four, three, two, one. Phew! That was a _____ workout.

M You're not done yet though. You need to stretch.

W Okay, can you show me the _____ way to stretch?
to부정사의 형용사적 용법

M Sure. Just watch me and do _____ I do.

W Thanks. I always enjoy our _____ sessions. 정답 근거

M I'm glad to hear that. I try to make exercising _____ _____ for my customers.

W Oh, I forgot _____ _____ for this month.

M Just pay when you come for the _____ session.
시간을 나타내는 부사절이므로 현재시제로 미래를 나타낸다.

W Okay, I'll do that. See you again!

15 부탁한 일

대화를 듣고, 남자가 여자에게 부탁한 일로 가장 적절한 것을 고르시오.
① 피자 주문하기　② 채소 사 오기
③ 식당 예약하기　④ 개 산책시키기
⑤ 일찍 돌아오기

W　Dad, I'm _____ _____ to meet a friend.

M　Okay. When will you be _____?

W　Maybe in two hours. We're going to _____ _____ at a pizza restaurant.

M　Oh, are you going to the pizza restaurant next to the vegetable shop?

W　Yes, that's _____ _____. Well, I'll see you later.
= the pizza restaurant next to the vegetable shop

M　Wait. Since you'll be _____ _____ the vegetable
이유를 나타내는 부사절을 이끄는 접속사
shop, could you buy some _____ for me? 🔑정답 근거

W　No problem. _____ _____ of vegetables do you need?

M　Two carrots and three onions, please. See you later. Have fun with your friend!

여　아빠, 저 친구 만나러 나가요.
남　알았다. 언제 오니?
여　아마 2시간 후에요. 우리는 피자 식당에서 점심을 먹을 거예요.
남　어, 채소 가게 옆에 있는 피자 식당에 가는 거니?
여　맞아요. 거기예요. 음, 나중에 봬요.
남　잠깐만. 채소 가게 근처에 있는 거니까, 내게 채소 좀 사다 줄래?
여　그럼요. 무슨 종류의 채소가 필요하세요?
남　당근 2개와 양파 3개를 사 오렴. 나중에 보자. 친구랑 재미있게 보내라!

16 이유

대화를 듣고, 남자가 태권도 수업에 가지 못한 이유로 가장 적절한 것을 고르시오.
① 버스를 놓쳐서
② 휴대 전화가 고장 나서
③ 선생님이 편찮으셔서
④ 친구들과 줄넘기를 해야 해서
⑤ 병원에 가야 해서

🇬🇧

M　Mom, I'm home!
'다녀왔습니다.'라는 인사말

W　Welcome home. How was your taekwondo class?

M　Didn't you get my _____ message?

W　No, I've been on the _____ until just now.

M　Oh, okay. Well, in the message, I told you that my taekwondo class _____ _____.

W　Really? Why was it canceled?

M　The teacher _____ really _____ and had to go to the hospital. 🔑정답 근거

W　I'm sorry to hear that. Then, what were you doing
선생님이 편찮으셔서 병원에 가야 했다는 것
_____ _____ _____?
🍄함정 주의

M　I was jumping rope with my classmates at the park.

남　엄마, 다녀왔습니다!
여　어서 오렴. 태권도 수업은 어땠니?
남　제 문자 메시지 못 받으셨어요?
여　못 받았어, 방금 전까지 통화 중이었단다.
남　아, 알겠어요. 음, 메시지에 쓴 건, 태권도 수업이 취소되었다는 거였어요.
여　정말? 왜 취소됐니?
남　선생님이 많이 편찮으셔서 병원에 가야 하신댔어요.
여　그 말을 들으니 유감이구나. 그러면, 그 시간 동안 넌 뭘 했니?
남　친구들과 공원에서 줄넘기를 했어요.

09 받아쓰기

17 그림 상황

다음 그림의 상황에 가장 적절한 대화를 고르시오.

① ② ③ ④ ⑤

① 남 네 모자 마음에 들어. 어디에서 났니?
　여 언니가 준 선물이야.
② 남 긴 머리의 저 여자 아이는 누구니?
　여 전학생이야. 한국으로 막 이사를 했대.
③ 남 너 늦었구나. 어디에 있었니?
　여 정말 미안해. 길을 잃었어.
④ 남 네 음악 소리가 너무 커.
　여 미안해, 소리를 줄일게.
⑤ 남 학교 축제가 언제니?
　여 잘 모르겠어. 선생님께 여쭤 봐.

① M I love your hat. Where did you _____ it?
　W It was a gift from my sister.

② M Who is that girl with long hair?
　W She's a new student. She just _____ to Korea.

③ M You're late. Where were you?
　W I'm so sorry. I _____ _____.

④ M Your music is _____ _____.
　W Sorry, I'll turn it down.
　= the music

⑤ M When is the school festival?
　W I'm _____ _____. Ask the teacher.

18 언급하지 않은 것 ②

다음을 듣고, 여자가 Tech World에 대해 언급하지 <u>않</u>은 것을 고르시오.
① 영업시간　② 계산대 위치
③ 반품 방법　④ 할인 정보
⑤ 직원 복장

 W Hello, everyone. Thank you for shopping at Tech World. Today, we are _____ from 9 a.m. to 9 p.m. To _____ items, please visit the cash registers on the first or second floor. In order to _____ or exchange items, bring the item and the original purchase _____ to the customer service counter on _____ _____ _____. If you have any other questions, please ask one of _____ _____. Just look for their bright yellow shirts.

여 안녕하세요, 여러분. Tech World에서 쇼핑해 주셔서 감사합니다. 오늘 저희는 오전 9시부터 밤 9시까지 영업합니다. 상품을 구매하시려면 1층 또는 2층의 계산대로 가 주세요. 상품을 반품하거나 교환하시려면 상품과 원래의 구매 영수증을 3층의 고객 서비스 카운터로 가져가 주세요. 다른 문의 사항이 있으시면 저희 직원 중 한 명에게 말씀해 주세요. 밝은 노란색 셔츠를 찾으세요.

Solution Tip
① 영업시간: 오전 9시 ~ 밤 9시 ② 계산대 위치: 1층 또는 2층 ③ 반품 방법: 상품과 원래의 구매 영수증을 3층의 고객 서비스 카운터로 가져가야 함 ⑤ 직원 복장: 밝은 노란색 셔츠

19 이어질 말 ①

Woman: _____

① Which is the quickest way?
② If I were you, I would walk there.
③ There's no direct bus. Take the subway.
④ There are a lot of things to see there.
⑤ I don't know where the art museum is.

M Excuse me, ma'am. Is it possible _____ _____ to the Seoul Museum of Art from here?

W I don't think so. It's pretty _____ _____ here.

M How far exactly?

W It's about 5 kilometers away. It would take _____ _____ _____ to walk there.

M I see. Is there a bus that goes there? 🔑정답 근거

W There's no direct bus. Take the subway.

남 실례합니다, 부인. 여기에서 서울시립미술관에 걸어갈 수 있습니까?
여 아니요. 여기에서 꽤 멀어요.
남 정확히 얼마나 먼가요?
여 5km 정도예요. 걸어가려면 시간이 꽤 걸릴걸요.
남 그렇군요. 거기로 가는 버스가 있습니까?
여 ③ 바로 가는 버스는 없어요. 지하철을 타세요.

① 어느 것이 가장 빠른 길인가요?   ② 제가 당신이라면 그곳에 걸어가겠어요.
④ 그곳엔 볼 게 많아요.   ⑤ 저는 미술관이 어디에 있는지 모릅니다.

20 이어질 말 ②

Woman: _____

① When is the final match?
② You also need to take a shower.
③ Don't worry. I'm sure you'll do well.
④ Why don't you go to bed early tonight?
⑤ I should have prepared for the test harder.

W Chris, what are you doing?

M I'm _____ _____ for bed, Mom. Now I just need to brush my teeth.

W Really? It's only 8 o'clock. You usually _____ _____ later.

M Yeah, but tomorrow is an important day. I need to get a good night's _____.

W Oh, I forgot! You have a tryout for the _____ _____.
입단 테스트

M Right. I'm pretty _____. 🔑정답 근거

W Don't worry. I'm sure you'll do well.

여 Chris, 너 뭐 하니?
남 잘 준비해요, 엄마. 이제 양치만 하면 돼요.
여 정말이니? 겨우 8시인걸. 너는 보통 더 늦게까지 깨어 있잖아.
남 네, 하지만 내일은 중요한 날이니까요. 밤에 푹 자야 해요.
여 아, 내가 잊었구나! 야구팀 입단 테스트가 있지.
남 맞아요. 꽤 긴장돼요.
여 ③ 걱정하지 마. 넌 분명 잘할 거야.

① 결승전이 언제니?   ② 너는 샤워도 해야 해.
④ 오늘 밤엔 일찍 잠자리에 드는 게 어때?   ⑤ 난 시험을 더 열심히 준비했어야 했어.

[VOCABULARY] 실전 모의고사 10회

어휘를 알아야 들린다

모의고사를 먼저 풀고 싶으면 154쪽으로 이동하세요.

🎧 다음 표현을 듣고 모르는 것에 표시하시오.

- ☐ 01 **knit** 뜨개질하다
- ☐ 02 **diversity** 다양성
- ☐ 03 **vet** 수의사
- ☐ 04 **blink** 깜빡이다
- ☐ 05 **impressive** 인상적인
- ☐ 06 **thunderstorm** 뇌우
- ☐ 07 **needle** 바늘
- ☐ 08 **humid** 습한
- ☐ 09 **noodle** 국수
- ☐ 10 **various** 다양한
- ☐ 11 **cage** (짐승의) 우리
- ☐ 12 **passport** 여권
- ☐ 13 **fasten** 매다, 채우다
- ☐ 14 **notice** 알아차리다
- ☐ 15 **credit card** 신용 카드
- ☐ 16 **entrance** 입구
- ☐ 17 **branch** 지점
- ☐ 18 **stop by** 들르다
- ☐ 19 **surgery** 수술
- ☐ 20 **mess up** 망치다
- ☐ 21 **reach** (손이) 닿다, 도달하다
- ☐ 22 **count** 세다
- ☐ 23 **go off** (전등, 전기 등이) 꺼지다
- ☐ 24 **embarrassing** 난처한

- ☐ 25 **unremoved** 제거되지 않은
- ☐ 26 **receipt** 영수증
- ☐ 27 **tutoring session** 개인 교습
- ☐ 28 **yarn** 실
- ☐ 29 **mitten** 엄지장갑
- ☐ 30 **material** 재료
- ☐ 31 **someday** 언젠가
- ☐ 32 **accept** 수용하다
- ☐ 33 **wheel** 바퀴
- ☐ 34 **pitcher** 물병
- ☐ 35 **take a nap** 낮잠을 자다
- ☐ 36 **suppose** 생각하다, 가정하다
- ☐ 37 **unexpected** 예기치 않은
- ☐ 38 **traffic** 교통량
- ☐ 39 **within** ~ 이내에
- ☐ 40 **blanket** 담요

📖 알아두면 유용한 선택지 **어휘**

- ☐ 41 **relative** 친척
- ☐ 42 **bookmark** 책갈피
- ☐ 43 **symptom** 증상
- ☐ 44 **dust** 먼지; 먼지를 털다
- ☐ 45 **frame** 액자
- ☐ 46 **exotic** 이국적인

공부한 날 ☐ 월 ☐ 일

🎧 들으면서 표현을 완성한 다음, 뜻을 고르시오.

표현의 의미를 생각하며 다시 써 보기!

01 ☐eceipt ☐ 확인증 ☐ 영수증 → _____

02 div☐rsity ☐ 장점 ☐ 다양성 → _____

03 impressi☐e ☐ 성실한 ☐ 인상적인 → _____

04 me☐s u☐ ☐ 망치다 ☐ 채우다 → _____

05 f☐sten ☐ 매다 ☐ 달리다 → _____

06 no☐ice ☐ 생각하다 ☐ 알아차리다 → _____

07 sur☐ery ☐ 수술 ☐ 입원 → _____

08 supp☐se ☐ 가정하다 ☐ 정리하다 → _____

09 acce☐t ☐ 밀치다 ☐ 수용하다 → _____

10 ☐o of☐ ☐ 켜지다 ☐ 꺼지다 → _____

11 embar☐assing ☐ 난처한 ☐ 재미있는 → _____

12 wh☐el ☐ 바퀴 ☐ 모자 → _____

13 vario☐s ☐ 중요한 ☐ 다양한 → _____

14 entr☐nce ☐ 입구 ☐ 비상구 → _____

15 reac☐ ☐ 부유한 ☐ 도달하다 → _____

16 ☐link ☐ 연결하다 ☐ 깜빡이다 → _____

17 ta☐e a ☐ap ☐ 수비하다 ☐ 낮잠을 자다 → _____

18 mater☐al ☐ 재료 ☐ 겉옷 → _____

실전 모의고사 [10] 회

▣ 실전 모의고사 10회 →
┌ 모의고사 보통 속도
└ 모의고사 빠른 속도

✎ 들으면서 주요 표현 메모하기!

01 다음을 듣고, 도쿄의 내일 날씨로 가장 적절한 것을 고르시오.

①   ②   ③   ④   ⑤

02 대화를 듣고, 여자가 만든 햄스터 우리로 가장 적절한 것을 고르시오.

①   ②   ③   ④   ⑤

고난도 선택지에 하나씩 체크하며 듣기

03 대화를 듣고, 여자가 의류 환불에 대해 언급하지 <u>않은</u> 것을 고르시오.

① 의류의 상태   ② 필요한 것   ③ 가능 장소
④ 가게 방문 시간   ⑤ 가능 기간

04 대화를 듣고, 남자가 만든 것으로 가장 적절한 것을 고르시오.

① 액자   ② 젓가락   ③ 필통   ④ 연필   ⑤ 줄넘기 줄

05 대화를 듣고, 두 사람이 대화하는 장소로 가장 적절한 곳을 고르시오.

① 식당   ② 집   ③ 영화관   ④ 도서관   ⑤ 쇼핑몰

06 대화를 듣고, 남자의 마지막 말의 의도로 가장 적절한 것을 고르시오.
① 변명　　　② 사과　　　③ 조언　　　④ 축하　　　⑤ 위로

✎ 들으면서 주요 표현 메모하기!

07 대화를 듣고, 두 사람이 여행을 갈 장소로 가장 적절한 곳을 고르시오.
① 남아프리카공화국　　② 태국　　　　　　③ 베트남
④ 핀란드　　　　　　　⑤ 스페인

08 대화를 듣고, 남자가 대화 직후에 할 일로 가장 적절한 것을 고르시오.
① 전화기 충전하기　　② 소파 먼지 털기　　③ 여행 가방 싸기
④ 여권 챙기기　　　　⑤ 부엌 전등 끄기

09 대화를 듣고, 남자가 뜨개질에 대해 언급하지 <u>않은</u> 것을 고르시오.
① 좋은 점　　　　　② 배운 곳　　　　　③ 시작한 때
④ 준비물　　　　　⑤ 만든 물건

10 다음을 듣고, 여자가 하는 말의 내용으로 가장 적절한 것을 고르시오.
① 뉴욕 여행 시 방문해야 할 곳　　② 뉴욕 여행 시 먹어야 할 음식
③ 뉴욕 여행 시 배워야 할 언어　　④ 뉴욕 여행 시 알아야 할 것
⑤ 뉴욕의 다양성이 갖는 단점

틀린 문제는 Dictation에서
완벽하게 이해하세요!

11 다음을 듣고, 몽골 여행에 대한 여자의 조언과 일치하지 <u>않는</u> 것을 고르시오.

① 몽골의 기후는 한국과 매우 비슷하다.
② 7월에도 저녁에는 겉옷이 필요하다.
③ 예기치 못한 비가 오므로 비옷을 챙겨야 한다.
④ 침낭을 가져가면 유용하게 쓰일 것이다.
⑤ 햇빛이 강하므로 선글라스를 가져가야 한다.

12 대화를 듣고, 여자가 동물병원에 가는 목적으로 가장 적절한 것을 고르시오.

① 개의 약을 사려고
② 개를 입원시키려고
③ 개를 데려오려고
④ 개를 면회하려고
⑤ 개의 증상에 대해 문의하려고

13 대화를 듣고, 두 사람이 만나게 될 시각을 고르시오.

① 4:00 p.m.
② 4:30 p.m.
③ 5:00 p.m.
④ 5:30 p.m.
⑤ 6:00 p.m.

14 대화를 듣고, 두 사람의 관계로 가장 적절한 것을 고르시오.

① 엄마 – 아들
② 누나 – 남동생
③ 요리 강사 – 수강생
④ 수학 교사 – 학생
⑤ 요리사 – 손님

15 대화를 듣고, 여자가 남자에게 부탁한 일로 가장 적절한 것을 고르시오.

① 좌석 벨트 매기
② 음료 가져다주기
③ 좌석 바꿔 주기
④ 담요 가져다주기
⑤ 창문 닦기

16 대화를 듣고, 남자가 주말에 파티에 갈 수 없는 이유로 가장 적절한 것을 고르시오.

① 숙제가 너무 많아서　　② 파티 장소가 너무 멀어서
③ 집을 떠나 있어서　　④ 친척 집에 가야 해서
⑤ 다른 파티에 가야 해서

✎ 들으면서 주요 표현 메모하기!

17 다음 그림의 상황에 가장 적절한 대화를 고르시오.

①　　②　　③　　④　　⑤

18 다음을 듣고, 남자가 tutoring session에 대해 언급하지 <u>않은</u> 것을 고르시오.

① 주최 장소　　② 시작 시간　　③ 주최 기관
④ 교습 과목　　⑤ 점심 메뉴

[19-20] 대화를 듣고, 남자의 마지막 말에 이어질 여자의 말로 가장 적절한 것을 고르시오.

19 Woman: _____

① She's a good soccer player.
② I like trying exotic recipes.
③ I really like kimchi stew.
④ It is white with a heart key chain.
⑤ There is a nice view from the top.

20 Woman: _____

① The Internet isn't working.
② I'd like to buy this bookmark.
③ My mom bought them for me.
④ Sure. Can I see your library card?
⑤ I will go to the bookstore on Friday.

틀린 문제는 Dictation에서
완벽하게 이해하세요!

01 날씨

*들을 때마다 체크

다음을 듣고, 도쿄의 내일 날씨로 가장 적절한 것을 고르시오.

① ② ③

④ ⑤

여 그러면 이제 일일 아시아 일기 예보를 전해 드리겠습니다. 지난주의 비 이후로, 오늘 이곳 서울에서는 아름다운 무지개와 멋진 화창한 날씨를 볼 수 있겠습니다. 홍콩은 운이 그리 좋지 않겠습니다. 한 주 내내 강풍과 뇌우가 있겠습니다. 도쿄는 오늘은 하늘이 맑지만 내일은 기온이 뚝 떨어지고 비가 약간 오겠습니다. 마닐라는 늘 그렇듯 덥고 습하겠습니다. 즐거운 한 주 보내세요!

W And now for our _____ Asia weather report. After
자 이제 ~으로 넘어가겠습니다(화제 등을 전환할 때 쓰는 표현)   ~ 후에(전치사)

last week's rain, today we can see a beautiful _____

and nice sunny weather here in Seoul. Hong Kong is not

_____ _____. They will have _____ _____

and thunderstorms all week. Tokyo has clear _____
일주일 내내   함정 주의 오늘의 날씨이다.

today but tomorrow the temperature will _____ and
정답 근거

there will be a little rain. Manila is hot and _____, as

always. Have a great week!

02 그림 묘사

대화를 듣고, 여자가 만든 햄스터 우리로 가장 적절한 것을 고르시오.

① ② ③

④ ⑤

여 이것 봐, Thomas!
남 와, 지수야! 그건 네 햄스터 Rosie의 우리니?
여 응. 내가 직접 만들었어. 내 방과 같은 색인 분홍으로 칠했어.
남 바퀴도 분홍색이네! 정말 멋지다. 저건 작은 침대야?
여 응. 바퀴에서 달리고 나면 피곤할 거야. 그러면 바퀴 옆의 침대에서 낮잠을 잘 수 있어.
남 오, 담요도 있네. 정말 귀엽다. Rosie는 운이 좋은 햄스터야.
여 나도 그렇게 생각해!

W Look at this, Thomas!
= a cage for my hamster
M Wow, Jisu! Is that a _____ for your hamster Rosie?

W Yes. I made it _____. I painted it pink, the same color

as my room.
정답 근거

M The wheel is pink, too! It's really nice. Is that a little bed?

W Yes. After she _____ in her wheel, she will be tired.

And she can _____ _____ _____ on the bed next

to the wheel.

M Oh, she _____ has a blanket. It's very cute. She's a

_____ hamster.

W I think _____, too!

🔄 Solution Tip

우리 안에 작은 침대가 있고, 침대 위에는 담요가 있으며, 침대 옆에 햄스터가 돌리는 바퀴가 있는 것을 찾는다.

Dictation 10회 →
┌ 전체 듣기
└ 문항별 듣기

Dictation의 효과적인 활용법
STEP1 들으면서 대본의 빈칸 채우기
STEP2 축쇄 문제를 보며 다시 풀어 보기
STEP3 해석을 보며 영어로 말하거나 영작해 보기

공부한 날 　 월 　 일

03 언급하지 않은 것 ①

대화를 듣고, 여자가 의류 환불에 대해 언급하지 <u>않은</u> 것을 고르시오.
① 의류의 상태
② 필요한 것
③ 가능 장소
④ 가게 방문 시간
⑤ 가능 기간

여 이 셔츠를 구매하시겠어요?
남 네. 제 아들이 그것을 좋아하지 않으면 환불할 수 있나요?
여 네. 셔츠가 외부에서 착용되어서는 안 되고, 가격표가 제거되지 않은 채로 남아있어야 합니다.
남 제가 셔츠와 함께 무엇을 가져와야 하나요?
여 이 셔츠와 영수증, 지불했던 신용 카드를 가져오셔야 합니다.
남 알겠습니다. 다른 지점에서도 환불받을 수 있나요?
여 아니요, 14일 내에 여기로 오셔야 합니다.
남 알겠습니다. 감사합니다.

🇬🇧

W Would you like to _____ this shirt?

M Yes, please. Can I get a refund if my son doesn't like it?
　　　　　　　　　　　　　　　　┌ 조건을 나타내는 부사절을 이끄는 접속사

W Yes. The shirt should not be _____ _____ and the
　　　　　　　　　　　　　　　　📍정답 근거
tag should be left unremoved.
　　「leave+목적어+형용사(~을 …한 상태로 두다)」의 수동태

M What should I bring with the shirt?

W You should bring this shirt, the _____, and the credit card you paid with.

M Okay. Can I _____ a refund at other branches?

W No, you should come here within _____ days.
　　　　　　　　　　　　　　　 ~ 안에

M I see. Thanks.

Solution Tip

① 의류의 상태: 외부에서 착용되지 않고 가격표가 제거되지 않은 상태 ② 필요한 것: 물건과 영수증, 지불했던 신용 카드 ③ 가능 장소: 구입했던 지점(현재 이곳) ⑤ 가능 기간: 14일 이내

04 세부 정보 ①

대화를 듣고, 남자가 만든 것으로 가장 적절한 것을 고르시오.
① 액자
② 젓가락
③ 필통
④ 연필
⑤ 줄넘기 줄

여 안녕, 동우야. 이봐, 너 얼굴에 빨간색 물감이 묻은 거 알고 있어?
남 그래? 아, 창피해! 휴지 있니?
여 여기 있어.
남 고마워. 오늘 학교에서 필통을 만들었거든. 재미있었어.
여 너는 무슨 재료로 만들었는데?
남 난 나무 막대기와 고무줄을 사용했어. 그리고 그걸 빨간색으로 칠했어.
여 나무 막대기로 필통을 만들었다고? 와, 볼 수 있어?
남 물론이지. 여기 있어!
여 아, 이건… 좋아 보이네.

W Hi, Dongwoo. Hey, do you know you have red paint _____ _____ _____?

M I do? Oh, how embarrassing! Do you have a tissue?
　　└ = have red paint on my face　└ 'how embarrassing it is!'에서 주어와 동사가 생략된 감탄문이다.

W Here you go.

M Thanks. We made a _____ _____ today at school. It
　　　　　　　　　　　　　　📍정답 근거
was fun.

W What kind of _____ did you use?

M I used wooden sticks and a rubber band. And I painted it
_____.　　　　　　　　　　　　　　　　　　= the pencil case

W You made a pencil case with wooden _____? Wow, can I see it?

M Sure. Here it is!

W Oh, it looks... good.

05 장소

대화를 듣고, 두 사람이 대화하는 장소로 가장 적절한 곳을 고르시오.
① 식당 ② 집 ③ 영화관
④ 도서관 ⑤ 쇼핑몰

여 너는 무슨 영화를 보고 싶니?
남 나는 액션 영화를 좋아해. 너는 어떠니?
여 나도 좋아해. 이거 보자.
남 그래. 집에서 큰 화면으로 영화를 볼 수 있으니까 정말 좋다.
여 맞아. 음식도 주문하자.
남 여동생이 곧 집에 올 거니까, 패밀리 사이즈 피자를 주문하자.
여 알았어. 내가 음식 배달 앱에서 주문할게. 무슨 피자를 먹고 싶어?
남 난 베이컨 치즈 피자를 좋아해.

W What movie do you want to watch? 함정 주의

M I like action movies. How about you?

W I like them, too. Let's _____ this.
= action movies 정답 근거

M Okay. It's really good that we can watch a movie on a _____ _____ at home.

W 함정 주의
You're right. Let's _____ some food, too.

M My sister will _____ _____ soon, so let's order a
family size pizza. 접속사 so 앞에 이유를 나타내는 절이 온다.

W Okay. I'll order on the food delivery app. _____ _____ _____ pizza do you want?

M I like bacon and cheese pizza.

06 말의 의도

대화를 듣고, 남자의 마지막 말의 의도로 가장 적절한 것을 고르시오.
① 변명 ② 사과 ③ 조언
④ 축하 ⑤ 위로

여 냉장고 안에 있던 주스 본 사람 있어?
남 무슨 주스?
여 오렌지 주스! 내가 오늘 아침에 신선하게 만들었어.
남 신선한 오렌지 주스라면 내가 좋아하는 거야.
여 할머니께 그걸 가져가고 싶어서. 할머니 댁 나무에서 따서 우리에게 주신 오렌지로 만들었어.
남 어… 그게 파란 병에 들어 있던 거니?
여 맞아! 어디 있어?
남 어… Jane… 내가 마셨어. 얼마나 미안한지 말로 할 수가 없어.

W Has anyone _____ the juice that was in the fridge?

M What juice?

W Orange juice! I made it _____ this morning.

M Fresh orange juice is _____ _____.
= the orange juice

W I want to _____ it to Grandma. I made it from the oranges she gave us _____ her tree.
└ she 앞에 목적격 관계대명사 which[that]가 생략되었다.

M Uh… was it in a blue pitcher?

W Yes! Where is it?

M Uh… Jane… I drank it. I _____ how
얼마나 미안한지 말로 할 수가 없어.
sorry I am. 정답 근거 = 정말 미안해. (사과의 표현)

07 세부 정보 ②

대화를 듣고, 두 사람이 여행을 갈 장소로 가장 적절한 곳을 고르시오.
① 남아프리카 공화국   ② 태국
③ 베트남   ④ 핀란드
⑤ 스페인

M So, Ashley, where do you want _____ _____ this winter vacation?

W I want to go somewhere with _____ weather.

M Me too. It's been _____ _____ this winter. What about somewhere in Southeast Asia?
= It has been

W Somewhere like Thailand?

M Yes, we _____ _____ scuba diving there.
= in Thailand

W That sounds fun! We could do that in Vietnam too, right?
= go scuba diving

M Yes, I _____.

W Then let's go to Vietnam. I love Vietnamese _____.
💡 정답 근거

M Okay, sounds great!

남 그래서, Ashley, 너는 이번 겨울 휴가 때 어디에 가고 싶어?
여 나는 날씨가 따뜻한 곳에 가고 싶어.
남 나도. 이번 겨울은 너무 추웠어. 동남아시아의 어딘가가 어떨까?
여 태국 같은 곳?
남 응, 거기서 스쿠버 다이빙을 하러 갈 수도 있을 거야.
여 재미있겠다! 베트남에서도 그거 할 수 있는 거지?
남 응, 그럴 거야.
여 그러면 베트남에 가자. 난 베트남 국수가 정말 좋아.
남 좋아, 괜찮겠다!

🔊 **Sound Tip** What about
What about은 [와러바웃]으로 한 단어처럼 발음된다. what의 끝소리 [t]는 뒤의 모음 [ə]와 만나 [r]처럼 발음된다.

08 바로 할 일

대화를 듣고, 남자가 대화 직후에 할 일로 가장 적절한 것을 고르시오.
① 전화기 충전하기   ② 소파 먼지 털기
③ 여행 가방 싸기   ④ 여권 챙기기
⑤ 부엌 전등 끄기

W Are you _____ to go, Ben?

M Almost. I _____ _____ my suitcase. But I can't find my phone charger.

W There it is, _____ _____ the sofa.

M Oh, thank you, Mom!

W Okay, I think we're all ready for our trip. Do you have your _____?

M Yes! It's right here.
= My passport

W Great. Will you _____ _____ the kitchen light? And then, let's go!
💡 정답 근거

M Sure. I can reach it from here.
'닿다, 미치다'라는 의미로 쓰였다.

여 갈 준비 됐니, Ben?
남 거의 다 됐어요. 여행 가방 싸는 건 끝냈어요. 그런데 전화 충전기를 못 찾겠어요.
여 여기 있어, 소파 옆에.
남 오, 고마워요, 엄마!
여 그래, 여행 준비가 다 된 것 같구나. 여권은 챙겼지?
남 네! 여기 있어요.
여 좋아. 부엌 전등을 꺼 줄래? 그러고 나면, 가자!
남 물론이죠. 여기에서도 끌 수 있어요.

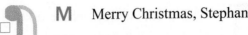

09 언급하지 않은 것 ②

대화를 듣고, 남자가 뜨개질에 대해 언급하지 <u>않은</u> 것을 고르시오.

① 좋은 점
② 배운 곳
③ 시작한 때
④ 준비물
⑤ 만든 물건

남 메리 크리스마스, Stephanie! 이 목도리는 너를 위한 선물이야.
여 고마워, Brandon! 색이 아주 마음에 들어. 어디에서 샀어?
남 사실, 내가 직접 만든 거야.
여 네가 만들었다고? 네가 뜨개질을 할 수 있는지 몰랐어!
남 작년에 방과 후 수업 중 하나에서 방법을 배웠어. 내가 가장 좋아하는 취미야.
여 정말 대단해! 나에게 가르쳐 줄 수 있어?
남 물론! 실과 뜨개바늘만 있으면 돼. 내 것을 빌려도 돼.
여 고마워! 난 엄마께 뭔가를 만들어 드리고 싶어.
남 나는 지금까지 모자, 목도리, 엄지장갑을 만들었어. 나중에 너에게 그것들을 보여 줄게.

M Merry Christmas, Stephanie! This scarf is for you.

W Thank you, Brandon! I love the color. Where did you _____ this?

M Actually, I made it myself.
= made it yourself

W You <u>did</u>? I didn't know you _____ _____!

M I learned _____ in one of my after-school classes last year. It's my favorite hobby.
= Knitting

W That's so impressive! Do you think you could _____ _____?

M Sure! We just need some yarn and a knitting needle. You can _____ _____.

W Thanks! I want to _____ something for my mom.

M I've made a hat, a scarf, and mittens so far. I'll show them to you _____.
지금까지   지금까지 만든 것들

10 담화 화제

다음을 듣고, 여자가 하는 말의 내용으로 가장 적절한 것을 고르시오.

① 뉴욕 여행 시 방문해야 할 곳
② 뉴욕 여행 시 먹어야 할 음식
③ 뉴욕 여행 시 배워야 할 언어
④ 뉴욕 여행 시 알아야 할 것
⑤ 뉴욕의 다양성이 갖는 단점

여 당신은 언젠가 뉴욕을 여행하고 싶어요? 그곳을 방문하기 전에, 이 멋진 미국 도시의 다양성에 관해 알아야 합니다. 800만 명이 넘는 사람들이 이 도시에 거주하며, 800개가 넘는 언어가 그곳에서 사용됩니다. 전 세계에서 온 다양한 종류의 음식을 먹을 수 있고, 오페라와 칼립소에서 아프로비트에 이르기까지 모든 종류의 음악을 듣게 될 것입니다. 다양한 경험을 할 수 있으므로, 당신은 다양한 사람들의 다양한 의견을 받아들일 필요가 있습니다.

W Do you want to _____ in New York City _____? Before you visit there, you _____ _____ about the diversity of <u>this great U.S. city</u>. More than 8 million
= New York City
people live in the city and more than _____ languages are spoken there. You can eat _____ _____ of food from all around the world, and you will hear all kinds of music from opera and calypso to afrobeat. <u>As you</u>
~하므로
can have various _____, you need to accept different _____ of different people.

11 일치하지 않는 것

다음을 듣고, 몽골 여행에 대한 여자의 조언과 일치하지 <u>않는</u> 것을 고르시오.
① 몽골의 기후는 한국과 매우 비슷하다.
② 7월에도 저녁에는 겉옷이 필요하다.
③ 예기치 못한 비가 오므로 비옷을 챙겨야 한다.
④ 침낭을 가져가면 유용하게 쓰일 것이다.
⑤ 햇빛이 강하므로 선글라스를 가져가야 한다.

여 만약 여러분이 여름에 몽골을 방문할 계획이라면 몇 가지 조언을 해 드리겠습니다. 7월의 몽골 날씨는 따뜻하지만 한국처럼 덥지는 않으므로 밤에는 아직 겉옷이 필요합니다. 그리고 예기치 못한 비를 대비하여 비옷을 챙기기를 추천합니다. 또한 만약 여러분이 게르에 묵을 것이라면 침낭을 가져가면 매우 유용할 것입니다. 덧붙여 강한 햇빛으로부터 보호하기 위해 자외선 차단제와 선글라스를 가져가세요.

W　If you are _____ _____ visit Mongolia in summer, I'll give you some advice. In July, the weather in Mongolia is _____ but not hot like Korea, so you will *정답 근거* still need a jacket _____ _____. And I recommend you _____ a raincoat in case of unexpected rain. Also, ~할 경우, 만일 ~한다면 if you are going to _____ in a ger, it'll be very useful to take a sleeping bag. Additionally, bring sunscreen and sunglasses _____ _____ from strong sunlight.

12 목적

대화를 듣고, 여자가 동물병원에 가는 목적으로 가장 적절한 것을 고르시오.
① 개의 약을 사려고
② 개를 입원시키려고
③ 개를 데려오려고
④ 개를 면회하려고
⑤ 개의 증상에 대해 문의하려고

남 이봐, Julia. 너 어디 가니?
여 안녕, Brandon. 나는 동물병원에 가고 있어.
남 오, 네 개 Blackie에게 무슨 일 있니?
여 Blackie는 입원해 있어. 어제 수술을 받았거든.
남 그 말을 들으니 참 안됐구나. 그러면 오늘 집으로 개를 데려오는 거니?
여 아니, 수의사 말이 이틀 더 입원해 있어야 한다고 했어. 오늘은 그냥 면회를 가는 거야.
남 Blackie가 빨리 낫길 바랄게. 기운 내, Julia.
여 고마워.

M　Hey, Julia. Where are you going?

W　Hi, Brandon. I'm going to _____ _____ _____.

M　Oh, what _____ to your dog Blackie?

W　He is in the hospital. He had _____ yesterday.

M　I'm so sorry to hear that. Then do you _____ _____ _____ home today?

W　No, the vet said he needs to _____ _____ for two more days. Today I'm just going to see him. *정답 근거*

M　I hope he gets _____ soon. Cheer up, Julia.

W　Thank you.

13 시각

대화를 듣고, 두 사람이 만나게 될 시각을 고르시오.
① 4:00 p.m. ② 4:30 p.m. ③ 5:00 p.m.
④ 5:30 p.m. ⑤ 6:00 p.m.

여 오늘 축구 경기에 몇 사람이나 올 수 있을까?
남 지금까지는 Sara, John, 수지, 그리고 대영이에게서 답을 받았어.
여 그러면 너랑 나까지 세면 표가 6장 필요해.
남 맞아.
여 좋아, 내가 티켓을 살게. 네가 모두에게 전화해서 오후 4시 30분에 만나자고 말해 줄래?
남 음, 4시는 어때? 내 생각엔 우리가 경기 전에 간식을 좀 먹는 게 좋을 것 같아.
여 그거 좋다.
남 그럼 어디에서 만나?
여 5번 입구에서 만나자.
남 알았어, 내가 애들한테 전화할게. 그때 보자!

W How many people _____ _____ _____ come to the soccer game today?

M So far, I've _____ _____ from Sara, John, Suji, and Daeyeong.
지금까지

W So, we need 6 tickets, counting you and me.

M That's right.

W Okay, I'll buy the tickets. Can you _____ everyone and tell them to meet at 4:30 p.m.?

M Hmm, how about 4:00 p.m.? 🔑정답 근거 I think it's better for us to have some _____ before the game.
to부정사의 의미상 주어

W That sounds good.

M Then _____ should we meet?

W Let's meet at entrance _____.

M Okay, I'll call them. See you then!

14 두 사람의 관계

대화를 듣고, 두 사람의 관계로 가장 적절한 것을 고르시오.
① 엄마 – 아들   ② 누나 – 남동생
③ 요리 강사 – 수강생   ④ 수학 교사 – 학생
⑤ 요리사 – 손님

여 너 오늘은 무엇을 만들고 있니, Danny?
남 엄마께 생신 케이크를 만들어 드리려 하고 있어요.
여 너 참 다정하구나!
남 하지만 전 이미 다 망친 것 같아요. 도와주시겠어요, Parker 선생님?
여 물론! 다음에는 뭘 넣어야 하는지 같이 보자.
남 조리법에는 밀가루를 넣으라고 되어 있어요. 하지만 얼마나 넣어야 하는지 모르겠어요.
여 여기, 이 계량컵들을 쓰렴. 내 생각엔 이 달걀에는 밀가루 두 컵이면 충분할 것 같구나.

W What are you _____ today, Danny?

M I'm trying to make a cake _____ my mom for her birthday. 🔑정답 근거

W That's so nice _____ _____!

M But I think I already _____ it all up. Can you help me, Ms. Parker?

W Sure! Let's see what you _____ _____ _____.

M The recipe says I should add some flour. But, I'm not sure how much I should _____ _____.

W Here, use these measuring cups. I think 2 cups of flour is enough for these eggs.

15 부탁한 일

대화를 듣고, 여자가 남자에게 부탁한 일로 가장 적절한 것을 고르시오.

① 좌석 벨트 매기 ② 음료 가져다주기
③ 좌석 바꿔 주기 ④ 담요 가져다주기
⑤ 창문 닦기

M Excuse me, ma'am. You must keep your seatbelt fastened until the sign goes _____.

W Oh, I'm sorry.

M Is there something I can _____ you _____?

W I noticed there are many _____ _____ on this flight.

M Yes, you're right.

W I'd really like to _____ to a window seat. Is that possible?

정답 근거
= 창가 좌석으로 바꾸는 일

M Sure. I'll _____ you _____ when it's safe to change seats.

it이 가주어이고, to부정사가 진주어인 형태이다.

W Thank you.

남 실례합니다, 손님. 표시가 꺼질 때까지는 좌석 벨트를 매고 계셔야 합니다.
여 아, 죄송해요.
남 도와드릴 일이 있나요?
여 이 비행기 안에 빈 좌석이 많던데요.
남 네, 맞아요.
여 창가 좌석으로 꼭 바꾸고 싶어요. 가능할까요?
남 그럼요. 좌석을 안전하게 바꿀 수 있을 때 알려 드리겠습니다.
여 감사합니다.

Solution Tip
창가 좌석과 바꾸고 싶다고 하면서 가능한지 물었으므로, 비행 승무원에게 창가 좌석으로 옮겨줄 것을 부탁하는 것임을 알 수 있다.

16 이유

대화를 듣고, 남자가 주말에 파티에 갈 수 없는 이유로 가장 적절한 것을 고르시오.

① 숙제가 너무 많아서
② 파티 장소가 너무 멀어서
③ 집을 떠나 있어서
④ 친척 집에 가야 해서
⑤ 다른 파티에 가야 해서

W Hi, Bobby! What are you doing here?

M Hey, Sally. I wanted to _____ _____ to give you your birthday present.

W Thank you so much! But, _____ _____ _____ just give it to me this Saturday?
= the present

M That's what I wanted _____ _____ you. I'm afraid I
선행사를 포함하는 관계대명사(= the thing which[that])
won't be able to come to your party.

W Oh, really? Why is that?

M My family is going _____ _____ _____ this weekend. 정답 근거

W Okay, I understand.

M I hope you have a wonderful birthday!

여 안녕, Bobby! 너 여기서 뭐 하니?
남 안녕, Sally. 너한테 생일 선물을 주려고 들렀어.
여 정말 고마워! 그런데, 왜 그냥 이번 토요일에 주지 않는 거야?
남 그 말을 하고 싶었어. 내가 네 파티에 가지 못할 것 같아.
여 아, 정말? 왜?
남 우리 가족이 이번 주말에 교외에 있을 거야.
여 알았어, 이해해.
남 멋진 생일 보내기를 바라!

17 그림 상황

다음 그림의 상황에 가장 적절한 대화를 고르시오.

① ② ③ ④ ⑤

① 여 내 새 드레스 어때?
　남 마음에 들어! 파란색은 너한테 아주 잘 어울려.
② 여 넌 지난 주말에 뭐 했니?
　남 나는 음악 축제에 갔었어. 내가 좋아하는 밴드가 연주했거든.
③ 여 안녕, 세진아. 내가 늦을 거라는 걸 알려 주려고 전화했어. 차가 정말 많이 밀리네.
　남 알았어, 걱정하지 마. 내가 자리 잡아 놓을게.
④ 여 안녕, 주호야. 여긴 내 친구 Ella야. 이 아이는 우리 축구팀에 있어.
　남 만나서 반가워, Ella.
⑤ 여 조심해, Eric! 초록불이 깜빡일 때는 건너면 안 돼.
　남 알았어, 기다릴게.

① W　Do you like my new dress?
　 M　I love it! Blue is a great color _____ _____.

② W　What did you do _____ weekend?
　 M　I went to a music festival. My favorite band played.

③ W　Hi, Sejin. I'm calling to let you know I will be late. There is so much traffic.

🎵정답 근거
'네가 알도록 하다' = '너에게 알리다', know의 목적어로 명사절(I will ~)이 쓰였다.

　 M　Okay, _____ _____. I'll get us a table.

④ W　Hi, Juho. This is my friend, Ella. She's _____ my soccer team.
　 M　It's nice to meet you, Ella.

⑤ W　Be careful, Eric! You _____ _____ while the
　　　　　　　　　　　　　　　　　　　　　　　~하는 동안
　　　green light is blinking.
　 M　Okay, I'll wait.

18 언급하지 않은 것 ③

다음을 듣고, 남자가 tutoring session에 대해 언급하지 않은 것을 고르시오.
① 주최 장소　② 시작 시간　③ 주최 기관
④ 교습 과목　⑤ 점심 메뉴

M　Are you _____ _____ an important exam? Join us at the clubhouse this Saturday at 9:00 a.m. Tulane University is offering a _____ tutoring session. There will be
　　　　　　　　　　　　　　　　　　　개인 교습
tutors to _____ _____ _____ math, English, science, and history for free. At noon we will have lunch together and play games until 1:30 p.m. _____ _____ to study hard and play hard!

남 중요한 시험을 준비하고 있나요? 이번 주 토요일 오전 9시에 클럽 회관에서 저희와 함께 하세요. Tulane 대학에서 무료 개인 교습을 제공합니다. 여러분에게 수학, 영어, 과학, 역사에 대해 도움을 줄 강사들이 있습니다. 정오에는 함께 점심을 먹고, 1시 30분까지는 게임을 할 것입니다. 열심히 공부하고 열심히 놀 준비를 하세요!

 Solution Tip
① 주최 장소: 클럽 회관　② 시작 시간: 이번 주 토요일 오전 9시　③ 주최 기관: Tulane 대학
④ 교습 과목: 수학, 영어, 과학, 역사

19 이어질 말 ①

Woman: _____
① She's a good soccer player.
② I like trying exotic recipes.
③ I really like kimchi stew.
④ It is white with a heart key chain.
⑤ There is a nice view from the top.

W Hi, I'm Rachel. I just _____ _____ from Australia.

M It's nice to meet you, Rachel. I'm Ryan. _____ do you like Korea?

W I really like it so far. The mountains are beautiful.
지금까지는

M Yes, especially now. _____ in Korea is really nice.

W The leaves are so colorful! I really like the food here _____ _____.
here가 명사 뒤에 쓰이면 '여기 있는'이라는 뜻으로 강조하는 역할을 한다.

M Really? What's your _____ Korean food?
🔑정답 근거

W I really like kimchi stew.

여 안녕하세요, 저는 Rachel입니다. 호주에서 이곳으로 막 옮겨왔어요.
남 만나서 반갑습니다, Rachel. 저는 Ryan입니다. 한국은 어떠세요?
여 지금까지는 정말 좋아요. 산이 아름다워요.
남 네, 지금은 특별히 그렇죠. 한국의 가을은 참 멋져요.
여 나뭇잎들이 아주 화려해요! 그리고 이곳의 음식도 정말 좋아해요.
남 그래요? 가장 좋아하는 한국 음식이 무엇인가요?
여 ③ 저는 김치찌개가 정말 좋아요.

① 그녀는 훌륭한 축구 선수예요.　② 저는 이국적인 요리법을 시도하는 걸 좋아해요.
④ 그건 하트 모양 열쇠고리가 달려 있고 흰색이에요.　⑤ 꼭대기에서 멋진 풍경이 보여요.

20 이어질 말 ②

Woman: _____
① The Internet isn't working.
② I'd like to buy this bookmark.
③ My mom bought them for me.
④ Sure. Can I see your library card?
⑤ I will go to the bookstore on Friday.

W Just so you know, the library will _____ _____ in 10 minutes.

M Oh, that's too soon!

W Is there _____ I can help you find?

M Well, I have to write a report on the history of baseball. Do you have _____ _____ about that?
= the history of baseball

W Of course. There are a few _____ _____.
'books about the history of baseball'이 생략되어 있다.

M Oh, excellent. I'd like to _____ these _____, please.
🔑정답 근거

W Sure. Can I see your library card?

여 아시겠지만, 도서관은 10분 후에 닫습니다.
남 아, 너무 일러요!
여 당신이 찾는 걸 도와드릴 게 있나요?
남 음, 저는 야구 역사에 관한 보고서를 써야 해요. 그것에 관한 책이 있나요?
여 물론이죠. 바로 여기에 몇 권이 있네요.
남 오, 잘됐어요. 이 책들을 대출하고 싶어요.
여 ④ 네, 도서관 카드를 보여 주시겠어요?

① 인터넷이 안 돼요.　② 저는 이 책갈피를 사고 싶어요.
③ 엄마가 이것들을 저에게 사 주셨어요.　⑤ 저는 금요일에 서점에 갈 거예요.

[VOCABULARY] 실전 모의고사 11회

어휘를 알아야 들린다

모의고사를 먼저 풀고 싶으면 170쪽으로 이동하세요.

🎧 다음 표현을 듣고 모르는 것에 표시하시오.

- 01 **normally** 정상적으로
- 02 **come out** (해가) 나오다
- 03 **parking lot** 주차장
- 04 **edit** 편집하다
- 05 **appointment** 약속
- 06 **photography** 사진술
- 07 **mind** 꺼리다, 언짢아하다
- 08 **solution** 해결책, 해법
- 09 **wonder** 궁금해하다
- 10 **missing** 없어진, 실종된
- 11 **cheap** 값이 싼
- 12 **schedule** 일정을 잡다
- 13 **beginner** 초보자, 초심자
- 14 **breathe** 호흡하다
- 15 **election** 선거
- 16 **excellent** 훌륭한
- 17 **dive** 다이빙하다, 뛰어들다
- 18 **slip** 미끄러지다
- 19 **rescue** 구조; 구조하다
- 20 **submit** 제출하다
- 21 **role** 역할
- 22 **save a seat** 자리를 마련하다
- 23 **encourage** 기운을 북돋우다, 격려하다
- 24 **be in the mood for** ~할 기분이 나다

- 25 **vote** 투표하다
- 26 **write down** 적다
- 27 **turn back** 되돌아가다
- 28 **argue** 다투다
- 29 **whichever** 어느 것이든
- 30 **smart** 똑똑한
- 31 **canned food** 통조림 음식
- 32 **broth** 진한 수프, 국물
- 33 **gentle** 온순한
- 34 **rip** 찢다
- 35 **greens** 푸른잎 채소
- 36 **aside from** ~을 제외하고
- 37 **exhausted** 기진맥진한
- 38 **spine** 척추
- 39 **lentil** 렌즈콩
- 40 **kit** 세트

📝 **알아두면 유용한 선택지 어휘**

- 41 **habitat** 서식지
- 42 **put off** 미루다
- 43 **speeding** 과속
- 44 **leftover** 남긴 음식, 잔반
- 45 **lack** 부족
- 46 **trim** 다듬다, 손질하다

공부한 날   월   일

들으면서 표현을 완성한 다음, 뜻을 고르시오.

표현의 의미를 생각하며 다시 써 보기!

01 e☐hausted ☐ 기진맥진한 ☐ 활발한 →

02 mi☐sing ☐ 없어진 ☐ 즐거운 →

03 brea☐he ☐ 들어가다 ☐ 호흡하다 →

04 ele☐tion ☐ 선거 ☐ 방송 →

05 s☐ip ☐ 잠들다 ☐ 미끄러지다 →

06 rescu☐ ☐ 질문 ☐ 구조 →

07 appoi☐tment ☐ 약속 ☐ 시간 →

08 exc☐llent ☐ 멀리 있는 ☐ 훌륭한 →

09 ☐ubmit ☐ 제출하다 ☐ 감추다 →

10 ri☐ ☐ 돌다 ☐ 찢다 →

11 ge☐tle ☐ 온순한 ☐ 거대한 →

12 ar☐ue ☐ 거짓말하다 ☐ 다투다 →

13 e☐courage ☐ 격려하다 ☐ 보살피다 →

14 a☐ide f☐om ☐ ~만큼 ☐ ~을 제외하고 →

15 sp☐ne ☐ 척추 ☐ 뇌 →

16 ch☐ap ☐ 값이 싼 ☐ 비싼 →

17 ☐ormally ☐ 정상적으로 ☐ 특별히 →

18 soluti☐n → ☐ 비밀 ☐ 해결책 →

중학 11회

실전 모의고사 11회 →
┌ 모의고사 보통 속도
└ 모의고사 빠른 속도

✎ 들으면서 주요 표현 메모하기!

01 다음을 듣고, 강원도의 목요일 날씨로 가장 적절한 것을 고르시오.

① ② ③ ④ ⑤

02 대화를 듣고, 남자가 엄마에게 선물한 것으로 가장 적절한 것을 고르시오.

① ② ③ ④ ⑤

03 대화를 듣고, 남자가 오늘 학교에서 있었던 일로 언급하지 않은 것을 고르시오.

① 축구 시합에서 진 일　　　　　② 축구공을 잃어버린 일
③ 쓰레기를 주운 일　　　　　　④ 친구와 다툰 일
⑤ 집에 혼자 돌아온 일

04 대화를 듣고, 남자가 오늘 방과 후에 한 일로 가장 적절한 것을 고르시오.

① 숙제하기　　　② 육상 경기하기　　　③ 다이빙 배우기
④ 친구와 영화 보기　　⑤ 아이스티 만들기

05 대화를 듣고, 두 사람이 대화하는 장소로 가장 적절한 곳을 고르시오.

① 시장　　② 식당　　③ 교실　　④ 기차역　　⑤ 철물점

06 대화를 듣고, 여자의 마지막 말의 의도로 가장 적절한 것을 고르시오.

① 걱정　　　② 조언　　　③ 격려　　　④ 축하　　　⑤ 사과

✎ 들으면서 주요 표현 메모하기!

07 대화를 듣고, 두 사람이 볼 영화의 장르로 가장 적절한 것을 고르시오.

① 애니메이션　　　　② 공포　　　　③ 액션
④ 코미디　　　　⑤ 판타지

08 대화를 듣고, 여자가 대화 직후에 할 일로 가장 적절한 것을 고르시오.

① 요리책 찾기　　　② 이모에게 전화하기　　　③ 음식 재료 사기
④ 음식 재료 적기　　　⑤ 채소 다듬기

고난도　선택지에 하나씩 체크하며 듣기

09 대화를 듣고, 남자가 essay contest에 대해 언급하지 <u>않은</u> 것을 고르시오.

① 대회 주제　　　② 선택하려는 주제　　　③ 참가 대상
④ 제출 기한　　　⑤ 제출 방법

10 다음을 듣고, 남자가 하는 말의 내용으로 가장 적절한 것을 고르시오.

① 기부의 즐거움　　　　　② 과속 운전의 위험성
③ 자원봉사 참여 독려　　　　④ 주차장 부족의 문제점
⑤ 음식을 남기는 것의 문제점

틀린 문제는 Dictation에서
완벽하게 이해하세요!

실전 모의고사 [11]회

✎ 들으면서 주요 표현 메모하기!

11 대화를 듣고, 사진 강좌에 대한 내용으로 일치하지 <u>않는</u> 것을 고르시오.

① 이번 토요일에 수업이 있다.
② 사진 편집을 배울 수 있다.
③ 사진 촬영하는 법을 배울 수 있다.
④ 수업 장소는 도서관이다.
⑤ 수강료는 무료이다.

12 대화를 듣고, 남자가 전화를 건 목적으로 가장 적절한 것을 고르시오.

① 숙제에 대해 물어보기 위해서　　② 약속 시각을 확인하기 위해서
③ 약속 날짜를 미루기 위해서　　④ 점심 메뉴를 정하기 위해서
⑤ 프로젝트 진행 상황을 알아보기 위해서

고난도 메모하며 듣기

13 대화를 듣고, 남자가 병원에 갈 시각을 고르시오.

① 4:00 p.m.　　② 4:10 p.m.　　③ 4:20 p.m.
④ 4:30 p.m.　　⑤ 4:50 p.m.

14 대화를 듣고, 두 사람의 관계로 가장 적절한 것을 고르시오.

① 의사 – 환자　　② 상담 교사 – 학생　　③ 사육사 – 조수
④ 수의사 – 개 주인　　⑤ 식당 주인 – 손님

15 대화를 듣고, 여자가 남자에게 부탁한 일로 가장 적절한 것을 고르시오.

① 음식을 주문해 줄 것　　② 지갑을 찾아와 줄 것
③ 대신 운전을 해 줄 것　　④ 자리를 맡아 줄 것
⑤ 함께 산책할 것

16 대화를 듣고, 남자가 학급 회장으로 뽑을 사람을 결정한 이유로 가장 적절한 것을 고르시오.

① 재미있어서
② 모두에게 친절해서
③ 학급 회장 경험이 있어서
④ 문제를 해결하려 노력해서
⑤ 가장 친한 친구여서

✎ 들으면서 주요 표현 메모하기!

17 다음 그림의 상황에 가장 적절한 대화를 고르시오.

①   ②   ③   ④   ⑤

18 다음을 듣고, 여자가 코끼리에 대해 언급하지 <u>않은</u> 것을 고르시오.

① 크기
② 주요 서식지
③ 하루에 먹는 양
④ 주로 먹는 먹이
⑤ 성격

[19-20] 대화를 듣고, 여자의 마지막 말에 이어질 남자의 말로 가장 적절한 것을 고르시오.

19 Man: _____

① Your total is $20.
② Write your name here.
③ Blueberry is the best flavor.
④ It's a very long movie.
⑤ Here, you can use mine.

20 Man: _____

② You can't miss it.
② Yes, you can get a discount.
③ Just a towel and a water bottle.
④ We will be open until 8:00 p.m.
⑤ It's on the corner of 5th and Main Street.

틀린 문제는 **Dictation**에서 완벽하게 이해하세요!

[Dictation] 실전 모의고사 11회

손으로 써야 내 것이 된다

01 날씨

*들을 때마다 체크

다음을 듣고, 강원도의 목요일 날씨로 가장 적절한 것을 고르시오.

①   ②   ③

④   ⑤

남 이번 주 강원도의 일기 예보입니다! 약 2주 동안 눈이 오고 있고, 우리 모두 햇빛을 볼 때가 되었다는 걸 저도 압니다. 화요일까지는 눈이 더 오겠지만 수요일에는 해가 나기 시작하겠습니다. 목요일과 금요일도 맑고 화창하겠습니다. 그러나 주말 동안 구름이 북쪽에서 들어오면서 비가 오겠습니다. 날씨 변화에 대비하시기 바랍니다.

M Welcome to this week's weather forecast for Gangwon-do! It has been snowing for _____ two weeks and I know we are all ready for some _____. There will be more snow until Tuesday, but Wednesday the sun will start to _____ _____. Thursday and Friday will also be clear and sunny. However, during the weekend _____ will come in from the north and it _____ _____. Make sure you are _____ for the weather changes!

정답 근거

~해야 한다

02 그림 묘사

대화를 듣고, 남자가 엄마에게 선물한 것으로 가장 적절한 것을 고르시오.

①   ②   ③

④   ⑤

남 짠! 이 선물은 엄마 거예요.
여 왜! 이게 무엇일지 궁금하구나.
남 열어 보세요. 엄마가 좋아하시면 좋겠어요.
여 네가 주는 거라면 난 다 좋아할 거야. 오, 이거 정말 예쁘구나!
남 여기, 제가 위에 귀여운 나비 핀도 달았어요.
여 이 목도리 정말 마음에 들어. 아주 따뜻해 보이네. 내가 이런 줄무늬를 좋아하는 걸 알았니?
남 아뇨, 하지만 이게 요즘에 유행하는 것 같아서 골랐어요. 엄마가 마음에 드신다니 기뻐요.
여 내일 이걸 해야겠어. 고맙다, Jonathan.

M Ta-da! This present is for you, Mom.
W Wow! I wonder _____ it could be.
M Open it. I hope _____ _____ it.
W I'm sure I will like _____ from you. Oh, it's so beautiful!
M Here, I put a cute _____ pin on it. 정답 근거
W I love this scarf so much. It _____ very warm. Did you know I like stripes like this?
M No, but it looked trendy, so I chose it. I'm glad you like it.
= this scarf
W I will _____ _____ tomorrow. Thank you, Jonathan.

 Solution Tip
나비 모양 장식 핀이 있고 줄무늬가 있는 목도리를 선물했다.

Dictation 11회→
├ 전체 듣기
└ 문항별 듣기

Dictation의 효과적인 활용법
STEP1 들으면서 대본의 빈칸 채우기
STEP2 축쇄 문제를 보며 다시 풀어 보기
STEP3 해석을 보며 영어로 말하거나 영작해 보기

공부한 날 ☐ 월 ☐ 일

03 언급하지 않은 것 ①

대화를 듣고, 남자가 오늘 학교에서 있었던 일로 언급
하지 <u>않은</u> 것을 고르시오.
① 축구 시합에서 진 일
② 축구공을 잃어버린 일
③ 쓰레기를 주운 일
④ 친구와 다툰 일
⑤ 집에 혼자 돌아온 일

여 오늘 학교 어땠니, Roger?
남 별로 좋지 않았어요. 제가 제일 좋아하는 축구공을 잃
어버렸어요. 다 찾아봤지만 못 찾았어요.
여 안됐구나, 얘야.
남 그런 다음엔 방과 후에 저희 반이 늦게까지 남아서 쓰
레기를 주워야 했어요.
여 그건 재미없는 일이지. 하지만, 깨끗하게 하는 걸 돕는
일은 좋은 거란다.
남 그리고 청소를 하는 동안 제일 친한 친구와 말다툼을
했어요. 그래서 저는 집에 혼자 와야 했어요.
여 아, 힘든 하루를 보냈구나, Roger. 핫초코를 마시고
나면 기분이 나아질 거야. 잠깐 기다리렴.
남 고마워요, 엄마.

🇦🇺

W _____ _____ school today, Roger?

M It wasn't so great. I lost my favorite soccer ball. I _____ everywhere, but I couldn't find it.
　　정답 근거
　　= my favorite soccer ball

W I'm sorry, dear.

M And then, after school our class had to _____ _____ and pick up trash.

W That's no fun. But, it's good to help keep things clean.
　　it이 가주어이고, to부정사구가 진주어인 구조

M And while we were _____, I argued with my best friend. So I had to come home _____.

W Oh, you had a hard day, Roger. You will _____ _____ after you get some hot chocolate. Just a moment.

M Thanks, Mom.

💡 **Sound Tip** hard day
hard의 끝소리와 day의 첫소리가 [d]로 같으므로 한 번만 발음되어 한 단어처럼 소리 난다.

04 과거에 한 일

대화를 듣고, 남자가 오늘 방과 후에 한 일로 가장 적
절한 것을 고르시오.
① 숙제하기　　　② 육상 경기하기
③ 다이빙 배우기　④ 친구와 영화 보기
⑤ 아이스티 만들기

여 너 지쳐 보여.
남 맞아. 오늘 힘들었어. 하지만 정말 재미있었어!
여 뭘 했는데?
남 수영장에 갔어. 난 매주 금요일 방과 후에 수영 강습
을 받거든.
여 오, 난 수영이 정말 좋아!
남 나도. 오늘은 다이빙하는 법을 배웠어. 그런 다음 강습
마지막에 내 친구 Tom과 수영장을 가로질러 경주를
했어.
여 그래서 네가 피곤한 거구나.
남 응, 하지만 내가 이겨서 Tom이 나에게 음료수를 사야
했어. 재미있었어!

🇬🇧

W You look exhausted.

M I am. Today was _____. But it was so fun!

W What did you do?

M I went to the pool. I take swimming _____ every Friday after school.

W Oh, I love swimming!

M Me too. Today we _____ how to dive. And then at the
　　정답 근거
　　how+to부정사: ~하는 법
end of the class I _____ my friend, Tom, across the pool.

W That must be _____ you're tired.
　　친구와 경주를 한 일

M Yes, but I won, so Tom had to _____ _____ a soda. It was great!

05 장소

대화를 듣고, 두 사람이 대화하는 장소로 가장 적절한 곳을 고르시오.

① 시장　　② 식당　　③ 교실
④ 기차역　⑤ 철물점

여 어떻게 도와드릴까요?
남 수프용으로 렌즈콩이 필요해요.
여 오, 집에서 만든 수프는 이 추운 계절에 좋죠. 몇 그램이나 필요하세요?
남 200g만요. 샐러드용 채소도 필요해요. 신선한 것을 추천해 주시겠어요?
여 이 샐러드 세트는 어떠세요? 다섯 가지의 푸른잎 채소와 샐러드 드레싱이 들어 있어요.
남 좋네요. 그걸로 할게요.
여 그러면… 8달러입니다.
남 네, 여기 있습니다. 고맙습니다.

W　How can I _____ _____? ♪정답 근거
M　I need some lentils for soup.
W　Oh, homemade soup is _____ _____ this cold season. How many grams do you need? (함정 주의)
M　Just 200 grams. I also need some vegetables for salad. Would you recommend fresh ones?
　　= vegetables
W　How about this salad kit? It has five _____ of greens with salad dressing.
　　= This salad kit　　푸른잎 채소
M　Great. I'll _____ _____.
W　Then... that'll be _____ dollars.
M　Okay, here you are. Thank you.

06 말의 의도

대화를 듣고, 여자의 마지막 말의 의도로 가장 적절한 것을 고르시오.

① 걱정　　② 조언　　③ 격려
④ 축하　　⑤ 사과

여 준비됐니, Steven?
남 잘 모르겠어. 대형 롤러코스터는 처음이야.
여 걱정하지 마. 좋아할 거야.
남 정말 높아 보이는데. 아, 내가 이걸 할 수 있을지 모르겠어!
여 이제 돌아가면 안 돼. 우린 이미 한 시간을 기다렸다고!
남 알았어. 하지만 너 내 손을 잡아 줄 거지?
여 하하, 그렇게, Steven!
남 아, 움직이기 시작했어!
여 너는 할 수 있어! 용기를 내, Steven!

W　Are you _____ _____ this, Steven?
M　I'm not sure. It's my first time on a big roller coaster.
W　Don't worry. You'll love it.
M　That looks really _____. Oh, I don't know _____ I can do this! ♪정답 근거
　　= The roller coaster
　　롤러코스터를 타는 것
W　Don't turn back now. We have _____ _____ for an hour!
　　돌아가다
M　Okay. But will you _____ my hand?
W　Haha, I will, Steven!
M　Aah, it's started moving!
W　You can do it! _____ _____, Steven!

07 세부 정보

대화를 듣고, 두 사람이 볼 영화의 장르로 가장 적절한 것을 고르시오.
① 애니메이션 ② 공포 ③ 액션
④ 코미디 ⑤ 판타지

W _____ _____ shall we see?

M The new Disney movie looks really cute.

W I think I'm in the _____ for something scary.

M You like scary movies? I _____ _____ at night if I watch a scary movie!

W Okay, okay. What about action? 🎵정답 근거

M Sounds good! Look! The new 007 movie starts _____ _____ _____.
상영 시간표 등에 정해진 일정은 현재시제로 나타낼 수 있다.

W Perfect! Let's _____ the seats next to the aisle.

M I want to get popcorn _____ _____.

여 우리 무슨 영화 볼까?
남 디즈니의 새 영화가 정말 귀여워 보여.
여 난 뭔가 무서운 걸 보고 싶은 기분이야.
남 너 공포 영화 좋아해? 난 공포 영화를 보면 밤에 잠을 못 자!
여 알았어, 알았어. 액션 영화는 어때?
남 좋아! 봐! 신작 007 영화가 10분 뒤에 시작해.
여 잘됐다! 통로 옆의 좌석으로 하자.
남 나는 팝콘도 사고 싶어.

08 바로 할 일

대화를 듣고, 여자가 대화 직후에 할 일로 가장 적절한 것을 고르시오.
① 요리책 찾기 ② 이모에게 전화하기
③ 음식 재료 사기 ④ 음식 재료 적기
⑤ 채소 다듬기

M Hey, where's that _____ for country chicken soup?

W It _____ _____ in *Marshall's Cookbook*.

M I think that page is _____. Did someone rip it out?
자신이 찾고 있는 요리법이 있는 페이지

W Oh, I think Mom _____ it out and sent it to Aunt Janet.

M Do you remember the other ingredients _____ _____ chicken?
닭고기를 제외한 다른 재료

W Carrots, celery, onions, vegetable broth, noodles, and salt and pepper. I think that's it.
그게 전부이다, 다 됐다

M Will you _____ that _____ for me, Grace?
🎵정답 근거

W Sure.

남 저기, 시골식 닭고기 수프 요리법이 어디에 있지?
여 〈Marshall의 요리책〉에 있을 거야.
남 그 페이지가 사라진 것 같아. 누가 그걸 찢었을까?
여 아, 엄마가 그걸 찢어서 Janet 이모에게 보내셨던 것 같아.
남 닭고기 제외한 다른 재료 기억하니?
여 당근, 셀러리, 양파, 채소 우린 물, 국수, 그리고 소금과 후추야. 그게 다인 것 같아.
남 그것을 나에게 적어 줄래, Grace?
여 물론이지.

09 언급하지 않은 것 ②

대화를 듣고, 남자가 essay contest에 대해 언급하지 않은 것을 고르시오.

① 대회 주제　　② 선택하려는 주제
③ 참가 대상　　④ 제출 기한
⑤ 제출 방법

W　Did you choose your _____ for the essay contest?

M　Not yet. It's a contest of essays on Korean culture, so I'm trying to _____ between K-pop and *Hangeul*. ~에 관한 🔊정답 근거

W　That's a tough decision.

M　Yes. I want to learn more about _____ of the topics.

W　Those are both very interesting topics. _____ _____ whichever one you choose will make an excellent essay. = topic

M　Thank you for _____ me.

W　By the way, when do you have to _____ the essay?

M　By next _____. The essays should only be submitted ~까지 online.

여　너 에세이 대회 주제를 정했니?
남　아직. 한국 문화에 관한 에세이 대회라서, K-pop과 한글 사이에서 주제를 정하려고 해.
여　어려운 결정이네.
남　맞아. 난 두 가지 주제 모두에 대해 더 알아보고 싶거든.
여　그것들은 둘 다 아주 흥미로운 주제야. 네가 어느 주제를 택하건 훌륭한 에세이가 될 거라고 확신해.
남　격려해 줘서 고마워.
여　그런데, 언제까지 에세이를 제출해야 해?
남　다음 주 금요일까지. 온라인으로만 제출해야 해.

Solution Tip

① 대회 주제: 한국 문화 ② 선택하려는 주제: K-pop 또는 한글 ④ 제출 기한: 다음 주 금요일까지
⑤ 제출 방법: 온라인으로

---

10 담화 화제

다음을 듣고, 남자가 하는 말의 내용으로 가장 적절한 것을 고르시오.

① 기부의 즐거움
② 과속 운전의 위험성
③ 자원봉사 참여 독려
④ 주차장 부족의 문제점
⑤ 음식을 남기는 것의 문제점

M　Hello, everyone! I'd like to tell you about a way you can have는 소유의 의미가 아닌, '행사를 열다'의 의미이므로 진행형을 쓸 수 있다. help _____! We are having a food drive this Friday at 식료품 기부 행사 🔊정답 근거 the Food Bank of Redlands. We need _____ to help food bank: 무료로 식료품을 가져갈 수 있는 곳 with two important roles. First, _____ canned food.

Second, come _____ _____ deliver the food to

_____ _____. We will meet in the parking lot at 2:00

p.m. See you there! = in the parking lot

남　안녕하세요, 여러분! 저는 여러분께 다른 사람을 도울 수 있는 방법에 대해 말씀드리고 싶습니다. 저희는 Redlands의 푸드뱅크에서 이번 금요일에 식품 기부 행사를 합니다. 두 가지 중요한 역할로 도움을 주실 자원봉사자가 필요합니다. 첫 번째, 통조림 음식을 기부하세요. 두 번째, 오셔서 저희가 노숙인들에게 음식을 배달하는 것을 도와주세요. 오후 2시에 주차장에서 모일 것입니다. 그곳에서 뵙겠습니다!

11 일치하지 않는 것

대화를 듣고, 사진 강좌에 대한 내용으로 일치하지 않는 것을 고르시오.
① 이번 토요일에 수업이 있다.
② 사진 편집을 배울 수 있다.
③ 사진 촬영하는 법을 배울 수 있다.
④ 수업 장소는 도서관이다.
⑤ 수강료는 무료이다.

여 너의 주말 계획은 뭐야, Steve?
남 이번 토요일에 사진 강좌에 갈 거야.
여 오, 재미있겠다.
남 난 신나. 사진을 찍는 법뿐만 아니라 사진을 편집하는 법도 배울 수 있어.
여 멋진데! 수업은 어디에서 하니?
남 도서관에서 해. 수강료는 10,000원밖에 안 해. 너도 들을래?
여 와, 그거 꽤 저렴하구나! 응, 나도 등록해야겠어.

W What are _____ _____ for the weekend, Steve?
M I'm going to a photography class _____ _____.
W Oh, that sounds fun.
M I'm excited. I can learn how to edit photos _____ _____ _____ learn how to take them.
W Sounds great! _____ are the classes?
M They are at the library. The class fee is only 10,000 won. Do you want to join?
W Wow, that's pretty cheap! Yes, I think I'll _____ _____ as well.

12 목적

대화를 듣고, 남자가 전화를 건 목적으로 가장 적절한 것을 고르시오.
① 숙제에 대해 물어보기 위해서
② 약속 시각을 확인하기 위해서
③ 약속 날짜를 미루기 위해서
④ 점심 메뉴를 정하기 위해서
⑤ 프로젝트 진행 상황을 알아보기 위해서

(휴대폰이 울린다.)
남 안녕, Jenna, 내일 아침 8시에 보는 거 맞지?
여 오, Brandon! 네가 전화해 줘서 정말 기뻐. 나 잊어버릴 뻔했어.
남 별말씀을. 여전히 8시 괜찮은 거야?
여 사실 내가 오늘 밤에 끝내야 하는 큰 프로젝트가 있어서 아주 늦게까지 깨어 있어야 할 것 같아.
남 아, 이런! 알았어, 조금 나중에 만나는 게 낫겠니?
여 응, 네가 괜찮다면. 10시 30분 괜찮아?
남 물론이야. 난 내일 다른 계획이 없거든. 10시 30분에 보자.
여 알았어. 고마워, Brandon. 내일 보자.

📞Cell phone rings.
M Hey, Jenna, I'll see you tomorrow at 8:00 a.m., right?
W Oh, Brandon! I'm so glad you _____ _____. I almost forgot.
M No problem. Is 8:00 still _____?
W Actually, I have a huge project I have to _____ tonight, and I might have to stay up really _____.
M Oh, no! Okay, would you rather meet a bit _____?
W Yes, if you _____ _____. Would 10:30 a.m. be okay?
M Sure. I don't have _____ _____ plans tomorrow. See you at 10:30.
W Okay. Thanks, Brandon. See you tomorrow.

Solution Tip
남자가 여자에게 내일 약속 시각을 확인하며 그때가 괜찮은지 묻는 것으로 보아 ②가 목적임을 알 수 있다. 약속 시간을 미루길 원하는 사람은 여자이다.

13 시각

대화를 듣고, 남자가 병원에 갈 시각을 고르시오.
① 4:00 p.m. ② 4:10 p.m. ③ 4:20 p.m.
④ 4:30 p.m. ⑤ 4:50 p.m.

(전화벨이 울린다.)
남 여보세요, 김 선생님 척추 클리닉입니까?
여 네, 어떻게 도와드릴까요?
남 제가 얼음 위에서 미끄러졌는데 허리를 다친 것 같아요.
여 아, 그러시다니 안됐군요.
남 가능한 한 빨리 김 선생님과 진료 예약을 잡고 싶습니다.
여 알겠습니다. 오늘 오후 4시 30분이 비어 있어요. 괜찮으신가요?
남 네, 그 시간이 좋겠어요.
여 수속을 해야 하니 20분 일찍 와 주세요.

📞 Telephone rings.

M Hello, is this Dr. Kim's _____ clinic?

W Yes, how may I help you?

M I _____ _____ some ice and I think I might have _____ my back.

W Oh, I'm so sorry to hear that.

M I'd like to schedule _____ _____ with Dr. Kim as soon as possible.
가능한 한 빨리

W Sure. We have an _____ today at 4:30 p.m. Is that okay?
🧨함정 주의

M Yes, that would be great.
🎵정답 근거

W Please come 20 minutes _____ to check-in.

🔙 **Solution Tip**

4시 30분 진료 예약에 남자가 동의했으며, 여자가 그보다 20분 일찍 와 달라고 했으므로 남자는 4시 10분에 병원에 갈 것이다.

14 두 사람의 관계

대화를 듣고, 두 사람의 관계로 가장 적절한 것을 고르시오.
① 의사 – 환자   ② 상담 교사 – 학생
③ 사육사 – 조수   ④ 수의사 – 개 주인
⑤ 식당 주인 – 손님

여 Brown 선생님, 제 개 Patches를 도와주세요.
남 물론 그럴 거예요, Sofia. 개에게 무슨 문제가 있나요?
여 모르겠어요. 하지만 이틀 동안 아무것도 먹지 않았어요.
남 좋아요, 한번 봅시다. 심장 박동이 힘차고 호흡도 정상적으로 하고 있어요.
여 그건 안심이네요.
남 아마 배탈이 나게 한 뭔가를 먹었던 것 같아요. 개에게 줄 약을 드릴게요.
여 Patches는 괜찮을까요?
남 괜찮을 겁니다. 내일까지도 나아지지 않으면, 개를 다시 데리고 와서 진찰을 받으세요.

🎵정답 근거

W Dr. Brown, please _____ my dog, Patches.

M Of course I will, Sofia. What's _____ with him?

W I don't know. But he hasn't eaten _____ for two days.
기간을 나타내는 부사구 'for two days'와 함께 쓰여 계속의 의미를 나타내는 현재완료

M Okay, let's take a _____. His heartbeat is strong and he's breathing normally.

W That's a _____.

M I think he _____ have eaten something that made his stomach sick. I'll give you some _____ for him.

W Will he be okay?

M He'll be _____. If he's not better tomorrow, bring him _____ in to see me.

15 부탁한 일

대화를 듣고, 여자가 남자에게 부탁한 일로 가장 적절한 것을 고르시오.

① 음식을 주문해 줄 것
② 지갑을 찾아와 줄 것
③ 대신 운전을 해 줄 것
④ 자리를 맡아 줄 것
⑤ 함께 산책할 것

여 안녕, 널 보니 좋구나, Paul!
남 안녕, 민서야! 이 새 식당 음식을 시도할 준비가 됐어?
여 응, 난 정말 배고파! 다른 사람들은 모두 어디 있어?
남 다들 막 도착했어.
여 앗 차에 내 지갑을 두고 온 게 생각났어.
남 가서 가져오자. 내가 같이 갈게.
여 아니, 괜찮아. 어서 들어가. 하지만 네 옆에 내 자리 하나 맡아 놔 줄래?
남 물론이지!

🇬🇧

W Hey, it's good to _____ you, Paul!

M Hi, Minseo! Are you _____ to try this new restaurant?

W Yes, I'm so hungry! Where is everyone _____?

M They just _____.

W Oh! I just realized I _____ my wallet in the car.

M Let's go get it. I'll _____ _____ you.

W No, that's okay. Go ahead and go in. But, will you save me a seat _____ _____ you? ♪정답 근거

M Of course!

16 이유

대화를 듣고, 남자가 학급 회장으로 뽑을 사람을 결정한 이유로 가장 적절한 것을 고르시오.

① 재미있어서
② 모두에게 친절해서
③ 학급 회장 경험이 있어서
④ 문제를 해결하려 노력해서
⑤ 가장 친한 친구여서

남 오늘은 학급 회장 선거일이야. 넌 누구에게 투표할 거니?
여 결정하지 못했어.
남 나도 결정을 못 했어. Carl과 다연 중에 결정하려고 해.
여 Carl은 곁에 있으면 정말 재미있어. 언제나 나를 웃게 만들고 모두에게 친절해.
남 그건 맞아. 하지만 다연이는 정말 똑똑해. 언제나 창의적인 생각을 하고 문제에 대한 해결책을 찾으려고 노력해.
여 네 말이 맞아. 다른 학생들에게 좋은 모범이 돼.
남 그 애는 훌륭한 학급 회장이 될 거야. 나는 그 애에게 투표할 것 같아.
여 나도.

M Today is the election for _____ _____. Who are you going to vote for?

W I haven't decided.

M I _____, either. I'm trying to _____ between Carl and Dayeon.
부정문에는 '역시'라는 의미로 too 대신 either를 쓴다.

W Carl is very fun to be around. He always _____ me _____ and is kind to everyone.
곁에 있기에 (형용사를 꾸미는 부사적 용법의 to부정사)

M That's true. But Dayeon is so _____. She always has creative ideas and tries to find solutions to problems. ♪정답 근거

W You're right. She is a good example for other students.
좋은 모범[사례]

M She'll make a great class president. I think I'll _____ _____ her.
~이 되다

W Me too.

17 그림 상황

다음 그림의 상황에 가장 적절한 대화를 고르시오.

① ② ③ ④ ⑤

① 남 네 부츠 마음에 든다. 새거니?
　여 응, 내 생일에 엄마께 받았어.
② 남 학교 현장 학습은 어땠니?
　여 정말 재미있었어! 동물원에서 새끼 판다를 봤어.
③ 남 이건 널 위한 거야, Eve. 하와이에서 온 조개껍질 목걸이야.
　여 정말 예쁘다! 고마워.
④ 남 엄마! 저 말하기 대회에서 1등 했어요!
　여 난 네가 우승할 줄 알았어! 축하한다, Tony!
⑤ 남 여기에서 등산화를 파나요?
　여 아뇨, 죄송해요. 저희는 샌들과 운동화만 팝니다.

① M I like your boots. Are they _____ ones?

　W Yes, I got them _____ my mom on my birthday.

② M How was your school field trip?

　W It was _____ _____! We saw the baby pandas at the zoo.

③ M This is for you, Eve. It's a shell necklace from Hawaii.

　W _____ _____! Thank you.

④ M Mom! I got first place in the speech contest!

　W I knew you _____ win! Congratulations, Tony!

⑤ M Do you _____ hiking boots here? 정답 근거

　W No, I'm sorry. We only sell sandals and sneakers.

18 언급하지 않은 것 ③

다음을 듣고, 여자가 코끼리에 대해 언급하지 않은 것을 고르시오.
① 크기　　　　② 주요 서식지
③ 하루에 먹는 양　④ 주로 먹는 먹이
⑤ 성격

여 안녕하세요, 여러분. 제 발표를 위해, 여러분께 저의 여름 방학에 관해 말씀드리고 싶습니다. 저는 태국으로 여행을 가서 코끼리 구조 센터에서 자원봉사를 했습니다. 우리는 코끼리 먹이 주는 것을 도왔어요. 코끼리는 육지에서 가장 큰 동물입니다. 그래서 그들은 매일 200kg의 먹이를 먹습니다! 그들은 주로 채소, 과일, 견과류를 먹습니다. 코끼리들은 온순하고 영리해서, 저는 그들 중 몇몇과 친구가 될 수 있었습니다. 멋진 경험이었어요.

W Hello, everyone. For my presentation, I'd like to tell you about my summer vacation. I _____ _____ Thailand and I volunteered at an elephant rescue center. We got 코끼리 구조 센터 정답 근거 to _____ _____ the elephants. They are _____ _____ animal on land, so they eat as much as _____ 육지에서 kilograms of food every day! They usually _____ vegetables, fruit, and nuts. Elephants are gentle and smart, so I could _____ friends with some of them. It was a = the elephants great experience.

🔈**Solution Tip**
① 크기: 육지에서 가장 큰 동물이다.　③ 하루에 먹는 양: 매일 200킬로그램의 먹이를 먹는다.
④ 주로 먹는 먹이: 채소, 과일, 견과류　⑤ 성격: 온순하고 영리하다.

19 이어질 말 ①

Man: _____

① Your total is $20.
② Write your name here.
③ Blueberry is the best flavor.
④ It's a very long movie.
⑤ Here, you can use mine.

W I'd like _____ _____ for the 2 o'clock show.

M Okay, where would you like _____ _____?

W I'm not sure. _____ _____ do you recommend?

M The center section is _____ _____.

W Okay, I'd like G7 and G8. How much are the tickets? 🔑정답 근거

M Your total is $20.

여 2시 공연 표 두 장 주세요.
남 알겠습니다, 어디에 앉고 싶으세요?
여 잘 모르겠어요. 어느 좌석을 추천하세요?
남 중앙 구역이 가장 좋습니다.
여 알겠어요, G7과 G8으로 할게요. 표는 얼마인가요?
남 ① 전부 20달러입니다.

② 여기에 성함을 쓰세요.　　　　　③ 블루베리 맛이 가장 맛있어요.
④ 그것은 아주 긴 영화예요.　　　⑤ 여기요, 제 걸 쓰세요.

20 이어질 말 ②

Man: _____

① You can't miss it.
② Yes, you can get a discount.
③ Just a towel and a water bottle.
④ We will be open until 8:00 p.m.
⑤ It's on the corner of 5th and Main Street.

M Welcome to Mind and Body Yoga. How may I help you?

W Hi! I'm _____ in yoga, but I've never done it before. Can I try one class _____ I join?　= yoga

M Sure! We offer one _____ _____ for new members.

W That would be great. What time is the beginner's class?

M At 9:00 a.m. every day. Would you like _____ _____ tomorrow?

W Yes. Do I need to bring _____? 🔑정답 근거

M Just a towel and a water bottle.

남 Mind and Body 요가에 오신 것을 환영합니다. 어떻게 도와드릴까요?
여 안녕하세요! 저는 요가에 관심이 있는데 전에 해 본 적이 없어요. 등록하기 전에 수업을 한 시간 들어 볼 수 있을까요?
남 물론입니다! 신규 회원에게는 무료 수업 1회를 제공합니다.
여 잘됐네요. 초보자 수업은 몇 시인가요?
남 매일 오전 9시입니다. 내일 오시겠어요?
여 네. 제가 가져와야 할 것이 있나요?
남 ③ 수건이랑 물병만 가져오세요.

① 꼭 찾으실 거예요.　　　　　　② 네, 할인을 받으실 수 있어요.
④ 저녁 8시까지 열려 있습니다.　⑤ 그것은 5번가와 Main가의 모퉁이에 있습니다.

모의고사를 먼저 풀고 싶으면 186쪽으로 이동하세요.

🎧 **다음 표현을 듣고 모르는 것에 표시하시오.**

01 **ruin** 망치다, 엉망으로 만들다	25 **period** (몇) 교시
02 **mail** 우편으로 보내다	26 **productivity** 생산성
03 **collection** 수집품	27 **weekday** 평일(월요일~금요일)
04 **totally** 완전히	28 **bug** 벌레, 곤충
05 **sprint** 전력 질주, 단거리 경기	29 **inconvenience** 불편
06 **detail** 세부 사항	30 **catch** 잡다
07 **row** 줄, 열	31 **management office** 관리 사무소
08 **miss** 놓치다	32 **wide** 완전히, 활짝
09 **cheer** 환호하다, 응원하다	33 **definitely** 확실히, 분명히
10 **vacuum** 진공청소기로 청소하다	34 **dress** 옷을 입다
11 **vacuum cleaner** 진공청소기	35 **dust** 먼지를 털다
12 **grader** (몇) 학년생	36 **floss** 치실; 치실질을 하다
13 **come over** 들르다	37 **now that** ~이므로
14 **come to** ~이 되다	38 **practice** 연습하다
15 **icy** 얼어붙은	39 **sports day** 운동회, 체육 대회
16 **fireplace** 벽난로	40 **event** (경기 순서 중의) 한 게임, 종목
17 **lizard** 도마뱀	
18 **proper** 적절한	📖 **알아두면 유용한 선택지 어휘**
19 **ornament** 장식품	41 **frustrated** 좌절감을 느끼는
20 **dairy product** 유제품	42 **long jump** 멀리뛰기
21 **license plate number** 차량 등록 번호	43 **obstacle race** 장애물 경주
22 **admission** 입장, 입장료	44 **discus** 원반, 원반던지기
23 **well-balanced** 균형이 잘 잡힌	45 **wardrobe** 옷장
24 **nutritious** 영양가 높은	46 **used[secondhand] item** 중고품

🎧 들으면서 표현을 완성한 다음, 뜻을 고르시오.

표현의 의미를 생각하며 다시 써 보기!

01 r⬜in
☐ 동굴   ☐ 망치다
→

02 to⬜ally
☐ 멀리서   ☐ 완전히
→

03 producti⬜ity
☐ 생산성   ☐ 공장
→

04 r⬜w
☐ 낮은   ☐ 줄, 열
→

05 ad⬜ission
☐ 입장료   ☐ 안내 방송
→

06 mi⬜s
☐ 놓치다   ☐ 없애다
→

07 inconv⬜nience
☐ 편리   ☐ 불편
→

08 ca⬜ch
☐ 잡다   ☐ 놓다
→

09 vacu⬜m
☐ 부풀리다   ☐ 진공청소기로 청소하다
→

10 sp⬜int
☐ 출판물   ☐ 단거리 경기
→

11 p⬜oper
☐ 적절한   ☐ 거짓의
→

12 nutr⬜tious
☐ 영양가 높은   ☐ 위험한
→

13 wi⬜e
☐ 완전히   ☐ 부분적으로
→

14 d⬜st
☐ 꿈꾸다   ☐ 먼지를 털다
→

15 coll⬜ction
☐ 수집품   ☐ 우표
→

16 da⬜ry pro⬜uct
☐ 유제품   ☐ 일용품
→

17 wee⬜day
☐ 주말   ☐ 평일
→

18 well-ba⬜anced
☐ 꽤 어려운   ☐ 균형이 잘 잡힌
→

실전 모의고사 [12] 회

실전 모의고사 12회 ➔
┌ 모의고사 보통 속도
└ 모의고사 빠른 속도

✎ 들으면서 주요 표현 메모하기!

01 다음을 듣고, 서울의 목요일 날씨로 가장 적절한 것을 고르시오.

① 　② 　③ 　④ 　⑤

02 대화를 듣고, 여자가 할머니에게 보내는 엽서로 가장 적절한 것을 고르시오.

① 　② 　③ 　④ 　⑤

03 대화를 듣고, 여자의 심정으로 가장 적절한 것을 고르시오.
① shocked　② nervous　③ confident
④ frustrated　⑤ annoyed

04 대화를 듣고, 여자가 체육 대회에서 참가한 종목으로 가장 적절한 것을 고르시오.
① 마라톤　② 100m 달리기　③ 멀리뛰기
④ 장애물 경주　⑤ 원반던지기

05 대화를 듣고, 두 사람이 대화하는 장소로 가장 적절한 곳을 고르시오.
① 슈퍼마켓　② 식당　③ 문구점　④ 치과　⑤ 약국

06 대화를 듣고, 남자의 마지막 말의 의도로 가장 적절한 것을 고르시오.

① 사과 　　　② 축하 　　　③ 위로 　　　④ 경고 　　　⑤ 의심

 들으면서 주요 표현 메모하기!

07 대화를 듣고, 여자의 주말 계획으로 가장 적절한 것을 고르시오.

① 친구 생일 파티 가기 　　　　② 가족과 여행 가기
③ 친구와 영화 보기 　　　　　　④ 학교 숙제하기
⑤ 생일 파티 준비하기

08 대화를 듣고, 남자가 대화 직후에 할 일로 가장 적절한 것을 고르시오.

① 친구에게 전화하기 　　　　② TV로 영화 보기
③ 옷을 옷장에 넣기 　　　　　④ 진공청소기 가져오기
⑤ 가구의 먼지 털기

09 대화를 듣고, 남자가 김치 축제에 대해 언급하지 <u>않은</u> 것을 고르시오.

① 할 수 있는 일 　　　② 열리는 때 　　　③ 열리는 장소
④ 입장료 　　　　　　⑤ 가져가야 할 것

10 다음을 듣고, 남자가 하는 말의 내용으로 가장 적절한 것을 고르시오.

① 아침 식사 메뉴 　　　　② 오트밀의 영양소
③ 아침 식사의 중요성 　　④ 뇌에 좋은 식품
⑤ 행복해지는 법

틀린 문제는 Dictation에서
완벽하게 이해하세요!

실전 모의고사 [12]회

고난도 선택지에 하나씩 체크하며 듣기

11 대화를 듣고, 여자가 설명하는 차에 대한 내용으로 일치하지 <u>않는</u> 것을 고르시오.

① 라이트가 켜져 있다.　　　　　　② 어두운 파란색이다.
③ 차량 등록 번호는 2015이다.　　④ 문에 스티커가 붙어 있다.
⑤ 8번 구역에 주차되어 있다.

12 대화를 듣고, 여자가 가게에 온 목적으로 가장 적절한 것을 고르시오.

① 애견용 사료를 사기 위해서　　　② 애견용 침대를 사기 위해서
③ 애견용품을 구경하기 위해서　　④ 물품을 배송하기 위해서
⑤ 중고 애견용품을 팔기 위해서

13 대화를 듣고, 남자가 다시 올 시각을 고르시오.

① 7:00 a.m.　　　② 7:30 a.m.　　　③ 8:00 a.m.
④ 8:30 a.m.　　　⑤ 9:00 a.m.

14 대화를 듣고, 두 사람의 관계로 가장 적절한 것을 고르시오.

① 가게 점원 – 손님　　　② 변호사 – 의뢰인
③ 의사 – 환자　　　　　④ 은행원 – 고객
⑤ 요리사 – 식당 종업원

15 대화를 듣고, 여자가 남자에게 부탁한 일로 가장 적절한 것을 고르시오.

① 양말 꿰매기　　　　　② 벽난로 위에 양말 달기
③ 벽난로에 불 피우기　　④ 여동생들 불러 오기
⑤ 크리스마스트리 꺼내 오기

16 대화를 듣고, 남자가 아이스크림을 먹지 않는 이유를 고르시오.

① 배가 불러서   ② 유제품을 먹으면 배가 아파서
③ 차가운 음식을 먹지 못해서   ④ 충치가 있어서
⑤ 아이스크림을 싫어해서

✎ 들으면서 주요 표현 메모하기!

17 다음 그림의 상황에 가장 적절한 대화를 고르시오.

①   ②   ③   ④   ⑤

18 다음을 듣고, 여자가 science fair에 대해 언급하지 <u>않은</u> 것을 고르시오.

① 참가자들의 학년   ② 열리는 장소   ③ 관람하는 때
④ 참가 프로젝트의 수   ⑤ 우승 상품의 종류

[19-20] 대화를 듣고, 여자의 마지막 말에 이어질 남자의 말로 가장 적절한 것을 고르시오.

19 Man: _____

① It's my favorite book.
② The bus is the fastest.
③ The weather was terrible.
④ Don't worry. You can find it.
⑤ It will take about 30 minutes.

20 Man: _____

① Let's meet at 4:30.
② I'm sorry to hear that.
③ They will serve lunch at 1:00.
④ The last day is November 30th.
⑤ The art stickers are 2 dollars each.

틀린 문제는 Dictation에서
완벽하게 이해하세요!

01 날씨
*들을 때마다 체크

다음을 듣고, 서울의 목요일 날씨로 가장 적절한 것을 고르시오.

 ① ② ③

 ④ ⑤

여 여러분은 Hello Seoul을 듣고 계시고 지금은 일기 예보 시간입니다. 서울은 오늘 구름이 많고 바람이 불겠으니 따뜻하게 입으세요. 내일은 조금 더 따뜻해지겠지만 목요일에는 눈이 오겠습니다. 도로가 얼지도 모르니 운전하실 때 조심하십시오. 그러나 곧 추위에서 잠시 벗어나겠습니다. 이번 주말에는 화창하고 맑겠습니다.

W You're listening to *Hello Seoul*, and _____ _____ for the weather forecast. It's very cloudy and _____ in Seoul today, so dress warmly. Tomorrow will be a bit _____, but Thursday it will snow. The roads may be icy, so _____ _____ when you're driving. But you will have a _____ from the cold soon. It will be sunny and _____ this weekend.

🎵정답 근거

'추위'라는 의미의 명사로 쓰임

02 그림 묘사

대화를 듣고, 여자가 할머니에게 보내는 엽서로 가장 적절한 것을 고르시오.

 ① ② ③

 ④ ⑤

남 안녕, Suzie, 너 어디 가니?
여 할머니께 이 엽서를 부치러 가고 있어. 봐. 예쁘지 않니?
남 그건 남산 사진이야? N서울타워가 사진에 있네.
여 응, 지난 주말에 그곳에 갔었는데 아름다웠어. 가을이라 나뭇잎들이 다양한 색이야.
남 네가 그 하트들을 그렸어?
여 응, 내가 얼마나 할머니를 사랑하는지 할머니가 알아주셨으면 해서.

M Hey, Suzie, where are you going?

W I'm going to _____ this postcard to my grandma. Look. _____ _____ pretty?

M Is that a _____ of Namsan? N Seoul Tower is in it.

🎵정답 근거

W Yes, I went there last weekend, and it was beautiful. Now that it's fall, the _____ on the trees are many different colors.

~이므로

M Did you draw those _____?

W Yes, I want my grandma to know _____ _____ I love her.

want+목적어+to부정사: ~이 …하기를 원하다

🔔 **Solution Tip**

남산과 N서울타워가 함께 보이고, 하트를 그려 넣은 엽서를 찾는다.

Dictation 12회→
전체 듣기
문항별 듣기

Dictation의 효과적인 활용법
STEP1 들으면서 대본의 빈칸 채우기
STEP2 축쇄 문제를 보며 다시 풀어 보기
STEP3 해석을 보며 영어로 말하거나 영작해 보기

공부한 날 　월　일

03 심정

대화를 듣고, 여자의 심정으로 가장 적절한 것을 고르시오.

① shocked　② nervous　③ confident
④ frustrated　⑤ annoyed

남 오늘이 음악회구나! 기분이 어때, Sunny?
여 아, 아빠. 제가 할 수 있을 것 같지 않아요.
남 몇 달 동안 바이올린을 연습해 왔잖아. 잘할 거야.
여 하지만 아주 많은 사람들이 있을 거예요. 실수할까 봐 정말 걱정돼요.
남 걱정할 필요 없어. 그냥 즐기렴! 네가 즐기면 다른 사람들도 모두 그럴 거야.
여 알았어요, 최선을 다할게요.
남 내가 맨 앞줄에서 너를 응원할 거야. 음악회가 끝나면 디저트 먹으러 가자.
여 알았어요. 뒤쪽 출구에서 만나요. 행운을 빌어 주세요!

M Today is the concert! How do you _____, Sunny?
　　　　　　　　　　　　　　　　　 🎵정답 근거
W Oh, Dad. I don't think I can do it.

M You've been _____ your violin for months! You'll do great.

W But there will be so many people. I'm really worried I'll make a _____.

M You don't have to worry. Just have fun! If you are _____ _____, so will everyone else.
┌ '~도 역시 그러하다'라는 의미를 나타낼 때 「so+조동사/be동사+주어」를 쓴다.

W Okay, I'll do _____ _____.

M I will cheer for you in the front _____. After the concert, we can _____ _____ for dessert.

W Okay. I'll meet you at the back exit. Wish me luck!

04 과거에 한 일

대화를 듣고, 여자가 체육 대회에서 참가한 종목으로 가장 적절한 것을 고르시오.

① 마라톤　　　　② 100m 달리기
③ 멀리뛰기　　　④ 장애물 경주
⑤ 원반던지기

남 안녕, Jessica! 네 목에 걸린 그 메달은 뭐야?
여 난 오늘 학교 경주에서 1등을 했어!
남 와, 축하해!
여 고마워! 우리는 오늘 학교에서 체육 대회를 했거든.
남 너는 어떤 경기에 참가했는데?
여 100m 단거리 경주를 뛰어서 우승했어. 그리고 높이 뛰기도 했어.
남 오, 멋지다! 그건 어땠어?
여 별로 잘하지 못했어. 빨리 달릴 수는 있지만 높이 뛰는 건 잘하지 못해.
남 그냥 너는 연습이 더 필요할 뿐이야!

M Hi, Jessica! What's that medal _____ your neck?

W I got first place at the school _____ today!

M Wow. Congratulations!

W Thanks! We had a sports day _____ school.
　　　　　　　　　체육 대회

M What events did you _____?
　　　　　　　　　 🎵정답 근거
W I _____ in the 100m sprint and won. I also did the high jump.
　　　　　　　단거리 경주

M Oh, cool! How was that?
　　　　　　　　= the high jump
W Not so great. I can run fast, but I'm _____ very _____ _____ jumping high.

M You just need _____ practice!

12회
분야별쓰기

[Dictation] 실전 모의고사 12회

05 장소

대화를 듣고, 두 사람이 대화하는 장소로 가장 적절한 곳을 고르시오.
① 슈퍼마켓 ② 식당 ③ 문구점
④ 치과 ⑤ 약국

여 좋아, 한번 보자. 입을 크게 벌려 보렴. 여기를 만지면 아프니?
남 아니요, 안 아파요.
여 모두 좋아 보이는구나. 매일 치실을 사용해 오고 있니?
남 네, 그리고 항상 3분씩 양치질도 해요.
여 아주 좋아, Tony. 네 치아는 매우 건강하구나.
남 이제 막대 사탕을 먹어도 되나요?
여 그럼, 물론이야. 하지만, 설탕을 너무 많이 먹지 않으려고 노력하렴. 네 치아에 좋지 않아.
남 알겠어요, 김 선생님! 다음에 뵐게요.
여 안녕!

W All right, let's take a look. Open your mouth _____. Does it hurt when I touch it?
M No, it doesn't _____.
W Everything looks good. Have you been flossing your _____ every day? 〔정답 근거〕
M Yes, and I always brush for _____ minutes.
W Very good, Tony. Your teeth are very _____.
M Can I have a lollipop now?
W Okay, sure. But, try not to eat too much _____. It's not good for your teeth.
（to부정사의 부정은 to 앞에 not을 써서 나타낸다. 설탕을 너무 많이 먹는 것）
M Okay, Dr. Kim! See you _____ _____.
W Bye!

Sound Tip not to
not과 to는 각각 끝소리와 첫소리가 [t]로 같지만 한 단어처럼 이어서 발음하지 않고 not과 to를 끊어서 발음한다.

06 말의 의도

대화를 듣고, 남자의 마지막 말의 의도로 가장 적절한 것을 고르시오.
① 사과 ② 축하 ③ 위로
④ 경고 ⑤ 의심

여 아, 안 돼!
남 무슨 일이야, Brittany?
여 누군가가 도마뱀 우리를 열어 놨어! Bubba가 나갔어!
남 괜찮아. 그를 잡을 수 있어. 그렇게 빠르지 않잖아.
여 괜찮지 않아, 왜냐하면 Bubba가 내 곤충 모음을 다 먹어 버렸어!
남 아, 안 돼! 그가 전부 다 먹어 버렸어?
여 응, 완전히 망가졌어! 그건 내 숙제였는데. 선생님께 뭐라고 말씀드려야 하지?
남 너무 속상해하지 마. 곤충을 더 잡으면 돼. 내가 도와줄게.

W Oh, no!
M What's _____, Brittany?
W Someone left the lizard cage _____! Bubba got out! （= The lizard）
M It's okay. We can _____ him. He's not very fast.
W It's not okay because he _____ my bug collection!
M Oh, no! Did he eat _____ _____ _____?
W Yes, it's totally ruined! That was my _____. What should I tell my teacher? （= My bug collection） 〔정답 근거〕
M Don't be so _____. We can catch more bugs. I'll help you.

Solution Tip
곤충 모음이 망가져서 걱정하는 여자에게 해결책을 제시하며 도와주겠다고 '위로'하는 상황이다.

07 세부 정보

대화를 듣고, 여자의 주말 계획으로 가장 적절한 것을 고르시오.
① 친구 생일 파티 가기 ② 가족과 여행 가기
③ 친구와 영화 보기 ④ 학교 숙제하기
⑤ 생일 파티 준비하기

남 안녕, Sally. 너 이번 주말에 Rebecca의 생일 파티에 가니?
여 정말 가고 싶지만 우리 가족이 제주도에 가기로 했어.
남 오, 그거 재미있겠다!
여 응. 그건 정말 신나지만, Rebecca의 파티를 놓치게 돼서 슬퍼. 그 앤 내 가장 친한 친구 중 한 명이니까.
남 그 애도 분명 이해할 거야.
여 너는 파티에 가니?
남 응, 우리 반 전체가 거기 갈 것 같아.
여 나 대신 이 선물을 그 애에게 전해 줄래?

M Hey, Sally. Are you going to Rebecca's birthday party this weekend?

W I really _____ _____ go, but my family is going to Jeju-do. 〔정답 근거〕

M Oh, that will be _____!

W Yes. I'm really _____ about it, but I'm sad I'll _____ Rebecca's party. She's one of my best friends.
가족과 제주도 여행 가는 일

M I'm sure she'll _____.

W Are you going to the party?

M Yes, I think our _____ class is going to be there.
= at the party

W Will you _____ her this present for me?

08 바로 할 일

대화를 듣고, 남자가 대화 직후에 할 일로 가장 적절한 것을 고르시오.
① 친구에게 전화하기 ② TV로 영화 보기
③ 옷을 옷장에 넣기 ④ 진공청소기 가져오기
⑤ 가구의 먼지 털기

여 얘야, 7시에 손님이 오실 거야. 네 방이 엉망이구나!
남 엄마, 저 굉장히 피곤해요. 꼭 치워야 해요?
여 응, 내가 한 주 내내 너에게 바닥에 있는 옷을 치우라고 말하지 않니.
남 알았어요, 알았어요.
여 전부 제자리에 넣고 나면 방에 있는 가구의 먼지를 털어라.
남 먼지도 털어야 한다고요?
여 그럼, 그리고 진공청소기로 청소해. 그들이 오기 전까지 시간이 별로 없어.
남 알았어요. 지금 바로 진공청소기를 가져올게요.

W Hey, we have company coming over at 7:00. Your room is a _____!
손님   come over: 들르다

M Mom, I'm so tired. Do I have to _____ it?

W Yes, I've been asking you all week to _____ _____ the clothes on your floor.
일주일 내내

M Okay, okay.

W After you put everything in its _____ _____, dust the furniture in your room. 함정 주의 청소기를 가져온 뒤 할 일

M I have to _____, too?

W Yes, and vacuum. We don't have much time before they come.

M Okay. I'll _____ the vacuum cleaner right now. 〔정답 근거〕

09 언급하지 않은 것 ①

대화를 듣고, 남자가 김치 축제에 대해 언급하지 **않은** 것을 고르시오.

① 할 수 있는 일 　② 열리는 때
③ 열리는 장소 　④ 입장료
⑤ 가져가야 할 것

남 너 김치 축제 들어 본 적 있니?
여 김치 축제? 아니, 들어 본 적 없어. 거기에서 뭘 할 수 있는데?
남 여러 종류의 김치를 먹어 보고, 직접 만들 수도 있어. 그리고 김치의 역사에 대한 전시회도 있을 거야.
여 오, 그거 재미있겠다! 언제 하는데?
남 이번 금요일과 토요일에 서울 광장에서 열릴 거야. 나랑 같이 갈래?
여 좋아. 입장료는 얼마야?
남 무료야, 하지만 오늘 오후 5시까지 신청을 해야 해.
여 알았어, 같이 신청하자.

M Have you heard of the kimchi festival?

W The kimchi festival? No, I _____ _____ of it. What can we do there?
= the kimchi festival

M 🎵 정답 근거
We can eat several kinds of kimchi and make them _____. Also, there will be an exhibition about kimchi's _____.

W Oh, that's interesting! _____ is it?

M It will be this _____ and _____ in Seoul Square. Do you want to come with me?

W Sure. How much is the _____?

M It's free, but we have to sign up by 5:00 p.m. today.
~까지

W Okay, let's sign up together.

▶ **Solution Tip**
① 할 수 있는 일: 여러 종류의 김치를 먹고, 직접 만들 수 있다. ② 열리는 때: 이번 금요일과 토요일
③ 열리는 장소: 서울 광장 ④ 입장료: 무료

---

10 담화 화제

다음을 듣고, 남자가 하는 말의 내용으로 가장 적절한 것을 고르시오.

① 아침 식사 메뉴 　② 오트밀의 영양소
③ 아침 식사의 중요성 ④ 뇌에 좋은 식품
⑤ 행복해지는 법

남 요즘, 저는 아침으로 오트밀과 요구르트를 먹고 있습니다. 그것들은 건강에 좋고, 영양이 풍부하며, 맛도 좋습니다. 아침 식사가 얼마나 중요한지 읽은 후로, 저는 매일 아침 그것들을 먹습니다. 균형 잡힌 아침 식사는 멋진 하루를 시작하기에 최고의 방법이죠. 그것은 뇌의 활동을 증진시킵니다. 그리고 생산력을 강화하고, 기분도 좋게 하죠. 아침 식사를 하여 스스로를 똑똑하고, 건강하고, 행복하게 유지하세요.

🇬🇧
M These days, I'm having oatmeal and yogurt for _____.
have가 '먹다'라는 동작을 나타낼 때에는 진행형을 쓸 수 있다. 🔺함정 주의
They are _____, nutritious, and _____ delicious. Since I read about _____ important breakfast is, I have been eating them every morning. A well-balanced
🎵 정답 근거
= oatmeal and yogurt 　균형이 잘 잡힌
breakfast is _____ _____ way to start a great day. It _____ brain activity. And it also increases your
= A well-balanced breakfast
productivity and makes you _____ _____. Have breakfast and keep yourself smart, healthy, and happy.

11 일치하지 않는 것

대화를 듣고, 여자가 설명하는 차에 대한 내용으로 일치하지 **않는** 것을 고르시오.
① 라이트가 켜져 있다.
② 어두운 파란색이다.
③ 차량 등록 번호는 2015이다.
④ 문에 스티커가 붙어 있다.
⑤ 8번 구역에 주차되어 있다.

(전화벨이 울린다.)
여 여보세요, 관리 사무소인가요?
남 네, 무엇을 도와드릴까요, 부인?
여 주차장에 라이트가 켜진 차가 있어요. 주인을 찾아 주셔야 할 것 같아서요.
남 아, 그 차에 대해 더 자세히 알려 주실 수 있나요?
여 2015년형 Bird 차량이에요. 색은 어두운 파란색이고요.
남 번호판의 숫자는 보셨나요?
여 아뇨, 하지만 문에 꽃무늬 스티커가 붙어 있어요. 8번 구역에 주차되어 있고요.
남 알겠습니다, 부인. 바로 안내 방송을 하겠습니다. 감사합니다.

📞 Telephone rings.

W Hello, is this the _____ office?

M Yes, what can I do for you, ma'am?

W There is a car out in the _____ _____ with the lights on. I think you _____ _____ the owner.
자동차 라이트가 켜진 채로

M Oh, can you give me more _____ about the car?

W It's a 2015 Bird. The _____ is dark blue.
🎵정답 근거

M Did you _____ the license plate number?
차량 등록 번호(license plate: 번호판)

W No, but it has some flower stickers on the _____. It is parked in _____ 8.
= the car

M Okay, ma'am. We'll make an announcement right away. Thank you.

🔊 Solution Tip
2015는 자동차 출시 연도를 나타내는 숫자이고, 여자는 번호판을 보지 못했다고 했다.

12 목적

대화를 듣고, 여자가 가게에 온 목적으로 가장 적절한 것을 고르시오.
① 애견용 사료를 사기 위해서
② 애견용 침대를 사기 위해서
③ 애견용품을 구경하기 위해서
④ 물품을 배송하기 위해서
⑤ 중고 애견용품을 팔기 위해서

여 실례합니다, 뭘 좀 도와주실 수 있습니까?
남 물론이죠. 뭘 도와드릴까요?
여 제 개를 위한 새 애완동물용 침대를 찾고 있어요.
남 아, 알겠습니다. 애완동물용품은 2층에 있습니다.
여 그곳은 찾아보았는데, 보지 못했어요. 다 팔렸나요?
남 아뇨, 오늘 막 좀 더 들여왔답니다. 제가 찾는 걸 도와드릴게요.
여 감사합니다.

W Excuse me, sir, can you help me _____ _____?

M Sure. What can I do for you?

W I'm trying _____ _____ a new pet bed for my dog.
🎵정답 근거

M Oh, okay. Pet supplies are on the _____ _____.
애완동물용품

W I looked there, but I didn't see any. Are they _____ _____?
= the 2nd floor

M No, we just got _____ more in today. I'll help you find them.

W Thank you.

13 시각

대화를 듣고, 남자가 다시 올 시각을 고르시오.
① 7:00 a.m. ② 7:30 a.m. ③ 8:00 a.m.
④ 8:30 a.m. ⑤ 9:00 a.m.

M Good morning. _____ _____, please.

W Good morning, Sir. I'm sorry, but we are _____ _____ yet. It is only 8:30.

M Oh, you're not? I _____ here yesterday at 7:00 a.m.
   = you're not open yet

W We open at 7:00 on the weekdays, but _____ _____ 9:00 on the weekends.

M Oh, that's right. Today is _____.

W I'm sorry for the inconvenience.
   불편함

M That's okay. I'll come back in _____ minutes.
   🎵정답 근거

남 안녕하세요. 커피 한 잔 주세요.
여 안녕하세요, 손님. 죄송하지만 저희가 아직 영업 전이라서요. 아직 8시 30분밖에 안 되었어요.
남 아, 영업시간이 아니라고요? 어제도 아침 7시에 왔는데요.
여 평일에는 7시에 열지만, 주말에는 9시에 엽니다.
남 아, 맞아요. 오늘이 토요일이네요.
여 불편하게 해 드려서 죄송합니다.
남 괜찮습니다. 30분 후에 다시 올게요.

⬅ **Solution Tip**
지금은 8시 반이라 아직 영업을 하지 않으며, 9시에 영업 시작이고 남자도 30분 후에 오겠다고 했으므로 9시에 다시 올 것임을 알 수 있다.

14 두 사람의 관계

대화를 듣고, 두 사람의 관계로 가장 적절한 것을 고르시오.
① 가게 점원 – 손님   ② 변호사 – 의뢰인
③ 의사 – 환자   ④ 은행원 – 고객
⑤ 요리사 – 식당 종업원

🎵정답 근거
M Your total comes to $_____. Would you like to pay
   come to: ~가 되다
   with _____ or a credit card?
   ~으로 지불하다

W I'll pay with cash. Here you are.

M Thank you. And here's your _____.

W Um, sir? I think you gave me the _____ change. I gave you a $_____ bill.

M Oh, I'm _____ _____, you're right. I thought it was a $20 bill.
   = the bill

W That's okay.

M Here's the _____ of your change. Have a nice day.

W You too!

남 전부 합쳐서 15달러입니다. 현금으로 계산하실 건가요, 아니면 신용 카드로 하시겠어요?
여 현금으로 할게요. 여기 있어요.
남 감사합니다. 그리고 여기 거스름돈 있습니다.
여 어, 저기요? 저에게 거스름돈을 잘못 주신 것 같아요. 제가 50달러 지폐를 드렸어요.
남 아, 정말 죄송합니다. 손님이 맞아요. 제가 20달러 지폐라고 생각했네요.
여 괜찮습니다.
남 여기 나머지 거스름돈 있습니다. 즐거운 하루 보내세요.
여 당신도요!

15 부탁한 일

대화를 듣고, 여자가 남자에게 부탁한 일로 가장 적절한 것을 고르시오.

① 양말 꿰매기
② 벽난로 위에 양말 달기
③ 벽난로에 불 피우기
④ 여동생들 불러 오기
⑤ 크리스마스트리 꺼내 오기

남 뭘 만들고 계세요, 엄마?
여 크리스마스용 새 양말을 바느질하고 있어!
남 색이 정말 마음에 들어요!
여 장식도 거의 다 끝났어. 이 양말들을 벽난로 위에 달기만 하면 돼.
남 정말 멋지게 보이겠어요.
여 애! 우리는 트리에 장식품도 달아야 해. 네 여동생들을 찾아서 와서 도와 달라고 얘기할래?
남 네, 데려올게요.

M What are you _____, Mom?

W I'm sewing _____ _____ for Christmas!

M I love the colors!

W We are almost _____ with all the decorations. We just have to put these _____ the fireplace.
= the stockings

M They will look really nice.

W Oh! We also need _____ _____ the ornaments on the tree. Will you _____ your sisters and ask them to _____ help? 🔑정답 근거
= your sisters

M Sure. I'll get them.

16 이유

대화를 듣고, 남자가 아이스크림을 먹지 않는 이유를 고르시오.

① 배가 불러서
② 유제품을 먹으면 배가 아파서
③ 차가운 음식을 먹지 못해서
④ 충치가 있어서
⑤ 아이스크림을 싫어해서

남 타코는 어땠니, Elizabeth?
여 훌륭했어. 너는 부리토 맛있었니?
남 응, 정말 맛있었어. 여기에 더 자주 와야 할 것 같아.
여 꼭 그러자. 그리고 봬 안내판에 디저트로 무료 아이스크림을 제공한다고 나와 있어.
남 맛있어 보이긴 하는데, 난 못 먹어.
여 왜 못 먹어?
남 유제품을 먹으면 배가 아파. 그래서 나는 우유나 치즈를 못 먹어.
여 아, 그건 너무 안됐다.
남 괜찮아! 네가 원한다면 내 몫의 아이스크림도 먹어!

M How were the tacos, Elizabeth?

W They were _____. Did you enjoy your burrito?

M Yes, it was so good. We have to come here more _____.

W Definitely. And look! The _____ says they _____ free ice cream for dessert.

M That looks good, but I _____ _____ any.
= any ice cream

W Why not?

M Dairy products _____ my stomach _____. So, I
유제품   🔑정답 근거
can't eat milk or cheese.

W Oh, that's too bad.

M It's okay! You _____ _____ my ice cream if you want!

17 그림 상황

다음 그림의 상황에 가장 적절한 대화를 고르시오.

① ② ③ ④ ⑤

① 남 너 지난 주말에 뭐 했니?
  여 할머니 댁에 갔어.
② 남 네 강아지의 이름은 뭐야?
  여 Brownie야. 귀엽지 않니?
③ 남 너는 무엇을 주문했어?
  여 난 수프와 샐러드를 주문했어.
④ 남 넌 생일 선물로 뭘 받았니?
  여 새 스케이트를 받았어.
⑤ 남 저녁 식사 전에 개를 산책시켜 줄래?
  여 미안하지만 안 돼. 숙제가 많아.

① M What did you do last weekend?
 W I _____ _____ my grandmother's house.
② M What's your puppy's name? 🔑정답 근거
 W Her name is Brownie. _____ _____ cute?
③ M What did you order?
 W I _____ a soup and a salad.
④ M What did you _____ for your birthday?
 W I got new skates.
⑤ M Can you _____ the dog before dinner? 🔒함정 주의
 W I'm sorry I can't. I have a lot of _____.

👉 **Solution Tip**
그림에서 두 사람은 개를 보며 대화하고 있으므로 ②가 알맞다. ⑤는 개를 산책시켜 달라는 남자의 부탁을 여자가 거절하는 상황이다.

18 언급하지 않은 것 ②

다음을 듣고, 여자가 science fair에 대해 언급하지 <u>않</u>은 것을 고르시오.
① 참가자들의 학년   ② 열리는 장소
③ 관람하는 때   ④ 참가 프로젝트의 수
⑤ 우승 상품의 종류

W Good afternoon, everyone! Today we are having the science _____. 🔑정답 근거 The eighth graders have worked
한 해 내내 지속되어 이제 막 끝난 일이므로 현재완료를 쓴다.
really hard _____ _____, and now their awesome projects _____ finally _____! Each class will go to the _____ after sixth period is over. You can vote on _____ _____ you think is the best of all the 20 projects. There will be a _____ for the winner!

여 안녕하세요, 여러분! 오늘 우리는 과학 박람회를 엽니다. 8학년생들이 한 해 내내 정말 열심히 노력해 왔고, 그들의 굉장한 프로젝트가 마침내 완료되었습니다! 각 학급은 6교시가 끝난 후에 체육관으로 가세요. 전체 20개의 프로젝트 중 어느 것이 가장 좋다고 생각하는지 투표할 수 있습니다. 우승자에게는 상이 있습니다!

👉 **Solution Tip**
① 참가자들의 학년: 8학년   ② 열리는 장소: 체육관   ③ 관람하는 때: 6교시가 끝난 후
④ 참가 프로젝트의 수: 20개

19 이어질 말 ①

☐☐

Man: _____

① It's my favorite book.
② The bus is the fastest.
③ The weather was terrible.
④ Don't worry. You can find it.
⑤ It will take about 30 minutes.

여 실례합니다. OC 타워에 어떻게 가는지 알려 주실 수 있나요?
남 물론이죠. 지하철로 가세요?
여 네.
남 황색 노선을 타고 Rolland 역에서 녹색 노선으로 갈아타셔야 해요.
여 어느 역에서 내려야 하나요?
남 Swanson 역에서 내리세요.
여 알겠습니다, 감사합니다. 시간이 얼마나 걸리는지 아세요?
남 ⑤ 30분 정도 걸릴 거예요.

W Excuse me. Can you tell me how to _____ to OC Tower?

M Sure. Are you going by _____?

W Yes.

M Take the yellow line, and at Rolland Station you _____
   황색 노선(지하철 노선을 나타낼 때 명사 line을 쓴다.)
   _____ to the green line.
   녹색 노선

W Which stop should I _____ _____ at?

M Get off at Swanson Station.

W Okay, thanks. Do you know _____ _____ it will take?
   🎵 정답 근거

M It will take about 30 minutes.

① 그건 제가 좋아하는 책입니다.　　② 그 버스가 가장 빠릅니다.
③ 날씨가 끔찍했어요.　　　　　　④ 걱정하지 마세요. 찾으실 수 있어요.

20 이어질 말 ②

☐☐

Man: _____

① Let's meet at 4:30.
② I'm sorry to hear that.
③ They will serve lunch at 1:00.
④ The last day is November 30th.
⑤ The art stickers are 2 dollars each.

남 너 이번 주말에 서울미술관 갈래? 반 고흐의 그림 일부의 전시회가 있어.
여 오, 정말? 난 반 고흐를 무척 좋아해. 그는 내가 가장 좋아하는 예술가야.
남 가자, 그럼!
여 하지만 이번 주말엔 갈 수 없어. 아빠 생신이거든.
남 음… 다음 주말에 갈 수도 있을 거야.
여 전시회가 언제 끝나는지 아니?
남 ④ 마지막 날은 11월 30일이야.

M Do you _____ to go to Seoul Museum this weekend? There will be _____ _____ of some of Van Gogh's paintings.

W Oh, really? I love Van Gogh. He's my favorite _____.

M Let's go, then!

W But I _____ _____ this weekend. It's my father's
   갈 수 없는 이유
   birthday.

M Hmm... We could try to go next weekend.

W Do you know when the exhibit _____ _____?
   🎵 정답 근거

M The last day is November 30th.
   전시회가 끝나는 때

① 4시 30분에 만나자.　　　　　② 그 말을 들으니 유감이야.
③ 점심 식사는 1시에 나올 거야.　⑤ 아트 스티커는 개당 2달러야.

모의고사를 먼저 풀고 싶으면 202쪽으로 이동하세요.

🎧 다음 표현을 듣고 모르는 것에 표시하시오.

- 01 **cancel** 취소하다
- 02 **rainstorm** 폭풍우, 호우
- 03 **snowfall** 강설
- 04 **plain** 무늬가 없는
- 05 **check in** 투숙[탑승] 수속을 하다
- 06 **order** 주문하다
- 07 **normal** 일반적인, 평범한
- 08 **riverside** 강가, 강변
- 09 **pick up** (바닥에 있는 것을) 줍다
- 10 **symptom** 증상
- 11 **attend** 참석하다
- 12 **actually** 실제로, 정말로
- 13 **fair** 공정한, 공평한
- 14 **litter** 쓰레기; 버리다
- 15 **application** 신청서, 지원서
- 16 **comfortable** 편안한
- 17 **be located** 위치하다
- 18 **reserve** 예약하다
- 19 **due** ~ 때문에
- 20 **valuable** 소중한, 귀중한
- 21 **for sale** 판매 중인
- 22 **mayor** 시장
- 23 **prepare** 준비하다
- 24 **respectful** 공손한, 존경심을 보이는

- 25 **favor** 호의, 친절
- 26 **split** 나누다, 쪼개다
- 27 **occupy** 사용하다, 차지하다
- 28 **fantasy novel** 판타지 소설
- 29 **chew** 씹다
- 30 **polka dot** 물방울무늬
- 31 **appointment** 약속
- 32 **main entrance** 정문
- 33 **medicine** 약, 약물
- 34 **mud** 진흙
- 35 **security** 보안, 경비
- 36 **cheer up** ~을 격려하다
- 37 **national holiday** 공휴일
- 38 **pretty** 어느 정도, 꽤
- 39 **bathtub** 욕조
- 40 **employee** 종업원, 고용인
- 41 **awesome** 엄청난, 굉장한

✏️ 알아두면 유용한 선택지 **어휘**

- 42 **confused** 혼란스러운
- 43 **relieved** 안심하는
- 44 **training** 훈련
- 45 **missing child** 미아
- 46 **natural environment** 자연환경

🎧 들으면서 표현을 완성한 다음, 뜻을 고르시오.

표현의 의미를 생각하며 다시 써 보기!

01 rainsto　m　　☐ 폭풍우　　☐ 폭설　　➜

02 re　erve　　☐ 예정하다　　☐ 예약하다　　➜

03 s　mptom　　☐ 증상　　☐ 질병　　➜

04 fai　　　☐ 공정한　　☐ 유명한　　➜

05 spli　　　☐ 색칠하다　　☐ 나누다　　➜

06 comfort　ble　　☐ 편안한　　☐ 중요한　　➜

07 val　able　　☐ 귀중한　　☐ 굉장한　　➜

08 respect　ul　　☐ 고리타분한　　☐ 공손한　　➜

09 pla　n　　☐ 무늬가 없는　　☐ 계획　　➜

10 ch　ck　n　　☐ 빌리다　　☐ 투숙 수속을 하다　　➜

11 ap　ointment　　☐ 약속　　☐ 친절　　➜

12 occup　　　☐ 주의를 주다　　☐ 차지하다　　➜

13 a　esome　　☐ 엄청난　　☐ 괴로운　　➜

14 pre　are　　☐ 줍다　　☐ 준비하다　　➜

15 　rder　　☐ 주문하다　　☐ 집중하다　　➜

16 river　ide　　☐ 강가　　☐ 호수　　➜

17 medi　ine　　☐ 약, 약물　　☐ 시장　　➜

18 ch　w　　☐ 씹다　　☐ 삼키다　　➜

어휘 13회

실전 모의고사 [13]회

✎ 들으면서 주요 표현 메모하기!

01 다음을 듣고, 수요일의 날씨로 가장 적절한 것을 고르시오.

①   ②   ③   ④   ⑤

02 대화를 듣고, 남자가 구입할 머그잔으로 가장 적절한 것을 고르시오.

①   ②   ③   ④   ⑤

03 대화를 듣고, 여자의 심정으로 가장 적절한 것을 고르시오.

① upset ② relieved ③ scared
④ confused ⑤ bored

04 대화를 듣고, 두 사람이 작년 크리스마스에 한 일로 가장 적절한 것을 고르시오.

① 영화 보기 ② 쇼핑하기 ③ 소풍 가기
④ 요리하기 ⑤ 선물 사기

05 대화를 듣고, 두 사람이 대화하는 장소로 가장 적절한 곳을 고르시오.

① 병원 ② 약국 ③ 슈퍼마켓
④ 운동장 ⑤ 공원

13회

모의고사

06 대화를 듣고, 여자의 마지막 말의 의도로 가장 적절한 것을 고르시오.

① 수락   ② 거절   ③ 동의   ④ 제안   ⑤ 위로

✎ 들으면서 주요 표현 메모하기!

07 대화를 듣고, 여자가 이탈리아에 관해 선택한 보고서의 주제를 고르시오.

① 지리   ② 음식   ③ 역사   ④ 문화   ⑤ 자연환경

08 대화를 듣고, 남자가 대화 직후에 할 일로 가장 적절한 것을 고르시오.

① 의자에 앉기   ② 서점 둘러보기   ③ 책 읽기
④ 책 사기   ⑤ 점원 찾기

고난도 선택지에 하나씩 체크하며 듣기

09 대화를 듣고, 남자가 과학 캠프에 대해 언급하지 <u>않은</u> 것을 고르시오.

① 캠프를 하는 계절   ② 캠프 기간   ③ 캠프에서 하는 활동
④ 신청서를 받는 장소   ⑤ 신청서를 주는 사람

10 다음을 듣고, 여자가 하는 말의 내용으로 가장 적절한 것을 고르시오.

① 미아 보호 안내   ② 우산 대여 안내   ③ 신제품 판매 안내
④ 분실물 찾기 안내   ⑤ 쇼핑몰 폐점 안내

틀린 문제는 Dictation에서
완벽하게 이해하세요!

실전 모의고사 [13]회

✎ 들으면서 주요 표현 메모하기!

11 다음을 듣고, 내일 방문하는 손님에 대한 내용으로 일치하지 <u>않는</u> 것을 고르시오.
① 이름은 Tom Jones이다.   ② 도시의 시장이다.
③ 자신의 일에 관해 이야기할 것이다.   ④ 학생들에게 질문을 할 것이다.
⑤ 교실에서 점심을 먹을 것이다.

12 대화를 듣고, 여자가 전화를 건 목적으로 가장 적절한 것을 고르시오.
① 수학 문제를 물어보기 위해서   ② 친구 전화번호를 물어보기 위해서
③ 함께 숙제를 하기 위해서   ④ 내일 약속을 취소하기 위해서
⑤ 태권도 수업에 함께 가기 위해서

고난도 | 정보 파악하며 듣기

13 대화를 듣고, 학교 축제가 열릴 날짜를 고르시오.
① 5월 1일   ② 5월 20일   ③ 5월 21일
④ 10월 20일   ⑤ 10월 21일

14 대화를 듣고, 두 사람의 관계로 가장 적절한 것을 고르시오.
① 호텔 직원 – 숙박객   ② 헬스 트레이너 – 고객   ③ 택시 기사 – 승객
④ 열쇠공 – 집 주인   ⑤ 상담 교사 – 학생

15 대화를 듣고, 남자가 여자에게 부탁한 일로 가장 적절한 것을 고르시오.
① 강아지 훈련시키기   ② 강아지 장난감 사기
③ 강아지 산책시키기   ④ 집안일 돕기
⑤ 슬리퍼 구매하기

16 대화를 듣고, 여자가 남자의 처음 제안을 거절한 이유로 가장 적절한 것을 고르시오.

① 음식이 맛이 없어서　　　　② 커피를 마시고 싶지 않아서
③ 날씨가 너무 추워서　　　　④ 음식 값이 너무 비싸서
⑤ 기억이 나지 않아서

✎ 들으면서 주요 표현 메모하기!

17 다음 그림의 상황에 가장 적절한 대화를 고르시오.

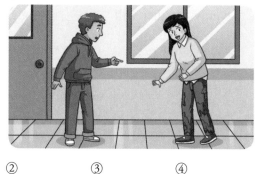

①　　　　②　　　　③　　　　④　　　　⑤

고난도 │ 선택지에 하나씩 체크하며 듣기

18 다음을 듣고, 남자가 평소 학교생활에 대해 언급하지 <u>않은</u> 것을 고르시오.

① 등교 시각　　　　② 점심 식사 장소　　　　③ 점심시간에 하는 일
④ 주로 하는 운동의 종류　　　⑤ 수업이 끝나는 시각

[19-20] 대화를 듣고, 남자의 마지막 말에 이어질 여자의 말로 가장 적절한 것을 고르시오.

19 Woman: _____

① I do not agree with you.　　　② You can say that again.
③ Hiking is good for health.　　　④ Okay, join us next time.
⑤ My family want to go there.

20 Woman: _____

① That's a great idea.　　　② I feel really tired now.
③ We have enough trash bags.　　　④ This beach is terrible.
⑤ Why don't you pick up trash?

틀린 문제는 Dictation에서
완벽하게 이해하세요!

01 날씨

*들을 때마다 체크

다음을 듣고, 수요일의 날씨로 가장 적절한 것을 고르시오.

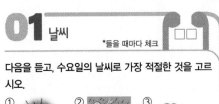

M Good evening! Here is the weather forecast for _____ week. On Monday and Tuesday, the sky will be sunny and _____. A rainstorm will arrive on Wednesday, but thankfully the rain will only _____ one day. We will have strong winds and lots of clouds on Thursday. The windy weather will _____ through Friday, and there is also a good _____ of snowfall that day.

정답 근거

= Wednesday

= Friday

남 안녕하세요! 이번 주 일기예보입니다. 월요일과 화요일에는 하늘이 화창하고 맑겠습니다. 수요일에는 비바람이 불겠지만, 다행히 비는 단 하루만 지속되겠습니다. 목요일에는 바람이 세고 구름이 많겠습니다. 바람은 금요일까지 계속되겠고 그날 눈이 올 가능성이 높겠습니다.

02 그림 묘사

대화를 듣고, 남자가 구입할 머그잔으로 가장 적절한 것을 고르시오.

M Excuse me. Do you have any mugs _____ _____?

W Certainly, they're right over here. Would you like a tall mug or a _____ one?

정답 근거   = mug

M A short one, please. Are there any mugs with polka _____?

W Sorry, there _____. How about this one with dogs on it?

M No, I don't like dogs. Are there any _____ mugs with _____ designs on them?

W Yes, there is a plain white one and a plain black one.

M Hmm. The _____ _____ looks very nice, but black is my favorite color. I'll take that one.

= plain black mug

남 실례합니다. 머그잔을 파시나요?
여 물론이죠, 그것들은 이쪽에 있습니다. 긴 머그잔을 원하세요, 아니면 짧은 것을 원하세요?
남 짧은 것이요. 물방울무늬 머그잔이 있나요?
여 죄송하지만 없습니다. 개가 그려진 이것은 어떠세요?
남 아니요, 저는 개를 안 좋아해요. 디자인 없이 무늬 없는 머그잔이 있나요?
여 네, 무늬없는 흰색과 무늬 없는 검은색이 있습니다.
남 음. 흰색이 아주 좋아 보여요. 하지만 검은색이 제가 가장 좋아하는 색이에요. 저것으로 할게요.

Dictation 13회 →
┌ 전체 듣기
└ 문항별 듣기

Dictation의 효과적인 활용법
STEP1 들으면서 대본의 빈칸 채우기
STEP2 축쇄 문제를 보며 다시 풀어 보기
STEP3 해석을 보며 영어로 말하거나 영작해 보기

공부한 날 　 월 　 일

03 심정

대화를 듣고, 여자의 심정으로 가장 적절한 것을 고르시오.

① upset ② relieved ③ scared
④ confused ⑤ bored

여 아, 집에 점심을 두고 왔어. 지금 정말 배가 고픈데.
남 실은 말이야. 내가 너의 기분을 풀어 줄 수 있을 것 같아.
여 정말? 어떻게?
남 내가 너와 나를 위해 점심을 주문했고 음식이 방금 막 도착했어.
여 와! 진짜 잘됐다. 어떤 음식인데?
남 샌드위치랑 샐러드야.
여 완벽해. 이제 기분이 많이 나아졌어. 고마워.

W　Oh, I forgot my lunch at home. I'm really _____ now.
　　forget+물건+장소: ~을 …에 놓고 잊어버리다
M　I'll tell you what. I think I can _____ you _____.
　　실은 말이야.
W　Really? How?
M　I ordered lunch for you and me, and the food _____ _____.
W　Wow! That's great. _____ _____ of food?
M　There are sandwiches and salads.
W　Perfect. I feel so _____ _____ now. Thank you. ♪정답 근거

04 과거에 한 일

대화를 듣고, 두 사람이 작년 크리스마스에 한 일로 가장 적절한 것을 고르시오.

① 영화 보기 ② 쇼핑하기 ③ 소풍 가기
④ 요리하기 ⑤ 선물 사기

남 이제 곧 크리스마스라니 믿을 수가 없다.
여 그러니까! 올해는 진짜 빨리 갔어.
남 너 지난 크리스마스에 우리가 무엇을 했는지 기억하니? 나는 기억이 안 나.
여 정말? 우리가 가장 좋아하는 장소에 함께 갔었어.
남 맞아! 우리는 강에 가서 강가에서 피크닉을 했지.
여 응, 정말 재미있었는데. 이번 크리스마스에도 똑같이 할래?
남 아니, 올해는 다른 곳에 가 보자.

M　I can't believe it's _____ Christmas.
W　I know! This year went by really fast.
M　Do you remember what we did _____ Christmas? I can't remember.
W　Really? We went to our _____ _____ together.
M　That's right! We went to the river and _____ _____ _____ on the riverside. ♪정답 근거
W　Yes, it was so fun. Shall we do the same thing again this Christmas?
M　No, let's go to _____ _____ place this year.

받아쓰기 **13회**

05 장소

대화를 듣고, 두 사람이 대화하는 장소로 가장 적절한 곳을 고르시오.

① 병원 ② 약국 ③ 슈퍼마켓
④ 운동장 ⑤ 공원

W Hello. How may I help you?

M I think I have a _____, so I need some medicine. 🎵 정답 근거

W Okay. What are your symptoms?

M I have a headache and a _____.

W I see. Take this _____ three times a day with water. That'll be _____ dollars.

M Okay, here you are. Is there _____ _____ I should do?

W Well, I'm not a doctor, but it is always a good idea _____ _____ a lot when you're sick.

M I understand. Thank you.

여 안녕하세요. 어떻게 도와드릴까요?
남 제가 감기에 걸린 것 같아서, 약이 좀 필요해요.
여 알겠습니다. 증상이 어떠신가요?
남 두통이 있고 기침을 해요.
여 그렇군요. 이 약을 하루에 세 번 물과 함께 복용하세요. 3달러입니다.
남 네, 여기 있습니다. 제가 뭐 다른 것을 할 게 있을까요?
여 음, 제가 의사는 아니지만 아플 때는 항상 많은 휴식을 취하는 것이 좋죠.
남 알겠습니다. 감사합니다.

> **Solution Tip**
> 증상을 묻고 약을 권하며 가격을 알려 주지만 의사가 아닌 사람은 약사이다. 따라서 약국에서의 대화이다.

06 말의 의도

대화를 듣고, 여자의 마지막 말의 의도로 가장 적절한 것을 고르시오.

① 수락 ② 거절 ③ 동의
④ 제안 ⑤ 위로

W Oh, next Monday is a national _____, so we don't have school.

M Great! Then let's do something together that day.
= next Monday

W Okay. I'm willing to do _____, but I don't want to see a movie.
기꺼이 ~하다

M Sure. Well, how about _____ to the city zoo that day?

W Sounds great! I heard _____ _____ baby gorillas at the zoo.

M Wonderful. I love baby animals. They are always so cute!

W I feel exactly the same. Seeing baby animals always 🎵 정답 근거
동의의 표현 _____ me up.

여 오, 다음 주 월요일이 공휴일이라 학교가 쉬네.
남 좋은데! 그럼 우리 그날 같이 뭐 하자.
여 그래. 나는 무엇이든 기꺼이 하겠지만, 영화는 보고 싶지 않아.
남 좋아. 음, 그날 시내 동물원에 가는 것은 어때?
여 좋지! 새끼 고릴라가 동물원에 있다고 들었어.
남 멋져. 나는 새끼 동물들을 좋아해. 그것들은 언제나 너무 귀여워!
여 나도 그렇게 생각해. 새끼 동물들을 보면 나는 기분이 좋아져.

07 세부 정보

대화를 듣고, 여자가 이탈리아에 관해 선택한 보고서의 주제를 고르시오.
① 지리 ② 음식 ③ 역사
④ 문화 ⑤ 자연환경

여 Sean, 너 전에 이탈리아에 가 본 적이 있지?
남 응, 여러 번. 실은 조부모님이 거기에 살고 계셔.
여 멋지다! 난 이탈리아에 관한 보고서를 쓰고 있어. 내가 좀 물어봐도 될까?
남 그래. 음, 어떤 걸 알고 싶은데? 나는 이탈리아의 역사에 관해 잘 알지 못하지만, 그곳의 음식에 관해서는 잘 알아.
여 완벽해! 내 보고서가 이탈리아의 유명한 음식에 관한 거야.
남 음. 그럼 내가 가장 좋아하는 이탈리아 레스토랑에 가자, 거기에서 이탈리아 음식에 관해 모두 말해 줄게.

W Sean, you've been to Italy _____, right?
have been to: ~에 다녀온 적이 있다
M Yes, many times. Actually, my grandparents _____ there.
W Cool! I'm doing _____ _____ about Italy. Can I ask you some questions about it?
M Okay. Well, what do you want to know? I don't know _____ about the history of Italy, but I know a lot about _____ _____ there.
W Perfect! 정답 근거 My report is about the _____ food in Italy.
M Hmm. Then let's go to my favorite Italian restaurant, and I'll tell you _____ _____ Italian food there.
= at the restaurant

08 바로 할 일

대화를 듣고, 남자가 대화 직후에 할 일로 가장 적절한 것을 고르시오.
① 의자에 앉기 ② 서점 둘러보기
③ 책 읽기 ④ 책 사기
⑤ 점원 찾기

남 이 서점 굉장하다! 여기 진짜 책이 많네.
여 나도 동의해. 내가 본 중에 제일 큰 서점이야.
남 저기 봐. 편한 의자들이 있어. 우리 저기 앉아서 책을 읽을 수 있어.
여 오, 앉고 싶어. 가서 앉을 수 있는 데를 찾아보자.
남 그래. 그런데 먼저 앉아 있는 동안 읽을 책들을 좀 찾아보자.
여 나는 벌써 이 판타지 소설을 찾아 놨지. 너는 무엇을 읽고 싶은데?
남 나는 만화책을 읽고 싶은데 만화책 코너는 안 보이네.
여 점원에게 도움을 청하는 게 어때?
남 알았어. 지금 가서 누군가 찾아볼게.

M This bookstore is _____! There are so many books here.
W I agree. It's the biggest bookstore I've ever _____.
M Look over there. There are some comfortable chairs. We can _____ and read books there.
W Oh, I want to sit down. Let's go and find a _____ to sit.
M Okay. But first, let's find some books to read while we're _____.
W I already found this fantasy _____. What do you want to read?
M I want to read a _____ book, but I don't see the comic book section.
W Why don't you ask a store _____ for help?
M All right. 정답 근거 I'll go and find someone now.
→ one of the store employees

09 언급하지 않은 것 ①

대화를 듣고, 남자가 과학 캠프에 대해 언급하지 <u>않은</u> 것을 고르시오.

① 캠프를 하는 계절 ② 캠프 기간
③ 캠프에서 하는 활동 ④ 신청서를 받는 장소
⑤ 신청서를 주는 사람

여 Brad, 손에 있는 종이는 뭐야?
남 이번 여름에 하는 특별 과학 캠프 신청서야.
여 아, 그렇구나. 캠프에서 어떤 종류의 활동을 하는데?
남 멋진 과학 프로젝트랑 현장 학습 같은 많은 것을 해.
여 재미있겠다!
남 심지어 진짜 과학자들을 만날 수도 있어. 난 그걸 정말 기대하고 있어.
여 왜! 나도 그 캠프에 참가하고 싶어. 신청서는 어디에서 받을 수 있어?
남 5층 과학실로 가면 돼. Williams 선생님께 신청서를 달라고 해.

W Brad, what's that _____ in your hand?

M It's an application for the special _____ _____ this summer.
🎵정답 근거

W Oh, I see. What kinds of _____ can you do at the camp?

M There are lots of things like cool science projects and _____ trips.

W That sounds fun!

M We can even meet real _____. I'm really looking forward to that.

W Wow! I want to attend the camp, too. Where can I _____ an application?

M Just go to the science classroom on the _____ floor. Ask Mr. Williams for an application.

10 담화 화제

다음을 듣고, 여자가 하는 말의 내용으로 가장 적절한 것을 고르시오.

① 미아 보호 안내 ② 우산 대여 안내
③ 신제품 판매 안내 ④ 분실물 찾기 안내
⑤ 쇼핑몰 폐점 안내

여 알려 드립니다, 고객 여러분. 분실물에 관한 중요한 안내입니다. 재킷이나 우산과 같은 일상적인 물건들은 분실 보관소를 방문해 주시기 바랍니다. 하지만, 만약 지갑이나 랩톱 컴퓨터와 같은 귀중품을 잃어버리셨다면 쇼핑몰의 보안 사무실을 방문해 주세요. 그곳은 1층 정문 옆에 있습니다. 분실물을 일주일 동안만 보관하오니, 귀중품을 잃어버리셨다면 지체하지 마시길 바랍니다.

🎵정답 근거
W <u>Attention, customers.</u> This is an important announcement
안내 방송을 시작하는 표현
about _____ items. For normal items, <u>such as</u> jackets
~와 같은
and umbrellas, please _____ the lost and found center.
However, if you have lost any _____ items, such as
wallets or laptop computers, please visit the mall security
office. <u>It is located</u> on the first floor _____ _____
위치하고 있다
the main entrance. They only _____ these items for one
week, so please don't _____ if you have lost anything
valuable.

11 일치하지 않는 것

다음을 듣고, 내일 방문하는 손님에 대한 내용으로 일치하지 않는 것을 고르시오.
① 이름은 Tom Jones이다.
② 도시의 시장이다.
③ 자신의 일에 관해 이야기할 것이다.
④ 학생들에게 질문을 할 것이다.
⑤ 교실에서 점심을 먹을 것이다.

남 여러분, 조용히 하세요. 내일 아침 우리 교실에 특별한 손님이 방문할 거예요. 그의 이름은 Tom Jones이고 우리 시의 시장이에요. 먼저 그는 자신의 일에 관해 연설을 할 거예요. 그가 일을 어떻게 하게 되었는지, 매일 어떤 일을 하는지 말해 줄 거예요. 그러고 나서, 그는 여러분의 질문에 답할 거예요. 여러분의 질문은 어떤 것도 괜찮지만 친절하고 공손하게 하세요. 마지막으로 Jones 시장님은 교실에서 우리와 점심을 함께 할 거예요.

M   Class, please _____ down. A special guest will visit our classroom tomorrow morning. His name is Tom Jones and he is our city's _____. First, he will give a _____ about his job. He will _____ _____ how he got his job and what he does every day. Then, he will _____

🔑정답 근거

your questions. Your questions can be about anything, but please be _____ and respectful. Finally, Mayor Jones will _____ _____ with us in our classroom.

12 목적

대화를 듣고, 여자가 전화를 건 목적으로 가장 적절한 것을 고르시오.
① 수학 문제를 물어보기 위해서
② 친구 전화번호를 물어보기 위해서
③ 함께 숙제를 하기 위해서
④ 내일 약속을 취소하기 위해서
⑤ 태권도 수업에 함께 가기 위해서

(휴대 전화가 울린다.)
남 안녕, Carol. 무슨 일이니?
여 안녕, Steve. 네게 부탁할 것이 있어서 전화했어.
남 응. 수학 숙제에 도움이 필요하니?
여 아니, 그건 아니야. 실은 Peter의 전화번호를 묻고 싶어서.
남 아, 그래. 확인해 볼게. (⋯) 088-555-7654야. 왜 Peter의 전화번호가 필요한지 물어봐도 돼?
여 음, Peter랑 내가 내일 만나기로 했어. 그런데 취소해야 하는데 그의 전화번호를 잃어버렸어.
남 그렇구나. Peter는 오늘 밤에 태권도 수업이 있어. 9시 30분 이후에 전화하는 게 좋을 거야.
여 알겠어, 고마워!

📞 Cell phone rings.

M   Hi, Carol. What's up?

W   Hey, Steve. I'm calling because I need to ask you a _____.

M   Okay. Do you need help with your math homework?

W   No, that's not it. I actually wanted to _____ you _____ Peter's phone number.

🔑정답 근거

M   Oh, okay. Let me _____. (*Pause*) It's 088-555-7654. Can I ask why you need his number?

W   Well, Peter and I made _____ to meet tomorrow. But I need to _____ and I lost his phone number.

M   Got it. He has taekwondo practice tonight. You'd _____ 알겠어., 그렇구나. call him after 9:30.

W   Okay, thanks!

13 날짜

대화를 듣고, 학교 축제가 열릴 날짜를 고르시오.
① 5월 1일   ② 5월 20일   ③ 5월 21일
④ 10월 20일   ⑤ 10월 21일

M Jackie, will I see you at the school _____?

W School festival? The spring festival _____ happened in May.

M Yes, but there is also a _____ festival every October. 매년 10월

W Oh, I didn't know that. When is the festival?

M It's usually on the _____, but I'm not sure this year. 날짜 앞에 전치사 on을 쓴다.

W Let me _____ our school's website. (*Pause*) It says the festival is on the 21st this year.

M Oh, it was probably _____ because there is a big 축제가 열리는 날짜를 가리킨다. basketball game on the 20th.

W Okay. I'll see you at the festival on the 21st _____.

남 Jackie, 내가 학교 축제 때 널 볼 수 있을까?
여 학교 축제? 봄 축제는 이미 5월에 했잖아.
남 맞아, 하지만 매년 10월에 가을 축제도 해.
여 아, 그건 몰랐어. 축제가 언제야?
남 보통 20일인데, 올해는 잘 모르겠어.
여 학교 홈페이지를 확인해 볼게. (…) 올해는 축제가 21일에 있다고 하네.
남 아, 아마 20일에 큰 농구 시합이 있어서 변경됐을 거야.
여 그렇구나. 그럼 21일에 축제 때 보자.

14 두 사람의 관계

대화를 듣고, 두 사람의 관계로 가장 적절한 것을 고르시오.
① 호텔 직원 – 숙박객   ② 헬스 트레이너 – 고객
③ 택시 기사 – 승객   ④ 열쇠공 – 집 주인
⑤ 상담 교사 – 학생

W Hello, sir. Are you checking _____? 호텔·공항 등에서 입실·탑승 수속을 할 때의 표현

M Yes, I have a room _____ for tonight. My name is Sam Martin.

W Okay, Mr. Martin. You have reserved a room _____ one large bed. Is that correct?

M Yes. I would also like to have a room with a bathtub, _____ _____.

W I'm very sorry, sir. All of our rooms with a bathtub are already _____.

M Oh, that's okay then. And is there a _____ at this hotel?

W Yes, of course. Our gym is _____ on the 10th floor. You can use your room key to enter.

M Thank you very much.

여 안녕하세요. 체크인하시겠어요?
남 네, 오늘 밤 방을 예약했어요. 제 이름은 Sam Martin입니다.
여 네, Martin 씨. 큰 침대가 있는 방 하나를 예약하셨네요. 맞나요?
남 네. 가능하다면 욕조가 있는 방으로 하고 싶어요.
여 정말 죄송합니다. 욕조가 있는 방은 이미 다 찼어요.
남 아, 그럼 괜찮아요. 그리고 이 호텔에 헬스장이 있나요?
여 네, 물론이죠. 헬스장은 10층에 있습니다. 방 열쇠를 사용해서 들어가실 수 있습니다.
남 고맙습니다.

15 부탁한 일

대화를 듣고, 남자가 여자에게 부탁한 일로 가장 적절한 것을 고르시오.
① 강아지 훈련시키기　② 강아지 장난감 사기
③ 강아지 산책시키기　④ 집안일 돕기
⑤ 슬리퍼 구매하기

여　아, 안 돼! 강아지가 우리 슬리퍼를 물어뜯었어.
남　또? 기분이 별로 안 좋지만 어린 강아지한테 화를 내기는 힘들어.
여　맞아. 음, 우리가 이 문제를 어떻게 해야 할까?
남　음. 아마 강아지가 씹을 수 있는 장난감이 더 필요할지도 몰라.
여　좋은 생각이야! 우리 가능한 한 빨리 새로운 장난감을 좀 사야 해.
남　난 오늘 밤엔 일을 좀 끝내야 해. 네가 지금 애완동물 용품점에 가서 좀 살 수 있어?
여　그래. 금방 다녀올게.

W　Oh, no! The puppy _____ up our slippers.

M　Again? I'm not happy about that, but it's hard to be _____ _____ a little puppy.

W　Right. Well, what should we do about it?

M　Hmm. Maybe he needs _____ _____ that he can chew on.
　　강아지가 물건을 물어뜯는 문제

W　That's a good idea! We need to _____ him some new toys as soon as possible.
　　가능한 한 빨리

M　I need to finish some work tonight. Can you go to the _____ _____ and buy some now? 🎸정답 근거

W　Okay. I'll be back in a few minutes.
　　돌아오다

16 이유

대화를 듣고, 여자가 남자의 처음 제안을 거절한 이유로 가장 적절한 것을 고르시오.
① 음식이 맛이 없어서
② 커피를 마시고 싶지 않아서
③ 날씨가 너무 추워서
④ 음식 값이 너무 비싸서
⑤ 기억이 나지 않아서

남　와, 이 식당 음식 환상적이었어.
여　그래, 나도 정말 맛있게 먹었어. 이제 나가서 카페에서 커피 마실까?
남　좋은 생각이야. 아, 네가 지난번에 우리 점심 값을 계산했잖아. 이번엔 내가 낼게.
여　아니야, 여긴 정말 비싼 식당이잖아. 그건 공평하지 않은 것 같아.
남　알겠어, 그럼 다음번엔 내가 대접할게. 오늘은 50:50으로 나누자.
여　좋아. 그게 공평하겠다.

M　Wow, the _____ at this restaurant was fantastic.

W　Yes, I really enjoyed it. Now shall we _____ _____ and have some coffee at a cafe?
　　함정 주의　제안의 의미

M　That's a good idea. Oh, you _____ _____ our lunch last time. I'll pay this time.
　　남자의 첫 번째 제안　　　　🎸정답 근거

W　No, this is a very _____ restaurant. I think it's not fair.

M　Okay, then maybe next time I'll _____ _____. We split the bill 50:50 today.
　　쪼개다, 나누다

W　Fine. That sounds _____.
　　남자의 두 번째 제안

17 그림 상황

다음 그림의 상황에 가장 적절한 대화를 고르시오.

① ② ③ ④ ⑤

① 남 왜 바지가 이렇게 더러운 거야?
　여 진흙에 넘어졌어.
② 남 방금 누가 전화한 거야?
　여 우리 엄마가.
③ 남 어떤 음료를 가장 좋아하니?
　여 나는 오렌지 주스를 좋아해.
④ 남 이 목걸이는 언제 만든 거야?
　여 지난여름 미술 캠프에서 만들었어.
⑤ 남 여기에서 신발을 신으면 안됩니다.
　여 아, 죄송해요! 그건 몰랐어요.

① M　Why are your pants so _____?
　　　🎵정답 근거
　W　I fell in some mud.

② M　Who called you _____?
　W　My mom did.
　　　= called me

③ M　What's your favorite drink?
　W　I _____ orange juice.

④ M　When did you make this _____?
　W　Last summer at the art camp.

⑤ M　You're not _____ _____ wear shoes here.
　W　Oh, sorry! I didn't know that.
　　　여기에서 신발을 신고 있으면 안 된다는 사실

18 언급하지 않은 것 ②

다음을 듣고, 남자가 평소 학교생활에 대해 언급하지 않은 것을 고르시오.
① 등교 시각　　　　② 점심 식사 장소
③ 점심시간에 하는 일　④ 주로 하는 운동의 종류
⑤ 수업이 끝나는 시각

남　나의 보통의 학교 가는 날에 대해서 말해줄게. 나는 보통 8시 30분 정도에 학교에 가. 오전 수업들이 끝나면, 나는 12시에 점심을 먹어. 우리 반 친구들과 나는 학생 식당에 함께 점심을 먹으러 가지. 우리 점심시간은 한 시간이야. 만약 우리가 점심을 일찍 끝내면 밖에 나가서 운동장에서 놀아. 점심시간이 끝나면 우린 교실로 돌아가서 2시 30분까지 공부를 해. 그러고 나면, 나는 집으로 가서 간식을 먹어.

M　Let me tell you about my _____ school day. I usually
　　🎵정답 근거
get to school around 8:30. After my morning classes,
I have lunch at 12 o'clock. My _____ and I go to
the student cafeteria to have lunch together. Our lunch
_____ is one hour long. If we finish lunch early, we can
go _____ and play on the school field. After lunch, we
_____ _____ to our classroom and study until
2:30 p.m. Then, I go home and have a snack.

⏺ **Solution Tip**

① 등교 시각: 8시 30분경 ② 점심 식사 장소: 학생 식당 ③ 점심시간에 하는 일: 식사를 하고 시간이 남으면 운동장에서 놀기 ⑤ 수업이 끝나는 시각: 2시 30분

19 이어질 말 ①

Woman: _____

① I do not agree with you.
② You can say that again.
③ Hiking is good for health.
④ Okay, join us next time.
⑤ My family want to go there.

M Jessica, do you have _____ for New Year's Day?

W Yes, my brother and I are going to go _____.

M Hiking? _____ it be too cold outside?

W It will probably be cold, but hiking always warms us up.

M That's _____. I usually feel hot when I exercise.

W _____ _____ _____ join us on our New Year's
= my brother and me
Day hike?

M I wish I could join you, but I already have _____ plans.
I wish+과거: 현재 이루어지기 힘든 소망

W Okay, join us next time.

남 Jessica, 새해 첫날 계획이 있니?
여 응, 내 남동생과 나는 하이킹을 가기로 했어.
남 하이킹? 밖이 너무 춥지 않을까?
여 아마 추울 거야, 그렇지만 하이킹은 항상 우릴 따뜻하게 해 줘.
남 그건 맞아. 나도 운동할 때 보통 덥거든.
여 새해 하이킹에 너도 우리와 함께 하는 게 어때?
남 나도 같이 하고 싶지만 이미 다른 계획이 있어.
여 ④ 그래, 다음에 같이 하자.

① 나는 너에게 동의하지 않아.　　　　② 나는 너에게 동의해.
③ 하이킹은 건강에 좋아.　　　　⑤ 우리 가족이 거기 가고 싶어 해.

20 이어질 말 ②

Woman: _____

① That's a great idea.
② I feel really tired now.
③ We have enough trash bags.
④ This beach is terrible.
⑤ Why don't you pick up trash?

M What are those people _____ _____ doing?

W It looks like they are _____ _____ trash.

M Oh, now I see. This beach has lots of litter.

W Yes. I think it's _____ that so many people just leave
their trash on the beach.

M I agree. I want to _____ and pick up trash, too.

W But we don't have any _____ _____.

 정답 근거

M Let's ask them. Maybe they have some _____ bags.
= those people over there

W That's a great idea.

남 저쪽에 있는 저 사람들이 뭐 하는 거지?
여 쓰레기를 줍고 있는 것 같아.
남 아, 이제 알겠다. 이 해변에는 쓰레기가 많아.
여 맞아. 이렇게 많은 사람들이 해변에 쓰레기를 두고 가는 것은 너무 끔찍하다고 생각해.
남 나도 동의해. 나도 도와서 쓰레기를 줍고 싶어.
여 그런데 우리 쓰레기봉투가 없는데.
남 사람들에게 물어보자. 여분의 봉투가 있을지도 몰라.
여 ① 그거 좋은 생각이야.

② 나 지금 정말 피곤해.　　　　③ 우리는 쓰레기봉투가 충분히 있어.
④ 이 해변은 끔찍하다.　　　　⑤ 쓰레기를 줍는 게 어때?

13회
받아쓰기

[VOCABULARY] 실전 모의고사 14회

어휘를 알아야 들린다

모의고사를 먼저 풀고 싶으면 218쪽으로 이동하세요.

🎧 다음 표현을 듣고 모르는 것에 표시하시오.

- 01 **throughout** ~ 동안 쭉, 내내
- 02 **temperature** 온도, 기온
- 03 **boarding time** 탑승 시간
- 04 **reservation** 예약
- 05 **print out** 출력하다
- 06 **concentrate** 집중하다
- 07 **preference** 선호
- 08 **below** 아래에
- 09 **personal** 개인적인
- 10 **document** 문서, 서류
- 11 **delivery** 배달
- 12 **in charge of** ~을 담당하는
- 13 **historic** 역사적인
- 14 **responsible** 책임이 있는
- 15 **nowadays** 요즘
- 16 **carving** 조각품
- 17 **sculpture** 조각품
- 18 **urgent** 긴급한
- 19 **dairy** 유제품의, 낙농업의
- 20 **guarantee** 보장[약속]하다
- 21 **all the way** 내내
- 22 **complete** 완성하다, 완료하다
- 23 **landmark** 랜드마크, 주요 지형지물
- 24 **earthquake** 지진

- 25 **cost** (값·비용이) ~ 들다
- 26 **decorate** 장식하다
- 27 **competition** 대회, 경쟁
- 28 **humid** 습한
- 29 **drawer** 서랍
- 30 **bookshelf** 책꽂이
- 31 **open an account** 계좌를 개설하다
- 32 **box office** 매표소
- 33 **stop by** 들르다
- 34 **turn off** 끄다
- 35 **relief goods** 구호 물품
- 36 **stand** 참다, 견디다
- 37 **note** 언급하다, 메모하다
- 38 **certainly** 분명히, 반드시
- 39 **application form** 신청서
- 40 **tiny** 작은
- 41 **niece** (여자) 조카

📑 알아두면 유용한 선택지 어휘

- 42 **search** 검색하다, 찾다
- 43 **free gift** 사은품
- 44 **complain** 불평하다
- 45 **find out** 알아내다
- 46 **location** 위치

🎧 들으면서 표현을 완성한 다음, 뜻을 고르시오.

표현의 의미를 생각하며 다시 써 보기!

01 deli▯ery　　☐ 배달　　☐ 서랍

➡ _____

02 co▯centrate　　☐ 추측하다　　☐ 집중하다

➡ _____

03 histo▯ic　　☐ 역사적인　　☐ 장소

➡ _____

04 ea▯thquake　　☐ 지표　　☐ 지진

➡ _____

05 ▯ecorate　　☐ 장식하다　　☐ 연습하다

➡ _____

06 ur▯ent　　☐ 화가 난　　☐ 긴급한

➡ _____

07 p▯eference　　☐ 선호　　☐ 처방전

➡ _____

08 guarant▯e　　☐ 팔다　　☐ 보장하다

➡ _____

09 per▯onal　　☐ 개인적인　　☐ 자세한

➡ _____

10 competi▯ion　　☐ 경쟁　　☐ 경우의 수

➡ _____

11 sc▯lpture　　☐ 연못　　☐ 조각품

➡ _____

12 d▯iry　　☐ 유제품의　　☐ 육류의

➡ _____

13 compl▯te　　☐ 완성하다　　☐ 기억하다

➡ _____

14 te▯perature　　☐ 화　　☐ 온도

➡ _____

15 respon▯ible　　☐ 책임이 있는　　☐ 인내하는

➡ _____

16 dra▯er　　☐ 전등　　☐ 서랍

➡ _____

17 co▯t　　☐ (비용이) ~ 들다　　☐ 기대하다

➡ _____

18 thr▯ughout　　☐ 안에　　☐ 내내

➡ _____

영어 14회

실전 모의고사 14회 →
모의고사 보통 속도
모의고사 빠른 속도

✎ 들으면서 주요 표현 메모하기!

01 다음을 듣고, 내일의 날씨로 가장 적절한 것을 고르시오.

① ② ③ ④  ⑤

02 대화를 듣고, 여자가 살 가구로 가장 적절한 것을 고르시오.

① ② ③ ④ ⑤

고난도 메모하며 듣기

03 대화를 듣고, 남자가 신청서에 들어갈 내용으로 언급하지 <u>않은</u> 것을 고르시오.
① 서명　　　　　　② 이름　　　　　　③ 주소
④ 휴대 전화 번호　⑤ 계좌 번호

04 대화를 듣고, 남자가 어젯밤에 한 일로 가장 적절한 것을 고르시오.
① 카드 만들기　　　② 생일 파티 하기　　③ 콘서트 가기
④ 쿠키 굽기　　　　⑤ 동생 돌보기

05 대화를 듣고, 두 사람이 대화하는 장소로 가장 적절한 곳을 고르시오.
① 학생식당　　　　② 슈퍼마켓　　　　③ 치과
④ 전자제품 가게　　⑤ 인쇄소

06 대화를 듣고, 남자의 마지막 말의 의도로 가장 적절한 것을 고르시오.

① 칭찬　　② 후회　　③ 조언　　④ 격려　　⑤ 감사

✎ 들으면서 주요 표현 메모하기!

07 대화를 듣고, 남자의 장래 희망으로 가장 적절한 것을 고르시오.

① singer　　　　② writer　　　　③ basketball player
④ scientist　　　⑤ teacher

08 대화를 듣고, 두 사람이 대화 직후에 할 일로 가장 적절한 것을 고르시오.

① 계산하러 가기　　② 채소 코너로 가기　　③ 샌드위치 만들기
④ 유제품 코너로 가기　　⑤ 인터넷 검색하기

09 대화를 듣고, 남자가 파티 준비에 대해 언급하지 <u>않은</u> 것을 고르시오.

① 카메라　　② 간식　　③ 음악　　④ 음료　　⑤ 장식

10 다음을 듣고, 여자가 하는 말의 내용으로 가장 적절한 것을 고르시오.

① 주차 규정 공지　　② 미아 보호 안내　　③ 신인 가수 소개
④ 유아 용품 홍보　　⑤ 사은품 증정 안내

틀린 문제는 Dictation에서
완벽하게 이해하세요!

실전 모의고사 [14]회

11 대화를 듣고, 여자의 조카에 대한 내용으로 일치하지 <u>않는</u> 것을 고르시오.

① 여자의 오빠의 딸이다.　　　② 걸을 수 있다.
③ 15개월이 되었다.　　　　　④ 말할 수 있다.
⑤ 춤추는 것을 좋아한다.

12 대화를 듣고, 남자가 식당에 전화를 건 목적으로 가장 적절한 것을 고르시오.

① 식당 예약을 하기 위해서　　　　② 식당의 위치를 확인하기 위해서
③ 식당 메뉴에 대해 문의하기 위해서　④ 식당 서비스에 대해 불평하기 위해서
⑤ 식당에 있는 손님과 통화하기 위해서

13 대화를 듣고, 두 사람이 내일 만날 시각을 고르시오.

① 5:00　　② 6:00　　③ 6:30　　④ 7:00　　⑤ 7:30

14 대화를 듣고, 두 사람의 관계로 가장 적절한 것을 고르시오.

① 교사 – 학생　　② 의사 – 환자　　③ 사장 – 직원
④ 엄마 – 아들　　⑤ 아내 – 남편

15 대화를 듣고, 남자가 여자에게 부탁한 일로 가장 적절한 것을 고르시오.

① 숙제 도와주기　　② 에어컨 끄기　　③ 창문 열기
④ 라디오 켜기　　⑤ 에너지 절약하기

16 대화를 듣고, 여자가 방과 후에 테니스를 칠 수 없는 이유로 가장 적절한 것을 고르시오.

① 코치가 없어서　　　　　　② 수업이 늦게 끝나서
③ 다리를 다쳐서　　　　　　④ 시험공부를 해야 해서
⑤ 수영을 배워야 해서

✎ 들으면서 주요 표현 메모하기!

17 다음 그림의 상황에 가장 적절한 대화를 고르시오.

①　　　　　②　　　　　③　　　　　④　　　　　⑤

고난도 　선택지에 하나씩 체크하며 듣기

18 다음을 듣고, 여자가 Rushmore산의 조각상에 대해 언급하지 <u>않은</u> 것을 고르시오.

① 조각된 인물　　　② 조각가의 이름　　　③ 만든 이유
④ 만든 기간　　　　⑤ 완성한 인물

[19-20] 대화를 듣고, 여자의 마지막 말에 이어질 남자의 말로 가장 적절한 것을 고르시오.

19 Man: _____

① You don't care about it.　　② I have been to Indonesia.
③ I don't want to say anything.　　④ No, let's find out together.
⑤ An earthquake is always terrible.

20 Man: _____

① Get some rest.　　　　　② It ends at 7:00 p.m.
③ It starts at 3:30 p.m.　　④ They should be so much fun.
⑤ I don't like watching soccer games.

💬 틀린 문제는 Dictation에서
완벽하게 이해하세요!

01 날씨

*들을 때마다 체크

다음을 듣고, 내일의 날씨로 가장 적절한 것을 고르시오.

① ② ③ ④ ⑤

여 안녕하세요! 오늘의 일기 예보입니다. 오전에는 대부분 비가 오겠습니다. 기온은 온종일 낮을 것이고, 오늘밤에는 눈이 올 가능성이 있겠습니다. 내일 날씨는 그렇게 좋아 보이지 않습니다. 바람이 불고 춥겠습니다. 그러나 모레는 훨씬 좋아 보입니다. 맑고 화창하겠습니다. 즐거운 하루 보내세요.

W Good morning! Here's the weather report for today. There'll be _____ rain in the morning. The temperature will be _____ throughout the day, and we might have ~동안 쭉, 내내 some _____ tonight. Tomorrow's weather doesn't 정답 근거 look _____ _____. It'll be windy and cold. But the day after tomorrow looks much better. It'll be clear and 내일모레 _____. Have a good day.

02 그림 묘사

대화를 듣고, 여자가 살 가구로 가장 적절한 것을 고르시오.

① ② ③ ④ ⑤

남 안녕하세요, 부인. 도와드릴까요?
여 네, 부탁해요. 책장을 사고 싶은데요.
남 아, 책장이요. 저 초록색 책장은 어떠세요?
여 다른 것은요? 전 책이 많아서 높은 것이 필요해요.
남 그럼, 서랍이 있는 저 갈색 책장은 어떠세요?
여 음, 저는 서랍이 있는 것은 원하지 않아요. 칸이 다섯 개인 저 검은색 책장을 살게요.
남 네, 저희가 무료 배송을 해 드리고 있어요. 언제 배달되길 원하세요?
여 내일 가능할까요?
남 물론입니다.

M Good afternoon, ma'am. Can I help you?

W Yes, please. I'd like to _____ a bookshelf.

M Oh, a bookshelf. What about that _____ _____? 정답 근거

W Anything else? I have lots of books, so I need a _____ one. = bookshelf

M Then, what about that brown one with drawers?

W Hmm, I don't want one with _____. I'd like to buy that black one with _____ shelves.

M Okay, we offer a _____ delivery service. When do you want this delivered? '배달되는' 것이므로 수동의 의미인 과거분사가 쓰였다.

W Is tomorrow _____?

M Sure.

 Dictation 14회 →
전체 듣기
문항별 듣기

Dictation의 효과적인 활용법
STEP1 들으면서 대본의 빈칸 채우기
STEP2 축쇄 문제를 보며 다시 풀어 보기
STEP3 해석을 보며 영어로 말하거나 영작해 보기

공부한 날 [ ] 월 [ ] 일

03 언급하지 않은 것 ①

대화를 듣고, 남자가 신청서에 들어갈 내용으로 언급하지 **않은** 것을 고르시오.
① 서명　　　　② 이름
③ 주소　　　　④ 휴대 전화 번호
⑤ 계좌 번호

남　Sunshine 은행에 오신 것을 환영합니다. 무엇을 도와드릴까요?
여　안녕하세요, 계좌를 만들고 싶어요.
남　좋아요, 여기 신청서가 있습니다. 개인 정보를 채워 넣고 서명을 하세요.
여　음, 몇 가지 이해가 안 가는 게 있어요.
남　제가 도와드릴게요. 이름과 주소를 여기에 적으세요.
여　알겠어요.
남　그런 다음 아래에 휴대 전화 번호를 쓰세요.
여　여기에도 체크를 해야 하나요?
남　네, 온라인 계좌를 사용하고 싶으시면 체크 표시를 해 주세요.
여　좋아요, 감사합니다.

M　Welcome to Sunshine Bank. What can I do for you?

W　Hi, I'd like to _____ an account.

M　Okay, here is an application form. Please _____ _____ your personal details and sign your name. 〔정답 근거〕

W　Well, I don't understand some things.

M　Let me help you. You can write your _____ and _____ here.

W　Okay.

M　Then write your cell phone number _____.

W　Should I _____ this one, too?

M　Yes, please put a check mark if you want to use the _____.

W　Great, thanks.

🔙 **Solution Tip**
개인 정보(personal details)에 해당하는 이름, 주소, 휴대 전화 번호를 쓰고 서명을 하라고 했다.

04 과거에 한 일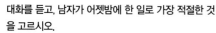

대화를 듣고, 남자가 어젯밤에 한 일로 가장 적절한 것을 고르시오.
① 카드 만들기　　　② 생일 파티 하기
③ 콘서트 가기　　　④ 쿠키 굽기
⑤ 동생 돌보기

여　이봐, Tom! 뭐 하고 있어?
남　안녕, Kelly. 내 여동생의 생일을 위해 카드를 만들고 있어.
여　동생 생일이 오늘이니?
남　응, 오늘 밤에 파티를 할 거야.
여　아, 난 너에게 콘서트에 같이 가자고 물어보려 했는데, 분명 오늘 넌 시간이 없겠구나.
남　정말 미안해, 하지만 가족 행사를 놓치고 싶지 않아.
여　이해해. 동생 선물은 준비했니?
남　응, 어젯밤에 코코넛 쿠키를 잔뜩 구웠어. 그 애가 제일 좋아하는 거야.

W　Hey, Tom! What are you doing?

M　Hi, Kelly. I'm making a _____ for my younger sister's birthday.

W　Is her birthday today?

M　Yes, we are going to _____ _____ _____ tonight.

W　Oh, I was going to _____ you to go to a concert with me, but certainly you have _____ _____ today.
〔~하려 했다〕

M　I'm so sorry, but I don't want to _____ family events.
〔거절의 이유〕

W　I understand. Did you prepare a _____ for her?

M　Yes, I _____ lots of coconut cookies last night. They're her favorite. 〔정답 근거〕
= Coconut cookies

05 장소

대화를 듣고, 두 사람이 대화하는 장소로 가장 적절한 곳을 고르시오.
① 학생식당 　　② 슈퍼마켓
③ 치과 　　　　④ 전자제품 가게
⑤ 인쇄소

W Hello. How may I help you?

M Hi, I'd like to _____ _____ a document. 🎵정답 근거

W You can use the computer over there.

M How much does it _____ for 30 minutes?

W You don't have to pay for using the computer. But you have to _____ _____ what you print.
선행사를 포함하는 관계대명사

M Oh, I see. Can I print a document _____ _____?

W Of course. It'll be _____ won per page.
컬러로 문서를 인쇄하는 것

M What about black and white?
흑백

W It'll cost 50 won per page. Please tell me when you _____ _____.

M Okay. Thank you.

여 안녕하세요. 어떻게 도와드릴까요?
남 안녕하세요. 문서를 하나 출력하고 싶은데요.
여 저쪽에 있는 컴퓨터를 사용하시면 됩니다.
남 30분에 얼마예요?
여 컴퓨터 사용료를 내실 필요는 없어요. 하지만 인쇄비는 내셔야 해요.
남 아, 그렇군요. 컬러로 문서를 인쇄할 수 있나요?
여 물론이죠. 한 장당 100원입니다.
남 흑백은요?
여 한 장당 50원입니다. 다 끝나면 말해 주세요.
남 네. 감사합니다.

06 말의 의도

대화를 듣고, 남자의 마지막 말의 의도로 가장 적절한 것을 고르시오.
① 칭찬 　　② 후회 　　③ 조언
④ 격려 　　⑤ 감사

W Dad, why is your phone _____?

M What do you mean? I was _____ the phone not long ago.
조금 전에

W No, I was trying to call you _____ _____ _____ home. Where is your phone?

M Here, on the table. Oh, you're right. It's _____.
= My phone

W Didn't you turn it off?

M No, maybe the battery _____.

W Oh, Dad. I had _____ urgent to ask you. 🎵정답 근거

M Sorry. I should have checked it.
should have+과거분사: ~했어야 했는데(과거에 대한 후회)

여 아빠, 왜 아빠 전화기가 꺼져 있어요?
남 무슨 소리니? 조금 전에도 전화기를 썼는걸.
여 아니에요. 집에 오는 길 내내 아빠한테 전화하려고 했다고요. 아빠 전화기 어디 있어요?
남 여기, 식탁 위에. 아, 네 말이 맞구나. 꺼져 있네.
여 아빠가 끄신 거 아니에요?
남 아니야, 아마 배터리가 다 되었나 보다.
여 아, 아빠. 급하게 아빠한테 어쭤볼 게 있었단 말이에요.
남 미안하구나. 확인을 할 걸 그랬어.

07 세부 정보

대화를 듣고, 남자의 장래 희망으로 가장 적절한 것을 고르시오.

① singer　　② writer
③ basketball player　④ scientist
⑤ teacher

남 넌 여가시간에 뭐 하는 것을 가장 좋아하니?
여 난 친구들과 농구하는 것을 좋아해. 너는?
남 난 노래하는 것을 좋아해. 난 주말에 주로 노래 연습을 해.
여 그러면 넌 장래에 가수가 되고 싶니?
남 아니, 노래는 취미일 뿐이야. 사실 난 작가가 되고 싶어.
여 흥미롭구나.
남 나는 책을 많이 읽으려고 노력하고 있어. 너는 어때?
여 나는 체육 교사가 되고 싶어. 난 운동하는 것과 가르치는 것을 정말 좋아하거든.

M What do you like to do most in your _____ time?

W I like playing basketball with my friends. How about you?

M I like singing. I _____ practice singing on the weekends.

W So, do you want _____ _____ _____ _____ in the future?

M No, singing is only a hobby. Actually, I want to be a writer. 🎵정답 근거」

W Sounds interesting.

M I'm trying to read _____ _____. What about you?

W I want to be a P.E. teacher. I really like playing sports and _____.

08 바로 할 일

대화를 듣고, 두 사람이 대화 직후에 할 일로 가장 적절한 것을 고르시오.

① 계산하러 가기　　② 채소 코너로 가기
③ 샌드위치 만들기　④ 유제품 코너로 가기
⑤ 인터넷 검색하기

여 나 점점 피곤해지고 있어. 여기 온 지 한 시간이나 됐어.
남 그럼, 집에 가자. 그런데 그 전에 우리 필요한 건 다 산 거야?
여 어디 보자. 아, 감자와 당근을 좀 사야겠다.
남 알겠어. 당근은 이쪽에 있어. 봐! 감자가 할인 중이야.
여 정말 잘됐다. 감자, 당근, 달걀, 그리고… 이런, 깜빡했네!
남 뭔데?
여 치즈! 내일 아침에 샌드위치를 만들 계획이거든.
남 맛있겠다! 유제품 코너로 가자.

W I'm getting tired. It's been an hour _____ we came here.

M Then, let's go home. But before that, did we buy everything _____ _____? 집에 가기 전에

W Let me see. Oh, we need to _____ some potatoes and carrots.

M Okay. The carrots are over here. Look! Potatoes are _____ _____.

W Very good. Potatoes, carrots, eggs, and... Oops, I almost forgot!

M What is it?

W Cheese! _____ _____ to make some sandwiches tomorrow morning.

M Sounds _____! Let's go to the dairy section. 🎵정답 근거」

09 언급하지 않은 것 ②

대화를 듣고, 남자가 파티 준비에 대해 언급하지 <u>않은</u> 것을 고르시오.
① 카메라 ② 간식 ③ 음악
④ 음료 ⑤ 장식

W Peter, is everything _____ _____ the party?

M Yeah, I guess so. Let me check _____ _____ here.
Mina will bring a camera, and Jisu will bring some snacks.

W What about the drinks?

M Tom will _____ _____ of the drinks. And you are responsible for the decoration, right?

W Yes, I'm _____ _____ _____ it. Look over there. I already decorated _____ _____ with the balloons.
= the decoration

M Wonderful, then we're _____ _____. People will be here in a minute.

W I'm sure everyone will have a great time.

여 Peter, 파티는 다 준비됐니?
남 응, 그런 것 같아. 여기 목록을 확인해 볼게. 미나는 카메라를, 지수는 간식을 가져올 거야.
여 음료는?
남 Tom이 음료를 책임질 거야. 그리고 넌 장식 담당이지, 그렇지?
여 응, 내가 담당이야. 저기 봐. 풍선으로 벽을 이미 장식해 놨어.
남 멋지다. 그럼 우리 다 준비됐네. 사람들이 곧 올 거야.
여 모두가 즐거운 시간을 보낼 거라고 확신해.

Sound Tip guess so
guess의 끝소리 [s]와 so의 첫소리 [s]가 동일하므로 연이어 발음할 때 한 번만 소리난다.

10 담화 화제

다음을 듣고, 여자가 하는 말의 내용으로 가장 적절한 것을 고르시오.
① 주차 규정 공지 ② 미아 보호 안내
③ 신인 가수 소개 ④ 유아 용품 홍보
⑤ 사은품 증정 안내

W Attention, please! We have a _____ child. Her name is Susan. We found her in the sporting goods section on the _____ floor. And she's _____ _____ her mom. She's _____ _____ _____ and she's wearing a white shirt and a blue skirt. She's carrying a yellow puppy bag. You can _____ _____ at the customer center on the first floor. Thank you.

여 안내 말씀 드리겠습니다! 길을 잃은 아이가 있습니다. 그녀의 이름은 Susan입니다. 저희는 아이를 3층 스포츠 상품 코너에서 발견했습니다. 그리고 아이는 엄마를 찾고 있습니다. 6살이고 하얀 셔츠에 파란 치마를 입고 있습니다. 노란색 강아지 가방을 메고 있습니다. 1층 고객 센터에서 아이를 찾을 수 있습니다. 감사합니다.

11 일치하지 않는 것

대화를 듣고, 여자의 조카에 대한 내용으로 일치하지 <u>않는</u> 것을 고르시오.
① 여자의 오빠의 딸이다.
② 걸을 수 있다.
③ 15개월이 되었다.
④ 말할 수 있다.
⑤ 춤추는 것을 좋아한다.

남 이 작은 손 좀 봐. 정말 귀엽다! 누구야?
여 내 조카, 우리 오빠의 아기야. 내가 오늘 하루 돌보겠다고 했어.
남 와! 참 잘 걷는구나.
여 맞아, 이제 막 걷는 걸 배우고 있어.
남 몇 살이야?
여 15개월이야.
남 말을 할 수 있니? 우리한테 뭘 말하려고 하는 것 같아.
여 아직은 못 해. 하지만 춤추려고 하는 것을 좋아하지. 봐!

M Look at this tiny hand. How _____! Who is she?
   🔑 정답 근거
W She's <u>my niece</u>, <u>my elder brother's baby</u>. I told him I'd
   my niece = my elder brother's baby (동격)
_____ _____ of her today.

M Wow! She _____ very well.

W Yeah, she's just learning to walk.

M How old is she?

W She's _____ months old.

M Can she talk? It looks like she wants to _____ _____ something.

W <u>Not yet. She likes to try to _____, though. Look!</u>
   'Can she talk?'에 대한 답

---

12 목적

대화를 듣고, 남자가 식당에 전화를 건 목적으로 가장 적절한 것을 고르시오.
① 식당 예약을 하기 위해서
② 식당의 위치를 확인하기 위해서
③ 식당 메뉴에 대해 문의하기 위해서
④ 식당 서비스에 대해 불평하기 위해서
⑤ 식당에 있는 손님과 통화하기 위해서

(전화벨이 울린다.)
여 Sunset Grill 식당에 전화해 주셔서 감사합니다. 무엇을 도와드릴까요?
남 금요일 7시에 예약하고 싶습니다.
여 네, 일행이 몇 분이십니까?
남 4명입니다.
여 성함을 말씀해 주시겠어요?
남 Kevin Baker입니다. 저희가 창가 자리에 앉을 수 있을까요?
여 창가 자리를 보장하지는 못하지만 선호 사항으로 적어 놓겠습니다.
남 네, 좋습니다.
여 이번 금요일 7시에 뵙겠습니다, Baker 씨.

📞 Telephone rings.

W Thank you for _____ Sunset Grill Restaurant. What can I do for you today?

M I'd like to _____ a reservation for Friday, at 7 o'clock.
   🔑 정답 근거

W Okay, how many people will be in <u>your group</u>?
   일행(= your party)

M There'll be _____ of us.

W Can I have your name, please?

M My name is Kevin Baker. Can we have a table _____ _____ _____?

W We can't <u>guarantee</u> a window table, but I'll _____ your
   보장하다
preference.

M Okay, that's fine.

W See you _____ _____ this Friday, Mr. Baker.

13 시각

대화를 듣고, 두 사람이 내일 만날 시각을 고르시오.

① 5:00   ② 6:00   ③ 6:30
④ 7:00   ⑤ 7:30

여 너 영화 〈Let It Go〉 봤니?
남 아니, 안 봤어. 하지만 아주 재미있다고 들었어. 나도 언제 보고 싶어.
여 우리 내일 보러 가지 않을래? Gold 극장에서 지금 상영하고 있어.
남 좋아. 극장 매표소 앞에서 6시에 만나자.
여 아니, 안 돼. 나는 그때 도서관에 들러야 해.
남 6시 30분은 어때? 영화는 7시에 시작해.
여 좋아. 영화 시작 30분 전에 만나자.
남 알겠어. 그때 봐.

W   Have you _____ the movie *Let It Go*?

M   No, I haven't. But I've heard it's very _____. I'd like to see it sometime.

W   Why don't we go to see it tomorrow? It is _____ _____ at the Gold Theater.

M   Sounds good. <u>Let's meet _____ _____ in front of the box office.</u>

    함정 주의

W   No, I can't. I have to _____ _____ the library then.

    정답 근거

M   How about 6:30? It begins at 7.
                = The movie

W   Good. Let's meet 30 minutes _____ the movie.
            → 6시 30분

M   Okay. See you then.

Solution Tip
남자가 처음에 6시에 만나자고 했는데 여자가 거절하자 6시 30분을 제안했고 여자가 이에 동의했다.

14 두 사람의 관계

대화를 듣고, 두 사람의 관계로 가장 적절한 것을 고르시오.

① 교사 – 학생   ② 의사 – 환자
③ 사장 – 직원   ④ 엄마 – 아들
⑤ 아내 – 남편

여 Mike, 너 왜 늦었니?
남 교통 상황이 너무 안 좋았어요. 집에 오는 데 거의 두 시간이 걸렸어요.
여 아주 피곤하겠구나. 저녁 먹을래?
남 아빠는 몇 시에 오세요? 곧 오시면 같이 저녁을 먹을게요.
여 오늘 밤엔 늦으실 거야.
남 알겠어요. 음, 전 저녁 먹기 전에 샤워를 할게요.
여 그래. 네가 샤워하는 동안 뭔가 만들어 줄게.
남 고마워요!

W   Mike, why are you _____?

M   _____ _____ was so bad. It took me almost two hours to get home.
                         take: (얼마의 시간이) 걸리다

W   You must be very _____. Will you have dinner?

    정답 근거

M   What time is Dad coming home? If he comes _____, I'll have dinner with him.

W   He'll be _____ tonight.

M   I see. Well, I'd like to _____ a shower before dinner.

W   Okay. I'll cook something for you _____ you shower.

M   Thank you!

15 부탁한 일

대화를 듣고, 남자가 여자에게 부탁한 일로 가장 적절한 것을 고르시오.
① 숙제 도와주기　② 에어컨 끄기
③ 창문 열기　　④ 라디오 켜기
⑤ 에너지 절약하기

W　It's cold in here. Can I _____ _____ the air conditioner?

> 함정 주의 이것은 여자가 남자에게 하는 요청이다.

M　No, it's hot and _____. I can't concentrate on studying in this kind of weather.
→ 덥고 습한 날씨

W　But you have been using it for hours. You are wasting _____.
= the air conditioner

M　I know what you mean. But I can't _____ this weather.

W　Why don't you try opening the window for a while? I think you need to get some fresh air.
try+동명사: 한번 ~해 보다

M　All right. Then could you _____ the window for me?
🎤정답 근거

W　Sure.

여　여긴 추워. 에어컨을 꺼도 될까?
남　안 돼, 덥고 습하단 말이야. 이런 날씨에서는 난 공부에 집중을 못해.
여　그렇지만 넌 에어컨을 몇 시간째 사용하고 있잖아. 넌 에너지를 낭비하고 있어.
남　무슨 말인지 알겠어. 하지만 난 이런 날씨를 참을 수가 없어.
여　잠시 창문을 여는 건 어때? 넌 신선한 공기를 좀 쐬어야 할 것 같아.
남　좋아. 그럼 네가 창문을 좀 열어 줄래?
여　그래.

16 이유

대화를 듣고, 여자가 방과 후에 테니스를 칠 수 없는 이유로 가장 적절한 것을 고르시오.
① 코치가 없어서　　② 수업이 늦게 끝나서
③ 다리를 다쳐서　　④ 시험공부를 해야 해서
⑤ 수영을 배워야 해서

M　Hey, Amy. Long time _____ see. How are you doing?

W　I'm doing fine. How about you?

M　Good. Are you _____ taking tennis lessons after school?

W　No, I'm not. I'm _____ _____ to swim nowadays.
🎤정답 근거

M　Oh, really? Is it fun?

W　Yes, it is. I'm _____ _____ the swimming competition next year.

M　That's great. We can swim _____ sometime.

W　Great idea.

남　안녕, Amy. 오랜만이야. 어떻게 지내고 있니?
여　잘 지내고 있어. 너는 어때?
남　좋아. 너는 아직도 방과 후에 테니스 수업을 듣고 있니?
여　아니. 나는 요즘 수영을 배우느라 바빠.
남　오, 정말? 재미있어?
여　응. 나는 내년 수영 대회를 준비하고 있어.
남　정말 멋지다. 우리 언제 같이 수영하자.
여　좋은 생각이야.

17 그림 상황

다음 그림의 상황에 가장 적절한 대화를 고르시오.

① ② ③ ④ ⑤

① 여 우리 탑승 시간이 언제지?
  남 2시 10분이야. 서둘러.
② 여 그런데, 매표소가 어디지?
  남 3층에 있어.
③ 여 제가 얼마나 더 기다려야 하나요?
  남 아마 20분이요.
④ 여 실례합니다만, 새치기하지 마세요. 우리는 여기에
    줄을 서고 있어요.
  남 아! 죄송해요. 몰랐어요.
⑤ 여 지난밤부터 눈이 많이 내리고 있어.
  남 맞아, 출근할 때 운전 조심해야 해.

① W When is our _____ time?
  M 2:10. Hurry up.

② W By the way, where is the ticket office?
  M It's _____ the third floor.

③ W How long do you think I'll have to _____?
  M Maybe 20 minutes.

🔑 정답 근거
④ W Excuse me, don't _____ _____ _____. We are
    standing in line here.
    줄을 서 있다
  M Oh! I'm sorry. I didn't know.

⑤ W It has been snowing a lot _____ last night.
    현재완료진행: 과거에 시작된 일이 지금까지 지속되고 있음을 나타낸다.
  M Yeah, you should be _____ driving to work.

18 언급하지 않은 것 ③

다음을 듣고, 여자가 Rushmore산의 조각상에 대해
언급하지 않은 것을 고르시오.
① 조각된 인물   ② 조각가의 이름
③ 만든 이유   ④ 만든 기간
⑤ 완성한 인물

여 Rushmore산은 미국 사우스다코타주의 역사적인 랜
  드마크입니다. 그것은 조지 워싱턴, 토머스 제퍼슨, 시
  어도어 루스벨트, 에이브러햄 링컨이라는 네 명의 미
  국 대통령의 거대한 조각상으로 유명합니다. 그 조각
  상을 만든 사람은 Gutzon Borglum입니다. 그는 이
  조각상을 1927년부터 1941년에 사망할 때까지 작업
  했습니다. 그가 사망했을 때 조각상을 거의 끝냈기 때
  문에 그의 아들이 그 해에 조각상을 완성했습니다.

W Mount Rushmore is a _____ landmark in South
  Dakota, in the United States. It is _____ because it has
  🔑 정답 근거
  a huge carving of _____ American presidents – George
                    뒤에 열거되는 네 명의 대통령
  Washington, Thomas Jefferson, Theodore Roosevelt, and
  Abraham Lincoln. The man who made the _____ was
  Gutzon Borglum. He worked on it for many years, from
  1927 _____ he died in 1941. He was almost _____
  when he died, so his son completed the statue _____
  _____.

🔁 Solution Tip
① 조각된 인물: 조지 워싱턴, 토머스 제퍼슨, 시어도어 루스벨트, 에이브러햄 링컨 ② 조각가의 이
름: Gutzon Borglum ④ 만든 기간: 1927년 ~ 1941년 ⑤ 완성한 인물: Gutzon Borglum의 아들

19 이어질 말 ①

Man: _____

① You don't care about it.
② I have been to Indonesia.
③ I don't want to say anything.
④ No, let's find out together.
⑤ An earthquake is always terrible.

M Did you hear the news? There was a _____ earthquake in Indonesia.

W I didn't know that. What _____?

M A lot of people died and _____ their homes.

W That's terrible. We should do _____ for them.

M People around the world are already _____ _____ and relief goods.

W I want to help them, too. Do you know how we can help? 🎵정답 근거

M No, let's find out together.

남 너 그 소식 들었어? 인도네시아에서 끔찍한 지진이 일어났대.
여 난 몰랐어. 무슨 일이 일어난 거야?
남 많은 사람들이 죽고 집을 잃었어.
여 끔찍하다. 우리도 그들을 위해서 무언가를 해야 해.
남 전 세계의 사람들이 이미 돈과 구호 물자를 보내고 있어.
여 나도 그들을 돕고 싶어. 우리가 어떻게 그들을 도울 수 있는지 아니?
남 ④ 아니, 같이 알아보자.

① 너는 그것에 관해 신경도 안 쓰는구나.　　② 나는 인도네시아에 다녀왔어.
③ 난 아무것도 말하고 싶지 않아.　　⑤ 지진은 항상 끔찍해.

20 이어질 말 ②

Man: _____

① Get some rest.
② It ends at 7:00 p.m.
③ It starts at 3:30 p.m.
④ They should be so much fun.
⑤ I don't like watching soccer games.

M Finally, the weekend is _____!

W Yeah, it's been a long week. I will just _____ _____ [= it has] and watch TV this weekend.

M Why don't you watch the soccer game at my place [나의 집] tomorrow afternoon? Jake and Meg _____ _____, too.

W Sounds great! I'll bring something to eat.

M Thanks, but that won't be _____. We'll _____ some pizza.

W Okay, then what time does the game _____? 🎵정답 근거

M It starts at 3:30 p.m.

남 드디어 주말이 다가와!
여 응, 긴 한 주였어. 난 이번 주말에는 그냥 집에 있으면서 TV를 볼 거야.
남 내일 오후에 우리 집에서 축구 경기 보는 건 어때? Jake와 Meg도 올 거야.
여 좋다! 내가 먹을 걸 좀 가져갈게.
남 고마워, 하지만 그럴 필요 없어. 우리 피자 시킬 거야.
여 그래, 그런데 경기는 몇 시에 시작해?
남 ③ 오후 3시 30분에 시작해.

① 좀 쉬어.　　② 저녁 7시에 끝나.
④ 그건 정말로 재미있을 거야.　　⑤ 나는 축구 경기 보는 걸 안 좋아해.

받아쓰기 14회

모의고사를 먼저 풀고 싶으면 234쪽으로 이동하세요.

🎧 다음 표현을 듣고 모르는 것에 표시하시오.

☐ 01 local 지역의	☐ 25 aisle seat 통로 쪽 좌석
☐ 02 embarrassing 당혹스러운, 난처한	☐ 26 try on ~을 입어[써] 보다
☐ 03 inside out (안팎을) 뒤집어	☐ 27 author 작가
☐ 04 express 표현하다	☐ 28 promise 약속하다
☐ 05 regulation 규정, 규제	☐ 29 boarding pass 탑승권
☐ 06 rush hour (출퇴근) 혼잡 시간대	☐ 30 audience 청중
☐ 07 safely 무사히, 안전하게	☐ 31 admission 입장, 입장료
☐ 08 shrug 으쓱하다	☐ 32 pour 쏟아붓다
☐ 09 feather 깃털	☐ 33 flight 비행, 항공편
☐ 10 witty 재치 있는	☐ 34 unless ~하지 않는 한
☐ 11 stressful 스트레스가 많은	☐ 35 therapy 치료
☐ 12 attractive 매력적인	☐ 36 against ~에 반대하여
☐ 13 nod (고개를) 끄덕이다	☐ 37 depart 출발하다
☐ 14 passport 여권	☐ 38 back pain 허리 통증, 요통
☐ 15 rent 대여하다	☐ 39 checked 체크무늬의
☐ 16 batter (밀가루·달걀·우유를 섞은) 반죽	☐ 40 based on ~을 기반으로 한
☐ 17 press 누르다	☐ 41 greasy 기름진
☐ 18 go off (알람이) 울리다	
☐ 19 length 길이	📔 알아두면 유용한 선택지 **어휘**
☐ 20 luggage (여행용) 짐, 수하물	☐ 42 background 배경
☐ 21 major 전공	☐ 43 title 제목
☐ 22 edit 편집하다	☐ 44 City Hall 시청
☐ 23 lend 빌려주다	☐ 45 refuse 거절하다
☐ 24 useless 쓸모없는, 소용없는	☐ 46 dance move 춤 동작

🎧 들으면서 표현을 완성한 다음, 뜻을 고르시오.

표현의 의미를 생각하며 다시 써 보기!

01 exp[ ]ess　　☐ 누르다　　☐ 표현하다　　➡ ----------

02 shr[ ]g　　☐ 으쓱하다　　☐ 펴다　　➡ ----------

03 n[ ]d　　☐ 끄덕이다　　☐ 필요로 하다　　➡ ----------

04 [ ]ress　　☐ 혼나다　　☐ 누르다　　➡ ----------

05 lengt[ ]　　☐ 길이　　☐ 너비　　➡ ----------

06 embar[ ]assing　　☐ 졸린　　☐ 당혹스러운　　➡ ----------

07 ma[ ]or　　☐ 전공　　☐ 아픈　　➡ ----------

08 ag[ ]inst　　☐ ~에 반대하여　　☐ ~에 찬성하여　　➡ ----------

09 feat[ ]er　　☐ 깃털　　☐ 특징　　➡ ----------

10 r[ ]nt　　☐ 대여하다　　☐ 구입하다　　➡ ----------

11 [ ]ocal　　☐ 지역의　　☐ 도시의　　➡ ----------

12 aut[ ]or　　☐ 독자　　☐ 작가　　➡ ----------

13 ed[ ]t　　☐ 편집하다　　☐ 읽다　　➡ ----------

14 [ ]seless　　☐ 가냘픈　　☐ 쓸모없는　　➡ ----------

15 passp[ ]rt　　☐ 여권　　☐ 여행자　　➡ ----------

16 [ ]nside ou[ ]　　☐ 뒤집어　　☐ 안쪽의　　➡ ----------

17 de[ ]art　　☐ 출발하다　　☐ 도착하다　　➡ ----------

18 p[ ]ur　　☐ 놓다　　☐ 쏟아붓다　　➡ ----------

실전 모의고사 [15]회

✎ 들으면서 주요 표현 메모하기!

01 다음을 듣고, 대전의 오늘 날씨로 가장 적절한 것을 고르시오.

①   ②   ③   ④   ⑤

02 대화를 듣고, 여자가 구입할 모자로 가장 적절한 것을 고르시오.

①   ②   ③   ④   ⑤

03 대화를 듣고, 남자가 읽고 있는 책에 대해 언급하지 <u>않은</u> 것을 고르시오.

① 작가   ② 제목   ③ 등장인물의 성격
④ 시대적 배경   ⑤ 영화 제작 여부

04 대화를 듣고, 여자가 어제 한 일로 가장 적절한 것을 고르시오.

① 방송국을 견학했다.   ② 영어 공부를 했다.
③ 삼촌을 만났다.   ④ 라디오 방송을 들었다.
⑤ 예전 선생님 댁을 방문했다.

05 대화를 듣고, 두 사람이 대화하는 장소로 가장 적절한 곳을 고르시오.

① 박물관   ② 영화관   ③ 공항
④ 시청   ⑤ 백화점

06 대화를 듣고, 여자의 마지막 말의 의도로 가장 적절한 것을 고르시오.

① 격려　　② 사과　　③ 반대　　④ 충고　　⑤ 감사

✎ 들으면서 주요 표현 메모하기!

07 대화를 듣고, 두 사람이 이용할 교통수단을 고르시오.

① 버스　　② 택시　　③ 자전거　　④ 지하철　　⑤ 자가용

08 대화를 듣고, 남자가 대화 직후에 할 일로 가장 적절한 것을 고르시오.

① 산책하기　　② 식당 찾기　　③ 운동하기
④ 음료수 사러 가기　　⑤ 약국에 가기

고난도 선택지에 하나씩 체크하며 듣기

09 대화를 듣고, 여자가 요리에 대해 언급하지 않은 것을 고르시오.

① 소요 시간　　② 맛　　③ 재료　　④ 조리 방법　　⑤ 주의 사항

10 다음을 듣고, 여자가 하는 말의 내용으로 가장 적절한 것을 고르시오.

① 몸짓 언어의 예시　　② 유머 감각의 필요성
③ 춤 동작을 쉽게 익히는 법　　④ 효과적인 운동 방법
⑤ 거절 방식의 중요성

틀린 문제는 Dictation에서
완벽하게 이해하세요!

실전 모의고사 [15]회

🖊 들으면서 주요 표현 메모하기!

11 대화를 듣고, 두 사람이 방문한 식당에 대한 내용으로 일치하지 <u>않는</u> 것을 고르시오.

① 음식이 짠 편이다.   ② 문을 연 지 얼마 되지 않았다.
③ 요리사는 두 사람의 친구이다.   ④ 해산물 요리 전문 식당이다.
⑤ 이번 달 말까지 무료로 디저트를 제공한다.

12 대화를 듣고, 여자가 전화를 건 목적으로 가장 적절한 것을 고르시오.

① 약속을 확인하기 위해서   ② 친구를 초대하기 위해서
③ 약속을 변경하기 위해서   ④ 친구의 안부를 물어보기 위해서
⑤ 친구에게 책을 빌리기 위해서

13 대화를 듣고, 두 사람이 내일 만날 시각을 고르시오.

① 9:00 a.m.   ② 1:00 p.m.   ③ 2:00 p.m.
④ 3:00 p.m.   ⑤ 4:00 p.m.

14 대화를 듣고, 두 사람의 관계로 가장 적절한 것을 고르시오.

① 교사 – 학생   ② 엄마 – 아들   ③ 자동차 정비사 – 고객
④ 택시 기사 – 승객   ⑤ 물리 치료사 – 환자

15 대화를 듣고, 남자가 여자에게 부탁한 일로 가장 적절한 것을 고르시오.

① 카메라 빌려주기   ② 사진 촬영하기   ③ 사진 편집하기
④ 이메일 보내기   ⑤ 발표문 작성하기

16 대화를 듣고, 남자가 옷을 거꾸로 입은 이유로 가장 적절한 것을 고르시오.

① 더 편해서 　　　　② 너무 바빠서 　　　　③ 옷이 너무 더러워서
④ 더 보기 좋아서 　　⑤ 사람들을 웃기려고

✎ 들으면서 주요 표현 메모하기!

17 다음 그림의 상황에 가장 적절한 대화를 고르시오.

①　　　　②　　　　③　　　　④　　　　⑤

고난도 　메모하며 듣기

18 다음을 듣고, 남자가 Children's Science Park에 대해 언급하지 <u>않은</u> 것을 고르시오.

① 운영 시간 　　　　② 입장료 　　　　③ 휴관일
④ 위치 　　　　　　⑤ 전화번호

[19-20] 대화를 듣고, 남자의 마지막 말에 이어질 여자의 말로 가장 적절한 것을 고르시오.

19 Woman: _____

① Of course not. 　　　　② As soon as possible.
③ Maybe next time. 　　　④ No, I didn't mean it.
⑤ Sure, you can do it.

20 Woman: _____

① Everything is excellent.
② We can get there by ship.
③ It's the most beautiful island!
④ We want to, unless it rains on that day.
⑤ Many people like Mt. Baekdu, but I like Mt. Halla.

틀린 문제는 Dictation에서
완벽하게 이해하세요!

01 날씨
*들을 때마다 체크

다음을 듣고, 대전의 오늘 날씨로 가장 적절한 것을 고르시오.

① ② ③

④ ⑤

남 오늘의 일기 예보입니다. 서울의 현재 날씨는 그리 나쁘지는 않지만 곧 하늘에 구름이 좀 끼겠습니다. 대전에는 오후에 비가 많이 내리겠습니다. 외출하신다면 우산을 가져가시기 바랍니다. 대구에는 하루 종일 안개가 끼겠으니 안전 운전 하시기 바랍니다. 하지만 부산은 화창할 것이므로, 시민 분들께는 소풍을 가기에 완벽한 날이 되겠습니다. 마지막으로, 제주도는 또다시 바람 부는 날이 이어지겠습니다.

M Here's today's weather report. In Seoul, the weather _____ too bad now, but we'll see some clouds in the sky soon. In Daejeon, it'll rain _____ _____ _____ 🎵정답 근거 in the afternoon. You'd better take an umbrella with you if you go _____. In Daegu, it'll be _____ all day long, so please drive safely. However, people in Busan will have a perfect day for a _____ since it'll be sunny. ~ 때문에, ~이므로 Lastly, we'll have another _____ day on Jeju Island.

02 그림 묘사

대화를 듣고, 여자가 구입할 모자로 가장 적절한 것을 고르시오.

① ② ③

④ ⑤

남 안녕하세요. 도와드릴까요?
여 네, 저는 모자를 찾고 있어요.
남 알겠습니다. 이 검은색 리본이 달린 것은 어떠세요? 요즘 매우 인기 있어요.
여 음, 그리 마음에 들지 않아요. 저 모자를 써 봐도 될까요?
남 꽃이 달린 모자 말씀이세요?
여 아니요, 체크무늬 모자요.
남 아, 깃털 달린 것 말씀이군요. 탁월한 선택이에요. 여기 있습니다.
여 마음에 들어요. 이것을 살게요.

🇬🇧
M Good morning. May I help you?

W Yes, please. I'm _____ _____ a hat.

M Okay. How about this one with a black ribbon? It is very popular these days.

W Well, I don't like it much. Can I _____ that _____?

M You mean the one with a _____?
🎵정답 근거
W No, the checked one.

M Oh, you mean the one with a feather. It's a _____ _____. Here you are.

W I like it. I'll buy this one.
깃털이 달린 체크무늬 모자

🔔 Solution Tip
여자는 자신이 가리킨 모자가 체크무늬(the checked one)라고 했고, 남자가 깃털이 달린 것(the one with a feather)이라는 추가 정보를 주었다.

Dictation 15회 →
전체 듣기
문항별 듣기

Dictation의 효과적인 활용법
STEP1 들으면서 대본의 빈칸 채우기
STEP2 축쇄 문제를 보며 다시 풀어 보기
STEP3 해석을 보며 영어로 말하거나 영작해 보기

공부한 날   월   일

03 언급하지 않은 것 ①

대화를 듣고, 남자가 읽고 있는 책에 대해 언급하지 <u>않</u>은 것을 고르시오.
① 작가   ② 제목
③ 등장인물의 성격   ④ 시대적 배경
⑤ 영화 제작 여부

여 너는 무엇을 읽고 있니?
남 Jane Austen의 소설을 읽고 있어.
여 오, 그녀는 내가 좋아하는 작가 중 한 명이야. 책 제목이 뭔데?
남 〈오만과 편견〉이야. 이 책을 읽어 봤니?
여 아니, 아직. 어때?
남 그야말로 훌륭해. 나는 등장인물들이 특히 좋아. 재치있고 매력적이야.
여 오, 정말? 네가 다 읽으면 내게 빌려줄래?
남 물론이지. 이 책을 바탕으로 한 영화가 있다고 들었어. 나중에 같이 영화를 보자.
여 좋은 생각이다.

W What are you reading?

M I'm reading a _____ by Jane Austen. 🎵정답 근거

W Oh, she's one of my _____ _____. What's the title of the book?

M It's *Pride and Prejudice*. Have you read the book?

W No, _____ _____. How do you like it?

M It's _____ wonderful. I like the characters especially. They are so witty and _____.

W Oh, really? Can I borrow it after you finish?

M Sure. I heard that there's a movie _____ _____ this book. Let's watch the movie together _____.

W That's a great idea.

🔊 **Sound Tip** read
read는 현재형과 과거형, 과거분사형 모두 형태는 같지만 과거형과 과거분사형은 [red]로 발음되는 것에 유의한다.

04 과거에 한 일

대화를 듣고, 여자가 어제 한 일로 가장 적절한 것을 고르시오.
① 방송국을 견학했다.
② 영어 공부를 했다.
③ 삼촌을 만났다.
④ 라디오 방송을 들었다.
⑤ 예전 선생님 댁을 방문했다.

여 너 Johnson 선생님 기억하지, 그렇지?
남 물론이지. 작년에 우리 영어 선생님이셨잖아.
여 맞아. 어제 선생님을 봤어.
남 정말? 어디에서 봤어? 난 선생님이 학교를 떠나신 후로 소식을 듣지 못했어.
여 지역 라디오 방송국에서. 거기 DJ이셔.
남 놀랍다! 넌 라디오 방송국에 왜 갔는데?
여 우리 삼촌이 거기에서 엔지니어로 일하시거든. 삼촌을 만나러 갔었어.
남 Johnson 선생님께 인사 드렸어?
여 아니, 스튜디오 안에 계셔서, 유리 너머로 보기만 했어.

W You remember Mr. Johnson, _____ _____?

M Of course. He was our English teacher last year.

W Right. I _____ _____ yesterday.

M Really? Where did you see him? I haven't heard from him _____ he left the school.

W At the local radio station. He's a DJ <u>there</u>.
= at the local radio station

M That's surprising! Why did you visit the _____ _____?

W My uncle works there _____ an engineer. I went <u>there</u> to meet him. 🎵정답 근거
= to the local radio station

M Did you _____ _____ to Mr. Johnson?

W No, he was in the studio, so I just saw him _____ the glass.

05 장소

대화를 듣고, 두 사람이 대화하는 장소로 가장 적절한
곳을 고르시오.

① 박물관　　② 영화관　　③ 공항
④ 시청　　　⑤ 백화점

여 여권과 전자 티켓을 주시겠어요?
남 여기 있습니다.
여 네. 부치실 짐이 있으십니까?
남 네, 가방 하나요.
여 가방을 여기에 놓아 주세요. 창가 자리와 통로 자리 중
　에 어느 것을 선호하세요?
남 창가 자리로 주세요.
여 네. 여기 여권과 탑승권 있습니다. 비행기는 21번 게
　이트에서 출발하고 자리는 30A입니다. 즐거운 비행
　하세요.
남 감사합니다. 즐거운 하루 보내세요.

W　Can I have your _____ and e-ticket, please?　　🎸정답 근거

M　Here you go.

W　Okay. Do you have any luggage you'd like to _____
　　_____?
　　└ you'd 앞에 목적격 관계대명사 that이 생략되었다.

M　Yes, one bag.

W　Put your suitcase here please. Would you _____ a

　　window seat or an aisle seat?
　　창 쪽 좌석　　　　　통로 쪽 좌석

M　Window seat, please.

W　All right. Here is your passport and boarding pass. Your

　　flight _____ _____ gate 21 and your seat is 30A.

　　Enjoy your flight.

M　Thank you. Have a good day.

06 말의 의도

대화를 듣고, 여자의 마지막 말의 의도로 가장 적절한
것을 고르시오.

① 격려　　② 사과　　③ 반대
④ 충고　　⑤ 감사

남 학교에서 가장 스트레스 받는 일이 무엇이니?
여 두발 규제가 가장 스트레스 받는 일이에요.
남 너희 학교에 아직도 두발 규제가 있니?
여 제 말이 바로 그 말이에요! 대부분의 학생들은 그것이
　쓸모없다고 생각해요.
남 그럼, 너는 머리 길이에 대한 학교의 규제를 반대하니?
여 네, 맞아요. 어떻게 생각하세요?
남 나는 학생들에게는 짧은 머리가 긴 머리보다 낫다고
　생각해.
여 전 그렇게 생각하지 않아요. 고리타분한 생각이에요.

M　What's the most _____ thing at school?

W　Hair regulation is the most stressful.

M　Does your school _____ have that regulation?
　　동의를 나타내는 표현
W　That's what I'm saying! Most of the students think it is

　　_____.

M　So, are you against the school regulation on _____
　　　　　　　　~에 반대하는
　　_____?

W　Yes, I am. What do you think about that?

M　I think short hair is _____ _____ long hair for

　　students.
　　　　　　　　　　　　　　　　　　🎸정답 근거
W　I don't _____ _____. You're so traditional.

07 세부 정보

대화를 듣고, 두 사람이 이용할 교통수단을 고르시오.
① 버스　② 택시　③ 자전거
④ 지하철　⑤ 자가용

남 우리 박물관에 어떻게 갈까?
여 버스를 타자. 버스 정류장은 어디에 있지?
남 바로 저기에 있어.
여 아, 저 줄을 봐. 굉장히 길다.
남 응, 그리고 러시아워라서 차도 정말 막힐 거야.
여 그러면, 지하철을 타는 건 어때?
남 하지만 지하철역은 여기에서 멀어.
여 우리 자전거를 타고 박물관에 가는 게 어때? 근처 대여소에서 자전거를 빌릴 수 있어.
남 좋아. 가자.

M How are we getting to the museum?

W Let's _____ a bus. Where's the bus stop?

M It's _____ over there.

W Oh, look at _____ _____. It's so long.
　　　　　　　　　　　　= The line

M Yeah, and the traffic will be _____ _____ because it's rush hour.
러시아워: 출퇴근 혼잡 시간대

W Then, how about taking the subway?

M But the subway station is _____ _____ here.
　　　　　　　　　　　　　🎸정답 근거

W Why don't we go to the museum by bike? We can rent bikes at the rental station _____ _____.

M All right. Let's go.

🔊 Sound Tip bus stop
bus의 끝소리와 stop의 첫소리가 [s]로 같으므로 한 번만 발음되어 [버스탑]과 같이 발음된다.

08 바로 할 일

대화를 듣고, 남자가 대화 직후에 할 일로 가장 적절한 것을 고르시오.
① 산책하기　② 식당 찾기
③ 운동하기　④ 음료수 사러 가기
⑤ 약국에 가기

남 정말 아름다운 날이야.
여 야외 활동에 완벽한 날이야. 하늘도 정말 맑다.
남 더 걸어도 괜찮겠어?
여 아니, 다리가 아파. 더 걷기 싫어.
남 다음에는 뭘 할까? 좋은 생각 있어?
여 음, 저 벤치에서 잠시 쉬다가 점심을 먹는 거야.
남 아, 나는 목이 말라. 음료수부터 마시는 게 어때?
여 좋은 생각이야.
남 알았어. 내가 가서 음료수 사 올게.

M It's such a beautiful day.

W It's a perfect day for _____ activities. The sky is so clear.

M Are you okay to walk more?

W No, my legs hurt. I don't want to _____ _____.

M What do we do next? Do you have _____ good ideas?

W Well, we'll _____ _____ _____ on that bench for a while and then have lunch.
　　　　　　　　　　　　　🎸정답 근거

M Oh, I'm _____. How about having a soft drink first?

W That's a great idea.

M Okay. I'll go get _____ _____.

09 언급하지 않은 것 ②

대화를 듣고, 여자가 요리에 대해 언급하지 않은 것을 고르시오.

① 소요 시간   ② 맛   ③ 재료
④ 조리 방법   ⑤ 주의 사항

M Mom, I'm hungry. Is there _____ to eat?

W I'll make some pancakes for you. It will _____ just 10 minutes.
🎵정답 근거

M That's great! I'll help you.

W Okay. We need some _____, milk, sugar, and two eggs.

M I'll go get them. (*Pause*) Here you are.
= flour, milk, sugar, and two eggs

W Thank you. Now, mix _____ _____ _____ in the bowl. I'll heat the pan.

M _____. Here's the batter.
위에서 재료를 다 넣고 섞은 반죽

W I'll put some butter on the pan, and _____ the batter into it. **That's it.**
이게 전부야., 이게 끝이야.

M Wow, it's so _____ and easy!

W _____ one thing. You should cook pancakes _____ medium heat.

남 엄마, 저 배고파요. 먹을 것 있어요?
여 내가 팬케이크를 만들어 줄게. 10분밖에 안 걸려.
남 좋아요! 제가 도울게요.
여 좋아. 밀가루, 우유, 설탕, 그리고 달걀 두 개가 필요해.
남 제가 가서 가져올게요. (…) 여기 있어요.
여 고맙다. 이제 그것들을 전부 그릇에 넣고 섞으렴. 난 팬을 예열해 둘게.
남 다 됐어요. 여기 반죽 있어요.
여 팬에 버터를 조금 넣고, 반죽을 부을 거야. 이게 끝이야.
남 와, 정말 간단하고 쉽네요!
여 한 가지 기억하렴. 팬케이크는 중불에서 익혀야 해.

Solution Tip
① 소요 시간: 10분 ③ 재료: 밀가루, 우유, 설탕, 달걀, 버터 ④ 조리 방법: 재료를 넣고 섞어서 반죽을 만든 뒤 팬에 버터를 넣고 반죽을 부어 굽는다. ⑤ 주의 사항: 중간 불에서 익혀야 한다.

10 담화 화제

다음을 듣고, 여자가 하는 말의 내용으로 가장 적절한 것을 고르시오.

① 몸짓 언어의 예시
② 유머 감각의 필요성
③ 춤 동작을 쉽게 익히는 법
④ 효과적인 운동 방법
⑤ 거절 방식의 중요성

🎵정답 근거
W You can express yourself with your _____. In many cultures, if you _____ your head up and down, that means "Yes," and if you _____ _____ your head, that means "No." In the U.S., _____ your index and middle fingers means "Good luck." Shrugging your _____ means "I don't know." If you _____ your hand, that means "Goodbye."
위아래로

여 여러분은 몸으로 자신을 표현할 수 있습니다. 여러 문화권에서 고개를 위아래로 끄덕이는 것은 '네'를 의미하고, 고개를 천천히 젓는 것은 '아니요'를 의미합니다. 미국에서는 검지와 중지를 교차하는 것이 '행운을 빈다'는 것을 의미합니다. 어깨를 으쓱하는 것은 '나는 몰라요'라는 것을 의미합니다. 손을 흔든다면 그것은 '안녕'을 의미합니다.

11 일치하지 않는 것

대화를 듣고, 두 사람이 방문한 식당에 대한 내용으로 일치하지 <u>않는</u> 것을 고르시오.
① 음식이 짠 편이다.
② 문을 연 지 얼마 되지 않았다.
③ 요리사는 두 사람의 친구이다.
④ 해산물 요리 전문 식당이다.
⑤ 이번 달 말까지 무료로 디저트를 제공한다.

남 네 생선 튀김은 어때?
여 음, 내 생각엔 좀 기름진 것 같아. 게다가 너무 짜.
남 내 수프와 샐러드드레싱도 짜. 더 이상 먹고 싶지 않아.
여 이 식당은 새로 열었으니까, 아마 요리사가 아직 잘하지 못하나 봐.
남 그래, 그럴 수도 있지. 이곳은 이 근처에서 유일한 해산물 식당이니까, 나아졌으면 좋겠다.
여 오, 안내문에 이번 달 말까지 무료 디저트를 제공한다고 되어 있어. 우리 아이스크림을 부탁하자.
남 좋아. 그게 기분을 낫게 해 줄 수도 있겠다.

M _____ do you like your fish cutlet?

W Umm, I think it's a little greasy. Also, it _____ too salty.
기름진

M My soup and salad dressing taste _____, too. I don't want to eat _____ _____ .

W This restaurant is newly open, so maybe the chef is not _____ _____ yet.

M Yeah, it could be so. It is _____ _____ seafood
그럴 수도 있다
restaurant in the neighborhood, so I hope it _____
= this restaurant
_____ .

W Oh, the sign says they _____ free dessert until the end of this month. Let's ask for ice cream.

M Okay. It could make me feel better.

12 목적

대화를 듣고, 여자가 전화를 건 목적으로 가장 적절한 것을 고르시오.
① 약속을 확인하기 위해서
② 친구를 초대하기 위해서
③ 약속을 변경하기 위해서
④ 친구의 안부를 물어보기 위해서
⑤ 친구에게 책을 빌리기 위해서

(휴대 전화가 울린다.)
남 안녕, Sally.
여 오, 민호야. 너 오늘 왜 학교에 안 왔어? 우리 학교 끝나고 같이 숙제하기로 했잖아.
남 미안, 너에게 전화를 했어야 했는데. 나 몸이 별로 좋지 않았어. 배탈이 났던 것 같아.
여 좀 괜찮아졌어?
남 아니, 아직도 약간 아파.
여 그래, 빨리 낫길 바라.
남 고마워, 우리 숙제는 나중에 얘기하자.

 Cell phone rings.

M Hi, Sally.

W Oh, Minho. Why weren't you at school today? We _____ to do our homework together after school.

M Sorry, I _____ _____ _____ you. I wasn't really feeling well. I think my stomach was _____ .

W Are you feeling any better?
조금이라도 더 나은
M Not really. I'm still feeling a little sick.

W Okay, I _____ you get better soon.

M Thanks, we can talk _____ about the homework.

13 시각

대화를 듣고, 두 사람이 내일 만날 시각을 고르시오.
① 9:00 a.m. ② 1:00 p.m. ③ 2:00 p.m.
④ 3:00 p.m. ⑤ 4:00 p.m.

여 실례합니다. 이 선생님, 제 진로에 관해서 이야기를 할 시간이 있으세요?
남 안녕, 미나야. 무슨 문제가 있니?
여 아니요, 그냥 제가 어떤 전공을 고를 수 있는지 알고 싶어요.
남 그래. 나는 오늘이랑 내일 오후에 시간이 있단다. 언제 오고 싶니?
여 내일 오후 2시에 올게요.
남 아, 잊을 뻔했다. 내일 다른 선생님들이랑 점심 약속이 있어. 한 시간 늦춰서 올 수 있겠니?
여 물론이죠. 수학 수업이 끝나고 3시에 올게요.
남 그래. 그때 보자.

W Excuse me. Mr. Lee, do you have time to _____ _____ my future?

M Hi, Mina. Is there something _____?

W No, I just want to know which major I can choose.

M Okay. I'm _____ today and tomorrow afternoon. What day would you like to come?

W I would like to come tomorrow at _____ o'clock.

M Oh, I _____ forgot. I have a lunch meeting with other teachers. Can you come an hour _____? 🎵정답 근거

W Of course. I'll be there at three after math class _____
2시에서 한 시간 후이므로
_____.

M Okay. See you then.

14 두 사람의 관계

대화를 듣고, 두 사람의 관계로 가장 적절한 것을 고르시오.
① 교사 – 학생   ② 엄마 – 아들
③ 자동차 정비사 – 고객 ④ 택시 기사 – 승객
⑤ 물리 치료사 – 환자

여 추석 연휴 잘 보내셨어요?
남 네, 그런데 조금 피곤하고 허리가 아파요.
여 집에서 운동 좀 안 하셨어요? 제가 간단한 스트레칭 운동 몇 개를 알려 드렸잖아요.
남 죄송합니다. 할 시간이 없었어요.
여 운전을 오래 하셨나요?
남 네, 편도로 9시간 걸렸어요.
여 아, 그렇군요. 통증이 정확히 어디에 있는지 말씀해 주시겠어요?
남 거의 허리 아래쪽이에요.
여 알겠습니다. 먼저 뜨거운 찜질 팩을 허리에 놓고, 전기 치료 기계를 가져올게요.

W Did you have a good Chuseok holiday?

M Yeah, but I'm a little tired and have some _____ _____. 🎵정답 근거

W Didn't you do some exercise at home? I showed you some simple stretching _____.

M Sorry, I didn't have time to do them.
= the stretching exercises

W Did you _____ for a long time?

M Yes, it took _____ _____ each way.
편도로

W Oh, I see. Can you tell me where the pain is _____?

M It's mostly in my _____ _____.
= The pain

W Okay. I'll put a hot pack on your back first and _____ the electric therapy machine.

15 부탁한 일

대화를 듣고, 남자가 여자에게 부탁한 일로 가장 적절한 것을 고르시오.

① 카메라 빌려주기　② 사진 촬영하기
③ 사진 편집하기　　④ 이메일 보내기
⑤ 발표문 작성하기

남　안녕, Emma. 나 널 찾고 있었어.
여　안녕, Andy. 무슨 일이야?
남　여기 네 카메라야. 나한테 이걸 빌려줘서 고마워.
여　아, 나 깜빡했어. 발표 때 쓸 사진은 충분히 찍었어?
남　응, 수백 장을 찍었어.
여　잘됐다. 발표 준비는 다 됐니?
남　아직. 내가 청중에게 보여 주고 싶은 사진을 편집하고 있는데, 쉽지 않아.
여　걱정하지 마. 내가 도와줄게. 난 사진 편집을 잘하거든.
남　진짜? 정말 고마워! 내가 사진을 너에게 이메일로 보낼게.

M Hey, Emma. I was _____ _____ you.

W Hi, Andy. What's up?

M Here is your camera. Thank you for _____ me this.

W Oh, I almost forgot. Did you take _____ pictures for your presentation?

M Yes, I _____ hundreds.　= hundreds of pictures

W Great. Are you _____ _____ for the presentation?

M Not yet. I'm editing the pictures I want _____ _____ to the audience, but it's not easy.

W Don't worry. I'll help you. I'm good at _____ photos.　사진을 편집하는 일　🎸정답 근거

M Really? Thank you so much! I'll send them to you _____ _____.　= the pictures[photos]

16 이유

대화를 듣고, 남자가 옷을 거꾸로 입은 이유로 가장 적절한 것을 고르시오.

① 더 편해서　　② 너무 바빠서
③ 옷이 너무 더러워서　④ 더 보기 좋아서
⑤ 사람들을 웃기려고

여　봐! 너 셔츠를 거꾸로 입었어, Ted.
남　아, 이런. 오늘 아침에 사람들이 날 보고 웃은 이유를 이제야 알겠네.
여　너 오늘 아침에 정말 바빴나 보구나.
남　맞아. 전화기가 꺼져서 알람이 울리지 않았거든. 내 모습을 확인할 시간이 없었어.
여　아, 그랬구나. 그게 이유였네.
남　정말 창피하다.
여　괜찮아. 누구에게나 일어날 수 있어.

W Look! Your shirt is _____ _____, Ted.

M Oh, no. Now I can see why people _____ _____ me this morning.

W You must have been very busy this morning.　🎸정답 근거
must have+과거분사: ~했음이 틀림없다

M It's true. My phone was _____, so the alarm didn't go off. I had no time to check _____ _____ _____.　(알람이) 울리다

W Oh, I see. That's the reason.

M That's so embarrassing.　남자가 옷을 거꾸로 입게 된 이유

W It's all right. It can happen to _____.

17 그림 상황

다음 그림의 상황에 가장 적절한 대화를 고르시오.

① ② ③ ④ ⑤

① 남 주문하시겠어요?
　여 네, 토마토 파스타로 할게요.
② 남 제가 가방을 들어 드릴게요.
　여 참 친절하시군요.
③ 남 내가 다시 전화해도 돼? 지금은 바쁘거든.
　여 그래.
④ 남 이 가방은 얼마예요?
　여 20달러입니다.
⑤ 남 어떻게 도와드릴까요?
　여 가방을 찾고 있어요. 좀 보여 주시겠어요?

① M May I take your order?

　W Yes, please. _____ _____ to have the tomato pasta.

② M Let me _____ your bag. *정답 근거*

　W That's very nice of you.

③ M Can I call you back? I'm busy right now.

　W _____ _____.

④ M How much is this bag?

　W It's 20 dollars.

⑤ M How can I help you?

　W I'm _____ _____ a bag. Can you show me some?
　　　　　　　　　　　　　　　　　　　　= some bags

18 언급하지 않은 것 ③

다음을 듣고, 남자가 Children's Science Park에 대해 언급하지 않은 것을 고르시오.
① 운영 시간　② 입장료　③ 휴관일
④ 위치　⑤ 전화번호

남 어린이 과학 공원에 전화해 주셔서 감사합니다. 저희는 오전 9시부터 오후 5시까지 열려 있습니다. 입장료는 무료입니다. 저희는 현충일, 광복절과 추석에는 문을 열지 않습니다. 공원은 Dream World 옆에 있습니다. 어린이 과학 공원에서 즐거운 시간을 보내세요. 저희는 어린이들을 위해 많은 실험 프로그램을 제공하고 있습니다. 더 많은 정보를 원하시면 지금 1번을 눌러 주세요.

M Thank you for calling Children's Science Park. We're _____ from 9:00 a.m. to 5:00 p.m. _____ is free. We aren't open on Memorial Day, Independence Day, 현충일 　　　　　　　광복절 and Chuseok. The park is next to Dream World. _____ your time in Children's Science Park. We are _____ many experience programs for children. If you need more information, please _____ 1 now. *함정 주의*

🔈 **Solution Tip**

① 운영 시간: 오전 9시 ~ 오후 5시　② 입장료: 무료　③ 휴관일: 현충일, 광복절, 추석　④ 위치: Dream World 옆　⑤ 전화번호는 언급하지 않았다. "1번"은 안내를 받을 수 있는 ARS 연결 번호이다.

19 이어질 말 ①

Woman: _____

① Of course not.
② As soon as possible.
③ Maybe next time.
④ No, I didn't mean it.
⑤ Sure, you can do it.

W　You look _____. What's the matter?

M　Our baseball team had a game yesterday and we _____.

W　I'm sorry to hear that. So what was _____ _____ at the end of the game?

M　The score was 4:5. It's too bad because we practiced a lot _____ weeks.

W　Oh, that was a really _____ _____. I'm sure your team will do _____ next time.

M　Do you really think so? 🎣정답 근거

W　<u>Sure, you can do it.</u>

여　너 기분이 안 좋아 보여. 무슨 문제 있니?
남　우리 야구팀이 어제 경기를 했는데, 졌어.
여　안됐다. 경기가 끝났을 때 점수가 어땠는데?
남　4 대 5였어. 우리는 몇 주 동안 연습을 많이 했는데 너무 안타까워.
여　아, 정말 접전이었구나. 나는 너희 팀이 다음에 더 잘할 거라고 확신해.
남　정말 그렇게 생각하니?
여　⑤ <u>물론이지, 넌 할 수 있어.</u>

① 물론 아니지.　　　　　　② 가능한 한 빨리.
③ 아마도 다음번에.　　　　④ 아니, 나는 그런 뜻이 아니었어.

20 이어질 말 ②

Woman: _____

① Everything is excellent.
② We can get there by ship.
③ It's the most beautiful island!
④ We want to, unless it rains on that day.
⑤ Many people like Mt. Baekdu, but I like Mt. Halla.

W　Do you _____ any plans for the weekend?

M　I'm not sure. What are your _____?

W　I am planning to go to Jeju-do with my family.

M　That's a _____ place to go on a weekend.
　　　　　　　　　　　형용사적 용법의 to부정사
W　Yeah, it only takes _____ _____ one hour from here. And _____ _____ is great for a trip.

M　What are you going to do there? Do you want to _____ Mt. Halla? 🎣정답 근거

W　<u>We want to, unless it rains on that day.</u>
　　　　　　　　　　～하지 않는 한

여　너 주말에 계획이 있니?
남　잘 모르겠어. 너의 계획은 뭔데?
여　나는 가족들과 제주도에 가려고 계획하고 있어.
남　주말에 가기에 완벽한 곳 같아.
여　맞아, 여기에서 한 시간도 안 걸려. 그리고 여행하기에 날씨도 좋아.
남　거기에서 무엇을 할 거니? 한라산에 올라가고 싶니?
여　④ <u>그날 비가 오지 않는다면 우린 그러고 싶어.</u>

① 모든 게 훌륭해.　　　　　② 우리는 배를 타고 거기에 갈 수 있어.
③ 그곳은 가장 아름다운 섬이야!　⑤ 많은 사람이 백두산을 좋아하지만, 나는 한라산을 좋아해.

[VOCABULARY] 실전 모의고사 16회

어휘를 알아야 들린다

모의고사를 먼저 풀고 싶으면 250쪽으로 이동하세요.

🎧 다음 표현을 듣고 모르는 것에 표시하시오.

- 01 envy 부러워하다
- 02 chance 가능성
- 03 lace 신발 끈
- 04 scale 저울
- 05 fare 요금
- 06 safety 안전
- 07 be held 개최되다
- 08 thrilled 신이 난
- 09 indoor 실내의
- 10 explanation 설명
- 11 suggest 제안하다, 권하다
- 12 performance 공연, 경연
- 13 ruin 망치다
- 14 move out 이사를 나가다
- 15 partly 부분적으로
- 16 regularly 정기적으로
- 17 dry out 마르다
- 18 embarrassed 당황한
- 19 auditorium 강당
- 20 store up 쌓아 두다
- 21 pity 유감, 안타까운 일
- 22 breathe in 숨을 들이마시다
- 23 ingredient 재료
- 24 unnecessary 불필요한

- 25 package 소포
- 26 weigh 무게를 재다
- 27 tie 묶다
- 28 party 일행, 단체
- 29 board 승선하다
- 30 point 겨누다
- 31 pass away 돌아가시다, 세상을 뜨다
- 32 tasty 맛있는
- 33 woodwork 목공
- 34 slice 얇게 썰다
- 35 cancel 취소하다
- 36 otherwise 그렇지 않으면
- 37 strong-willed 의지가 강한
- 38 contract 계약서
- 39 by oneself 혼자서, 직접
- 40 originally 원래
- 41 prize lottery 상품 추첨
- 42 wallpaper 벽지

📝 **알아두면 유용한 선택지 어휘**

- 43 lend 빌려주다
- 44 pass the test 시험에 통과하다
- 45 regretful 후회하는
- 46 complain 항의하다

🎧 들으면서 표현을 완성한 다음, 뜻을 고르시오.

표현의 의미를 생각하며 다시 써 보기!

01 regula[ ]ly　　☐ 일시적으로　☐ 정기적으로　　➡ _____

02 l[ ]ce　　☐ 신발 끈　☐ 봉투　　➡ _____

03 weig[ ]　　☐ 기다리다　☐ 무게를 재다　　➡ _____

04 thr[ ]lled　　☐ 신이 난　☐ 급격한　　➡ _____

05 per[ ]ormance　　☐ 대회　☐ 공연　　➡ _____

06 wallp[ ]per　　☐ 벽지　☐ 바닥　　➡ _____

07 [ ]nvy　　☐ 부러워하다　☐ 칠하다　　➡ _____

08 indoo[ ]　　☐ 실외의　☐ 실내의　　➡ _____

09 b[ ]eathe in　　☐ 숨을 들이마시다　☐ 숨이 막히다　　➡ _____

10 can[ ]el　　☐ 취소하다　☐ 주다　　➡ _____

11 [ ]therwise　　☐ 그래서　☐ 그렇지 않으면　　➡ _____

12 su[ ]gest　　☐ 제안하다　☐ 반환하다　　➡ _____

13 b[ ]ard　　☐ 환불하다　☐ 승선하다　　➡ _____

14 saf[ ]ty　　☐ 변화　☐ 안전　　➡ _____

15 st[ ]re u[ ]　　☐ 수정하다　☐ 쌓아 두다　　➡ _____

16 d[ ]y out　　☐ 마르다　☐ 가라앉다　　➡ _____

17 p[ ]rtly　　☐ 부분적으로　☐ 파티를 하다　　➡ _____

18 packa[ ]e →　　☐ 당첨　☐ 소포　　➡ _____

실전 모의고사 16회 →
┌ 모의고사 보통 속도
└ 모의고사 빠른 속도

✎ 들으면서 주요 표현 메모하기!

01 다음을 듣고, 내일의 날씨로 가장 적절한 것을 고르시오.

① ② ③ ④ ⑤

02 대화를 듣고, 여자가 구입할 운동화로 가장 적절한 것을 고르시오.

① ② ③ ④ ⑤

03 대화를 듣고, 남자의 심정으로 가장 적절한 것을 고르시오.
① angry　　② nervous　　③ excited　　④ scared　　⑤ regretful

04 대화를 듣고, 남자가 지난 주말에 한 일로 가장 적절한 것을 고르시오.
① 집 구하기　　　　② 이사하기　　　　③ 이삿짐 싸기
④ 도배하기　　　　⑤ 청소하기

05 대화를 듣고, 두 사람이 대화하는 장소로 가장 적절한 곳을 고르시오.
① 교실　　② 미술관　　③ 병원　　④ 동물원　　⑤ 콘서트홀

06 대화를 듣고, 여자의 마지막 말의 의도로 가장 적절한 것을 고르시오.

① 허가   ② 부탁   ③ 동의   ④ 거절   ⑤ 사과

✎ 들으면서 주요 표현 메모하기!

07 대화를 듣고, 여자가 제주도에서 하지 <u>않은</u> 일을 고르시오.

① 해산물 먹기   ② 바다 수영   ③ 한라산 등반
④ 차 박물관 방문   ⑤ 마라도 방문

08 대화를 듣고, 남자가 대화 직후에 할 일로 가장 적절한 것을 고르시오.

① 방 청소하기   ② 음식 만들기   ③ 과일 사 오기
④ 여행 준비하기   ⑤ 방 장식하기

고난도 선택지에 하나씩 체크하며 듣기

09 대화를 듣고, 여자가 축제에 대해 언급하지 <u>않은</u> 것을 고르시오.

① 날짜   ② 장소   ③ 시작 시각   ④ 종료 시각   ⑤ 행사 내용

10 다음을 듣고, 남자가 하는 말의 내용으로 가장 적절한 것을 고르시오.

① 목재의 종류   ② 환경 보호의 필요성
③ 목공 수업 시 유의 사항   ④ 전동 드릴 사용법
⑤ 마스크 착용 방법

틀린 문제는 Dictation에서
완벽하게 이해하세요!

실전 모의고사 [16]회

✎ 들으면서 주요 표현 메모하기!

11 다음을 듣고, 미니멀리즘에 대한 내용으로 일치하지 <u>않는</u> 것을 고르시오.

① 새로운 생활 방식이다.
② 보다 적게 가지고 살아가는 것이다.
③ 불필요한 소비를 하지 않아야 한다.
④ 나중을 위해 물건을 보관해야 한다.
⑤ 소유보다 경험을 중시한다.

12 대화를 듣고, 남자가 전화를 건 목적으로 가장 적절한 것을 고르시오.

① 예약을 하기 위해서
② 예약을 취소하기 위해서
③ 음식을 주문하기 위해서
④ 예약 내용을 변경하기 위해서
⑤ 서비스에 대해 항의하기 위해서

13 대화를 듣고, 남자가 지불할 금액을 고르시오.

① 3,500원　　② 4,000원　　③ 4,500원
④ 5,000원　　⑤ 5,500원

14 대화를 듣고, 두 사람의 관계로 가장 적절한 것을 고르시오.

① 사장 – 직원　　② 의사 – 환자　　③ 교사 – 학생
④ 아버지 – 딸　　⑤ 약사 – 손님

15 대화를 듣고, 여자가 남자에게 부탁한 일로 가장 적절한 것을 고르시오.

① 채소 씻기　　② 동생 숙제 도와주기　　③ 햄과 베이컨 썰기
④ 샌드위치 주문하기　　⑤ 냉장고 청소하기

16 대화를 듣고, 여자가 어제 결석한 이유로 가장 적절한 것을 고르시오.

① 할아버지 제사에 참석해서
② 광주로 여행을 가서
③ 심한 감기에 걸려서
④ 할머니께서 편찮으셔서
⑤ 조부모님께서 방문하셔서

✎ 들으면서 주요 표현 메모하기!

17 다음 그림의 상황에 가장 적절한 대화를 고르시오.

①   ②   ③   ④   ⑤

고난도 선택지에 하나씩 체크하며 듣기

18 다음을 듣고, 남자가 자신의 봉사 활동에 대해 언급하지 <u>않은</u> 것을 고르시오.

① 하는 빈도   ② 동행인   ③ 봉사 시간   ④ 장소   ⑤ 하는 일

[19-20] 대화를 듣고, 여자의 마지막 말에 이어질 남자의 말로 가장 적절한 것을 고르시오.

19 Man: _____

① It's 10,000 won.
② I can lend it to you.
③ Let's take the subway.
④ It's in the school library.
⑤ I couldn't find it anywhere.

20 Man: _____

① Don't give up.
② I passed the test.
③ Thanks for saying so.
④ The contest begins at 4 p.m.
⑤ I practiced for 2 hours every day.

틀린 문제는 Dictation에서
완벽하게 이해하세요!

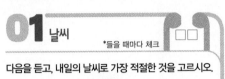

[Dictation] 실전 모의고사 **16**회
손으로 써야 내 것이 된다

01 날씨
*들을 때마다 체크 ☐☐

다음을 듣고, 내일의 날씨로 가장 적절한 것을 고르시오.

①   ②   ③

④   ⑤

M Welcome to the weather forecast. Now, it is _____ cloudy and there is a _____ of rain. Don't forget to take an umbrella when you leave. Tomorrow, it will be sunny and _____. The sunlight will be strong, so you should _____ _____ for outdoor activities. The day after tomorrow, on Wednesday, it will be cold and windy. You should wear a warm jacket _____ _____ _____ a cold.

남 일기 예보에 오신 것을 환영합니다. 현재는 부분적으로 흐리고 비가 올 가능성이 있습니다. 나가실 때 우산을 잊지 마세요. 내일은 화창하고 따뜻하겠습니다. 햇빛이 강하겠으므로 야외 활동을 하실 때 자외선 차단제를 바르셔야겠습니다. 수요일인 모레는 춥고 바람이 불겠습니다. 감기에 걸리지 않도록 따뜻한 재킷을 입는 것이 좋겠습니다.

02 그림 묘사
☐☐

대화를 듣고, 여자가 구입할 운동화로 가장 적절한 것을 고르시오.

①   ②   ③

④   ⑤

M Hello. How can I help you?
W I'm _____ _____ sneakers for my little son.
M How old is he?
W He's seven. He's _____ elementary school soon.
M Oh, I see. How about these sneakers? They are _____ among boys.
W They look nice. But I want sneakers _____ laces. My son can't tie shoelaces _____ _____ yet.
M Then these ones would be perfect.
W I love them. I especially like the _____ marks on them. Give me those ones, please.

남 안녕하세요. 어떻게 도와드릴까요?
여 아들에게 줄 운동화를 찾고 있어요.
남 아들이 몇 살인가요?
여 일곱 살이에요. 곧 초등학교에 입학해요.
남 아, 그렇군요. 이 운동화는 어떠세요? 남자애들 사이에서 인기가 많아요.
여 좋아 보이네요. 하지만 저는 신발 끈이 없는 운동화를 원해요. 제 아들은 아직 혼자서 신발 끈을 못 매거든요.
남 그렇다면 이것이 딱이네요.
여 마음에 들어요. 특히 별 무늬가 마음에 들어요. 그것으로 주세요.

Dictation 16회→
전체 듣기
문항별 듣기

Dictation의 효과적인 활용법
STEP1 들으면서 대본의 빈칸 채우기
STEP2 축쇄 문제를 보며 다시 풀어 보기
STEP3 해석을 보며 영어로 말하거나 영작해 보기

공부한 날   월   일

03 심정

대화를 듣고, 남자의 심정으로 가장 적절한 것을 고르시오.
① angry   ② nervous   ③ excited
④ scared   ⑤ regretful

여 수호야, 너에게 안 좋은 소식이 있어.
남 뭔데요, 엄마?
여 일기 예보로는 이번 주말에 폭풍우가 우리나라를 강타한대, 그래서 우리는 캠핑 여행을 취소해야 해.
남 아, 안 돼요! 저는 그것을 기대하고 있었어요.
여 대신에 우리는 호텔에 머물 거야. 거기에 근사한 식당과 실내 수영장이 있어.
남 정말요? 우리가 그곳에서 주말을 즐길 수 있다니 신나요.
여 이제 가서 가방을 싸렴.

W Suho, I have _____ news for you.
M What is it, Mom?
W The weather _____ says a thunderstorm will _____ the country this weekend, so we should _____ the camping trip.
M Oh, no! I was looking forward to it. = the camping trip
W Instead, we will stay in a hotel. It has a nice restaurant and an _____ swimming pool.
M Really? I'm thrilled we can _____ the weekend there. = at the hotel
W Now go _____ your bags.

04 과거에 한 일

대화를 듣고, 남자가 지난 주말에 한 일로 가장 적절한 것을 고르시오.
① 집 구하기   ② 이사하기   ③ 이삿짐 싸기
④ 도배하기   ⑤ 청소하기

여 이사 준비는 잘 되어 가니, 하준아?
남 응, 새집을 구했고, 계약서에 서명도 했어.
여 잘됐다.
남 문제는 그 집이 너무 지저분하고 오래됐다는 거야. 그래서 싸거든.
여 그러면 네가 고치면 되지.
남 하지만 돈이 충분하지 않아. 그래서 내가 직접 하고 있어.
여 직접? 어떻게?
남 내가 직접 벽에 도배를 했어. 주말 내내 했어.

W Is everything going well with _____ _____, Hajun?
M Yes, I found a new house, and signed a _____.
W Good for you.
M The problem is the house is too dirty and old. _____ _____ it's cheap.
W Then you can fix it.
M But I don't have _____ _____. So I'm doing it myself. = fixing the house
W On your _____? How?
M I put up wallpaper over the walls by myself. It took the _____ weekend.

05 장소

대화를 듣고, 두 사람이 대화하는 장소로 가장 적절한 곳을 고르시오.

① 교실　② 미술관　③ 병원
④ 동물원　⑤ 콘서트홀

정답 근거

M　Look! Isn't that the famous painting in our art _____?

W　You're right. What was the name of _____ _____? I can't remember.

M　It's Chun Kyung-ja, isn't it?

W　That's it. Umm... I really like the painting. The woman
　　바로 그거야.
　　in the painting _____ _____, but she seems to be
　　　　　　　　　　　　　　　　　　　　seem to be ~: ~하게[으로] 보이다
　　strong-willed.

M　I agree. But the snakes around her head look _____.

W　Why do you think the artist _____ _____ on her head? I really want to know.

M　There's some explanation _____ the painting. Let's read it.
　　= the explanation

남　봐! 저거 우리 미술 교과서에 있는 유명한 그림 아니야?
여　네 말이 맞아. 화가 이름이 뭐였더라? 기억이 안 나.
남　천경자야, 그렇지 않니?
여　바로 그거야. 음… 나는 저 그림이 정말 마음에 들어. 그림 속 여자는 슬퍼 보이지만 의지가 강해 보여.
남　나도 동의해. 하지만 그녀 머리를 둘러싼 뱀은 무서워 보인다.
여　화가가 왜 그녀 머리 위에 뱀을 올렸다고 생각하니? 정말 알고 싶어.
남　그림 아래에 설명이 있어. 읽어 보자.

06 말의 의도

대화를 듣고, 여자의 마지막 말의 의도로 가장 적절한 것을 고르시오.

① 허가　② 부탁　③ 동의
④ 거절　⑤ 사과

W　How was _____?

M　It was great. Everything _____ delicious. What about you?

W　I liked it, too. The spaghetti was _____, and the salad was fresh.

M　You know what? Our school lunch is _____ _____
　　그거 알아?
　　in this town.

W　I know. That's why students in other schools _____ us.

M　The only thing I don't like about vacations is _____ school lunch.

　　　　　정답 근거
W　You can say that again.
　　동의의 표현

여　점심 어땠어?
남　훌륭했어. 모든 게 맛있었어. 너는 어때?
여　나도 마음에 들었어. 스파게티는 맛있었고, 샐러드는 신선했어.
남　그거 알아? 우리 학교 급식이 이 도시에서 최고야.
여　알아. 그래서 다른 학교 학생들이 우리를 부러워하잖아.
남　방학을 하면 유일하게 안 좋은 점이 학교 급식을 못 먹는다는 거야.
여　전적으로 동의해.

07 세부 정보

대화를 듣고, 여자가 제주도에서 하지 <u>않은</u> 일을 고르시오.

① 해산물 먹기　② 바다 수영
③ 한라산 등반　④ 차 박물관 방문
⑤ 마라도 방문

M　How was your trip to Jeju-do, Jenny?

W　It was fantastic. I _____ delicious seafood and did many activities.

M　What did you do?

W　I swam in the sea and _____ Mt. Halla. Oh, I also _____ _____ the tea museum.

M　Tea museum? I've never been there.
　　　　　　　경험을 나타내는 현재완료　　　　🎵정답 근거

W　I tasted _____ _____ of tea there. But I couldn't visit Marado.

M　Why? You really wanted to go there.

W　I couldn't _____ _____ _____ because of the bad weather.

M　That's too bad.

남　제주도 여행은 어땠니, Jenny?
여　환상적이었어. 맛있는 해산물을 먹고 많은 활동을 했어.
남　뭘 했니?
여　바다에서 수영을 하고 한라산을 등반했어. 아, 차 박물관에도 갔었어.
남　차 박물관이라고? 나는 가 본 적이 없어.
여　그곳에서 많은 종류의 차를 맛봤어. 하지만 마라도는 방문하지 못했어.
남　왜? 넌 거기에 정말 가고 싶어 했잖아.
여　날씨가 안 좋아서 배를 탈 수 없었어.
남　그거 안됐다.

08 바로 할 일

대화를 듣고, 남자가 대화 직후에 할 일로 가장 적절한 것을 고르시오.

① 방 청소하기　② 음식 만들기
③ 과일 사 오기　④ 여행 준비하기
⑤ 방 장식하기

M　Mom, I finished _____ _____ the living room.

W　Good boy. The food in the oven is almost _____.

M　Then, we're ready for the _____ _____ for Dad.

W　Right. Your dad will be very surprised.

M　He's _____ _____ from a two-week-business trip. I
　　　　　　　　　　　　　　　2주간의 출장
　　want to make him happy.

W　Oh, I forgot to buy _____ _____ for dessert.
　　　　　　　　　　　　　　　　　　🎵정답 근거
　　forget＋to부정사: ~할 것을 잊다

M　I'll go get some now.

W　Thank you. Here's 20 dollars.

M　Okay. I'll be _____.

남　엄마, 거실 청소 다 끝냈어요.
여　잘했다. 오븐 속 음식도 거의 다 됐어.
남　그러면 아빠를 위한 깜짝 파티가 다 준비되었네요.
여　그래. 아빠가 정말 깜짝 놀라실 거야.
남　2주간의 출장에서 돌아오시는 거잖아요. 행복하게 해 드리고 싶어요.
여　아, 후식으로 과일을 사는 것을 잊었네.
남　제가 지금 가서 사 올게요.
여　고맙구나. 여기 20달러가 있어.
남　알았어요. 금방 다녀올게요.

09 언급하지 않은 것 ①

대화를 듣고, 여자가 축제에 대해 언급하지 <u>않은</u> 것을 고르시오.

① 날짜 ② 장소 ③ 시작 시각
④ 종료 시각 ⑤ 행사 내용

남 안녕, 지나야! 너 뭐 하고 있어?
여 학교 축제 포스터를 벽에 붙이고 있어.
남 아, 언제인데? 난 네가 이 행사에 많은 노력을 해 온 걸 알고 있어.
여 고마워. 이건 다음 주 금요일, 11월 22일에 열릴 거야.
남 어디에서 열리니?
여 학교 강당에서. 4시에 시작할 거야, 그렇지만 3시 40분 까지 와야 해.
남 어떤 공연을 할지 궁금해.
여 학교 밴드와 댄스 팀의 멋진 공연이 있을 거야.
남 정말 멋지다! 다른 것도 있니?
여 물론이지, 다양한 종류의 선물이 있는 경품 추첨이 있을 거야.

M Hi, Jina! What are you doing?

W I'm _____ the school festival posters on the wall.

M Oh, when is the festival? I know _____ put in a lot of effort for this event.
= the school festival

W Thanks. It's going to _____ _____ next Friday, November 22nd. 🎸정답 근거

M Where is the festival being held?

W At the school auditorium. It will _____ at 4 p.m., but you should come _____ 3:40.

M I wonder what kinds of shows there are going to be.

W There will be _____ performances by the school band and the dance group.

M That sounds wonderful! Is there anything else?

W Of course, there will be a prize lottery with _____ _____ of gifts.
경품 추첨 행사

10 담화 화제

다음을 듣고, 남자가 하는 말의 내용으로 가장 적절한 것을 고르시오.

① 목재의 종류
② 환경 보호의 필요성
③ 목공 수업 시 유의 사항
④ 전동 드릴 사용법
⑤ 마스크 착용 방법

남 오늘의 목공 수업을 시작하기 전에 여러분의 안전을 위해 몇 가지 말씀드리겠습니다. 우선, 책상 위의 장갑과 마스크를 착용해 주세요. 그것들은 여러분의 손을 보호하고 목재 가루를 마시는 것을 방지해 줄 것입니다. 둘째, 전동 드릴을 조심해서 사용해 주시고 절대 사람에게 겨누지 마세요. 셋째, 사용 후에는 접착제 뚜껑을 닫아 주세요. 그렇지 않으면, 다 말라 버립니다. 이제 시작해 봅시다.

🎸정답 근거

M Before we start today's woodwork class, let me tell you a few things for _____ _____. First, please wear the gloves and masks on your desks. They will protect your hands and _____ you _____ breathing in the wood powder. Second, be careful with the electric drill and _____ _____ it at people. Third, please _____
= the electric drill
_____ the glue cap after using it. Otherwise, it will
= the glue
_____ _____. Now, let's get to work.
일에 착수하다

11 일치하지 않는 것

다음을 듣고, 미니멀리즘에 대한 내용으로 일치하지 <u>않는</u> 것을 고르시오.
① 새로운 생활 방식이다.
② 보다 적게 가지고 살아가는 것이다.
③ 불필요한 소비를 하지 않아야 한다.
④ 나중을 위해 물건을 보관해야 한다.
⑤ 소유보다 경험을 중시한다.

여 미니멀리즘에 대해 들어본 적이 있나요? 그것은 새로운 생활 방식입니다. 그것은 '보다 적게 가지고 사는 것'을 의미합니다. 미니멀 라이프를 살기 위해서는 불필요한 것들을 사거나 소유해서는 안 됩니다. 미니멀리스트에게 나중을 위해 쌓아 두기 같은 것은 없습니다. 물건을 가지는 대신 경험을 하는 것에 집중해야 합니다. 당신은 미니멀리스트가 될 수 있다고 생각하나요?

W Have you heard about minimalism? It's a new _____. It means "living _____ _____." To live a minimal life, you shouldn't buy or own unnecessary things. There is no such thing as _____ _____ for later ♪정답 근거 for a minimalist. You should focus on having experience _____ _____ having things. Do you think you could be a minimalist?

12 목적

대화를 듣고, 남자가 전화를 건 목적으로 가장 적절한 것을 고르시오.
① 예약을 하기 위해서
② 예약을 취소하기 위해서
③ 음식을 주문하기 위해서
④ 예약 내용을 변경하기 위해서
⑤ 서비스에 대해 항의하기 위해서

(전화벨이 울린다.)
여 Joe's Restaurant입니다. 무엇을 도와드릴까요?
남 안녕하세요. 지난주에 오늘 밤 예약을 했는데 바꾸고 싶은 것이 있어서요.
여 성함을 알려 주시겠어요?
남 Mark Smith예요. S-M-I-T-H.
여 네, Smith 씨. 예약 내용을 어떻게 바꾸고 싶으신가요?
남 원래는 세 명 자리를 예약했는데 두 사람을 추가하고 싶어요.
여 그러면 일행에 다섯 분이 계신 거겠네요. 맞나요?
남 맞습니다.
여 알겠습니다, 문제없어요. 오늘 밤에 뵙겠습니다.

☎ Telephone rings.

W Joe's Restaurant. How can I help you?

M Hello. I _____ _____ _____ for tonight last week, but I want to change something. ♪정답 근거

W May I have your _____, sir?

M Mark Smith. S-M-I-T-H.

W Okay, Mr. Smith. How would you like to _____ your reservation?

M Originally, I reserved a table for three people, but I want _____ _____ two more people.
원래

W So there are five in _____ _____. Am I right?

M That's right.

W Okay, no problem. I'll _____ _____ tonight.

13 금액

대화를 듣고, 남자가 지불할 금액을 고르시오.
① 3,500원   ② 4,000원   ③ 4,500원
④ 5,000원   ⑤ 5,500원

남 안녕하세요. 이 소포를 인천으로 보내고 싶어요.
여 우선 무게를 재 볼게요. 저울에 물건을 올려 주시겠어요?
남 네.
여 2.5kg이네요.
남 얼마인가요?
여 일반 우편으로는 4천 원이에요. 빠른우편으로 보내기를 원하시면 천 원을 더 내셔야 합니다.
남 각각 시간이 얼마나 걸리나요?
여 일반 우편으로는 2~3일 정도 걸리고 빠른우편으로는 딱 하루가 걸립니다.
남 그러면 빠른우편으로 할게요.

M   Hello. I want to _____ this package to Incheon.

W   Let me weigh it first. Would you put it on the _____, please?
= the package

M   Okay.

W   It _____ 2.5 kilograms.

M   How much is it?

W   For regular mail, it costs _____ won. If you want to send by express mail, you should _____ 1,000 won _____.

M   How long does it take for each?
각각의 우편 방법에

W   It takes about two or three days for _____ mail, and it takes only one day for _____ mail.
정답 근거

M   Then I will choose express mail.

14 두 사람의 관계

대화를 듣고, 두 사람의 관계로 가장 적절한 것을 고르시오.
① 사장 – 직원   ② 의사 – 환자
③ 교사 – 학생   ④ 아버지 – 딸
⑤ 약사 – 손님

여 실례합니다, 김 선생님.
남 들어오렴. 아, 무슨 일이니, 소연아? 너 아주 안 좋아 보이는구나.
여 심한 감기에 걸린 것 같아요. 열이 높고 목이 아파요.
남 약은 좀 먹었니?
여 네, 그렇지만 저 집에 가야 할 것 같아요. 수업 시간에 집중할 수가 없어요.
남 너 집에 가는 게 좋겠다. 오늘은 쉬렴. 내가 네 부모님께 전화를 드릴까?
여 아니요, 괜찮아요, 선생님. 제가 엄마께 전화 드릴게요.

W   Excuse me, Mr. Kim.

M   Come in. Oh, what happened to you, Soyeon? You look terrible.
들어와.

W   I think I have a _____ _____. I have a high fever and a _____ throat.

M   Have you taken any medicine for it?

W   Yes, but I think I _____ _____ _____ home. I can't pay attention in class. 정답 근거

M   You'd better go home. Take a rest today. Do you want me to call your parents?
had better: ~하는 게 좋겠다

W   No, thank you, sir. I'll _____ my mother.

15 부탁한 일

대화를 듣고, 여자가 남자에게 부탁한 일로 가장 적절한 것을 고르시오.
① 채소 씻기 ② 동생 숙제 도와주기
③ 햄과 베이컨 썰기 ④ 샌드위치 주문하기
⑤ 냉장고 청소하기

여 너 바쁘니, Josh?
남 숙제를 하고 있는데 거의 다 했어요.
여 그러면 숙제를 끝낸 후에 나를 도와주겠니?
남 그럼요. 뭔데요, 엄마?
여 샌드위치를 만들 거야. 재료 준비를 도와주겠니?
남 물론이죠. 제가 무엇을 하면 될까요? 채소를 씻을까요?
여 그건 이미 했단다. 냉장고 안에 햄과 베이컨이 있어. 그것들을 썰어 주렴.
남 네. 10분 뒤에 할게요.

🇬🇧

W Are you busy, Josh?

M I'm doing my homework, but it's _____ _____.

W Then will you help me after _____ it?

M Sure. What is it, Mom?

W I'm going to make some sandwiches. Will you _____ _____ _____ the ingredients?
재료

M Of course. What do you _____ _____ to do? Wash the vegetables? 〈함정 주의〉

W I already did that. There is ham and bacon in the refrigerator. I want you to _____ _____.
= washed the vegetables 〈정답 근거〉

M Okay. I will do that in ten minutes.
= slice ham and bacon

16 이유

대화를 듣고, 여자가 어제 결석한 이유로 가장 적절한 것을 고르시오.
① 할아버지 제사에 참석해서
② 광주로 여행을 가서
③ 심한 감기에 걸려서
④ 할머니께서 편찮으셔서
⑤ 조부모님께서 방문하셔서

남 너 어제 학교에 결석했지. 무슨 일이 있었니?
여 광주에 있는 할머니 댁에 갔었어.
남 하지만 주말이 아니었잖아. 할머니께 무슨 일이 생겼니?
여 아니, 나쁜 일은 아니야. 할아버지 제사가 있었거든.
남 아, 그는 작년에 돌아가셨지. 그게 기억나.
여 맞아. 그래서 어제가 첫 번째 제삿날이었어.
남 그것이 네가 거기에 참석하려고 학교를 빠진 이유구나. 이해해.

M You were _____ _____ school yesterday. What happened?

W I went to my grandmother's house in Gwangju.

M But it wasn't a weekend. Did anything _____ to her?

W No, _____ _____. It was my grandfather's memorial ceremony. 〈정답 근거〉
제사

M Oh, he _____ _____ last year. I remember that.

W You're right. So yesterday was his first memorial ceremony day.

M So you _____ _____ to attend it. I understand.
= the memorial ceremony

17 그림 상황

다음 그림의 상황에 가장 적절한 대화를 고르시오.

① ② ③ ④ ⑤

① 남 너는 한가할 때 무엇을 하니?
　여 나는 보통 책을 읽어.
② 남 이 책들을 대출하고 싶어요.
　여 네. 2주 안에 반납하는 것을 잊지 마세요.
③ 남 도서관에는 어떻게 가나요?
　여 길을 따라 내려가다가 우회전하셔야 해요.
④ 남 너는 한 달에 책을 몇 권 읽니?
　여 많이 읽지는 않아. 아마도 한두 권.
⑤ 남 이번 주말에 방을 예약하고 싶어요.
　여 네. 어떤 종류의 방을 원하시나요?

① M What do you do in your free time?

W I _____ read books.

② M I'd like to check out these books.
　　　　　　(책을) 대출하다　🎸정답 근거

W Okay. Don't forget to _____ them in two weeks.

③ M How can I go to the _____?

W You should go down the street and then _____ _____.

④ M How many books do you _____ a month?

W I don't read many. Maybe one or two.

⑤ M I want to _____ a room for this weekend.

W Okay. What kind of room do you want?

18 언급하지 않은 것 ②

다음을 듣고, 남자가 자신의 봉사 활동에 대해 언급하지 **않은** 것을 고르시오.
① 하는 빈도　② 동행인　③ 봉사 시간
④ 장소　⑤ 하는 일

남 저는 여러분께 정기적으로 봉사 활동을 하라고 권하고 싶습니다. 저는 격주로 저희 봉사 활동 동아리 회원들과 함께 봉사 활동을 합니다. 저희는 제 동네에 있는 양로원에 갑니다. 어르신들이 산책하는 걸 돕고 그들의 방을 청소합니다. 때로 저는 그들과 체스나 카드놀이도 합니다. 그들은 저와 그런 게임을 하는 것을 좋아하십니다. 그들이 웃으면, 저는 정말 기쁘고 자랑스럽습니다. 다른 사람들을 돕는 것은 우리를 더 행복하게 만듭니다.

M I'd like to _____ that you do some volunteer work regularly. I do volunteer work _____ _____
　　　　　　🎸정답 근거
_____ with my volunteer work club members. We go to the nursing home in my neighborhood. We help _____ _____ take a walk, and clean their rooms. Sometimes, I play chess or cards _____ _____. They like to play
　　　　　　　　　　　　　　　= The elderly in the nursing home
those games with me. When they smile, I am _____ _____ and proud. Helping others makes us _____.
　　　　　　동명사구 Helping others가 문장의 주어이다.

🔶 **Solution Tip**
① 하는 빈도: 2주마다　② 동행인: 봉사활동 동아리 회원들　④ 장소: 동네의 양로원　⑤ 하는 일: 어르신들 산책 돕기, 방 청소하기, 같이 게임하기

19 이어질 말 ①

Man: _____

① It's 10,000 won.
② I can lend it to you.
③ Let's take the subway.
④ It's in the school library.
⑤ I couldn't find it anywhere.

M Oh, no! I forgot to take my wallet.
　　forgot＋to부정사: ~하는 것을 잊다

W Do you _____ where you put it?

M I think I _____ _____ on my desk.

W You _____ home, don't you?

M Yeah. I don't need _____ _____, but I have to buy a

book today.

W How much is the book? 🔑정답 근거

M It's 10,000 won.

남 아, 안 돼! 지갑을 가져오는 것을 잊었어.
여 어디에 뒀는지 기억하니?
남 내 책상 위에 둔 것 같아.
여 너는 집에 걸어가잖아, 그렇지 않니?
남 응. 버스 요금은 필요 없는데, 오늘 책을 한 권 사야
　　해.
여 그 책이 얼마니?
남 ① 만 원이야.

② 내가 너에게 빌려줄 수 있어.　　　　③ 지하철을 타자.
④ 그것은 학교 도서관에 있어.　　　　⑤ 나는 어디에서도 그것을 찾을 수 없었어.

20 이어질 말 ②

Man: _____

① Don't give up.
② I passed the test.
③ Thanks for saying so.
④ The contest begins at 4 p.m.
⑤ I practiced for 2 hours every day.

W How did the taekwondo contest _____?

M You know I really practiced a lot. But I _____ it.

W Why? What happened?

M I _____ _____ during the performance. I was so

embarrassed that I _____ remember what happened
　　so ~ that: 매우 ~해서 …하다
after that.
　　= 경연 중에 넘어진 일

W Oh, that's _____ _____. But you have another 🔑정답 근거

_____. Cheer up!

M Thanks for saying so.
　　격려의 말에 대한 답

여 태권도 경연 대회는 어떻게 됐니?
남 너 내가 정말 많이 연습한 거 알지. 그런데 망쳤어.
여 왜? 무슨 일이 있었는데?
남 경연 중에 넘어졌어. 나는 너무 당황해서 그 다음에 무
　　슨 일이 있었는지 기억이 거의 안 나.
여 아, 안됐다. 하지만 다음 기회가 있잖아. 힘내!
남 ③ 그렇게 말해 줘서 고마워.

① 포기하지 마.　　　　　　　　　　② 나는 시험에 합격했어.
④ 경연 대회는 4시에 시작해.　　　　⑤ 나는 매일 2시간씩 연습했어.

모의고사를 먼저 풀고 싶으면 266쪽으로 이동하세요.

🎧 다음 표현을 듣고 모르는 것에 표시하시오.

- [ ] 01 **shower** 소나기
- [ ] 02 **pleasant** 쾌적한, 기분 좋은
- [ ] 03 **come up** 발생하다
- [ ] 04 **get over** 극복하다
- [ ] 05 **summarize** 요약하다
- [ ] 06 **press** 누르다
- [ ] 07 **disqualified** 실격된, 자격을 잃은
- [ ] 08 **wear a cast** 깁스를 하다
- [ ] 09 **treasure hunt** 보물찾기
- [ ] 10 **grocery** 식료품
- [ ] 11 **celebrate** 기념하다, 축하하다
- [ ] 12 **used goods** 중고 상품
- [ ] 13 **genius** 천재
- [ ] 14 **profit** 이익, 이윤
- [ ] 15 **rock-climbing** 암벽 등반
- [ ] 16 **slippery** 미끄러운
- [ ] 17 **donate** 기부하다
- [ ] 18 **in the middle of** ~의 가운데에
- [ ] 19 **due** (기한이) ~까지인
- [ ] 20 **parking lot** 주차장
- [ ] 21 **basement** 지하실
- [ ] 22 **delay** 지연
- [ ] 23 **the lunar calendar** 음력
- [ ] 24 **attention** 주목, 주의, 집중

- [ ] 25 **following** 다음의
- [ ] 26 **borrow** 빌리다
- [ ] 27 **cooperation** 협조
- [ ] 28 **signature** 서명
- [ ] 29 **bottom** 맨 아래, 바닥
- [ ] 30 **step on** 밟다
- [ ] 31 **marathon** 마라톤
- [ ] 32 **creative** 창의적인
- [ ] 33 **get on** (버스·기차 등에) 타다, 오르다
- [ ] 34 **spirit** 자세
- [ ] 35 **cover** 표지
- [ ] 36 **offer** 제공하다
- [ ] 37 **delivery man** 배달원
- [ ] 38 **starve** 굶주리다
- [ ] 39 **up to** ~까지
- [ ] 40 **a wide variety of** 매우 다양한

📖 알아두면 유용한 선택지 **어휘**

- [ ] 41 **relieved** 안도하는
- [ ] 42 **plant** (식물을) 심다
- [ ] 43 **discount coupon** 할인권
- [ ] 44 **give a ride** (차를) 태워 주다
- [ ] 45 **scare** 겁주다
- [ ] 46 **drowned** 익사한

🎧 들으면서 표현을 완성한 다음, 뜻을 고르시오.

표현의 의미를 생각하며 다시 써 보기!

01 co⬜peration　☐ 협상　☐ 협조　→ _____

02 ⬜et ov⬜r　☐ 극복하다　☐ 제지하다　→ _____

03 ⬜elebrate　☐ 기념하다　☐ 소비하다　→ _____

04 pro⬜it　☐ 특기　☐ 이익　→ _____

05 do⬜ate　☐ 기부하다　☐ 도망치다　→ _____

06 gro⬜ery　☐ 식료품　☐ 학용품　→ _____

07 creat⬜ve　☐ 틀에 박힌　☐ 창의적인　→ _____

08 ple⬜sant　☐ 쾌적한　☐ 바쁜　→ _____

09 su⬜marize　☐ 데우다　☐ 요약하다　→ _____

10 followin⬜　☐ 다음의　☐ 이전의　→ _____

11 at⬜ention　☐ 주목, 주의　☐ 출석　→ _____

12 base⬜ent　☐ 지하실　☐ 사무실　→ _____

13 sho⬜er　☐ 소나기　☐ 장마　→ _____

14 d⬜lay　☐ 전시　☐ 지연　→ _____

15 step⬜n　☐ 가두다　☐ 밟다　→ _____

16 di⬜qualified　☐ 실격된　☐ 위조된　→ _____

17 slippe⬜y　☐ 미끄러운　☐ 어지러운　→ _____

18 si⬜nature　☐ 삼각형　☐ 서명　→ _____

실전 모의고사 [17]회

실전 모의고사 17회 →

모의고사 보통 속도
모의고사 빠른 속도

✎ 들으면서 주요 표현 메모하기!

01 다음을 듣고, 금요일의 날씨로 가장 적절한 것을 고르시오.

①
②
③
④
⑤

02 대화를 듣고, 남자가 만든 사진첩 표지로 가장 적절한 것을 고르시오.

①
②
③
④
⑤

03 대화를 듣고, 남자의 심정으로 가장 적절한 것을 고르시오.

① proud   ② disappointed   ③ relieved
④ pleasant   ⑤ satisfied

04 대화를 듣고, 남자가 어제 한 일로 가장 적절한 것을 고르시오.

① 파티 준비하기   ② 파티에 참석하기
③ 산에서 나무 심기   ④ 친구 병문안 가기
⑤ 남동생을 병원에 데려가기

05 대화를 듣고, 두 사람이 대화하는 장소로 가장 적절한 곳을 고르시오.

① 주차장   ② 엘리베이터 안   ③ 영화관
④ 병원   ⑤ 세차장

266 실전 모의고사 17회

06 대화를 듣고, 여자의 마지막 말의 의도로 가장 적절한 것을 고르시오.

① 허가　　　　② 부탁　　　　③ 찬성　　　　④ 충고　　　　⑤ 감사

✎ 들으면서 주요 표현 메모하기!

07 대화를 듣고, 남자가 현장 학습에서 하지 <u>않은</u> 일을 고르시오.

① 수영　　　　　　② 바비큐 파티　　　　　③ 등산
④ 암벽 등반　　　⑤ 보물찾기

08 대화를 듣고, 남자가 대화 직후에 할 일로 가장 적절한 것을 고르시오.

① 미술 숙제하기　　　② 공연 예매하기　　　③ 집 안 청소하기
④ 마술 공연 관람하기　⑤ 미술관 방문하기

고난도 선택지에 하나씩 체크하며 듣기

09 다음을 듣고, 여자가 새 쇼핑센터에 대해 언급하지 <u>않은</u> 것을 고르시오.

① 개장일　　② 층수　　③ 위치　　④ 판매 품목　　⑤ 영업시간

10 다음을 듣고, 남자가 하는 말의 내용으로 가장 적절한 것을 고르시오.

① 상영 중인 영화 안내　　　　② 영화관 위치 안내
③ 영화 관람 예절　　　　　　④ 할인권 사용법
⑤ 온라인 티켓 구매 방법

틀린 문제는 Dictation에서
완벽하게 이해하세요!

실전 모의고사 [17]회

🖊 들으면서 주요 표현 메모하기!

11 다음을 듣고, Green Neighbor에 대한 내용과 일치하지 <u>않는</u> 것을 고르시오.

① 중고 상품 가게이다.　　　　　　② 영리를 추구하지 않는다.
③ 가난한 이웃들을 돕는다.　　　　④ 옷과 액세서리 등을 판다.
⑤ 물품 기부는 받지 않는다.

12 대화를 듣고, 남자가 전화를 건 목적으로 가장 적절한 것을 고르시오.

① 음식을 주문하기 위해서　　　　② 음식 주문을 취소하기 위해서
③ 음식 맛에 대해 항의하기 위해서　④ 배달 지연에 대해 항의하기 위해서
⑤ 음식 주문 내역을 변경하기 위해서

고난도 ｜ 정보 파악하며 듣기

13 대화를 듣고, 엄마의 생신이 언제인지 날짜를 고르시오.

① 5월 4일　　　　　② 5월 14일　　　　　③ 5월 15일
④ 5월 20일　　　　⑤ 5월 21일

14 대화를 듣고, 두 사람의 관계로 가장 적절한 것을 고르시오.

① 학생 – 상담 교사　　　　② 팬 – 영화배우
③ 운전자 – 경찰관　　　　④ 학생 – 도서관 사서
⑤ 고객 – 서점 직원

15 대화를 듣고, 남자가 여자에게 부탁한 일로 가장 적절한 것을 고르시오.

① 창문 닫기　　　② 우산 갖다주기　　　③ 차로 데려다주기
④ 방 청소하기　　⑤ 일기 예보 확인하기

16 대화를 듣고, 여자가 음식을 남긴 이유로 가장 적절한 것을 고르시오.

① 배가 아파서
② 간식을 먹어서
③ 감기에 걸려서
④ 음식이 맛이 없어서
⑤ 저녁 식사 약속이 있어서

✎ 들으면서 주요 표현 메모하기!

17 다음 그림의 상황에 가장 적절한 대화를 고르시오.

①   ②   ③   ④   ⑤

18 대화를 듣고, 여자가 거북이 마라톤에 대해 언급하지 <u>않은</u> 것을 고르시오.

① 하는 방법
② 개최 일시
③ 참가 기념품
④ 코스
⑤ 우승 상품

[19-20] 대화를 듣고, 남자의 마지막 말에 이어질 여자의 말로 가장 적절한 것을 고르시오.

19 Woman: _____

① I fell from the tree.
② Don't fall in love easily.
③ In my case, it's winter.
④ It's going to rain soon.
⑤ We have four seasons in Korea.

20 Woman: _____

① Spiders scare me.
② I can help you with that.
③ Let's learn together.
④ He was almost drowned.
⑤ I go swimming twice a week.

틀린 문제는 Dictation에서
완벽하게 이해하세요!

01 날씨

*들을 때마다 체크 ☐☐

다음을 듣고, 금요일의 날씨로 가장 적절한 것을 고르시오.

① ② ③

④ ⑤

M Good morning, everyone. It's Monday morning, and here's the weather report for this week. Now, it's _____ and _____. In the afternoon, though, it will be cloudy and there will be showers in _____ _____. Tomorrow, we will see the clear sky again and the _____ weather will continue until Friday. _____ _____ will start again on Saturday morning and there may be a thunderstorm _____ the weekend.

소나기 (showers)
= Tuesday (Tomorrow)
정답 근거

남 여러분, 안녕하십니까. 월요일 아침입니다. 이번 주 일기예보를 말씀드리겠습니다. 지금은 화창하고 따뜻합니다. 그러나 오후에는 흐려지겠고, 일부 지역에서는 소나기가 오겠습니다. 내일은 맑은 하늘을 다시 보겠고 쾌적한 날씨는 금요일까지 계속되겠습니다. 토요일 아침에 비가 다시 시작되어 주말 동안에 천둥과 번개를 동반한 비가 올 수 있겠습니다.

→ **Solution Tip**
내일, 즉 화요일부터 금요일까지 맑고 쾌적한 날씨가 이어진다고 했다.

02 그림 묘사 ☐☐

대화를 듣고, 남자가 만든 사진첩 표지로 가장 적절한 것을 고르시오.

① ② ③

④ ⑤

M Suji, I'm making a photo album of my last trip, but it's hard to _____ a cover for it. Can you help me?
= the photo album (it)

W You went to Paris. So, this picture of the Eiffel Tower will be _____ _____ _____.

M That's right. I thought of choosing the Seine River, but I like the Eiffel Tower _____. 정답 근거

W I think your album also needs a title. It should summarize _____ _____.
= The title (It)

M Umm... How about *Twelve Days in Paris*? I traveled Paris for _____.
제목을 'Twelve Days in Paris'라고 붙이려는 이유

W That's good. Put it in the _____ of the cover.

M Okay. It's perfect now. Thank you.

남 수지야, 내가 지난 여행의 사진첩을 만들고 있는데 표지를 선택하기가 어려워. 네가 좀 도와줄 수 있니?
여 넌 파리에 갔었잖아. 그러면, 에펠탑이 있는 이 사진이 가장 좋은 선택일 거야.
남 맞아. 센강을 고를까 생각했었는데, 에펠탑이 더 좋다.
여 내 생각엔 네 사진첩에 제목이 필요해. 그건 너의 여행을 요약해야 해.
남 음… 〈Twelve Days in Paris〉 어때? 내가 파리를 12일간 여행했으니까.
여 좋다. 제목을 표지 가운데에 넣어.
남 좋아. 이제 완벽해. 고마워.

Dictation 17회 →
┌ 전체 듣기
└ 문항별 듣기

Dictation의 효과적인 활용법
STEP1 들으면서 대본의 빈칸 채우기
STEP2 축쇄 문제를 보며 다시 풀어 보기
STEP3 해석을 보며 영어로 말하거나 영작해 보기

공부한 날 [ ] 월 [ ] 일

03 심정

대화를 듣고, 남자의 심정으로 가장 적절한 것을 고르시오.

① proud   ② disappointed
③ relieved   ④ pleasant
⑤ satisfied

M   I made it! I _____ the finish line first, didn't I?

W   Yes! You're so fast. Oh, wait! They say another student is _____ _____.

M   What? What does that mean?
그녀자가 앞서 한 말

W   Wait here. I'll go and _____.

M   What happened, Ms. Green?

W   Peter, they say you _____ _____ the starting line when the race started.

M   Then, am I disqualified?
실격된

W   Yes. I'm so sorry.

M   Oh, no! I _____ _____ it! 🎵정답 근거

남 제가 해냈어요! 제가 결승선에 제일 먼저 닿았어요, 그렇지 않아요?
여 맞아! 너 정말 빠르다. 아, 잠깐만! 다른 학생이 우승자라는데.
남 뭐라고요? 그게 무슨 뜻이에요?
여 여기서 기다리렴. 내가 가서 확인해 볼게.
남 무슨 일이에요, Green 선생님?
여 Peter, 경기가 시작될 때 네가 출발선을 밟았대.
남 그러면, 저는 실격인가요?
여 그렇단다. 정말 안타깝구나.
남 아, 안 돼요! 믿을 수 없어요!

---

04 과거에 한 일

대화를 듣고, 남자가 어제 한 일로 가장 적절한 것을 고르시오.

① 파티 준비하기
② 파티에 참석하기
③ 산에서 나무 심기
④ 친구 병문안 가기
⑤ 남동생을 병원에 데려가기

M   Did you have a good time at Mira's birthday party yesterday?

W   Yes, I had a lot of _____ there. Why didn't you come to the party?

M   I was going to go, but something just _____ _____.
└ go 뒤에 to the party가 생략되어 있다.

W   What happened?

M   My little brother _____ _____ the tree and broke his arm. I had to _____ _____ to the hospital. 🎵정답 근거

W   Oh, no! Is he all right?

M   Yeah, but he should _____ _____ _____ for about three weeks.

W   Three weeks is a long time. I'm so sorry for him.

남 어제 미라의 생일 파티에서 즐거운 시간 보냈니?
여 응, 그곳에서 정말 재미있었어. 너는 파티에 왜 안 왔니?
남 가려고 했는데, 일이 생겼어.
여 무슨 일인데?
남 남동생이 나무에서 떨어져서 팔이 부러졌어. 내가 그 애를 병원에 데리고 가야 했어.
여 아, 이런! 동생은 괜찮니?
남 응, 그렇지만, 3주 정도 깁스를 해야 해.
여 3주는 긴 시간인데. 정말 안됐다.

05 장소

대화를 듣고, 두 사람이 대화하는 장소로 가장 적절한 곳을 고르시오.

① 주차장 ② 엘리베이터 안
③ 영화관 ④ 병원
⑤ 세차장

M Excuse me, ma'am. _____ _____ are you going to?

W Oh, doesn't this elevator _____ _____ to the basement? There is no button for the basement floor.

〔정답 근거〕

M This elevator only _____ from the lobby to the 20th floor.

W I was going to _____ _____ _____ in the basement. How can I get there?
= the parking lot in the basement

M You should have taken the other _____. That one goes
should have+과거분사: ~했어야 했는데
down to the basement floors.

W I see. Could you press any button for me, please? I have to get off.
지금 타고 있는 엘리베이터에서 내려 다른 엘리베이터로 바꿔 타야 지하 주차장에 갈 수 있다.

M Okay. You can _____ _____ on the 15th floor.

W Thank you.

남 실례합니다, 부인. 몇 층에 가실 건가요?
여 아, 이 엘리베이터는 지하로 안 내려가나요? 지하층 버튼이 없네요.
남 이 엘리베이터는 로비에서 20층까지만 운행합니다.
여 저는 지하 주차장에 가려고 했어요. 어떻게 가죠?
남 다른 엘리베이터를 타셨어야 해요. 그건 지하층으로 내려가거든요.
여 그렇군요. 아무 층 버튼이나 눌러 주시겠어요? 내려야겠네요.
남 알겠습니다. 15층에서 내리세요.
여 감사합니다.

Solution Tip
가야 할 층이 어디인지 묻고 답하는 상황이며, 특정한 층에 내리기 위해 버튼을 눌러야 하는 공간이므로 엘리베이터 안이다.

06 말의 의도

대화를 듣고, 여자의 마지막 말의 의도로 가장 적절한 것을 고르시오.

① 허가 ② 부탁 ③ 찬성
④ 충고 ⑤ 감사

W It's already one o'clock. Let's eat something and _____ _____ study.

M Okay. _____ _____, too. What do you want to eat?

W I don't want to go far. Why don't we just order some food?

M But we can _____ only Chinese food here.

W That's right. Then do we have to _____ _____?

M Oh, Junsu is coming to _____ _____. Let's ask him to buy some food for us on his way _____.

〔정답 근거〕

W That's a great idea. You're a genius.
좋은 생각이라고 칭찬하였으므로, 남자의 의견에 찬성하는 것을 알 수 있다.

여 벌써 1시다. 우리 뭐 좀 먹고 계속 공부하자.
남 그래. 나도 배가 너무 고파. 너 뭐 먹고 싶니?
여 난 멀리 가고 싶지 않아. 음식을 주문하는 게 어때?
남 하지만 여기에서는 중국 음식밖에 주문할 수 없잖아.
여 맞아. 그러면 밖에 나가야 할까?
남 아, 준수가 우리와 함께하려고 오고 있잖아. 그에게 여기 오는 길에 음식을 좀 사다 달라고 부탁하자.
여 좋은 생각이야. 너 천재구나.

07 세부 정보

대화를 듣고, 남자가 현장 학습에서 하지 **않은** 일을 고르시오.
① 수영   ② 바비큐 파티   ③ 등산
④ 암벽 등반   ⑤ 보물찾기

여 민호야, 현장 학습은 어땠니?
남 정말 재미있었어요. 친구들과 좋은 추억을 많이 만들었어요.
여 그 말을 들으니 기쁘구나. 더 얘기해 주렴.
남 네. 첫날에는 워터 파크에서 수영을 하고 바비큐 파티를 했어요.
여 재미있었겠구나. 어제는 뭘 했니?
남 산에 등산을 하러 갔었어요. 신났어요!
여 암벽 등반도 하러 갔었니? 일정에 있었는데.
남 바위가 너무 미끄러워서 취소됐어요. 대신에, 보물찾기를 하러 갔어요.
여 그렇구나. 무척 피곤하겠다. 가서 쉬렴.

W Minho, how was your school field trip?

M It was fantastic. I made a lot of good _____ with my friends.

W I'm glad to hear that. Tell me more about it.

M Okay. On the first day, we _____ swimming in the water park and had a barbecue party.

W Sounds like fun. What did you do yesterday?

M We went hiking in _____ _____. It was exciting!

W Did you go rock-climbing? It was on the _____.

M It was canceled because the rock was _____ _____.
   암벽 등반
   Instead, we went on a treasure hunt.   🎸정답 근거

W I see. You must be very tired. Go _____ some rest.
   분명 ~할 것이다

08 바로 할 일

대화를 듣고, 남자가 대화 직후에 할 일로 가장 적절한 것을 고르시오.
① 미술 숙제하기   ② 공연 예매하기
③ 집 안 청소하기   ④ 마술 공연 관람하기
⑤ 미술관 방문하기

여 Jim, 오늘 밤에 한가하니?
남 아니 별로. 왜 물어보는 거니?
여 마술 공연 티켓 두 장이 생겼어. 너 거기에 가고 싶다고 했잖아.
남 맞아. 하지만 나는 오늘 미술 숙제를 끝내야 해.
여 아, 그건 내일까지잖아. 시작조차 안 한 거야?
남 오늘 아침에 시작했는데, 아직도 하고 있어.
여 내가 도와줄게. 우리 둘이면 더 빨리 끝낼 수 있을 거야. 그 다음에 같이 공연을 보러 가자.
남 도와 줄래? 너 정말 친절하구나. 정말 고마워.

🇬🇧
W Jim, are you _____ tonight?

M Not really. Why are you asking?

W I've got two tickets for the _____ _____. You said you wanted to go there.

M That's right. But I _____ _____ _____ my art homework today.   🎸정답 근거

W Oh, it's _____ tomorrow. Didn't you even start it?

M I started it this morning, but I'm still working on it.
   = your art homework

W I can help you _____ that. The two of us can finish it
   우리 두 사람
   more quickly. Then, let's go to see the show.

M _____ help? You're so kind. Thanks a lot.

🔊 **Sound Tip** two of us
Two of us가 연이어 발음되므로 [투어버스]처럼 소리 난다.

09 언급하지 않은 것 ①

다음을 듣고, 여자가 새 쇼핑센터에 대해 언급하지 <u>않</u>은 것을 고르시오.
① 개장일   ② 층수   ③ 위치
④ 판매 품목   ⑤ 영업시간

W Hello, ladies and gentlemen. I am happy _____ _____ that the biggest shopping center in our town
[주어]
finally _____ today, on May 2nd. This 8-floor building
[= May 2nd]   [8층짜리 건물]
has a _____ of goods from groceries to
[정답 근거]
clothing and furniture. It also has a huge parking lot in the
basement. It opens seven days _____ _____, from
10 a.m. to 10 p.m. To _____ its opening, there will be a
big sale this week. Don't miss it!
[= the big sale]

여 안녕하세요, 여러분. 우리 마을에서 가장 큰 쇼핑센터가 마침내 오늘, 5월 2일에 개장함을 알리게 되어 기쁩니다. 이 8층짜리 건물에는 식료품부터 의류, 가구까지 다양한 종류의 상품들이 있습니다. 또한 지하에는 큰 주차장이 있습니다. 일주일 내내 오전 10시부터 밤 10시까지 영업합니다. 개장을 축하하기 위해, 이번 주에 큰 할인 행사가 있겠습니다. 놓치지 마세요!

 Solution Tip
① 개장일: 5월 2일(오늘) ② 층수: 8층 ④ 판매 품목: 식료품에서 의류, 가구에 이르기까지 매우 다양함 ⑤ 영업시간: 오전 10시 ~ 밤 10시

10 담화 화제

다음을 듣고, 남자가 하는 말의 내용으로 가장 적절한 것을 고르시오.
① 상영 중인 영화 안내
② 영화관 위치 안내
③ 영화 관람 예절
④ 할인권 사용법
⑤ 온라인 티켓 구매 방법

M May I have your attention, please? To enjoy the movie, I
[정답 근거]
_____ _____ to remember the following requests.
First, please _____ _____ your cell phones. Second,
don't talk with each other _____ you're watching the
movie. Finally, don't _____ _____ _____ in
front of you. Thank you for your cooperation and I hope
[협조]
everyone _____ the movie.

남 잠시 주목해 주시겠습니까? 영화를 즐기기 위해서 다음 요청 사항을 기억해 주실 것을 부탁드립니다. 첫째, 휴대전화를 꺼 주세요. 둘째, 영화를 보면서 서로 이야기하지 마세요. 마지막으로, 앞에 있는 좌석을 발로 차지 마세요. 협조에 감사드리며, 여러분 모두 즐겁게 영화를 관람하시기 바랍니다.

11 일치하지 않는 것

다음을 듣고, Green Neighbor에 대한 내용과 일치하지 않는 것을 고르시오.
① 중고 상품 가게이다.
② 영리를 추구하지 않는다.
③ 가난한 이웃들을 돕는다.
④ 옷과 액세서리 등을 판다.
⑤ 물품 기부는 받지 않는다.

여 환경을 보호하면서 동시에 가난한 사람들을 돕고 싶나요? 그렇다면, 지금 오셔서 Green Neighbor를 방문하세요. 이곳은 중고 상품 가게이지만, 저희는 이윤을 추구하기 위해 물건을 팔지 않습니다. 저희는 수익을 이웃의 가난한 사람들에게 기부합니다. 옷, 신발, 액세서리, 그리고 홈인테리어 물품들을 싼 가격에 판매합니다. 여러분은 필요 없는 물건을 기부할 수도 있습니다. Green Neighbor를 방문하시고 좋은 이웃이 되세요.

🇬🇧

W Do you want to _____ the environment and help poor people at the same time? Then, come and visit Green Neighbor now. It's a used goods store, but we're not _____ _____ for profit. We donate the profit to _____ _____ in our neighborhood. We offer clothes, shoes, accessories, and home interior items _____ _____ _____. You can also donate unnecessary items you have. Visit Green Neighbor and be a _____ _____.

중고 상품
이윤을 위해
🎵정답 근거
목적격 관계대명사 that[which]가 생략되었다.

12 목적

대화를 듣고, 남자가 전화를 건 목적으로 가장 적절한 것을 고르시오.
① 음식을 주문하기 위해서
② 음식 주문을 취소하기 위해서
③ 음식 맛에 대해 항의하기 위해서
④ 배달 지연에 대해 항의하기 위해서
⑤ 음식 주문 내역을 변경하기 위해서

(전화벨이 울린다.)
여 Wang 중국 음식점입니다. 어떻게 도와드릴까요?
남 여보세요. 한 시간 전에 음식을 주문했는데, 아직도 못 받았어요.
여 정말 죄송합니다, 선생님. 성함을 알려 주시겠어요?
남 김민수입니다.
여 주문 내역을 찾았습니다. 배달원이 이제 막 식당을 떠났으니, 십 분 안에 음식을 받으실 겁니다.
남 짜장면 두 그릇을 받는 데 한 시간 이상이 걸린다고요? 이해가 안 되는군요!
여 오늘이 토요일이고 밖에 비도 오고 있어서요. 그래서 오래 걸린 거예요. 지연된 점에 대해 다시 한 번 사과드립니다.

📞Telephone rings.

W Wang Chinese Restaurant. How can I help you?

M Hello. I _____ your food an hour ago, but I didn't get it yet.
🎵정답 근거

W I'm so sorry, sir. May I _____ your name?

M Kim Minsu.

W I found _____ _____. The delivery man just left the restaurant, and you'll _____ your food in ten minutes.

M It takes more than _____ _____ to get two *jajangmyeons*? I don't get it!
이해하다

W It's Saturday today, and it's raining outside. That's why it's taking _____ _____. I'm so sorry again for _____ _____.
바로 앞의 내용을 말한다.

17강 받아쓰기

13 날짜

대화를 듣고, 엄마의 생신이 언제인지 날짜를 고르시오.

① 5월 4일   ② 5월 14일   ③ 5월 15일
④ 5월 20일   ⑤ 5월 21일

남 Susan, 너 엄마 선물 샀어? 내일이 엄마 생신이야.
여 뭐라고? 엄마 생신이 5월 14일이야? 난 다음 주인 줄 알았어. 난 선물 사는 걸 완전히 잊었어!
남 네가 지난주에 엄마 선물 산다고 나한테 돈도 달라고 했잖아. 왜 그걸 기억을 못 해?
여 내가 달력에 표시해 뒀는데. 봐! 엄마는 음력 생일을 축하한다고.
남 네가 맞네. 엄마 생신은 내일로부터 한 주 뒤구나. 엄마를 위해 뭔가를 준비할 시간이 있어서 다행이야.
여 그래. 놀랐잖아.
남 아, 정말 미안해.

M Susan, did you buy Mom's gift? Tomorrow is _____ _____.

W What? Is her birthday May 14th? I thought it was next week.
(= tomorrow)
I _____ _____ to buy a gift!

M You asked me _____ _____ to buy her a gift last week. How come you don't remember that?
(왜, 어찌하여)

W I marked it on the calendar. Look! Mom _____ her
(= Mom's birthday)
birthday based on the lunar calendar.
(음력으로)

M Oh, you're right. Her birthday is _____ _____ from
🔑정답 근거
tomorrow. It's a relief that we have time to _____ something for her.

W Yes, it is. You scared me.

M Oh, I'm so sorry.

⬅ **Solution Tip**

엄마의 생신이라고 생각했던 내일이 5월 14일이고, 실제 생신은 내일로부터 한 주 뒤이므로 5월 21일이다.

---

14 두 사람의 관계

대화를 듣고, 두 사람의 관계로 가장 적절한 것을 고르시오.

① 학생 – 상담 교사   ② 팬 – 영화배우
③ 운전자 – 경찰관   ④ 학생 – 도서관 사서
⑤ 고객 – 서점 직원

남 안녕하세요, Adams 선생님. 한 번에 책을 몇 권 빌릴 수 있죠?
여 다섯 권까지 빌릴 수 있고 2주 안에 반납해야 해.
남 그렇군요. 아, 한 가지 더 여쭤볼게요. 학생증이 없으면 어쩌죠? 제가 잃어버려서, 지금 없거든요.
여 그런 경우에는, 이 양식을 작성하면 돼. 그런데 양식 하단에 담임 선생님 서명을 받아야 해.
남 오, 선생님께서 퇴근하시기 전에 그것부터 받아야겠네요. 정말 감사합니다, Adams 선생님.
여 천만에.

M Hello, Ms. Adams. How many books can I _____ at a time? 🔑정답 근거

W You can borrow up to five books, and you have to
(~까지)
_____ _____ in two weeks.

M I see. Oh, one more question. What if I don't have my
(만약 ~라면 어떻게 되나요?)
student ID _____ _____? I lost it, so I don't have it now.

W In that case, you can just _____ _____ this form. But you should get your homeroom teacher's signature at the _____ of the paper.

M Oh, I'd better get it first before he _____ _____.
(= my homeroom teacher's signature)
Thank you so much, Ms. Adams.

W You're welcome.

15 부탁한 일

대화를 듣고, 남자가 여자에게 부탁한 일로 가장 적절한 것을 고르시오.

① 창문 닫기　　② 우산 갖다주기
③ 차로 데려다주기　④ 방 청소하기
⑤ 일기 예보 확인하기

(휴대 전화가 울린다.)
여 여보세요.
남 여보세요, 엄마. 지금 비가 많이 와요.
여 알고 있어. 아, 너 우산이 없구나, 그렇지?
남 걱정 마세요. 우산은 있어요.
여 그러면 뭐가 문제니?
남 제가 아침에 제 방 창문을 닫는 것을 잊었어요. 제 방에 가서서 창문 좀 닫아 주시겠어요?
여 문제없지.

📞 Cell phone rings.

W　Hello.

M　Hello, Mom. It's raining _____ now.

W　I know. Oh, you don't have _____ _____ with you, do you?

M　Don't worry. I have one with me.

W　Then, what's _____ _____?

M　I forgot to _____ _____ _____ in my room this morning. Could you please go to my room and close it?　🔑정답 근거

W　No problem.

16 이유

대화를 듣고, 여자가 음식을 남긴 이유로 가장 적절한 것을 고르시오.

① 배가 아파서　　② 간식을 먹어서
③ 감기에 걸려서　④ 음식이 맛이 없어서
⑤ 저녁 식사 약속이 있어서

여 저녁 잘 먹었어요, 아빠.
남 많이 먹지 않았구나, 지수야. 음식이 별로였니?
여 맛있었어요. 아빠는 훌륭한 요리사잖아요.
남 그러면 왜 남긴 거니? 배가 아프니?
여 아뇨, 저는 괜찮아요. 사실은 집에 오는 길에 친구들하고 떡볶이를 먹었어요. 그래서 배가 고프지 않았어요.
남 난 네가 아프거나 그런 줄 알고 걱정했잖니. 다음에는 내가 저녁 식사 준비를 하기 전에 말해 다오. 저녁을 늦게 먹으면 되니까, 알겠지?
여 네, 그럴게요. 죄송해요, 아빠.

W　Thank you for dinner, Dad.

M　You didn't _____ _____, Jisu. _____ _____ like it?

W　I liked your food. You are a good cook.

M　Then why did you _____ _____? Do you have a stomachache?

W　No, I'm okay. Actually, I ate *tteokbokki* with my friends _____ _____ _____ home. So, I wasn't hungry.　🔑정답 근거

M　I was worried you were sick or something. Next time, please tell me before I _____ _____. We can have a late dinner, got it?
알겠니?

W　Okay, I will. I'm sorry, Dad.

17 그림 상황

다음 그림의 상황에 가장 적절한 대화를 고르시오.

① ② ③ ④ ⑤

① 여 너는 보통 학교에 어떻게 가니?
　남 나는 버스를 타.
② 여 남대문 가는 버스가 온다.
　남 타자!
③ 여 네 교통 카드를 빌려줄 수 있니?
　남 미안해, 내가 오늘 써야 해.
④ 여 이 버스가 광화문에 가나요?
　남 아니요. 123번 버스를 타세요.
⑤ 여 너 왜 이렇게 늦었어?
　남 미안해. 늦게 일어났어.

① W How do you _____ go to school?

　 M I take the bus.

② W Here _____ the bus to Namdaemun.

　 M Let's get on!
　　　 (버스·기차 등에) 타다, 오르다

③ W Can you _____ me your transportation card?

　 M Sorry, I have to use it today.
　　　　　　　　　　　 = my transportation card

④ W Does this bus go to Gwanghwamun? 🎸정답 근거

　 M _____ _____ not. Take bus No. 123.

⑤ W Why are you _____ _____?

　 M I'm sorry. I got up late.

18 언급하지 않은 것 ②

대화를 듣고, 여자가 거북이 마라톤에 대해 언급하지
않은 것을 고르시오.
① 하는 방법　② 개최 일시　③ 참가 기념품
④ 코스　　　⑤ 우승 상품

여 너 우리 학교가 거북이 마라톤을 개최한다는 것 들었
　니?
남 거북이 마라톤? 그건 무슨 마라톤이야?
여 이 마라톤에서는, 뛰는 대신에 천천히 걸어야 해.
남 그거 창의적이다. 언제야?
여 11월 1일이야. 우리 학교 학생들을 위한 거고, 모든
　참가자는 거북이 그림이 있는 티셔츠를 받게 될 거야.
남 와, 그거 멋진 선물이다. 그러면, 학교 운동장을 돌면
　서 걸어야 해?
여 아니, 학교 옆에 있는 강을 따라 걸어야 해.

W Did you hear that our school _____ _____ a Turtle Marathon?

M A Turtle Marathon? What kind of marathon is it?

W In this marathon, you should _____ _____ instead of running. 🎸정답 근거

M That's creative. When is it?

W It's November 1st. It's for our school students, and _____ _____ will get a T-shirt with a turtle print _____ _____.

M Wow, that's a great gift. So, do we have to walk around the playground?

W No, we should walk along the river next to our school.
　　　　　　　　　　　 ~을 따라 걷다

🔔 **Solution Tip**
① 하는 방법: 천천히 걷기 ② 개최 일시: 11월 1일 ③ 참가 기념품: 거북이 티셔츠
④ 코스: 학교 옆 강변

19 이어질 말 ①

Woman: _____

① I fell from the tree.
② Don't fall in love easily.
③ In my case, it's winter.
④ It's going to rain soon.
⑤ We have four seasons in Korea.

M Look at the sky. It's so _____.

W Yes, it is. There are _____ _____ in the sky.

M I love this season. It's not too hot and not too cold.

W I agree. Then is fall your _____ _____?

M Yeah. What about you?
   🔖정답 근거
   = What is your favorite season?

W In my case, it's winter.

남 하늘 좀 봐. 아주 파랗다.
여 응, 그래. 하늘에 구름 한 점 없어.
남 난 이 계절을 사랑해. 너무 덥지도 않고 너무 춥지도 않아.
여 동의해. 그러면 가을이 네가 가장 좋아하는 계절이야?
남 응. 너는 어때?
여 ③ 내 경우에는, 겨울이야.

① 나는 나무에서 떨어졌어.　　　② 쉽게 사랑에 빠지지 마.
④ 곧 비가 올 거야.　　　⑤ 한국에는 사계절이 있어.

20 이어질 말 ②

Woman: _____

① Spiders scare me.
② I can help you with that.
③ Let's learn together.
④ He was almost drowned.
⑤ I go swimming twice a week.

W Tommy, long time no see. What are you up to these days?
   하고 있는

M I _____ _____ swimming.

W I thought you knew how to swim.
   how+to부정사: ~하는 법, 어떻게 ~하는지

M No, I was afraid of water, but I'm trying to _____ _____ it.

W That's the spirit!
   바로 그런 자세야!
   🔖정답 근거

M By the way, is there _____ that you are afraid of, too?

W Spiders scare me.

여 Tommy, 오랜만이다. 너 요새 뭐 하고 지내니?
남 수영을 배우기 시작했어.
여 난 네가 수영하는 법을 아는 줄 알았는데.
남 아니야, 나는 물이 무서웠는데, 극복하려고 노력하고 있어.
여 바로 그런 자세야!
남 그건 그렇고, 너도 무서워하는 게 있니?
여 ① 나는 거미가 무서워.

② 내가 그것에 관해 널 도와줄 수 있어.　　　③ 우리 함께 배우자.
④ 그는 거의 익사할 뻔했어.　　　⑤ 나는 일주일에 두 번 수영을 하러 가.

🎧 다음 표현을 듣고 모르는 것에 표시하시오.

01	follow 따르다	25	copy (책·신문 등의) 한 부
02	impressive 인상적인	26	in sight 시야 안에
03	definitely 분명히, 확실히	27	be good at ~에 능숙하다
04	unique 독특한	28	interrupt 방해하다
05	repair 수리; 수리하다	29	refresh 생기를 되찾게 하다
06	single 단 하나의	30	vehicle 차량, 탈것
07	release 출시하다, 발매하다	31	immediately 즉시
08	growl 으르렁거리는 소리	32	ever since ~ 이래로 줄곧
09	fine 벌금	33	wild animal 야생 동물
10	entrance 입구	34	block 막다, 차단하다
11	drop off ~에 갖다 놓다	35	drop 떨어뜨리다
12	notice ~을 의식하다	36	connection 연결, 접속
13	unplug 플러그를 뽑다	37	solution 해결책
14	apologize 사과하다	38	unfortunately 불행하게도, 유감스럽게도
15	remain 계속[여전히] ~이다	39	inconvenience 불편
16	consider 고려하다, 숙고하다	40	flea market 벼룩시장
17	equipment 장치	41	laundry 세탁물
18	enthusiastic 열렬한	42	take advantage of ~을 이용하다
19	forgive 용서하다		
20	disappointing 실망스러운		

알아두면 유용한 선택지 어휘

21	let ~ down ~을 실망시키다
22	in stock 재고가 있는
23	available 이용 가능한
24	out of control 통제할 수 없는

43	wonder 궁금하다
44	mention 언급하다
45	discuss 논의하다
46	craftwork 공예품

🎧 들으면서 표현을 완성한 다음, 뜻을 고르시오.

표현의 의미를 생각하며 다시 써 보기!

01 apolo◻ize　☐ 기도하다　☐ 사과하다　➡ _____

02 re◻ease　☐ 출시하다　☐ 속박하다　➡ _____

03 foll◻w　☐ 따르다　☐ 떨어지다　➡ _____

04 dro◻　☐ 그리다　☐ 떨어뜨리다　➡ _____

05 fi◻e　☐ 벌금　☐ 법정　➡ _____

06 enthu◻iastic　☐ 열렬한　☐ 차분한　➡ _____

07 bloc◻　☐ 막다　☐ 달리다　➡ _____

08 interr◻pt　☐ 연결하다　☐ 방해하다　➡ _____

09 re◻air　☐ 수리　☐ 손상　➡ _____

10 ◻onnection　☐ 준비　☐ 연결　➡ _____

11 impressi◻e　☐ 민감한　☐ 인상적인　➡ _____

12 ref◻esh　☐ 고집하다　☐ 생기를 되찾게 하다　➡ _____

13 l◻undry　☐ 세탁물　☐ 탁아소　➡ _____

14 soluti◻n　☐ 해결책　☐ 문제　➡ _____

15 gro◻l　☐ 키가 큰　☐ 으르렁거리는 소리　➡ _____

16 eq◻ipment　☐ 장치　☐ 요리　➡ _____

17 in sto◻k　☐ 알고 있는　☐ 재고가 있는　➡ _____

18 ve◻icle　☐ 연료　☐ 탈것　➡ _____

✎ 들으면서 주요 표현 메모하기!

01 다음을 듣고, 다음 주 수요일의 날씨로 가장 적절한 것을 고르시오.

① ② ③  ④  ⑤

02 대화를 듣고, 남자가 고른 케이크로 가장 적절한 것을 고르시오.

① ② ③ ④ ⑤

03 대화를 듣고, 남자의 심정으로 가장 적절한 것을 고르시오.

① horrified   ② bored   ③ satisfied
④ pleased   ⑤ disappointed

04 대화를 듣고, 여자가 벼룩시장에서 한 일로 가장 적절한 것을 고르시오.

① 물건 사기   ② 물건 팔기   ③ 공예품 만들기
④ 구경하기   ⑤ 그림 그리기

05 대화를 듣고, 두 사람이 대화하는 장소로 가장 적절한 곳을 고르시오.

① 옷 가게   ② 영화관   ③ 세탁소   ④ 과학실   ⑤ 청소용품점

06 대화를 듣고, 여자의 마지막 말의 의도로 가장 적절한 것을 고르시오.

① 감사　　　② 부탁　　　③ 후회　　　④ 격려　　　⑤ 질책

✎ 들으면서 주요 표현 메모하기!

07 대화를 듣고, 여자가 구입하려는 것으로 가장 적절한 것을 고르시오.

① 음반　　　　　② 컴퓨터　　　　　③ 콘서트 티켓
④ 피아노　　　　⑤ 휴대 전화

08 대화를 듣고, 남자가 대화 직후에 할 일로 가장 적절한 것을 고르시오.

① 냉장고 수리하기　　② 에어컨 수리하기　　③ 냉장고 구입하기
④ 삼촌에게 전화하기　　⑤ 삼촌에게 문자 메시지 보내기

고난도 선택지에 하나씩 체크하며 듣기

09 대화를 듣고, 남자가 자신의 직업에 대해 언급하지 <u>않은</u> 것을 고르시오.

① 꿈을 갖게 된 나이　　② 꿈을 이룬 나이　　③ 전문 분야
④ 직업을 갖는 방법　　⑤ 일하는 과정

10 다음을 듣고, 여자가 하는 말의 내용으로 가장 적절한 것을 고르시오.

① 할인 행사 안내　　② 차량 이동 요청　　③ 경찰 출동 안내
④ 폐점 시간 안내　　⑤ 스포츠 경기 중계

틀린 문제는 Dictation에서
완벽하게 이해하세요!

실전 모의고사 [18]회

✎ 들으면서 주요 표현 메모하기!

11 대화를 듣고, 여자가 산 자전거에 대한 내용으로 일치하지 <u>않는</u> 것을 고르시오.

① 가격이 비싸다.　　　② 흰색이다.　　　③ 핸들이 노란색이다.
④ 바퀴가 튼튼하다.　　⑤ 산에서 탈 수 있다.

12 대화를 듣고, 남자가 가게에 가는 목적으로 가장 적절한 것을 고르시오.

① 휴대 전화를 사기 위해서
② 휴대 전화 케이스를 사기 위해서
③ 친구의 휴대 전화를 골라 주기 위해서
④ 휴대 전화 케이스를 교환하기 위해서
⑤ 휴대 전화를 수리하기 위해서

13 대화를 듣고, 두 사람이 주말에 만날 시각을 고르시오.

① 10:00 a.m.　　② 10:30 a.m.　　③ 1:00 p.m.
④ 2:00 p.m.　　　⑤ 4:00 p.m.

14 대화를 듣고, 두 사람의 관계로 가장 적절한 것을 고르시오.

① 아빠 – 딸　　　　② 상담 교사 – 학생　　③ 고객 상담 직원 – 고객
④ 식당 종업원 – 사장　⑤ 병원 직원 – 환자

15 대화를 듣고, 여자가 남자에게 부탁한 일로 가장 적절한 것을 고르시오.

① 세탁하기　　　② 빨래 널기　　③ 설거지하기
④ 오븐 청소하기　⑤ 빵 굽기

16 대화를 듣고, 여자가 내일 점심 약속을 지킬 수 없는 이유로 가장 적절한 것을 고르시오.

✎ 들으면서 주요 표현 메모하기!

① 시험이 있어서　　　② 휴식을 취해야 해서　　③ 학교 축제에 가야 해서
④ 축제 계획을 짜야 해서　　⑤ 식당에서 일을 해야 해서

17 다음 그림의 상황에 가장 적절한 대화를 고르시오.

①　　　　②　　　　③　　　　④　　　　⑤

고난도 선택지에 하나씩 체크하며 듣기

18 다음을 듣고, 남자가 Groovy Jazz Festival에 대해 언급하지 <u>않은</u> 것을 고르시오.

① 축제 기간　　　② 참여 음악가의 수　　③ 일정 확인 방법
④ 기념품 판매 장소　　⑤ 종이 안내서 배포 장소

[19-20] 대화를 듣고, 남자의 마지막 말에 이어질 여자의 말로 가장 적절한 것을 고르시오.

19 Woman: _____

① I like the author, too.　　② Can you do me a favor?
③ Okay, then I'll take those.　　④ I wonder why it's so expensive.
⑤ She never mentioned it before.

20 Woman: _____

① Oh, I have never been so scared.
② Sorry, I'm late for the meeting.
③ I don't want to be a club president.
④ I'd rather choose the black one.
⑤ We're going to discuss where to volunteer.

틀린 문제는 **Dictation**에서
완벽하게 이해하세요!

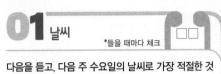

01 날씨

*들을 때마다 체크 ☐☐

다음을 듣고, 다음 주 수요일의 날씨로 가장 적절한 것을 고르시오.

 ① ② ③

④ ⑤

남 안녕하세요, Wonderful Weather Show에 채널을 맞춰 주셔서 감사합니다. 다음 주 초 며칠 동안의 일기 예보입니다. 월요일에는 구름 한 점 보이지 않는 맑은 하늘을 즐길 수 있겠습니다. 그러나 화요일 날씨는 상당히 다릅니다. 눈이 아침부터 밤까지 오겠습니다. 수요일에는 다시 맑고 화창하겠습니다. 밖에 나가서 좋은 날씨를 누리십시오!

M Hello, and thanks for _____ _____ the *Wonderful Weather Show*. This is the weather forecast for _____ _____ few days of next week. On Monday, we can enjoy a clear sky with not a single cloud _____ _____. However, Tuesday's weather will be quite different. Snow will _____ from morning to night. On Wednesday it will be clear and sunny again. Make sure to go outside and _____ _____ of the great weather!

02 그림 묘사

☐☐

대화를 듣고, 남자가 고른 케이크로 가장 적절한 것을 고르시오.

① ② ③

④ ⑤

남 엄마, 이 모든 케이크들을 보세요! 멋지지 않아요?
여 응, 정말 그렇구나. 너의 생일에 어떤 것을 원하니?
남 음. 저는 둥근 것은 원하지 않아요.
여 그래. 맨 위에 꽃이 있는 저 네모난 것은 어때?
남 글쎄요. 꽃이 예쁘지 않아요. 오, 저것 좀 보세요!
여 하트로 장식된 것 말이니?
남 아뇨, 가장자리에 작은 축구공으로 둘러져 있는 것 말이에요.
여 오, 정말 독특하구나. 나도 마음에 든단다.
남 저걸로 사도 돼요, 엄마?
여 그럼.

M Mom, look at all these cakes! Don't they _____ great?

W Yes, definitely. Which one do you want for _____ _____? = cake

M Hmm. I don't want a _____ one.

W Okay. How about that square one with a flower _____ _____?

M Well, the flower doesn't look good. Oh, look at that one!

W You mean the one decorated _____ _____?

M No, I mean the one with little soccer balls around the edge.

W Oh, it's really _____. I like it, too.

M Can we _____ _____, Mom?

W Of course.

Dictation 18회→
전체 듣기
문항별 듣기

Dictation의 효과적인 활용법
STEP1 들으면서 대본의 빈칸 채우기
STEP2 축쇄 문제를 보며 다시 풀어 보기
STEP3 해석을 보며 영어로 말하거나 영작해 보기

공부한 날   월   일

03 심정

대화를 듣고, 남자의 심정으로 가장 적절한 것을 고르시오.

① horrified　　② bored
③ satisfied　　④ pleased
⑤ disappointed

여 이 숲은 참 조용하고 평화롭구나. 여기 있으니 대단히 기분 전환이 돼.
남 맞아요. 도시에서 떠나 있는 기분이 아주 좋아요.
여 우리는 등산을 더 자주 가야겠어. 한 달에 한 번은 어때?
남 좋아요. (…) 어… 엄마, 저 소리 들으셨어요?
여 응? 무슨 소리?
남 야생 동물이 으르렁거리는 소리를 들은 것 같아요.
여 글쎄, 숲에서 야생 동물의 흔적은 보지 못했는데. 걱정하지 마.
남 아니에요, 엄마. 저 방금 또 들었어요! 곰이 있으면 어떡하죠?

W This forest is so _____ and peaceful. Being here is so refreshing.

M I agree. It feels wonderful to get away from the city.

W We should go hiking more often. How about _____ a month?

M Sure. (*Pause*) Um... Mom, _____ _____ _____ that sound?

W What? What sound?

M I think I heard a growl from a _____ _____.

W Well, I haven't noticed _____ _____ of wild animals in the forest. Don't worry.

M No, Mom. I just heard it again! What if there is a _____?

04 과거에 한 일

대화를 듣고, 여자가 벼룩시장에서 한 일로 가장 적절한 것을 고르시오.
① 물건 사기　　② 물건 팔기
③ 공예품 만들기　　④ 구경하기
⑤ 그림 그리기

남 Carla, 네가 일요일에 벼룩시장에 갔었다고 들었어.
여 맞아. 아주 즐거웠어.
남 거기에서 뭐 했어?
여 대부분 거기에서 파는 멋진 물건들을 구경했어.
남 뭘 좀 샀니?
여 아니, 불행히도 살 수 없었어. 지갑을 가지고 가는 것을 잊었어.
남 그것 참 안됐다.
여 믿거나 말거나, 지갑을 잊은 게 사실은 좋은 일이었어. 돈을 아낀 거지.

M Carla, I heard you went to the _____ _____ on Sunday.

W That's right. I had a great time.

M What did you do there?

W Mostly I _____ _____ _____ all the cool items for sale there.

M Did you buy anything?

W No, unfortunately I couldn't. I _____ _____ _____ my wallet with me.

M That's too bad.

W Believe it or not, forgetting my wallet was _____ a good thing. I _____ money.

05 장소

대화를 듣고, 두 사람이 대화하는 장소로 가장 적절한 곳을 고르시오.

① 옷 가게   ② 영화관   ③ 세탁소
④ 과학실   ⑤ 청소용품점

M Hello, what can I do for you today?

정답 근거

W I have these pants and this blouse that need _____.

M Okay. You can _____ _____ _____ next Tuesday.

W Great, thanks. Oh, I just remembered. I have a coat to _____ _____.

M When did you drop it off?
= the coat

W Last Thursday. You said it _____ _____ a week to clean it.
= the coat

M Okay. Do you have the ticket?

W Here _____ _____.

M Okay. Let me see if it's _____.

남 안녕하세요, 오늘은 무엇을 도와드릴까요?
여 이 바지와 블라우스를 세탁해 주세요.
남 네. 다음 주 화요일에 가지러 오세요.
여 좋아요, 감사합니다. 아, 방금 생각났어요. 찾아가야 할 코트가 있어요.
남 언제 맡기셨는데요?
여 지난 목요일이요. 그것을 세탁하는 데 일주일 걸린다고 하셨어요.
남 그렇군요. 표를 가지고 오셨나요?
여 여기요.
남 알겠습니다. 다 되었는지 확인해 볼게요.

06 말의 의도

대화를 듣고, 여자의 마지막 말의 의도로 가장 적절한 것을 고르시오.

① 감사   ② 부탁   ③ 후회
④ 격려   ⑤ 질책

 Cell phone rings.

M Hello?

W Michael, this is Rachel. Are you sleeping?

M Oh, hi, Rachel. Yes, I was taking a little afternoon _____.

W Are you serious? You _____ _____ to be at the museum right now.

M Oh, no! I completely forgot about _____ _____ there today.
= at the museum

W Right. The museum director called to _____ _____ you weren't there.

M I'm so sorry. Please forgive me.

정답 근거

W Michael, this situation is very _____. You let me down.
let ~ down: ~을 실망시키다

(휴대 전화가 울린다.)
남 여보세요?
여 Michael, 저 Rachel이에요. 당신 자고 있나요?
남 아, 안녕하세요, Rachel. 네, 잠깐 낮잠을 자고 있었어요.
여 정말이에요? 당신은 지금 박물관에 있어야 되잖아요.
남 아, 안 돼! 오늘 거기에서 발표가 있다는 걸 완전히 잊어버렸어요.
여 맞아요. 박물관 감독이 내게 전화해서 당신이 그곳에 없다고 말해 주었어요.
남 정말 죄송합니다. 용서해 주세요.
여 Michael, 이 상황은 매우 실망스러워요. 당신은 저를 실망시켰어요.

07 세부 정보

대화를 듣고, 여자가 구입하려는 것으로 가장 적절한 것을 고르시오.
① 음반 ② 컴퓨터
③ 콘서트 티켓 ④ 피아노
⑤ 휴대 전화

여 굉장한 소식이 있어, Brad!
남 기다려 봐. 내가 맞힐게. 너 Rhythm Boys 콘서트 때문에 신난 거지, 그렇지 않니?
여 맞아! 그들이 새 음반을 내서 콘서트 투어를 시작했어. 우리 동네도 일정에 있어!
남 그래, 다들 그 얘기를 하더라. 티켓은 언제 판매를 해?
여 다음 화요일 저녁 8시에. 난 꼭 그 티켓을 살 거야.
남 이런. 너 화요일마다 그 시간에 피아노 수업이 있잖아.
여 이미 선생님께 그때 시간을 좀 달라고 부탁드렸어. 내 휴대 전화로 티켓을 예약할 거야.
남 와, 너 정말 대단하다!

W I have great news, Brad!

M Wait. Let me _____. You're excited about the Rhythm Boys concert, _____ _____?

W Right! They have released a new album, so they _____ a concert tour. Our town is _____ the schedule!

M Yeah, everyone is talking about that. When do the tickets go _____ _____?

W Next Tuesday at 8 p.m. I'll definitely buy the ticket. 🔑정답 근거

M Uh-oh. You have a piano lesson _____ _____ _____ every Tuesday.

W I already asked the teacher _____ _____ _____ some time then. I'll book the ticket on my phone.
= next Tuesday at 8 p.m.

M Wow, you're so enthusiastic!

08 바로 할 일

대화를 듣고, 남자가 대화 직후에 할 일로 가장 적절한 것을 고르시오.
① 냉장고 수리하기 ② 에어컨 수리하기
③ 냉장고 구입하기 ④ 삼촌에게 전화하기
⑤ 삼촌에게 문자 메시지 보내기

남 냉장고가 어떻게 된 거죠, 엄마? 이상한 소리가 나요.
여 안이 차갑게 느껴지지 않아. 고장 난 게 분명해.
남 아, 이런. 수리 서비스를 요청해야 할까요?
여 아직은 아니야. Jason 삼촌에게 먼저 봐 달라고 부탁해야 해.
남 그는 보통 에어컨을 수리하지 않아요?
여 응, 하지만 그는 모든 종류의 것을 고치는 데 능숙해.
남 알겠어요. 지금 바로 전화할게요.
여 그는 전화는 받지 않아. 대신 문자 메시지를 보내 보렴.
남 네, 지금 할게요.

M What's going on with the refrigerator, Mom? It's making a
무슨 일이야?
_____ _____.

W It doesn't feel _____ inside. It must be broken.

M Oh, no. Should I call a repair service?

W Not yet. We should ask Uncle Jason to _____ _____ _____ first.

M Doesn't he usually _____ air conditioners?

W Yes, but he's good at _____ all kinds of things.

M Okay. I'll call him right away.

W He never answers phone calls. _____ _____ a text message instead. 🔑정답 근거

M Sure. I'll do that now.
= try sending a text message to him

09 언급하지 않은 것 ①

대화를 듣고, 남자가 자신의 직업에 대해 언급하지 않은 것을 고르시오.
① 꿈을 갖게 된 나이 ② 꿈을 이룬 나이
③ 전문 분야 ④ 직업을 갖는 방법
⑤ 일하는 과정

여 안녕하세요, Lauren 씨. 당신의 직업에 대해 말씀해주시겠어요?
남 안녕하세요, 저는 패션 디자이너입니다. 10살부터 저는 패션 디자이너가 되고 싶었어요.
여 그럼, 꿈을 좇으셨군요!
남 네. 제 꿈은 결국 25살에 이루어졌어요. 저는 패션 디자이너로 10년간 일해 오고 있어요.
여 멋지군요! 그럼 전문 분야는 무엇인가요?
남 저는 주로 여성복을 디자인해요.
여 옷을 어떻게 디자인하는지 말씀해 주실 수 있으세요?
남 그럼요. 전 새 옷을 디자인할 때 먼저 디자인을 종이에 그려요. 그런 다음 그걸 컴퓨터 프로그램에 넣어요.

W Hi, Mr. Lauren. Could you tell us about your job?

M Hi, I'm a fashion designer. _____ _____ I was ten, I wanted to become a fashion designer. 🔑정답 근거

W So, you followed your dream!

M Yes. My dream finally _____ _____ at age 25. I have been working _____ a fashion designer for ten years.

W Wonderful! Then, what are you specializing in?
specialize in: ~을 전문으로 하다

M I mostly design clothes _____ _____.

W Can you talk about how you design clothes?

M Okay. When I design _____ _____, I first draw my designs on paper. Then, I put them _____ a computer program.
= my designs

Solution Tip
① 꿈을 갖게 된 나이: 10살 ② 꿈을 이룬 나이: 25살 ③ 전문 분야: 여성복 ⑤ 일하는 과정: 먼저 종이에 디자인을 그린 뒤 컴퓨터 프로그램으로 옮긴다.

10 담화 화제

다음을 듣고, 여자가 하는 말의 내용으로 가장 적절한 것을 고르시오.
① 할인 행사 안내 ② 차량 이동 요청
③ 경찰 출동 안내 ④ 폐점 시간 안내
⑤ 스포츠 경기 중계

여 고객 여러분께 안내 말씀 드립니다. 방해하여 죄송하지만, 중요한 안내가 있습니다. 빨간 트럭이 백화점 입구를 막고 있습니다. 이 트럭의 소유주는 즉시 차량을 이동시켜 주십시오. 입구는 항상 비어 있어야 합니다. 10분 이내에 차량을 이동시키지 않으면 저희는 경찰에 연락할 것이며 소유주에게는 벌금이 부과될 것입니다.

W Attention, all shoppers. We're sorry for _____, but we have an important announcement. A red truck _____ 🔑정답 근거 _____ the entrance to the department store. If you are _____ _____ of this truck, please move your vehicle immediately. The entrance must always remain _____. If you do not move _____ _____ within the next ~ 안에 10 minutes, we will call the police and you will receive _____ _____.

11 일치하지 않는 것

대화를 듣고, 여자가 산 자전거에 대한 내용으로 일치하지 <u>않는</u> 것을 고르시오.
① 가격이 비싸다.
② 흰색이다.
③ 핸들이 노란색이다.
④ 바퀴가 튼튼하다.
⑤ 산에서 탈 수 있다.

남 Sierra, 네가 새 자전거를 샀다고 들었어.
여 응, 맞아. 꽤 비싸서, 일 년 동안 저축을 했어.
남 와, 대단하다. 무슨 색이야?
여 처음엔 흰색을 사려고 생각했는데, 결국엔 파란색을 골랐어.
남 잘 선택했어. 하얀색은 쉽게 더러워질 수 있잖아.
여 그리고 난 핸들이 마음에 들어. 노란색인데 느낌이 아주 편해.
남 바퀴는 좋아?
여 물론, 굉장히 튼튼해. 그래서 산에서도 탈 수 있어.
남 잘됐다.

M Sierra, I heard you _____ a new bike.

W Yeah, I did. It was quite expensive, so I _____ _____ for a year.

M Wow, that's impressive. _____ _____ is it?

W I was considering getting a white one first, but in the end, I _____ blue.
= bike
🎵정답 근거

M A good choice. White ones can easily become _____.
= bikes

W And I like the handles. They are yellow and feel _____ _____.

M Does it have good wheels?
= your bike

W Sure, they are very strong. So I _____ _____ my bike in the mountains.
바퀴가 튼튼해서

M Good for you.

12 목적

대화를 듣고, 남자가 가게에 가는 목적으로 가장 적절한 것을 고르시오.
① 휴대 전화를 사기 위해서
② 휴대 전화 케이스를 사기 위해서
③ 친구의 휴대 전화를 골라 주기 위해서
④ 휴대 전화 케이스를 교환하기 위해서
⑤ 휴대 전화를 수리하기 위해서

여 너 어디 가니? 버스 정류장은 이쪽이 아니잖아.
남 나는 버스 정류장에 가는 게 아니야. 역 옆에 있는 휴대 전화 가게에 가야 해.
여 왜? 새 전화기 사지 않았어?
남 응, 그래서 거기에 가는 거야. 전화기 케이스가 필요해.
여 아, 그렇구나.
남 다른 가게의 케이스를 봤는데, 하나도 마음에 들지 않았어.
여 그럼, 튼튼한 케이스로 사야 해. 너 전화기를 자주 떨어뜨리잖아.
남 좋은 지적이야. 음, 가게 문 닫기 전에 서둘러야 해. 내일 보자.

W Where are you going? The bus stop isn't this way.

M I'm _____ _____ to the bus stop. I have to go to the phone shop next to the station.

W _____ _____? Didn't you just buy a new phone?

M Yeah, that's why I have to _____ _____. I need a phone case.
🎵정답 근거

W Oh, I see.

M I checked other stores for cases, but I didn't like _____ _____ _____.

W Well, make sure to get a strong case. You _____ your phone often.

M Good point. Well, I need to hurry _____ the shop closes. See you tomorrow.

13 시각

대화를 듣고, 두 사람이 주말에 만날 시각을 고르시오.
① 10:00 a.m.　② 10:30 a.m.
③ 1:00 p.m.　④ 2:00 p.m.
⑤ 4:00 p.m.

남 이번 주말에 애니메이션 박물관에 같이 가자.
여 좋아. 너는 언제 시간 돼?
남 난 일요일에 시간이 다 비어 있어. 오후 2시 어때?
여 일요일 1시에 할아버지 댁에 가야 해. 그래서 그건 안 될 것 같아.
남 그래. 그럼 오전 10시에 가는 건 어때?
여 음. 10시 30분에 수영 강습이 있어. 박물관에서 오후 4시에 만나는 건 어때?
남 괜찮아. 정문에서 만나자.

M　Let's go to the animation museum this weekend.

W　Okay. When are you _____?

M　My schedule is _____ _____ on Sunday. What about 2 p.m.?

W　I have to visit my grandfather on Sunday at 1, so that _____ _____. 〔2시에 만나는 것〕

M　Okay. Then why don't we go at 10 in the morning?

W　Um. I have a swimming lesson at 10:30. How about _____ at the museum at 4 p.m.? 〔정답 근거〕

M　That's fine. I'll _____ _____ at the main entrance.

14 두 사람의 관계

대화를 듣고, 두 사람의 관계로 가장 적절한 것을 고르시오.
① 아빠 – 딸
② 상담 교사 – 학생
③ 고객 상담 직원 – 고객
④ 식당 종업원 – 사장
⑤ 병원 직원 – 환자

(전화벨이 울린다.)
남 안녕하세요. Central Communications입니다. 어떻게 도와드릴까요?
여 안녕하세요. 인터넷 접속에 문제가 있어요.
남 해결책을 찾는 것을 도와드리겠습니다. 언제 작동이 멈췄나요?
여 오늘 아침에요. 어젯밤엔 잘 됐어요.
남 불편을 드려 죄송합니다. 먼저 장치의 플러그를 뽑아 주세요.
여 네. 지금 할게요.
남 그런 다음 다시 꽂아 보세요.
여 오, 지금 인터넷이 다시 작동돼요!
남 다행이에요. 오늘 더 도와드릴 일이 있을까요?
여 아니요, 그게 전부예요. 정말 감사합니다.

📞 Telephone rings.

M　Hello. This is Central Communications. How can I help you? 〔정답 근거〕

W　Hi. I'm having _____ _____ _____ my Internet connection.

M　I can help you find a _____. When did it stop working?

W　This morning. It worked well last night.

M　I _____ for the inconvenience. First, I would like you to unplug the equipment. 〔플러그를 뽑다〕

W　Okay. I'll do that now. 〔= unplug the equipment〕

M　Then _____ _____ back in, please.

W　Oh, now the Internet is working again!

M　I'm pleased to hear that. Is there _____ _____ I can help you with today?

W　No, that's it. Thank you very much. 〔그게 전부예요.〕

15 부탁한 일

대화를 듣고, 여자가 남자에게 부탁한 일로 가장 적절한 것을 고르시오.

① 세탁하기 ② 빨래 널기
③ 설거지하기 ④ 오븐 청소하기
⑤ 빵 굽기

남 Tina, 그 큰 바구니에 뭐가 들어 있어?
여 젖은 빨래야. 내가 방금 세탁기에서 꺼냈어.
남 아, 내가 너는 것을 도와줄게.
여 고마워.
남 저녁 먹기 전에 우리가 해야 할 일이 더 있을까?
여 응, 있어. 옷을 다 널고 나면 주방에서 도와줘.
남 그래. 더러운 접시들 말이야?
여 아니, 그건 내가 할게. 너는 베이킹 소다로 오븐 청소를 해 줘.
남 알았어.

M Tina, what's in that big basket?

W It's the wet laundry. I just _____ _____ _____ of the washing machine.

M Oh, let me help you _____ it _____.

W Thank you.

M Is there anything else we should do _____ _____?

W Yes, there is. After we finish hanging up _____ _____, I need your help in the kitchen.

M Sure. Do you mean the dirty dishes?

W No, I can do that. Please _____ the oven with baking soda.
= wash[do] the dishes
🔑정답 근거

M Okay.

16 이유

대화를 듣고, 여자가 내일 점심 약속을 지킬 수 없는 이유로 가장 적절한 것을 고르시오.

① 시험이 있어서
② 휴식을 취해야 해서
③ 학교 축제에 가야 해서
④ 축제 계획을 짜야 해서
⑤ 식당에서 일을 해야 해서

남 너 오늘 집에 일찍 왔구나, Jenny.
여 네, 오늘 기말고사가 끝났어요. 그래서 선생님이 저희를 일찍 보내 주셨어요.
남 이제 며칠 푹 쉴 수 있겠다.
여 그럴 순 없어요. 사실 저 내일 학교에 가야 해요.
남 그렇지만 내일은 토요일이잖아. 우리는 같이 점심을 먹으러 갈 계획이고.
여 정말 죄송해요, 아빠. 반 친구들과 다가오는 학교 축제 계획을 짜야 해요.
남 그럼 내일 점심은 못 먹는구나. 예약을 취소해야 할까?
여 네. 죄송해요. 저도 어쩔 수 없어요.

M You're home early today, Jenny.

W Yes, final exams are finished today. So my teacher let us _____ _____.
let은 과거형과 과거분사형이 모두 let으로 동일한 형태이다.

M Now you can _____ for a few days.

W I can't. Actually, I need to go to school tomorrow.

M But tomorrow is Saturday. And we have plans to _____ _____ for lunch.

W I'm so sorry, Dad. I have to _____ _____ for the coming school festival with my classmates. 🔑정답 근거

M So we can't go to lunch. Should I _____ the reservation?

W Yes. I apologize. It's _____ _____ my control.

17 그림 상황

다음 그림의 상황에 가장 적절한 대화를 고르시오.

① ② ③ ④ ⑤

① 남 너 어디 가니?
　여 길 건너 도서관에.
② 남 이 셔츠는 할인 중인가요?
　여 아니요, 바지만 할인 중입니다.
③ 남 너 왜 다 젖었어?
　여 밖에 비가 많이 와.
④ 남 너 화가 나 보여. 무슨 일이야?
　여 버스를 놓쳤어.
⑤ 남 너는 아침에 뭐 했니?
　여 친구와 조깅을 했어.

① M Where are you going?
　W To the library _____ the street.
　　　　정답 근거
② M Is this shirt on sale?
　W No, _____ the pants are on sale.
③ M Why are you _____ _____?
　W It's raining heavily outside.
④ M You look upset. What's wrong?
　W I _____ the bus.
⑤ M What did you do in the morning?
　W I _____ _____ with a friend.

18 언급하지 않은 것 ②

다음을 듣고, 남자가 Groovy Jazz Festival에 대해 언급하지 않은 것을 고르시오.
① 축제 기간　② 참여 음악가의 수
③ 일정 확인 방법　④ 기념품 판매 장소
⑤ 종이 안내서 배포 장소

남 Groovy Jazz Festival에 오신 것을 환영합니다! 이 축제는 이틀 동안 개최되며, 여러분은 100명이 넘는 음악가들의 공연을 즐기실 수 있습니다. Groovy Jazz Festival 스마트폰 애플리케이션에서 공연 스케줄을 찾을 수 있습니다. 식당과 상점에 대한 정보 역시 애플리케이션에서 확인할 수 있습니다. 종이 안내서를 원하시면 축제장 입구로 와 주세요.

M Welcome to the Groovy Jazz Festival! The festival is _____ _____ over two days, and you can enjoy performances by _____ _____ musicians. You can find the performance schedule on the Groovy Jazz Festival smartphone application. Information about restaurants and shops at the festival is also _____ _____ the app. If _____ _____ a paper guide, please visit the festival entrance.

Solution Tip
① 축제 기간: 이틀　② 참여 음악가의 수: 100명 이상　③ 일정 확인 방법: 스마트폰 앱에서 확인
⑤ 종이 안내서 배포 장소: 축제장 입구

19 이어질 말 ①

Woman: _____

① I like the author, too.
② Can you do me a favor?
③ Okay, then I'll take those.
④ I wonder why it's so expensive.
⑤ She never mentioned it before.

W Excuse me. Do you have _____ _____ of *The Candy Hotel*?

M Hmm. I don't recognize that title. Just a moment. I'll _____ _____ _____.

W The author is Barney Smith, if that helps.

M Thank you, it does. I can _____ _____ it by title and author. (*Pause*) Okay, found it.
　　　　　= helps　　　　　　　　　제목과 작가로

W Is it _____ _____? I would like to buy five copies.

M We only have _____ copies in stock right now. 🎵정답 근거

W Okay, then I'll take those.
　　　　　= two copies of *The Candy Hotel*

여 실례합니다. 〈The Candy Hotel〉이 있나요?
남 음. 그건 못 들어 본 제목인데요. 잠시만요. 제가 찾아 볼게요.
여 작가는 Barney Smith예요, 도움이 된다면요.
남 감사합니다, 도움이 돼요. 제목과 작가로 찾아볼게요. (…) 네, 찾았어요.
여 재고가 있나요? 다섯 권을 사고 싶어요.
남 지금 저희에게 재고가 두 권밖에 없어요.
여 ③ 좋아요, 그러면 그걸 살게요.

① 저도 그 작가를 좋아해요.
② 제 부탁 좀 들어주시겠어요?.
④ 그것이 왜 이렇게 비싼지 궁금하네요.
⑤ 그녀는 전에 그것에 관해 언급한 적이 없어요.

20 이어질 말 ②

Woman: _____

① Oh, I have never been so scared.
② Sorry, I'm late for the meeting.
③ I don't want to be a club president.
④ I'd rather choose the black one.
⑤ We're going to discuss where to volunteer.

M Hi, I'm Matt. You _____ _____ the club president, Jennifer.

W That's right. Nice to meet you, Matt. Thanks for _____ the volunteering club.

M I'm happy _____ _____ here. Where are the other club members?

W They'll be here soon. The meeting doesn't start for _____ ten minutes.

M I see. So, what is _____ _____ for today's meeting? 🎵정답 근거

W We're going to discuss where to volunteer.
　　　　　where+to부정사: 어디에서 ~할지

남 안녕, 나는 Matt야. 네가 동아리 회장 Jennifer구나.
여 맞아. 만나서 반가워, Matt. 봉사 활동 동아리에 가입 해줘서 고마워.
남 나는 이곳에 와서 기뻐. 다른 회원들은 어디에 있어?
여 곧 올 거야. 회의가 시작 되려면 아직 10분은 더 있어 야 해.
남 그렇구나. 그럼, 오늘 회의의 계획은 뭐야?
여 ⑤ 우리는 어디에서 봉사 활동을 할지 토론할 거야.

① 아, 나는 이렇게 무서웠던 적이 없었어.
② 미안해, 나 회의에 늦었어.
③ 나는 동아리 회장이 되고 싶지 않아.
④ 나는 검정색으로 할래.

모의고사를 먼저 풀고 싶으면 298쪽으로 이동하세요.

🎧 다음 표현을 듣고 모르는 것에 표시하시오.

☐ 01 **weekly** 매주의		☐ 25 **abroad** 해외로	
☐ 02 **feature** 특징, 특성		☐ 26 **locker** 사물함	
☐ 03 **describe** 묘사하다		☐ 27 **serve** 내놓다, 대접하다	
☐ 04 **die down** 차츰 잦아들다		☐ 28 **southern** 남쪽의	
☐ 05 **material** (물건의) 재료		☐ 29 **anyway** 어쨌든	
☐ 06 **anniversary** 기념일		☐ 30 **chilly** 쌀쌀한, 추운	
☐ 07 **direction** 방향, 지시		☐ 31 **option** 선택(할 수 있는 것)	
☐ 08 **release** 발매하다, 출시하다		☐ 32 **fee** 회비, 요금	
☐ 09 **catch** 붙잡다		☐ 33 **signify** 의미하다	
☐ 10 **turn in** ~을 제출하다		☐ 34 **bill** 지폐	
☐ 11 **jersey** (운동 경기용) 셔츠		☐ 35 **meal** 식사, 끼니	
☐ 12 **durable** 오래 가는, 튼튼한		☐ 36 **apartment** 아파트	
☐ 13 **available** 이용할 수 있는		☐ 37 **stadium** 경기장	
☐ 14 **modern art** 현대 미술		☐ 38 **buckle** 버클, 잠금 장치	
☐ 15 **huge** 엄청난, 열렬한		☐ 39 **exhibition** 전시	
☐ 16 **in luck** 운 좋게도		☐ 40 **shy** 수줍어하는	
☐ 17 **current** 현재의		☐ 41 **shelter** 쉼터	
☐ 18 **be into** ~에 관심이 많다		☐ 42 **musical instrument** 악기	
☐ 19 **hang out** 시간을 보내다, 어울리다			
☐ 20 **incredible** 믿기지 않을 정도의		📓 알아두면 유용한 선택지 **어휘**	
☐ 21 **countryside** 시골 지역		☐ 43 **annoy** 성가시게 하다	
☐ 22 **fascinating** 매력적인		☐ 44 **real estate agent** 부동산 중개인	
☐ 23 **architecture** 건축 양식		☐ 45 **tenant** 세입자	
☐ 24 **vocabulary** 어휘		☐ 46 **flight attendant** 항공 승무원	

🎧 들으면서 표현을 완성한 다음, 뜻을 고르시오.

표현의 의미를 생각하며 다시 써 보기!

01 signi⬜y ☐ 서명하다 ☐ 의미하다 ➜ _____

02 ⬜eature ☐ 특징 ☐ 교훈 ➜ _____

03 exhi⬜ition ☐ 전시 ☐ 실험 ➜ _____

04 dur⬜ble ☐ 두 배의 ☐ 오래 가는 ➜ _____

05 in⬜redible ☐ 아주 오래된 ☐ 믿기지 않을 정도의 ➜ _____

06 direc⬜ion ☐ 방향 ☐ 출장 ➜ _____

07 fas⬜inating ☐ 어려운 ☐ 매력적인 ➜ _____

08 relea⬜e ☐ 발매하다 ☐ 녹이다 ➜ _____

09 south⬜rn ☐ 남쪽의 ☐ 서쪽의 ➜ _____

10 mater⬜al ☐ 문제 ☐ 재료 ➜ _____

11 d⬜e d⬜wn ☐ 차츰 잦아들다 ☐ 떠돌다 ➜ _____

12 be in⬜o ☐ ~을 싫어하다 ☐ ~에 관심이 많다 ➜ _____

13 hu⬜e ☐ 엄청난 ☐ 포옹하다 ➜ _____

14 s⬜elter ☐ 전쟁 ☐ 쉼터 ➜ _____

15 cu⬜rent ☐ 현재의 ☐ 썩은 ➜ _____

16 a⬜road ☐ 해외로 ☐ 탑승한 ➜ _____

17 arc⬜itecture ☐ 예술품 ☐ 건축 양식 ➜ _____

18 lo⬜ker ☐ 열쇠 ☐ 사물함 ➜ _____

실전 모의고사 [19]회

✎ 들으면서 주요 표현 메모하기!

01 다음을 듣고, 서울의 오늘 저녁 날씨로 가장 적절한 것을 고르시오.

① ② ③ ④  ⑤

02 대화를 듣고, 남자가 구입할 샌들로 가장 적절한 것을 고르시오.

① ② ③ ④ ⑤

03 대화를 듣고, 여자가 미술 과제에 대해 언급하지 <u>않은</u> 것을 고르시오.
① 제목 ② 표현 의도 ③ 작업 기간
④ 제출 시기 ⑤ 평가 방법

04 대화를 듣고, 남자가 어제 한 일로 가장 적절한 것을 고르시오.
① 자전거 수리 ② 야구 경기 관람 ③ 영화 관람
④ 야구 팬 행사 참석 ⑤ 운동복 구입

05 대화를 듣고, 두 사람이 대화하는 장소로 가장 적절한 곳을 고르시오.
① 운동장 ② 전시관 ③ 시청 ④ 공원 ⑤ 도서관

06 대화를 듣고, 남자의 마지막 말의 의도로 가장 적절한 것을 고르시오.

① 거절　　　② 후회　　　③ 축하　　　④ 제안　　　⑤ 칭찬

✎ 들으면서 주요 표현 메모하기!

07 대화를 듣고, 여자가 스페인 여행에서 가장 마음에 들었던 부분으로 적절한 것을 고르시오.

① 날씨　　　② 숙소　　　③ 해변　　　④ 건축　　　⑤ 음식

08 대화를 듣고, 여자가 대화 직후에 할 일로 가장 적절한 것을 고르시오.

① 시험 공부하기　　　② 도서관 가기　　　③ 단어 외우기
④ 사물함 청소하기　　　⑤ 책 가져오기

고난도 선택지에 하나씩 체크하며 듣기

09 대화를 듣고, 여자가 카페에 대해 언급하지 <u>않은</u> 것을 고르시오.

① 위치　　　② 음식 맛　　　③ 음식 가격
④ 메뉴 종류　　　⑤ 휴점일

10 다음을 듣고, 남자가 하는 말의 내용으로 가장 적절한 것을 고르시오.

① 동아리 소개　　　② 기부 권유　　　③ 동아리 가입 권유
④ 현장 학습 안내　　　⑤ 연주회 소개

틀린 문제는 Dictation에서
완벽하게 이해하세요!

실전 모의고사 [19]회

고난도 정보 파악하며 듣기

11 다음을 듣고, Discount Heaven에 대한 내용으로 일치하지 <u>않는</u> 것을 고르시오.

① 전 품목에 대해 할인 행사를 하고 있다.
② 파란색 스티커가 붙은 품목은 가격의 30%를 할인한다.
③ 빨간색 스티커가 붙은 품목은 가격의 50%를 할인한다.
④ 문을 닫기 전에 마지막으로 할인 행사를 하고 있다.
⑤ 가게는 문을 연지 50년이 되었다.

12 대화를 듣고, 남자가 전화를 건 목적으로 가장 적절한 것을 고르시오.

① 학생의 성적을 알려 주기 위해서　② 학교 축제에 대해 안내하기 위해서
③ 자원봉사자를 찾기 위해서　④ 상담 일정을 확인하기 위해서
⑤ 출장에 대해 문의하기 위해서

13 대화를 듣고, 여자가 거스름돈으로 받을 금액을 고르시오.

① $4　② $5　③ $10
④ $45　⑤ $46

14 대화를 듣고, 두 사람의 관계로 가장 적절한 것을 고르시오.

① 수리점 직원 – 고객　② 식당 종업원 – 고객　③ 아파트 관리인 – 주민
④ 항공 승무원 – 탑승객　⑤ 부동산 중개인 – 고객

15 대화를 듣고, 남자가 여자에게 부탁한 일로 가장 적절한 것을 고르시오.

① 새로 온 학생의 이름 알려 주기　② 점심 식사 메뉴 결정하기
③ 새로 온 학생에게 편지 쓰기　④ 오늘 숙제에 대해 알려 주기
⑤ 새로 온 학생을 점심에 초대하기

16 대화를 듣고, 남자가 오늘 새 신발을 신지 않은 이유로 가장 적절한 것을 고르시오.

① 밑창이 망가져서　　② 환불을 받아서　　③ 동생에게 빌려줘서
④ 기부를 해서　　⑤ 날씨에 맞지 않아서

✎ 들으면서 주요 표현 메모하기!

17 다음 그림의 상황에 가장 적절한 대화를 고르시오.

①　　②　　③　　④　　⑤

고난도 선택지에 하나씩 체크하며 듣기

18 대화를 듣고, 남자가 컴퓨터에 대해 언급하지 <u>않은</u> 것을 고르시오.

① 지난달에 출시되었다.　　② 배터리가 약 10시간 지속된다.
③ 터치스크린이 특징이다.　　④ 영화 감상에 좋다.
⑤ 오늘 구매하면 할인을 받을 수 있다.

[19-20] 대화를 듣고, 남자의 마지막 말에 이어질 여자의 말로 가장 적절한 것을 고르시오.

19 Woman: _____

① Stop saying. You're so annoying.
② I don't know why I told you that.
③ Will you bring some snacks for the party?
④ I'm afraid you won't have much time.
⑤ Not at all. I'm sure I'll have a great time.

20 Woman: _____

① I don't want to eat out.　　② Please drop by my house.
③ Don't worry. You can't miss it.　　④ I've never tried it before.
⑤ There's no Italian restaurant near here.

틀린 문제는 Dictation에서
완벽하게 이해하세요!

01 날씨

*들을 때마다 체크

다음을 듣고, 서울의 오늘 저녁 날씨로 가장 적절한 것을 고르시오.

① ② ③

④ ⑤

W Good morning! I'm Tanya Morrison, and this is the weather report for Seoul. It's very _____ outside right now, so it might be _____ _____ _____ on your way to work or school.
on one's way to: ~으로 가는 길에
The wind will _____ _____ around lunchtime, but then it will start raining. Fortunately, rain will only fall _____ around 5 p.m. There will still be clouds in the sky, but you _____ _____ a raincoat or umbrella tonight.

정답 근거

여 안녕하십니까! 저는 Tanya Morrison이고, 서울의 일기 예보를 말씀드리겠습니다. 지금은 밖에 바람이 많이 불어서 출근길이나 등굣길에 약간 쌀쌀할 수 있습니다. 점심시간 무렵에는 바람이 차츰 잦아들겠지만 비가 내리기 시작하겠습니다. 다행히도 비는 오후 5시 정도까지만 오겠습니다. 하늘에는 여전히 구름이 있겠지만, 오늘 밤에는 비옷이나 우산이 필요하지는 않겠습니다.

← **Solution Tip**

점심시간 무렵에 시작된 비는 오후 5시까지만 내릴 것이며, 그 이후에는 구름만 끼겠다고 했으므로 저녁에는 흐리다는 것을 알 수 있다.

02 그림 묘사

대화를 듣고, 남자가 구입할 샌들로 가장 적절한 것을 고르시오.

① ② ③

④ ⑤

W Excuse me, sir. Can I help you _____ _____?

M Yes, I'm looking for sandals.

W They're right _____ you, sir.

M Oh, I had no idea. What do you recommend?

W This pair _____ _____ on it is our number one seller.
'켤레'라는 의미로 쓰였다.

M I don't really like the design. Are there _____ _____ you would recommend?

W Hmm. These sandals with buckles look simple and nice.
정답 근거
And _____ _____ is durable.
내구성이 있는, 튼튼한

M They look great. I'll take them.

여 실례합니다, 손님. 무엇을 찾으시는지 제가 도와드릴까요?
남 네, 저는 샌들을 찾고 있어요.
여 그것들은 손님 바로 뒤쪽에 있습니다.
남 아, 몰랐어요. 어떤 것을 추천하세요?
여 위에 별이 있는 이것이 제일 잘 나가는 것입니다.
남 저는 디자인이 별로 마음에 들지 않아요. 다른 것을 추천해 주실 수 있나요?
여 음. 버클이 달린 이 샌들도 깔끔하고 좋아 보여요. 재질도 튼튼하고요.
남 좋아 보이네요. 그것을 살게요.

Dictation 19회 →
┌ 전체 듣기
└ 문항별 듣기

Dictation의 효과적인 활용법
STEP1 들으면서 대본의 빈칸 채우기
STEP2 축쇄 문제를 보며 다시 풀어 보기
STEP3 해석을 보며 영어로 말하거나 영작해 보기

공부한 날   월   일

03 언급하지 않은 것 ①

대화를 듣고, 여자가 미술 과제에 대해 언급하지 <u>않은</u> 것을 고르시오.
① 제목   ② 표현 의도
③ 작업 기간   ④ 제출 시기
⑤ 평가 방법

M Hey, Maya. Is this your _____ _____?

W Oh, David, hi. I didn't see you there. Yes, it is.

M It looks _____! What is the title?

W It's *The Sun into the Field*. I tried _____ _____ the beauty of autumn days. 🎵정답 근거┘

M Interesting. The yellow color catches the eye. Is it finished?

W Yes, I've just _____ it. It took eleven days.

미술 과제를 마치는 것

M It must have been hard work.

must have + 과거분사: ~했던 게 틀림없다

W Right, but I think it is _____ _____.

M When are you going to _____ _____ _____?

W Maybe tomorrow morning.

남 이봐, Maya. 이게 네 미술 과제니?
여 아, David, 안녕. 네가 거기 있는 걸 못 봤어. 그래, 내 거야.
남 멋져 보이는데! 제목이 뭐야?
여 〈들판 속으로 들어간 해〉야. 가을날의 아름다움을 묘사하려고 노력했어.
남 흥미로운데. 노란색이 시선을 끌어. 완성한 거니?
여 응, 이제 막 끝냈어. 11일이 걸렸어.
남 힘든 일이었겠구나.
여 맞아, 하지만 그럴 가치가 있다고 생각해.
남 그것을 언제 제출할 거니?
여 아마 내일 아침에.

Solution Tip

① 제목: 〈들판 속으로 들어간 해〉   ② 표현 의도: 가을날의 아름다움을 묘사하려고 노력했다.
③ 작업 기간: 11일   ④ 제출 시기: 내일 아침

04 과거에 한 일

대화를 듣고, 남자가 어제 한 일로 가장 적절한 것을 고르시오.
① 자전거 수리   ② 야구 경기 관람
③ 영화 관람   ④ 야구 팬 행사 참석
⑤ 운동복 구입

W Paul, I saw _____ _____ your bike yesterday. Where were you going?

M I was going to the sports stadium.

W Did you see a baseball game? You're _____ _____ _____ of the Dragons, right?

M It's true that I'm a fan, but I didn't go for a game. The season is _____ _____.

W So, why did you go to the stadium?

M There was a special _____ _____. I got to meet all the players on the team. 🎵정답 근거┘

get + to부정사: ~하게 되다

W That's awesome! What was the best part?

M Getting my jersey _____ _____ my favorite player. Look, here it is.

여 Paul, 나 어제 네가 자전거 타는 거 봤어. 어디 가고 있었어?
남 나는 경기장에 가고 있었어.
여 야구 경기 본 거야? 너 Dragons의 열렬한 팬이잖아, 그렇지?
남 내가 팬인 건 사실이지만, 경기를 보러 간 건 아니야. 시즌은 이미 마무리됐지.
여 그럼 왜 경기장에 간 거야?
남 특별한 팬 행사가 있었거든. 나는 팀의 모든 선수를 만나게 됐지.
여 굉장하다! 어떤 부분이 제일 좋아어?
남 내 운동 셔츠에 내가 가장 좋아하는 선수의 사인을 받은 거야. 봐, 여기 있어.

19회

받아쓰기

05 장소

대화를 듣고, 두 사람이 대화하는 장소로 가장 적절한 곳을 고르시오.

① 운동장 ② 전시관 ③ 시청
④ 공원 ⑤ 도서관

남 선생님, 여기서 일하시나요?
여 네, 제가 책임자예요. 어떻게 도와드릴까요?
남 현대 미술 전시는 어디에서 하는지 알려 주시겠어요?
여 여기에는 미술 작품이 없어요. 저희는 역사 전시만 합니다.
남 아, 제가 잘못 찾아왔나 보네요.
여 아, 안됐네요. 제가 도와드릴 일이 있을까요?
남 음, 이왕 온 김에, 현재 하고 있는 전시에 관해 말씀해 주실 수 있으세요?
여 물론이죠. 저희는 사실 지금 전쟁 역사에 관한 특별 전시를 하고 있어요.
남 흥미롭군요. 입장료가 얼마인가요?
여 운이 좋으시군요. 학생들은 무료 입장입니다.

M Ma'am, do you work here?
W Yes, I'm _____ _____. How can I help you?
M Can you tell me _____ the modern art exhibition is? **정답 근거**
W We _____ _____ art here. We only have history exhibitions.
M Ah, I think I came to the _____ place.
W Oh, too bad. Is there anything I can _____ you with?
M Um, since I'm here, can you tell me about your current
   ~이므로(이유를 나타내는 접속사)
   exhibition?
W Of course. We actually have a special exhibition on _____ _____ right now.
M Interesting. How much is the entrance fee?
W You're _____ _____. Students can enter for free.

06 말의 의도

대화를 듣고, 남자의 마지막 말의 의도로 가장 적절한 것을 고르시오.

① 거절 ② 후회 ③ 축하
④ 제안 ⑤ 칭찬

여 Ted, 너 이번 주말에 뭐 해?
남 별일 없어. 너는?
여 난 토요일에는 수업이 있는데, 일요일에는 뭔가 재미있는 걸 하고 싶어.
남 뭐 생각해 둔 거 있어?
여 음, 일요일 오후에 쇼핑몰에서 패션쇼가 있어.
남 그렇구나. 네가 좋아할 것처럼 들리네.
여 맞아. 난 패션에 정말 빠져 있어. 나랑 같이 갈래?
남 아, 난 패션에는 전혀 관심이 없어. 다음에 같이 놀자.

W Ted, what are you doing this weekend?
M _____ _____ _____. What about you?
W I have classes on Saturday, but I want to do _____ _____ on Sunday.
M Did you have anything _____ _____?
W Well, there's a fashion show at the mall on Sunday afternoon.
M I see. That _____ like something you would enjoy.
W Right. I'm really _____ fashion. Would you maybe want to join me?
M Oh, I'm not interested in fashion at all. Maybe we can
   not at all: 전혀 ~ 아닌
   _____ _____ another time. **정답 근거**

07 세부 정보

대화를 듣고, 여자가 스페인 여행에서 가장 마음에 들었던 부분으로 적절한 것을 고르시오.
① 날씨　　② 숙소　　③ 해변
④ 건축　　⑤ 음식

M　Carina, welcome back! How was your trip?

W　Incredible! I'm so glad I chose to tour one country _____ _____ several countries.

M　You traveled around Spain, right?

W　Yes. I visited _____ _____ _____ as well as the
~뿐만 아니라 …도
countryside.

M　Did you go to _____ _____ in Spain?

W　No, I didn't have time. But it's okay. I usually don't like beaches _____.

M　I see. So, what was your _____ _____ of the trip?
🔑정답 근거

W　The architecture, for sure. It was unique and fascinating.
확실히, 틀림없이

남　Carina, 돌아온 걸 환영해! 여행은 어땠어?
여　멋졌어! 여러 나라를 가는 것 대신 한 나라만 여행하기로 한 게 다행이야.
남　너 스페인을 여행한 거지, 맞아?
여　응. 나는 시골뿐만 아니라 수도도 방문했어.
남　스페인의 해변도 갔었니?
여　아니, 시간이 없었어. 그렇지만 괜찮아. 어쨌든 난 해변을 별로 좋아하지 않거든.
남　그렇구나. 그럼 여행에서 가장 좋았던 게 뭐야?
여　물론 건축 양식이지. 독특하고 정말 멋졌어.

08 바로 할 일

대화를 듣고, 여자가 대화 직후에 할 일로 가장 적절한 것을 고르시오.
① 시험 공부하기　　② 도서관 가기
③ 단어 외우기　　　④ 사물함 청소하기
⑤ 책 가져오기

W　Brandon, what are you doing?

M　I'm studying English vocabulary.

W　How come? Do you have a test _____ _____?
왜[어째서]?

M　No, but I'm planning to _____ _____ in Canada next summer.

W　How exciting! I'm sure you'll _____ a lot there.
= How exciting it is!

M　I hope so. But before I go, I need to learn more English words.

W　You know what? I have a great _____ _____ that you might like.

M　Really? I would love to see it.
= the vocabulary book

W　Okay. It's in _____ _____. I'll go and get it now.
🔑정답 근거

여　Brandon, 너 뭐 하고 있어?
남　영어 단어를 공부하고 있어.
여　왜? 시험이 다가오니?
남　아니, 하지만 다음 여름에 캐나다로 유학을 갈 예정이거든.
여　정말 신나겠다! 분명히 거기서 넌 많은 것을 배울 거야.
남　그랬으면 좋겠다. 그렇지만 가기 전에, 영어 단어를 더 배울 필요가 있어.
여　그거 아니? 나한테 네가 좋아할 만한 훌륭한 단어 책이 있어.
남　정말? 보고 싶어.
여　좋아. 내 사물함에 있어. 지금 가서 가져올게.

[Dictation] 실전 모의고사 **19**회

09 언급하지 않은 것 ②

대화를 듣고, 여자가 카페에 대해 언급하지 <u>않은</u> 것을 고르시오.

① 위치　② 음식 맛　③ 음식 가격
④ 메뉴 종류　⑤ 휴점일

여　Tom, 나 드디어 주민 센터 옆에 새로 생긴 카페에 다녀왔어.
남　오, 어땠어?
여　내가 기대했던 것보다 좋았어. 커피가 맛있었어.
남　거기서 음식도 먹어 봤어?
여　응, 블루베리 머핀을 먹었어. 꽤 맛있었지만 놀랍지는 않았어.
남　그곳은 커피랑 제과류만 파는 거야?
여　아니, 샐러드, 수프 그리고 샌드위치 몇 종류도 팔아.
남　그거 좋다. 나도 가고 싶어. 일요일에도 여니?
여　아니. 월요일부터 토요일까지 열어.

W　Tom, I finally went to that new cafe _____ _____ the community center.
M　Oh, how was it?
W　It was _____ _____ I expected. The coffee was delicious.
M　Did you try _____ _____ there?
W　Yes, I had a blueberry muffin. It was pretty good, but not amazing.
M　Do they serve _____ coffee and baked goods?
　　　　　　　　　　　　　　　　　제과류
W　No, they have some kinds of salads, soups, and sandwiches.
M　That sounds good. I'd like to go there. Are they _____ _____ _____?
W　No. They are open from Monday to Saturday.

---

10 담화 화제

다음을 듣고, 남자가 하는 말의 내용으로 가장 적절한 것을 고르시오.

① 동아리 소개　② 기부 권유
③ 동아리 가입 권유　④ 현장 학습 안내
⑤ 연주회 소개

남　잘 들으세요, 여러분. 여러분은 모두 분명 어떤 동아리에 가입할지를 결정하려 하고 있을 거예요. 제가 몇 가지 선택 사항을 말씀드리겠습니다. 먼저, 음악 동아리가 있습니다. 이 동아리에 가입하고 싶다면 10달러라는 약간의 회비를 내야 합니다. 회비는 악기에 사용돼요. 다른 선택 사항으로는 과학 동아리가 있어요. 그들은 일주일에 한 번씩 모이고 한 달에 한 번씩 현장 학습을 갑니다.

M　Listen up, everyone. I'm sure you are all trying to decide _____ _____ to join. Let me tell you about your options. First, there is a music club. If you want _____ _____ this club, you have to pay a small fee of _____ dollars. The fee is _____ _____ musical
　　　　　　　　　　　　　　　　　　　　　　　　악기
instruments. Another option is the science club. They have one weekly meeting and also go on _____ _____
　　　매주의
_____ once a month.

Solution Tip
가입할 수 있는 동아리의 회비나 일정을 소개하고 있으나, 가입을 권유하는 것은 아니다.

11 일치하지 않는 것

다음을 듣고, Discount Heaven에 대한 내용으로 일치하지 <u>않는</u> 것을 고르시오.

① 전 품목에 대해 할인 행사를 하고 있다.
② 파란색 스티커가 붙은 품목은 가격의 30%를 할인한다.
③ 빨간색 스티커가 붙은 품목은 가격의 50%를 할인한다.
④ 문을 닫기 전에 마지막으로 할인 행사를 하고 있다.
⑤ 가게는 문을 연지 50년이 되었다.

여 안녕하세요, Discount Heaven에서 쇼핑해 주셔서 감사합니다. 가게에 있는 모든 것이 대폭 할인 중입니다. 각 품목에는 스티커가 붙어 있습니다. 파란색 스티커는 그 품목에 대한 30% 할인을 의미합니다. 빨간색 스티커는 50% 할인을 나타냅니다! 저희는 매장의 50주년 기념일을 축하하며 이런 저렴한 가격을 제공하고 있습니다. 저희의 경영에 대한 지원에 다시 한 번 감사드립니다.

W Hello and thank you for shopping at Discount Heaven. We are having _____ _____ _____ on everything in the store. _____ _____ will have a sticker on it. A blue sticker means a 30% _____ on the item. Red stickers signify a 50% discount! We are offering _____ _____ _____ as a celebration of our store's 50th

🎵정답 근거

anniversary. Thank you again for _____ our business!

---

12 목적

대화를 듣고, 남자가 전화를 건 목적으로 가장 적절한 것을 고르시오.

① 학생의 성적을 알려 주기 위해서
② 학교 축제에 대해 안내하기 위해서
③ 자원봉사자를 찾기 위해서
④ 상담 일정을 확인하기 위해서
⑤ 출장에 대해 문의하기 위해서

(휴대 전화가 울린다.)
여 여보세요.
남 여보세요. Elliot 씨인가요? 저는 Megan의 담임 교사인 Thomas Brooks입니다.
여 안녕하세요, Brooks 선생님. 어떻게 지내세요? 아, Megan에게 무슨 문제가 있나요?
남 아뇨, 아뇨. Megan 때문이 아닙니다. 어, 부탁드릴 게 있어서 전화드렸어요.
여 물론이죠, 제가 할 수 있는 일이라면 뭐든 돕겠습니다.
남 저희가 다음 금요일 학교 축제에 자원봉사자를 찾고 있어요. 부모님들의 도움이 좀 필요해서요. 같이 하실 수 있으신가요?
여 정말 죄송합니다, Brooks 선생님. 저도 가고 싶지만, 그날 출장을 가요.
남 아, 괜찮습니다. 신경 쓰지 마세요, Elliot 씨.
여 이해해 주셔서 감사합니다.

📞 Cell phone rings.

W Hello.

M Hello. _____ _____ Ms. Elliot? I'm Megan's homeroom teacher Thomas Brooks.

W Hi, Mr. Brooks. How are you doing? Oh, is there _____ _____ with Megan?

M No, no. It's not about Megan. Um, I called you to
　　　　　　전화한 용건
_____ _____ a favor.

W Sure, I will help you with anything I can.

　　　　　　　　　　　　　　　　🎵정답 근거

M We're looking for _____ at the school festival next Friday. We need some parents' help. Could you join us?

W I'm so sorry, Mr. Brooks. I want to be there, but I'll _____ _____ a business trip that day.
　　　　　　　　　　　　　　　　= next Friday

M Oh, that's all right. _____ _____, Ms. Elliot.

W Thank you for understanding.

13 금액

대화를 듣고, 여자가 거스름돈으로 받을 금액을 고르시오.
① $4　　　② $5　　　③ $10
④ $45　　⑤ $46

남 다음 분 도와드릴게요.
여 안녕하세요. 참치 샌드위치 하나 주세요.
남 샌드위치만 원하시나요, 아니면 콤보 세트를 원하세요? 샌드위치는 $4이고 콤보 세트는 $5입니다.
여 그럼 콤보 세트로 하겠습니다.
남 좋아요, $5입니다.
여 여기 $50이요.
남 죄송하지만, 저희는 $50짜리 지폐를 받지 않고 있어요. 더 적은 액수의 지폐가 있으세요?
여 있을 거예요. 확인해 볼게요. 여기 $10이요.
남 감사합니다. 여기 거스름돈이요.

M　I can help the next _____ _____.

W　Hi. One tuna sandwich, please.

M　Would you like _____ _____ _____ or the combo meal? The sandwich is $4 and the combo meal is $5.

W　I'll _____ the combo meal then.

M　Okay, that'll be $5. 🔑정답 근거

W　Here is $50.

M　Sorry, we don't _____ $50 bills. Do you have a _____ bill?

W　I think so. Let me check. Here's $10.

M　Thank you. Here's your _____.

Solution Tip
처음에 $50 지폐를 냈으나 점원이 받을 수 없다고 하여 $10로 다시 냈다. 세트 가격이 $5이므로 거스름돈은 $5이다.

14 두 사람의 관계

대화를 듣고, 두 사람의 관계로 가장 적절한 것을 고르시오.
① 수리점 직원 − 고객
② 식당 종업원 − 고객
③ 아파트 관리인 − 주민
④ 항공 승무원 − 탑승객
⑤ 부동산 중개인 − 고객

남 안녕하세요. Beautiful Homes를 방문해 주셔서 감사합니다. 오늘 무슨 일로 오셨나요?
여 안녕하세요. 저는 새 아파트를 찾고 있어요.
남 좋습니다. 제가 꼭 맞는 걸 찾도록 도와드릴게요. 어떤 아파트를 원하시는지 말씀해 주세요.
여 저는 창문이 많고, 적어도 방이 두 개가 있는 아파트를 원해요.
남 네, 이 도시의 어느 지역에 관심이 있으세요?
여 주로 남쪽이요.
남 아주 좋습니다. 그러면 보여 드릴 아파트가 많이 있어요.
여 지금 가서 가능한 아파트를 볼 수 있을까요?

M　Hello. Thanks for visiting Beautiful Homes. _____ _____ _____ here today? 🔑정답 근거

W　Hi. I'm searching for a new apartment.

M　Great. I can help you _____ the perfect one. Tell me what kind of apartment you want.
= apartment

W　I want an apartment with lots of windows and _____ _____ two bedrooms.

M　Okay. And what part of the town are you _____ _____?

W　Mostly the southern part.

M　Wonderful. Then I have lots of apartments to _____ _____.

W　Can we go now to look at the available ones?
= apartments

15 부탁한 일

대화를 듣고, 남자가 여자에게 부탁한 일로 가장 적절한 것을 고르시오.
① 새로 온 학생의 이름 알려 주기
② 점심 식사 메뉴 결정하기
③ 새로 온 학생에게 편지 쓰기
④ 오늘 숙제에 대해 알려 주기
⑤ 새로 온 학생을 점심에 초대하기

남 우리 반에 새로 온 학생에 대해서 너는 어떻게 생각해?
여 아직 잘 모르겠어. 우리 오늘 아침에 막 그를 만난 거 잖아.
남 맞아. 난 그에 대해서 더 잘 알고 싶어. 그는 흥미로워 보여.
여 말을 걸어 보는 게 어때? 그냥 그에게 걸어가서 인사해.
남 난 너무 수줍어.
여 정말? 그렇게 어렵지 않아.
남 넌 나보다 용기가 있구나. 음… 네가 그를 점심에 우리 와 같이 앉도록 초대할 수 있어?
여 문제없어.

M What do you _____ _____ the new student in our class?

W I don't know _____. We just met him this morning.

M Right. I want to get to know him _____. He seems interesting.
seem + 형용사: ~하게 보이다

W Why not talk to him? Just _____ _____ _____ him and say hi.
~하는 게 어때?

M I'm too shy.

W Really? It's not that difficult.

M You're _____ than I am. Hmm… Can you invite him to sit with us _____ _____?
그렇게 / 정답 근거

W No problem.

16 이유

대화를 듣고, 남자가 오늘 새 신발을 신지 않은 이유로 가장 적절한 것을 고르시오.
① 밑창이 망가져서
② 환불을 받아서
③ 동생에게 빌려줘서
④ 기부를 해서
⑤ 날씨에 맞지 않아서

여 안녕, Cory. 너 왜 새 부츠를 안 신고 있어?
남 그래, 난 전에 신던 운동화를 신고 있지.
여 음, 난 네 새 부츠가 마음에 들었거든. 그리고 오늘의 추운 날씨에 딱 맞았을 거야.
남 음, 난 이제 그 부츠를 갖고 있지 않아.
여 왜? 환불받았니?
남 아니, 그것을 노숙자 쉼터에 기부했어.
여 오, 너 정말 친절하구나.
남 고마워. 뉴스에서 노숙자들이 대개는 따뜻한 겨울용 신발을 갖고 있지 않다는 걸 봤거든.
여 그래서 너는 그들을 돕고 싶었구나.

W Hey, Cory. Why aren't you _____ your new boots?

M Yeah, I'm wearing my old sneakers.

W Well, I liked your new boots. And they would be _____ _____ _____ today's cold weather.
= your new boots

M Um, I don't have those boots anymore.

W Why not? Did you return them for _____ _____?
= your new boots

M No, I _____ them to a homeless shelter. 정답 근거

W Oh, that's really kind of you.

M Thanks. I saw on the news that _____ _____ usually don't have warm shoes for winter.

W So you _____ _____ help them.
= homeless people

17 그림 상황

다음 그림의 상황에 가장 적절한 대화를 고르시오.

① ② ③ ④ ⑤

① 남 실례합니다. 열쇠를 떨어뜨리셨어요.
　여 감사합니다! 몰랐어요.
② 남 무엇을 시키셨나요?
　여 초콜릿 케이크와 밀크티요.
③ 남 무엇을 찾고 있나요?
　여 티켓을 잃어버렸어요.
④ 남 먹기 전에 손을 씻어라.
　여 이미 씻었어요.
⑤ 남 네가 이 쿠키를 직접 구운 거야?
　여 아니, 제과점에서 샀어.

합정 주의 떨어뜨린 것을 주워 주거나 알려주는 상황이다.

① M Excuse me. You dropped your key.
　W Thanks! I didn't _____.

② M What did you _____?
　W Chocolate cake and milk tea.

③ M What are you _____ for? 정답 근거
　W I lost my ticket.

④ M Wash your hands before you eat.
　W I already _____ them.

⑤ M Did you bake these cookies _____?
　W No, I bought them at the bakery.

18 언급하지 않은 것 ③

대화를 듣고, 남자가 컴퓨터에 대해 언급하지 않은 것을 고르시오.
① 지난달에 출시되었다.
② 배터리가 약 10시간 지속된다.
③ 터치스크린이 특징이다.
④ 영화 감상에 좋다.
⑤ 오늘 구매하면 할인을 받을 수 있다.

남 부인, 이 컴퓨터에 관심이 있으세요?
여 네, 그렇지만 전 정보가 더 필요해요. 언제 출시된 거죠?
남 가장 최신 모델입니다. 지난달에 막 나왔어요.
여 좋아요. 배터리는 얼마나 지속되나요?
남 배터리가 완전히 충전되었다면, 10시간 정도 지속됩니다.
여 네. 어떤 특별한 기능이 있나요?
남 네, 많이 있어요. 제 생각에 터치스크린이 가장 독특한 특징이에요.
여 와, 좋아요. 그런데 제게 여전히 좀 비싸네요.
남 만약 오늘 사시면, 제가 10% 할인을 해 드릴게요.

M Ma'am, are you interested in this computer?
W Yes, but I need some more information. When was it _____?
M It's the newest model. It just _____ _____ last month. 정답 근거
W That's good. How long does the battery _____?
M If the battery is fully charged, it lasts for about 10 hours.
　be fully charged: 완전히 충전되다
W Okay. And does it have any _____ _____?
M Yes, there are many. In my opinion, the touch screen is _____ _____ _____ feature.
　many 뒤에 'special features'가 생략되었다.
W Wow, it sounds great, but it's still a bit expensive for me.
　남자가 말한 내용을 가리킨다.
M If you buy it today, I can _____ you a 10 percent discount.

19 이어질 말 ①

Woman: _____

① Stop saying. You're so annoying.
② I don't know why I told you that.
③ Will you bring some snacks for the party?
④ I'm afraid you won't have much time.
⑤ Not at all. I'm sure I'll have a great time.

W Hey, Paul. Happy birthday!
M Hannah, I'm so glad you could _____ _____!
W I wouldn't _____ your birthday party for anything. Is Sally coming, too?
M She said she was busy today. Unfortunately, you probably won't know _____ _____ the other guests.
W That's okay. I don't _____ meeting new people.
M Great. I was worried you might _____ uncomfortable.
W Not at all. I'm sure I'll have a great time.

여 안녕, Paul. 생일 축하해!
남 Hannah, 네가 와 줘서 정말 기뻐!
여 무슨 일이 있어도 네 생일 파티를 놓칠 순 없지. Sally도 온대?
남 그녀는 오늘 바빴댔어. 안타깝게도, 너는 아마 다른 손님들을 아무도 모를 거야.
여 괜찮아. 난 새로운 사람 만나는 걸 꺼리지 않아.
남 좋아. 난 네가 불편할까 봐 걱정했어.
여 ⑤ 전혀. 난 즐거운 시간을 보낼 거라고 확신해.

① 그만 말해. 너 정말 짜증나.
② 내가 왜 너한테 그 말을 했는지 모르겠어.
③ 파티에 간식을 좀 가져올래?
④ 네가 시간이 별로 없을 것 같아.

20 이어질 말 ②

Woman: _____

① I don't want to eat out.
② Please drop by my house.
③ Don't worry. You can't miss it.
④ I've never tried it before.
⑤ There's no Italian restaurant near here.

M Sophia, do you know this area well?
W Sure. Just _____ _____ anything you need to know.
M Well, are there any Italian restaurants _____ _____?
W Yes, there's a nice one on Cherry Street.
  = Italian restaurant
M Can you give me _____?
W Okay. Walk one block and _____ _____ on Cherry Street. It is next to the gas station.
  = The restaurant
M It sounds simple, but I'm nervous I'll _____ _____.
W Don't worry. You can't miss it.

남 Sophia, 너 이 지역을 잘 아니?
여 물론이지. 알고 싶은 게 있다면 뭐든지 물어봐.
남 음, 이 주변에 이탈리아 식당이 있어?
여 응, Cherry가에 괜찮은 곳이 있어.
남 나한테 가는 길을 알려 줄 수 있어?
여 그래. 한 블록 걸어가서 Cherry가에서 좌회전해. 주유소 옆에 있어.
남 간단하지만, 길을 잃을까 봐 걱정돼.
여 ③ 걱정하지 마. 너는 꼭 찾을 거야.

① 난 외식하기 싫어.
② 우리 집에 들러 주세요.
④ 난 전에 거기 가 본 적이 없어.
⑤ 이 근처에는 이탈리아 식당이 없어.

정답 근거

19회 받아쓰기

Dictation **311**

모의고사를 먼저 풀고 싶으면 314쪽으로 이동하세요.

🎧 다음 표현을 듣고 모르는 것에 표시하시오.

☐ 01 **entire** 전체의, 온	☐ 25 **poetry** 시, 시가
☐ 02 **chilly** 쌀쌀한	☐ 26 **raise** (손을) 들다
☐ 03 **plug in** 플러그를 꽂다	☐ 27 **be sick of** ~에 넌더리가 나다
☐ 04 **check-up** (건강) 검진	☐ 28 **garage** 차고
☐ 05 **octopus** 문어	☐ 29 **allergic** 알레르기가 있는
☐ 06 **deal** 거래	☐ 30 **tidy up** 깔끔하게 정리하다
☐ 07 **science fair** 과학 박람회	☐ 31 **suit** 어울리다
☐ 08 **score** 득점을 하다	☐ 32 **neat** 멋진
☐ 09 **creature** 생물	☐ 33 **regular** 정기적인
☐ 10 **armchair** 안락의자	☐ 34 **nuts** 견과류
☐ 11 **adorable** 사랑스러운	☐ 35 **participate** 참가하다
☐ 12 **match** 경기, 시합	☐ 36 **length** 길이
☐ 13 **trip** 발을 헛디디다	☐ 37 **awful** 끔찍한
☐ 14 **install** 설치하다	☐ 38 **hatch** 부화하다
☐ 15 **crave** 갈망하다	☐ 39 **offer** 제안, 할인
☐ 16 **topping** 고명, 토핑	☐ 40 **color** 염색하다
☐ 17 **get married** 결혼하다	☐ 41 **talent show** 장기 자랑
☐ 18 **additional** 추가의	☐ 42 **blow out** 불어서 끄다
☐ 19 **aquarium** 수족관	☐ 43 **coral** 산호
☐ 20 **time flies** 시간이 쏜살같다	
☐ 21 **make sense** 말이 되다, 타당하다	📖 **알아두면 유용한 선택지 어휘**
☐ 22 **flavor** 맛	☐ 44 **lecture** 강연
☐ 23 **stuffed** 속을 채운	☐ 45 **complain** 항의하다
☐ 24 **appliance** (가정용) 기기	☐ 46 **sports day** 운동회, 체육 대회

🎧 들으면서 표현을 완성한 다음, 뜻을 고르시오.

표현의 의미를 생각하며 다시 써 보기!

01 poet⬜y ☐ 시 ☐ 시인 ➜ _____

02 adora⬜le ☐ 사랑스러운 ☐ 혼란스러운 ➜ _____

03 creat⬜re ☐ 창조 ☐ 생물 ➜ _____

04 sco⬜e ☐ 득점을 하다 ☐ 패배하다 ➜ _____

05 ta⬜ent s⬜ow ☐ 연극 ☐ 장기 자랑 ➜ _____

06 cra⬜e ☐ 갈망하다 ☐ 숨다 ➜ _____

07 ap⬜liance ☐ (가정용) 기기 ☐ 지원자 ➜ _____

08 re⬜ular ☐ 개별적인 ☐ 정기적인 ➜ _____

09 ha⬜ch ☐ 부화하다 ☐ 해치다 ➜ _____

10 t⬜ip ☐ 땅을 파다 ☐ 발을 헛디디다 ➜ _____

11 fla⬜or ☐ 소리 ☐ 맛 ➜ _____

12 ⬜eat ☐ 멋진 ☐ 지저분한 ➜ _____

13 blo⬜ o⬜t ☐ 불어서 끄다 ☐ 돌아가다 ➜ _____

14 ma⬜ch ☐ 연습 ☐ 경기 ➜ _____

15 inst⬜ll ☐ 설치하다 ☐ 부수다 ➜ _____

16 ⬜et m⬜rried ☐ 이혼하다 ☐ 결혼하다 ➜ _____

17 parti⬜ipate ☐ 참가하다 ☐ 사과하다 ➜ _____

18 aller⬜ic ☐ 알레르기가 있는 ☐ 위험한 ➜ _____

실전 모의고사 20회 ➜
┌ 모의고사 보통 속도
└ 모의고사 빠른 속도

✎ 들으면서 주요 표현 메모하기!

01 다음을 듣고, 수원의 화요일 날씨로 가장 적절한 것을 고르시오.

① ② ③ ④ ⑤

02 대화를 듣고, 남자가 주문한 메뉴로 가장 적절한 것을 고르시오.

① ② ③ ④ ⑤

고난도 | 메모하며 듣기

03 대화를 듣고, 남자가 오늘 축구 경기에 대해 언급하지 <u>않은</u> 것을 고르시오.
① 경기 장소   ② 경기 시작 시각   ③ 상대 팀
④ 자신의 득점 수   ⑤ 경기 결과

04 대화를 듣고, 여자가 현장 학습에서 한 일로 가장 적절한 것을 고르시오.
① 물놀이를 했다.
② 직업 체험을 했다.
③ 환경 보호에 대한 강연을 들었다.
④ 거북이를 구경했다.
⑤ 자원봉사 활동을 했다.

05 대화를 듣고, 두 사람이 대화하는 장소로 가장 적절한 곳을 고르시오.
① 옷 가게   ② 병원   ③ 분실물 보관소
④ 지하철 안   ⑤ 패션쇼장

06 대화를 듣고, 여자의 마지막 말의 의도로 가장 적절한 것을 고르시오.

① 불평　　　② 실망　　　③ 안도　　　④ 감사　　　⑤ 절망

✎ 들으면서 주요 표현 메모하기!

07 대화를 듣고, 여자가 바꿔 달라고 한 것으로 적절한 것을 고르시오.

① 메뉴판　　　　　② 샐러드　　　　　③ 의자
④ 접시　　　　　⑤ 포크

08 대화를 듣고, 여자가 대화 직후에 할 일로 가장 적절한 것을 고르시오.

① 파인애플 피자 주문하기　　　② 페퍼로니 피자 주문하기
③ 반반 피자 주문하기　　　　　④ 상 차리기
⑤ 피자 사러 가기

고난도 선택지에 하나씩 체크하며 듣기

09 대화를 듣고, 여자가 프로젝트에 대해 언급하지 <u>않은</u> 것을 고르시오.

① 참여하는 박람회의 종류　　　② 프로젝트의 주제
③ 프로젝트 진행 방법　　　　　④ 프로젝트 진행 기간
⑤ 프로젝트 결과

10 다음을 듣고, 남자가 하는 말의 내용으로 가장 적절한 것을 고르시오.

① 체험 활동 일정 공지　　② 학급 회의 주제 공지　　③ 장기 자랑 참여 안내
④ 체육 대회 개최 안내　　⑤ 도서관 개관 안내

틀린 문제는 Dictation에서
완벽하게 이해하세요!

실전 모의고사 [20]회

✎ 들으면서 주요 표현 메모하기!

11 대화를 듣고, 여자가 구입할 소파에 대한 내용으로 일치하지 <u>않는</u> 것을 고르시오.

① 노란색이다. ② 4인용이다.
③ 매우 편안하다. ④ 할인이 될 것이다.
⑤ 무료로 배송될 것이다.

12 대화를 듣고, 남자가 전화를 건 목적으로 가장 적절한 것을 고르시오.

① 약속 시간을 바꾸기 위해서 ② 제품에 대해 항의하기 위해서
③ 약속 장소를 확인하기 위해서 ④ 제품 교환을 요청하기 위해서
⑤ 제품 수리를 요청하기 위해서

13 대화를 듣고, 여자가 산 가방의 가격을 고르시오.

① $6 ② $8 ③ $14 ④ $20 ⑤ $30

14 대화를 듣고, 두 사람의 관계로 가장 적절한 것을 고르시오.

① 의사 – 환자 ② 항공 승무원 – 승객 ③ 음악 교사 – 학생
④ 사장 – 직원 ⑤ 가게 주인 – 손님

15 대화를 듣고, 여자가 남자에게 부탁한 일로 가장 적절한 것을 고르시오.

① 머리 감겨 주기 ② 결혼식에 함께 가기 ③ 머리 염색하기
④ 동생의 머리 잘라 주기 ⑤ 어울리는 옷 찾아 주기

16 대화를 듣고, 여자가 오늘 신발을 사지 못하는 이유로 가장 적절한 것을 고르시오.

① 원하는 모델이 없어서
② 원하는 사이즈가 없어서
③ 주문이 밀려 있어서
④ 가게가 2주 동안 문을 닫아서
⑤ 기다리는 것이 싫어서

✎ 들으면서 주요 표현 메모하기!

17 다음 그림의 상황에 가장 적절한 대화를 고르시오.

①   ②   ③   ④   ⑤

18 다음을 듣고, 남자가 새 PC방에 대해 언급하지 <u>않은</u> 것을 고르시오.

① 위치   ② 개업한 때   ③ 시설의 장점
④ 회원 가입 혜택   ⑤ 이용 요금

[19-20] 대화를 듣고, 여자의 마지막 말에 이어질 남자의 말로 가장 적절한 것을 고르시오.

19 Man: _____

① I don't like chocolate.
② It's open until 7:00 p.m.
③ What are your plans for today?
④ It is 5 dollars after the discount.
⑤ Sure! I'm always happy to get ice cream.

20 Man: _____

① She went to the park.
② The party will be fun.
③ I bought it yesterday.
④ I don't have enough.
⑤ It's silver with a black stripe.

틀린 문제는 Dictation에서 완벽하게 이해하세요!

20회

듣기평가

01 날씨

*들을 때마다 체크

다음을 듣고, 수원의 화요일 날씨로 가장 적절한 것을 고르시오.

 ① ② ③
 ④ ⑤

남 안녕하십니까. 이번 주 수원의 일기 예보 시간입니다. 월요일은 하늘이 맑고 햇빛이 많아 피크닉에 완벽한 날씨가 되겠습니다. 화요일 오전에는 짙은 안개가 끼겠습니다. 주의해서 운전하시고 약간 쌀쌀하겠으니 겉옷을 입으셔야겠습니다. 수요일부터 토요일까지는 소나기가 올 가능성이 높겠습니다. 꼭 우산을 챙기고 장화를 신으세요!

M Good morning. It's time for this week's weather report for Suwon. On Monday it looks like _____ _____ and
look like: ~할 것 같다
lots of sunshine, perfect weather for a picnic. Tuesday will
🔑정답 근거
be very foggy in the morning. Please _____ _____,
and also wear a jacket because it will be _____
_____ _____. Wednesday through Saturday there
is a high chance of _____. Make sure to bring your
~의 가능성이 높은
umbrella and _____ your rainboots!

02 그림 묘사

대화를 듣고, 남자가 주문한 메뉴로 가장 적절한 것을 고르시오.

① ② ③
④ ⑤

여 안녕하세요, Smoothie Shack에 오신 것을 환영합니다.
남 안녕하세요. 전 차가운 음료를 원해요.
여 저희는 바나나, 딸기, 망고 스무디가 있어요.
남 딸기로 주세요.
여 작은 것과 큰 것 중 어떤 크기로 드시겠어요?
남 너무 목이 말라서 큰 것으로 할게요. 감자튀김도 시킬 수 있을까요?
여 죄송합니다. 저희는 감자튀김을 팔지 않아요.
남 그렇군요. 그럼 스무디만 주세요.

W Hello, welcome to the Smoothie Shack.
M Hi. I want _____ _____ to drink.
W We have banana, strawberry, and mango smoothies.
M I'd like strawberry, please.
🔑정답 근거
W _____ _____ would you like, small or large?
M I'm _____ _____, so I'll take a large. Can I get some French fries _____ _____?
W I'm sorry. We _____ _____ French fries.
M Okay, just the smoothie then.

Dictation 20회 →
┌ 전체 듣기
└ 문항별 듣기

Dictation의 효과적인 활용법
STEP1 들으면서 대본의 빈칸 채우기
STEP2 축쇄 문제를 보며 다시 풀어 보기
STEP3 해석을 보며 영어로 말하거나 영작해 보기

공부한 날 [ ] 월 [ ] 일

03 언급하지 않은 것 ①

대화를 듣고, 남자가 오늘 축구 경기에 대해 언급하지 않은 것을 고르시오.

① 경기 장소　　② 경기 시작 시각
③ 상대 팀　　　④ 자신의 득점 수
⑤ 경기 결과

W　Hey, Ben! Why are you _____ your soccer uniform?

M　Hi, Emily. I just finished a game.

W　I didn't know you _____ _____ _____ today. Where was it?

　　♪정답 근거

M　At the City Stadium. We _____ _____ _____ against the Black Submarine team.
　　〜에 대항하여

W　They are a strong team. How did the match go?

M　We won! And I _____ two goals!
　　　　　　　　　　　　　　　'〜하게 되다'라는
　　　　　　　　　　　　　　　의미로 쓰였다.

W　How amazing! I'm proud of you, Ben.

M　Thank you. It was a very _____ _____. We won 3:2.

W　Oh, you _____ _____ _____ the best player today.

Solution Tip

① 경기 장소: 시립 운동장　　③ 상대 팀: Black Submarine　　④ 자신의 득점 수: 2골
⑤ 경기 결과: 3:2로 승리함

여　이봐, Ben! 너 왜 축구 유니폼을 입고 있어?
남　안녕, Emily. 막 경기가 끝났거든.
여　오늘 네가 경기가 있는 줄 몰랐어. 어디서 했니?
남　시립 운동장에서. Black Submarine 팀과 경기를 했어.
여　그들은 강팀이잖아. 경기는 어떻게 됐니?
남　우리가 이겼어! 그리고 내가 두 골을 넣었어!
여　굉장하다! 네가 자랑스러워, Ben.
남　고마워. 정말 접전이었어. 우리는 3:2로 이겼어.
여　오, 네가 오늘의 최고 선수였겠구나.

04 과거에 한 일

대화를 듣고, 여자가 현장 학습에서 한 일로 가장 적절한 것을 고르시오.

① 물놀이를 했다.
② 직업 체험을 했다.
③ 환경 보호에 대한 강연을 들었다.
④ 거북이를 구경했다.
⑤ 자원봉사 활동을 했다.

M　How was your _____ _____, Kara?

W　It was great. Our class went to the aquarium.

M　Oh, _____ _____ there! My favorite thing was the octopus. Did you get to see it?
　　　　　　　　　　　　　　　= the octopus

W　Yeah, we did! It was neat how it _____ _____ to match the sand and coral.

M　They are really amazing creatures.
　　= Octopuses

W　I liked the turtles _____. We saw some baby turtles hatch _____ _____! ♪정답 근거

M　How exciting!

남　오늘 현장 학습 어땠니, Kara?
여　좋았어. 우리 반은 수족관에 갔었어.
남　오, 나도 거기 가 봤어! 내가 제일 좋아한 것은 문어야. 너 문어 봤니?
여　그럼, 봤지! 모래와 산호에 맞춰서 색을 바꾸는 것이 멋졌어.
남　그것들은 정말 놀라운 생명체야.
여　나는 거북이가 가장 좋았어. 우린 새끼 거북이들이 알에서 부화하는 것을 봤어.
남　정말 재미있었겠다!

20회

받아쓰기

05 장소

대화를 듣고, 두 사람이 대화하는 장소로 가장 적절한 곳을 고르시오.
① 옷 가게　　　② 병원
③ 분실물 보관소　④ 지하철 안
⑤ 패션쇼장

M　Hello. How can I help you?

W　Hi. I'm looking for my jacket. I left it _____ _____ _____. 정답 근거

M　When did you _____ it?

W　Around 9 p.m. yesterday. I hope somebody _____ it _____.
　= my jacket

M　We have lots of _____ _____ here. What does yours look like?

W　It's a short jacket. Navy blue with _____ _____.

M　Okay. I'll check to _____ if we have it.

W　Thank you.

남　안녕하세요. 어떻게 도와드릴까요?
여　안녕하세요. 저는 제 재킷을 찾고 있어요. 지하철에 그걸 두고 내렸어요.
남　언제 두고 가셨어요?
여　어젯밤 9시쯤요. 누군가 가져다 놓았으면 좋겠네요.
남　여기에는 분실된 재킷이 많이 있어요. 당신의 것은 어떻게 생겼나요?
여　짧은 재킷이에요. 남색에 흰색 단추가 달렸어요.
남　네. 저희에게 있는지 확인해 볼게요.
여　고맙습니다.

06 말의 의도

대화를 듣고, 여자의 마지막 말의 의도로 가장 적절한 것을 고르시오.
① 불평　　② 실망　　③ 안도
④ 감사　　⑤ 절망

M　It's time for birthday cake! Make a wish and _____ _____ the candles.

W　Okay. Whooooo!

M　What did you wish for?

W　I _____ _____ a very big stuffed puppy! I really
　stuffed animal: 봉제 동물 인형
　want a real puppy, but you already said no.

M　Well, Judy, surprise! Here's your birthday present!

W　What? You got me a _____ puppy?

M　Yeah, I know you have always wanted to have one.
　= a (real) puppy

W　Oh, he's _____! You're the best dad!

남　생일 케이크 차례야! 소원을 빌고 촛불을 불어서 끄렴.
여　네. 후!
남　무슨 소원을 빌었어?
여　아주 큰 강아지 인형을 갖게 해 달라고 빌었어요! 전 정말 진짜 강아지를 원하지만, 이미 안 된다고 하셨잖아요.
남　음, Judy, 놀랐지! 여기 네 생일 선물이야!
여　네? 진짜 강아지를 주시는 거예요?
남　그래, 네가 항상 강아지를 갖기를 원했잖아.
여　오, 강아지가 사랑스러워요! 아빠가 최고예요!

07 세부 정보

대화를 듣고, 여자가 바꿔 달라고 한 것으로 적절한 것을 고르시오.
① 메뉴판 ② 샐러드 ③ 의자
④ 접시 ⑤ 포크

W Excuse me, sir.

M Yes, can I help you?

W There is a problem with _____ _____.

M Oh, what's wrong?

W My son is allergic to nuts, so I _____ _____ no nuts
~에 알레르기가 있는   = the salad
on the salad. But there are almonds all over it.

M Oh, I'm so sorry. Let me _____ _____ for you.
정답 근거

W Thank you. And would you please _____ an extra plate
함정 주의
and fork?

M Sure. I'll be _____ _____ with them.

여 실례합니다.
남 네, 도와드릴까요?
여 저희 주문에 문제가 있어요.
남 아, 무슨 일이세요?
여 제 아들이 견과류 알레르기가 있어서 샐러드에 견과
류를 올리지 말아 달라고 했어요. 그런데 위에 온통 아
몬드가 뿌려져 있네요.
남 아, 정말 죄송합니다. 제가 바꿔드릴게요.
여 감사합니다. 그리고 여분의 접시와 포크도 주시겠어
요?
남 물론이죠. 금방 가져다드리겠습니다.

08 바로 할 일

대화를 듣고, 여자가 대화 직후에 할 일로 가장 적절한 것을 고르시오.
① 파인애플 피자 주문하기
② 페퍼로니 피자 주문하기
③ 반반 피자 주문하기
④ 상 차리기
⑤ 피자 사러 가기

M What shall we have for dinner tonight?

W I've been _____ pizza all week. Shall we order a pizza?

M Okay, but _____ _____ of toppings? Please don't
say pineapple.

W Why not? It's delicious on pizza!

M It's terrible! Pepperoni is _____ _____.

W We always get pepperoni. I'm _____ of it.

M Okay, then why don't we order _____ pineapple,
정답 근거
_____ pepperoni? That way we _____ get the kind
그렇게 하면, 그 방법으로
we like.

W That's a great idea. I'll call the pizza place.

남 오늘 밤엔 저녁으로 뭘 먹을까?
여 난 이번 주 내내 피자가 먹고 싶었어. 피자 주문할까?
남 그래, 그런데 어떤 토핑? 파인애플이라고는 하지 마.
여 왜? 피자 위에 올라가면 맛있어!
남 끔찍해! 페퍼로니가 훨씬 나아.
여 우리 항상 페퍼로니 먹잖아. 난 질렸어.
남 그래, 그럼 파인애플 반, 페퍼로니 반을 시키는 게 어
때? 그렇게 하면 우리 둘 다 좋아하는 걸 먹을 수 있어.
여 좋은 생각이야. 내가 피자 가게에 전화할게.

09 언급하지 않은 것 ②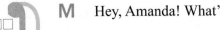

대화를 듣고, 여자가 프로젝트에 대해 언급하지 **않은** 것을 고르시오.
① 참여하는 박람회의 종류
② 프로젝트의 주제
③ 프로젝트 진행 방법
④ 프로젝트 진행 기간
⑤ 프로젝트 결과

남 이봐, Amanda! 그게 뭐야?
여 안녕, Andrew. 난 과학 박람회에 참가해. 그건 음악과 식물에 관한 내 프로젝트야.
남 오, 흥미롭다. 어떻게 했는데?
여 각각의 식물에 다른 종류의 음악을 틀어 줬어. 어떤 식물은 클래식, 어떤 건 재즈, 어떤 건 헤비메탈로.
남 결과는 어땠니?
여 클래식 음악을 들은 식물이 가장 크게 자랐어.
남 정말? 말이 된다. 내 말은, 클래식 음악이 두뇌에 좋잖아.
여 맞아. 아마도 클래식 음악이 식물한테도 좋은가 봐.

M Hey, Amanda! What's that?

W Hi, Andrew. I'm attending the _____ _____. It's my project on _____ _____ _____. 🎸정답 근거

M Oh, interesting. How did you do it?

W I played different kinds of music for _____ _____. Some plants had classical, some jazz, some heavy metal.
= some plants had jazz

M What was the _____?

W The plant with classical music grew _____ _____.

M Really? That _____ _____. I mean, I know classical
실험 결과를 가리킨다.
music is good for the brain.

W That's right. Maybe classical music is good for plants, too.

 Solution Tip
① 참여하는 박람회의 종류: 과학 박람회 ② 프로젝트의 주제: 음악과 식물 ③ 프로젝트 진행 방법: 각각의 식물에 다른 종류의 음악을 틀어 주었다. ⑤ 프로젝트 결과: 클래식 음악을 들은 식물이 가장 크게 자랐다.

10 담화 화제

다음을 듣고, 남자가 하는 말의 내용으로 가장 적절한 것을 고르시오.
① 체험 활동 일정 공지
② 학급 회의 주제 공지
③ 장기 자랑 참여 안내
④ 체육 대회 개최 안내
⑤ 도서관 개관 안내

남 안녕하세요, 학생 여러분! 우리는 다음 주 금요일 오후 2시에 장기 자랑 대회를 엽니다. 강당에서 열릴 예정입니다. 만약 참가를 원하신다면, 도서관에서 신청할 수 있습니다. 이름과 무엇에 재능이 있는지 써 주세요. 원하는 것은 무엇이든 할 수 있습니다. 노래, 춤, 연기, 마술, 또는 시 낭송도 됩니다! 우리는 그것이 무엇이든 여러분의 놀라운 재능을 보고 싶어요. 목요일 전에 신청해 주세요. 즐거운 하루 보내세요!

M Hello, students! We will have a _____ _____ next
🎸정답 근거
Friday at 2:00 p.m. It will be in the auditorium. If you want to participate, you can _____ _____ in the library. Please write your name and what your talent is. You can do _____ _____ _____: sing, dance, act,
할 수 있는 것의 예시
do magic, or read poetry! We want to see your wonderful talents, _____ they are. Please sign up _____
= your talents
Thursday. Have a great day!

11 일치하지 않는 것

대화를 듣고, 여자가 구입할 소파에 대한 내용으로 일치하지 <u>않는</u> 것을 고르시오.
① 노란색이다.
② 4인용이다.
③ 매우 편안하다.
④ 할인이 될 것이다.
⑤ 무료로 배송될 것이다.

여 이 가구점에는 고를 수 있는 소파가 정말 많네요!
남 네, 손님이 원하시는 것을 정확히 찾으실 수 있을 거예요.
여 저는 온 가족에게 충분한 큰 소파가 필요해요.
남 이 노란색 4인용 소파는 어떠세요? 앉아 보시고 어떻게 생각하시는지 말씀해 보세요.
여 오, 정말 좋네요. 정말 부드럽고 편안해요.
남 그리고 만약 어울리는 이 안락의자를 사신다면, 할인을 받으실 수 있어요.
여 좋네요, 그렇지만 전 소파만 필요해요. 배달을 해 주시나요?
남 물론이죠, 무료로 배송해 드립니다!
여 완벽해요!

W This furniture store has so many sofas to _____ _____!

M Yes, I'm sure you can find exactly what you want.

W I need one big _____ _____ our entire family.
<u>= a sofa</u>

M How about this yellow one with four seats? _____ _____ _____ and tell me what you think.
<u>자리가 네 개 있는</u>

W Oh, it's very nice. It's very _____ and comfortable.

M And if you buy this matching armchair, you can get _____ _____.

W 🔊정답 근거 That's great, but I only need a sofa. Do you have a delivery service?

M Of course, we offer _____ _____!

W That's perfect!

🔴 **Solution Tip**

안락의자를 구매하면 할인을 해 주겠다고 했으나, 여자는 소파만 필요하다고 말하면서 거절했다. 따라서 할인 없이 소파만 구매할 것임을 알 수 있다.

12 목적

대화를 듣고, 남자가 전화를 건 목적으로 가장 적절한 것을 고르시오.
① 약속 시간을 바꾸기 위해서
② 제품에 대해 항의하기 위해서
③ 약속 장소를 확인하기 위해서
④ 제품 교환을 요청하기 위해서
⑤ 제품 수리를 요청하기 위해서

남 안녕하세요, HQ 가전제품인가요?
여 네. 어떻게 도와드릴까요?
남 우린 오늘 아침에 새 에어컨을 설치했어요. 방금 전원 버튼을 눌렀는데 찬 바람이 나오지 않아요.
여 플러그를 꽂으셨나요?
남 네, 방금 다시 확인했어요.
여 음, 이상하네요. 제가 수리 기사를 보내서 살펴보게 하겠습니다. 오늘 오후에 시간 괜찮으세요?
남 네, 5시까지는 있을 거예요. 빨리 오게 해 주세요. 오늘은 굉장히 더워요.
여 지금 바로 보낼게요.

M Hello, is this HQ Appliances?

W Yes. How may I help you, sir?

M We had a new air conditioner _____ this morning. I just _____ _____ the power button, but no cold air is coming out. 🔊정답 근거

W Are you sure it's plugged _____?
<u>= the air conditioner</u>

M Yes, I just checked again.

W Hmm, that's _____. I'll have a repairman _____ to look at it. Are you available this afternoon?

M Yes, I'll be here _____ 5:00 p.m. Please have them come soon. It's very hot today.
<u>날씨를 나타내는 비인칭 주어</u>

W I'll _____ _____ right away.

20회

받아쓰기

13 금액

대화를 듣고, 여자가 산 가방의 가격을 고르시오.
① $6 ② $8 ③ $14
④ $20 ⑤ $30

남 안녕, Tina!
여 안녕, Jim. 너 여기서 뭐 하고 있어?
남 여동생 Kelly한테 줄 선물을 쇼핑하는 중이야.
여 아, 무엇을 사 줄 생각이야?
남 글쎄, 아직 결정하지 못했어. 이봐, 네 가방 정말 마음에 들어!
여 고마워. 방금 저쪽 가게에서 샀어.
남 정말? Kelly한테 하나 사 주면 되겠다. 얼마였어?
여 원래는 20달러인데 할인 중이야. 30% 할인을 받았어.
남 정말 잘 샀네. 가서 한번 봐야겠다.

M Hey, Tina!

W Hi, Jim. What are you doing here?

M I'm shopping for _____ _____ for my sister, Kelly.

W Oh, what are you _____ _____ buying for her?

M Well, I haven't decided _____. Hey, I really like your bag!

W Thanks. I just bought it at the shop _____ _____.

M Really? Maybe I'll get one for Kelly. How much was it?

여자가 산 것과 같은 가방

W It was originally $20, but they are _____ _____ _____. I got 30% off. 🔑정답 근거
20달러에서 30%의 할인을 받았다.

M That's a great deal. I'll have to go _____ it out.

---

14 두 사람의 관계

대화를 듣고, 두 사람의 관계로 가장 적절한 것을 고르시오.
① 의사 – 환자 ② 항공 승무원 – 승객
③ 음악 교사 – 학생 ④ 사장 – 직원
⑤ 가게 주인 – 손님

여 안녕하세요, Sam. 진료실 안으로 들어오세요.
남 안녕하세요, 정 선생님.
여 정기 청력 검사 시간이네요.
남 네, 일 년이 벌써 갔네요. 시간 참 빨라요!
여 헤드폰을 쓰고 양쪽 귀를 잘 덮었는지 확인해 주세요.
남 네, 준비됐어요.
여 왼쪽 귀에서 소리가 들리면 왼손을 드세요. 그리고 오른쪽 귀에서 소리가 들리면 오른손을 드세요.

W Hello, Sam. Come on into my office.
'진료실'이라는 의미로 쓰였다.

M Nice to see you, Dr. Jeong.
🔑정답 근거

W It's time for your _____ hearing check-up.

M Yes. A year has already passed. _____ _____!

W Please _____ _____ the headset and make sure it covers both your ears.
= the headset

M Okay, I'm ready.

W _____ _____ _____ _____ if you hear a sound in the left ear. And raise your right hand for a sound in the right ear.

15 부탁한 일

대화를 듣고, 여자가 남자에게 부탁한 일로 가장 적절한 것을 고르시오.
① 머리 감겨 주기
② 결혼식에 함께 가기
③ 머리 염색하기
④ 동생의 머리 잘라 주기
⑤ 어울리는 옷 찾아 주기

남 머리를 어떻게 하고 싶으세요?
여 정리가 되도록 조금 잘라 주세요.
남 알겠습니다. 이 길이는 어떠세요?
여 좋아요. 저희 언니가 이번 주말에 결혼을 해서 결혼식에서 예쁘게 보이고 싶어요.
남 아, 그러면 염색을 하는 건 어떠세요? 밝은 갈색이 정말 잘 어울리실 거예요.
여 그렇게 생각하세요? 전 머리 염색을 해 본 적이 없어요.
남 분명히 잘 어울리실 거예요. 그건 그렇고, 머리 자른 건 어떠세요?
여 아주 좋아요. 음, 그 갈색으로 지금 제 머리를 염색해 주시겠어요?
남 물론이죠, 5분 안에 준비할게요.

M How would you _____ your hair?

W Just cut _____ _____ to tidy it up.
tidy up: 깔끔하게 정리하다 (it = my hair)

M Sure. How about this length?
머리를 자르기 전에 자를 길이를 가늠해서 알려 주는 상황

W That's good. My sister is _____ _____ this weekend and I want to look nice for the wedding.

M Oh, then why don't you _____ your hair? Light brown will look really _____ _____ you.

W Do you think so? I have never tried coloring my hair.

M I'm sure it will _____ _____. By the way, what do you think of the cut?

W Perfect. Umm, will you _____ my hair that brown color now?
🎵 정답 근거

M Sure, I'll be ready in 5 minutes.

16 이유

대화를 듣고, 여자가 오늘 신발을 사지 못하는 이유로 가장 적절한 것을 고르시오.
① 원하는 모델이 없어서
② 원하는 사이즈가 없어서
③ 주문이 밀려 있어서
④ 가게가 2주 동안 문을 닫아서
⑤ 기다리는 것이 싫어서

남 찾으시는 게 있으세요?
여 농구화를 찾고 있어요.
남 농구화는 모두 이쪽 벽에 있어요. 마음에 드시는 게 있으세요?
여 이 검은색과 은색 농구화가 마음에 들어요. 완벽하네요. 사이즈 8로 주세요.
남 죄송합니다. 남아 있는 사이즈는 7뿐이에요.
여 아, 이런, 정말요?
남 네, 하지만 원하시면 주문해 드릴 수 있어요. 도착하기까지 2주만 기다리시면 됩니다.
여 알겠어요, 그게 좋겠네요. 기다리는 건 괜찮아요.

M Can I help you _____ _____?

W I'm looking for basketball shoes.

M We have all our basketball shoes over here _____ _____ _____. Do you see any that you like?
any를 꾸미는 관계대명사절

W I love these black and silver ones. They are perfect. I'll take a size 8.
= basketball shoes

M I'm sorry. The only size we have _____ is a 7.
🎵 정답 근거

W Oh, no, really?

M Yes, but I can _____ _____ for you if you'd like. You will just have to wait two weeks for them to arrive.
원하신다면

W Okay, that would be great. I don't _____ _____.

20회
받아쓰기

17 그림 상황

다음 그림의 상황에 가장 적절한 대화를 고르시오.

① ② ③ ④ ⑤

① 남 너 걱정 있어 보여. 무슨 일 있니?
　여 엄마가 사고를 당하셨어. 팔이 부러지셨어.
② 남 여기 안이 너무 더워. 선풍기를 켜도 될까?
　여 그럼.
③ 남 무릎은 어떻게 된 거야?
　여 축구 경기 중에 발을 헛디뎠어.
④ 남 네가 가장 좋아하는 운동은 뭐니?
　여 난 야구를 가장 좋아해.
⑤ 남 진열장에 걸려 있는 저 가방은 얼마입니까?
　여 30달러입니다.

① M　You _____ _____. What's wrong?

　W　My mom had an accident. She broke her arm.

② M　It's so hot in here. Do you mind if I _____ _____
　　　　　　　　　　　　　　~해도 될까?
　　　the fan?

　W　Not at all.

③ M　What happened to _____ _____? 📌정답 근거

　W　I tripped during the soccer game.

④ M　What's your _____ sport?

　W　I like baseball the best.

⑤ M　How much is that bag _____ in the window?

　W　It's 30 dollars.

18 언급하지 않은 것 ③

다음을 듣고, 남자가 새 PC방에 대해 언급하지 <u>않은</u> 것을 고르시오.

① 위치　　　　　② 개업한 때
③ 시설의 장점　　④ 회원 가입 혜택
⑤ 이용 요금

남 안녕하세요, 청취자 여러분! 집에서 혼자 게임을 하는 게 지루하지 않으세요? 우리는 Devon 가에 새로 생긴 PC방을 짧게 광고하겠습니다. 이곳은 지난주에 막 문을 열었습니다. 모든 컴퓨터는 완전히 새것이고, 의자는 굉장히 편합니다. 가장 중요한 것은, 만약 이번 주에 회원제 가입을 하시면 무료로 추가 시간을 받을 수 있습니다. 이것은 꽤 좋은 제안입니다. 이 지역 라디오 프로그램을 들어 주셔서 감사합니다.

M　Hello, listeners! Aren't you _____ of playing games
　　📌정답 근거
alone at home? Here's our short advertisement for the
new PC room on Devon Street. It just opened _____
_____. All the computers are _____ _____ and
the chairs are very comfortable. The most important thing
is, if you join their membership program this week, you
can get _____ time for free. It's quite a good offer.
Thank you for _____ to this local radio show.

↩ **Solution Tip**

① 위치: Devon 가 ② 개업한 때: 지난주 ③ 시설의 장점: 컴퓨터가 완전히 새것이고, 의자가 매우 편하다. ④ 회원 가입 혜택: 무료로 추가 시간을 받을 수 있다.

19 이어질 말 ①

Man: _____

① I don't like chocolate.
② It's open until 7:00 p.m.
③ What are your plans for today?
④ It is 5 dollars after the discount.
⑤ Sure! I'm always happy to get ice cream.

W Simon, have you _____ _____ the new ice cream shop?

M I went there last night! They have an amazing _____ called "mud pie."

W "Mud pie"? That sounds _____.

M No, it's delicious! It's chocolate ice cream with chocolate chips _____ _____.

W Well, do you want to go there again? It's so hot today. I want to eat _____ _____ and sweet.

M Sure! I'm always happy to get ice cream.

여 Simon, 너 새로 생긴 아이스크림 가게에 가 봤어?
남 어젯밤에 갔었어! 그곳에 '진흙 파이'라는 굉장한 맛이 있어.
여 '진흙 파이'? 끔찍하게 들리는데.
남 아니야, 맛있어! 초콜릿 아이스크림에 초콜릿 칩이 들어 있어.
여 음, 그곳에 또 갈래? 오늘 굉장히 덥다. 뭔가 차갑고 단것을 먹고 싶어.
남 ⑤ 물론이지! 난 아이스크림 먹는 것은 언제나 좋아.

① 나는 초콜릿을 좋아하지 않아.
② 오후 7시까지 열려 있어.
③ 오늘 네 계획은 뭐니?
④ 그것은 할인하면 5달러야.

---

20 이어질 말 ②

Man: _____

① She went to the park.
② The party will be fun.
③ I bought it yesterday.
④ I don't have enough.
⑤ It's silver with a black stripe.

M Mom, have you seen my helmet?

W I think I saw it in _____ _____.

M It's not there. I _____ _____.

W Did you look in the backyard?

M Yes. I _____ _____ the backyard, the basement, the living room, everywhere!

W Well, let's _____ _____. I'll help you. What color is it?
= your helmet

M It's silver with a black stripe.

남 엄마, 제 헬멧 보셨어요?
여 차고에서 본 것 같은데.
남 거기에 없어요. 이미 확인했어요.
여 뒷마당은 봤니?
남 네. 뒷마당, 지하실, 거실, 다 찾아봤어요!
여 음, 다시 한번 보자. 내가 도와줄게. 그게 무슨 색이지?
남 ⑤ 은색에 검은 줄무늬가 있어요.

① 그녀는 공원에 갔어요.
② 파티는 재미있을 거예요.
③ 전 그걸 어제 샀어요.
④ 전 충분히 가지고 있지 않아요.

모의고사를 먼저 풀고 싶으면 330쪽으로 이동하세요.

🎧 다음 표현을 듣고 모르는 것에 표시하시오.

- 01 receive 받다
- 02 pile up 쌓아 올리다
- 03 stay up late 늦게까지 깨어 있다
- 04 skilled 숙련된, 노련한
- 05 lock 자물쇠
- 06 lost 잃어버린, 분실된
- 07 day trip 당일 여행
- 08 seagull 갈매기
- 09 calm 고요한
- 10 give ~ a tour 구경[견학]시켜 주다
- 11 depart 출발하다
- 12 midnight 자정, 한밤중
- 13 far away 멀리 떨어져
- 14 crowded 붐비는
- 15 go straight 직진하다
- 16 quiet down 조용히 하다
- 17 leader 지도자
- 18 so far 지금까지
- 19 donate 기부하다
- 20 period 시대
- 21 inconvenience 불편
- 22 book 예약하다
- 23 admire 존경하다
- 24 ahead 앞선

- 25 graduation 졸업
- 26 recognize 알아보다
- 27 pottery 도자기
- 28 against ~에 반대하여
- 29 due to ~ 때문에
- 30 willing 기꺼이 하는
- 31 metal 금속
- 32 sugary 설탕이 든
- 33 advice 조언, 충고
- 34 in person 직접
- 35 selection 선택 가능한 것들
- 36 policy 정책
- 37 portrait 초상화
- 38 catch 캐치볼 놀이
- 39 mysterious 신비한
- 40 display 전시하다
- 41 coincidence 우연의 일치

📖 알아두면 유용한 선택지 어휘

- 42 platform 승강장
- 43 failure 고장
- 44 auction 경매
- 45 lose weight 체중을 감량하다
- 46 souvenir 기념품

🎧 들으면서 표현을 완성한 다음, 뜻을 고르시오.

표현의 의미를 생각하며 다시 써 보기!

01 gra◻uation ☐ 입학 ☐ 졸업
➜

02 a◻vice ☐ 조언 ☐ 과장
➜

03 d◻lay ☐ 재촉 ☐ 지연
➜

04 sk◻lled ☐ 숙련된 ☐ 어린
➜

05 r◻cognize ☐ 알아보다 ☐ 듣다
➜

06 por◻rait ☐ 풍경화 ☐ 초상화
➜

07 dis◻lay ☐ 전시하다 ☐ 말하다
➜

08 de◻art ☐ 출발하다 ☐ 도착하다
➜

09 so◻ar ☐ 여전히 ☐ 지금까지
➜

10 a◻ainst ☐ ~에 반대하여 ☐ ~에 찬성하여
➜

11 coin◻idence ☐ 우연의 일치 ☐ 새로운 사건
➜

12 m◻sterious ☐ 우아한 ☐ 신비한
➜

13 don◻te ☐ 알 수 없는 ☐ 기부하다
➜

14 lo◻k ☐ 서랍 ☐ 자물쇠
➜

15 ◻n pe◻son ☐ 직접 ☐ 신속히
➜

16 qu◻et ◻own ☐ 조용히 하다 ☐ 명상을 하다
➜

17 ◻head ☐ 현명한 ☐ 앞선
➜

18 cr◻wded ☐ 붐비는 ☐ 한산한
➜

어휘 **21**회

실전 모의고사 [21]회

✎ 들으면서 주요 표현 메모하기!

01 다음을 듣고, 내일 아침 날씨로 가장 적절한 것을 고르시오.

①   ②   ③   ④   ⑤

02 대화를 듣고, 여자가 만든 상자로 가장 적절한 것을 고르시오.

①   ②   ③   ④   ⑤

고난도 | 메모하며 듣기

03 대화를 듣고, 남자가 사진에 대해 언급하지 않은 것을 고르시오.

① 촬영한 때 　　② 촬영한 장소 　　③ 촬영한 방법
④ 사진 속 풍경 　　⑤ 사진 속 인물

04 대화를 듣고, 여자가 어제 한 일로 가장 적절한 것을 고르시오.

① 집 안 청소 　　② 학교 과제 　　③ 운전 연습
④ 할아버지 댁 방문 　　⑤ 친구 생일 파티 참석

05 대화를 듣고, 두 사람이 대화하는 장소로 가장 적절한 곳을 고르시오.

① 박물관 　　② 지하철역 　　③ 영화관 　　④ 도서관 　　⑤ 학교

06 대화를 듣고, 여자의 마지막 말의 의도로 가장 적절한 것을 고르시오.

① 아쉬움　　② 감사　　③ 부탁　　④ 동의　　⑤ 충고

✎ 들으면서 주요 표현 메모하기!

07 대화를 듣고, 여자가 가진 재능으로 가장 적절한 것을 고르시오.

① 춤　　② 노래　　③ 악기 연주　　④ 연기　　⑤ 마술

08 대화를 듣고, 남자가 대화 직후에 할 일로 가장 적절한 것을 고르시오.

① 수업 듣기　　　② 캐치볼 하기　　　③ 공 빌리기
④ 교실 청소하기　　⑤ 점심 식사 하기

고난도 선택지에 하나씩 체크하며 듣기

09 대화를 듣고, 남자가 다음 날 여행에 대해 언급하지 <u>않은</u> 것을 고르시오.

① 방문 도시　　　② 구입할 기념품　　　③ 출발 시각
④ 아침 식사 장소　　⑤ 이동 시간

10 다음을 듣고, 여자가 하는 말의 내용으로 가장 적절한 것을 고르시오.

① 열차 고장 안내　　② 열차 운행 지연 안내　　③ 승강장 위치 안내
④ 역 구내 시설 안내　　⑤ 열차 승차 시 주의 사항 안내

틀린 문제는 Dictation에서
완벽하게 이해하세요!

실전 모의고사 [21]회

들으면서 주요 표현 메모하기!

고난도 메모하며 듣기

11 대화를 듣고, 두 사람이 머물 호텔에 대한 내용과 일치하지 <u>않는</u> 것을 고르시오.

① 1박에 80달러이다.　　　　　　② 수영장이 있다.
③ 사우나가 있다.　　　　　　　　④ 기차역과 가깝다.
⑤ 웹 사이트에서 예약할 수 있다.

12 대화를 듣고, 여자가 전화를 건 목적으로 가장 적절한 것을 고르시오.

① 테니스를 같이 치기 위해서　　　② 약속 시간을 물어보기 위해서
③ 볼링을 배우기 위해서　　　　　④ 파티에 초대하기 위해서
⑤ 안부를 묻기 위해서

13 대화를 듣고, 남자가 지불할 금액을 고르시오.

① $2　　　　② $5　　　　③ $8　　　　④ $10　　　　⑤ $20

14 대화를 듣고, 두 사람의 관계로 가장 적절한 것을 고르시오.

① 경찰관 – 시민　　　② 택배 기사 – 수취인　　　③ 매표소 직원 – 관객
④ 은행원 – 고객　　　⑤ 사진작가 – 모델

15 대화를 듣고, 여자가 남자에게 부탁한 일로 가장 적절한 것을 고르시오.

① 짐 나르기　　　② 학교 안내하기　　　③ 점심 함께 먹기
④ 책 반납하기　　　⑤ 도서관 청소하기

16 대화를 듣고, 남자가 쿠키를 먹을 수 없는 이유로 가장 적절한 것을 고르시오.

① 치과에 갈 예정이어서
② 초콜릿 알레르기가 있어서
③ 배가 불러서
④ 의사가 단 음식을 먹지 말라고 해서
⑤ 체중을 감량해야 해서

✎ 들으면서 주요 표현 메모하기!

17 다음 그림의 상황에 가장 적절한 대화를 고르시오.

①   ②   ③   ④   ⑤

18 다음을 듣고, 여자가 그림에 대해 언급하지 <u>않은</u> 것을 고르시오.

① 그림 속 인물의 국적
② 그린 사람
③ 그려진 시기
④ 전시 장소
⑤ 경매 가격

[19-20] 대화를 듣고, 남자의 마지막 말에 이어질 여자의 말로 가장 적절한 것을 고르시오.

19 Woman: _____

① My favorite sport is basketball.
② Let's take bus number 105.
③ The stadium must be very crowded.
④ I will have some snacks after school.
⑤ How about exit 5 of Sports Complex Station?

20 Woman: _____

① Not me. I thought it was ugly.
② Let's go with the original plan.
③ I told you, it's outside the town.
④ Perfect. I love the way you think.
⑤ I love to listen to heavy metal music.

틀린 문제는 Dictation에서
완벽하게 이해하세요!

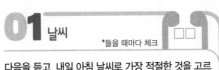

01 날씨
*들을 때마다 체크

다음을 듣고, 내일 아침 날씨로 가장 적절한 것을 고르시오.

 ① ② ③

 ④ ⑤

남 기상 특보입니다. 오늘 안개가 매우 짙게 끼겠으므로 운전할 때의 주의하십시오. 안개는 오후 2시까지 계속되겠습니다. 그 후에는 폭설이 내리기 시작하겠습니다. 눈보라는 내일 아침까지 계속될 것으로 전망됩니다. 그 후 하늘은 화창하고 맑겠습니다. 그러나 많은 눈이 여전히 땅에 쌓여 있겠으니 걷거나 운전할 때 특히 주의하시기 바랍니다!

M This is a special weather report. _____ _____ very foggy conditions today, please be careful when driving. The fog _____ _____ until around 2 p.m. After that, heavy snow will begin to _____. We expect the

오후 2시까지 안개가 끼는 것   🎵정답 근거

snowstorm to continue _____ tomorrow morning. The skies will be sunny and clear after that. However, lots of

내일 오전까지 눈보라가 치는 것

snow will still be _____ _____ on the ground, so take extra care when walking or _____!

02 그림 묘사

대화를 듣고, 여자가 만든 상자로 가장 적절한 것을 고르시오.

 ① ② ③

 ④ ⑤

남 저쪽에 저 상자는 뭐야?
여 내 보물 상자야. 특별한 물건들을 담아 두려고 만들었어.
남 꽃무늬가 마음에 들어. 그런데, 왜 위에 '손대지 마시오'라고 써 놨어?
여 누가 열어 보는 것을 원하지 않기 때문이야.
남 그렇구나. 그리고 이것은 상자 위에 자물쇠도 있는 것 같네.
여 맞아. 그것을 열기 위해서는 열쇠를 사용해야 해.
남 멋지다!

M 🇬🇧 What's that box _____ _____?

W It's my treasure box. I made it to _____ my special things.

🎵정답 근거

M I like its flower pattern. By the way, why did you write "_____ _____" on it?

W Because I don't want anyone to _____ it.

= my treasure box

M I see. And it _____ _____ there is a lock on the box too.

W Right. I have to _____ a key to open it.

M That's cool!

Dictation 21회 →
전체 듣기
문항별 듣기

Dictation의 효과적인 활용법
STEP1 들으면서 대본의 빈칸 채우기
STEP2 축쇄 문제를 보며 다시 풀어 보기
STEP3 해석을 보며 영어로 말하거나 영작해 보기

공부한 날   월   일

03 언급하지 않은 것 ①

대화를 듣고, 남자가 사진에 대해 언급하지 <u>않은</u> 것을 고르시오.
① 촬영한 때   ② 촬영한 장소
③ 촬영한 방법   ④ 사진 속 풍경
⑤ 사진 속 인물

W What are you looking at?

M It's a picture I _____ yesterday. *정답 근거*
촬영한 때

W It's beautiful. Where did you take it?

M I took a _____ _____ to Taean yesterday and took this picture there.
= Taean, 촬영한 장소

W The beach looks calm and _____.

M I felt comfortable _____ the sounds of the waves and the seagulls. Look, there are some seagulls on the sand.
사진 속 풍경

W Oh, who is this next to the _____?

M Don't you know? He is my brother Yunseok. I _____ _____ with him.
사진 속 인물

W I didn't recognize him because he _____ _____ sunglasses and a cap.

여 너 무엇을 보고 있니?
남 내가 어제 찍은 사진이야.
여 아름답네. 어디에서 찍었어?
남 어제 태안에 당일 여행을 가서 그곳에서 찍었어.
여 해변이 고요하고 평화로워 보여.
남 파도와 갈매기 소리를 들으면서 편안한 기분이 들었어. 봐, 모래사장 위에 갈매기들이 있어.
여 어, 바위 옆의 이 사람은 누구야?
남 너 모르니? 우리 윤석이 형이잖아. 형이랑 같이 갔었어.
여 그가 선글라스와 모자를 쓰고 있어서 못 알아봤어.

04 과거에 한 일

대화를 듣고, 여자가 어제 한 일로 가장 적절한 것을 고르시오.
① 집 안 청소   ② 학교 과제
③ 운전 연습   ④ 할아버지 댁 방문
⑤ 친구 생일 파티 참석

M Lina, you look tired. Did you _____ _____ _____ last night?

W Yes. I didn't get home until midnight.

M Really? Why were you _____ so late on a weekday?
평일에

W It was my grandfather's birthday yesterday. My family went to his house _____ _____. *정답 근거*

M I see. Does he live far away?

W Yes, we had to drive _____ _____ to his house. Then, after we had dinner, we drove back home.

M Oh, now I understand why you're _____ _____.

남 Lina, 너 피곤해 보인다. 어젯밤에 늦게까지 깨어 있었어?
여 응. 자정에 집에 들어갔어.
남 정말? 평일에 왜 그렇게 늦게까지 밖에 있었어?
여 어제 우리 할아버지 생신이었어. 우리 가족은 축하하러 할아버지 댁에 갔었어.
남 그렇구나. 할아버지가 멀리 사셔?
여 응, 댁까지 2시간 운전해서 갔어. 그런 다음 저녁을 먹고 다시 운전해서 돌아왔어.
남 아, 이제 네가 그렇게 피곤한 이유가 이해돼.

05 장소

대화를 듣고, 두 사람이 대화하는 장소로 가장 적절한 곳을 고르시오.

① 박물관　　② 지하철역　　③ 영화관
④ 도서관　　⑤ 학교

남 이 도자기가 얼마나 오래됐는지 믿어지지 않아!
여 여기에 이건 한국 역사 중 고려 시대의 것이라고 쓰여 있어. 거의 900년이 된 거야.
남 난 그 초록색이 정말 좋아. 그 당시 사람들은 매우 숙련됐어.
여 맞아, 동의해. 아름다워.
남 한국 역사는 매우 흥미로워. 나는 백성들을 위해 한글을 만든 점 때문에 세종 대왕을 존경해.
여 맞아, 그는 훌륭한 지도자였어.
남 그에 관한 전시를 보러 가자.
여 그래, 그건 3층에 있어.

M　I can't believe _____ _____ this pottery is!
W　It says here it's from the Goryeo period of Korean history.
（= this pottery）
（~라고 쓰여 있다）
　　It is about _____ _____ _____.
M　I really like the green color. The people at that time were _____ _____.
W　Yes, I agree. It's beautiful.
M　Korean history is very interesting. I admire King Sejong _____ _____ Hangeul for his people.
W　Yes, he was a great _____.　🎯정답 근거
M　Let's go to look at the exhibition about him.
W　Okay, it's on the _____ floor.

06 말의 의도

대화를 듣고, 여자의 마지막 말의 의도로 가장 적절한 것을 고르시오.

① 아쉬움　　② 감사　　③ 부탁
④ 동의　　　⑤ 충고

여 실례합니다. 비디오 게임이 어디에 있죠?
남 절 따라오세요. 게임 섹션으로 안내해 드릴게요. (…) 여기예요.
여 와, 정말 다양한 종류의 게임이 있네요.
남 네, 저희는 시내에서 가장 많은 비디오 게임을 선별해 두고 있어요.
여 좋아요. 그럼 새로 나온 Candy Castle 게임이 있겠네요?
남 오, 그건 정말 인기 있는 게임이죠. 저희가 더 가지고 있는지 뒤에 가서 확인해 볼게요.
여 네. 정말 있었으면 좋겠어요!
남 정말 죄송한 말씀이지만 Candy Castle 게임은 더 없습니다.
여 정말요? 너무 아쉽군요. 정말 가지고 싶었는데 이제 그럴 수가 없네요.

W　Excuse me. Where are the video games?
M　_____ _____. I'll take you to the game section. (Pause) Here we are.
W　Wow, there are so many _____ _____.
M　Yes, we have _____ _____ video game selection in the city.
W　Great. Then you must have the new Candy Castle game.
（강한 추측을 나타낸다.）
M　Oh, it's a very popular game. I'll _____ _____ _____ _____ to check if we have any more.
W　Okay. I really hope you have it!
（= the new Candy Castle game）
M　I'm very sorry to tell you that we don't have _____ _____ Candy Castle games.　🎯정답 근거
W　Really? That's too bad. I really wanted to get it, but now I can't.

07 세부 정보

대화를 듣고, 여자가 가진 재능으로 가장 적절한 것을 고르시오.
① 춤   ② 노래   ③ 악기 연주
④ 연기   ⑤ 마술

남 너 장기 자랑에 관해 들었어?
여 무슨 장기 자랑?
남 당연히 우리 학교에서 하는 장기 자랑 말이야. 다음 주 금요일이야.
여 난 못 들었는데. 너 참가할 생각이야?
남 응, 나는 공연에서 춤을 출 예정이야.
여 잘됐다. 내가 재능이 있었으면 좋겠어.
남 너도 있어! 넌 노래를 잘하잖아.
여 음, 그렇진 않아. 그냥 노래를 괜찮게 하는 거지.
남 그건 사실이 아니야. 우리 반 모두가 네가 훌륭한 가수라고 생각해.

M　Did you _____ _____ the talent show?

W　What talent show?

M　The talent show _____ _____ _____, of course. It's next Friday.

W　I didn't know about it. Are you going _____ _____?

M　Yes, I'm planning on dancing in the show.
　　plan on: ~할 계획이다

W　That's great. _____ _____ I had a talent.

M　You do! You're good at singing.
　　= have a talent

W　Um, not really. I'm _____ _____ at singing.

M　That's not true. Everyone in our class thinks you're an excellent singer. ♪정답 근거

08 바로 할 일

대화를 듣고, 남자가 대화 직후에 할 일로 가장 적절한 것을 고르시오.
① 수업 듣기　　② 캐치볼 하기
③ 공 빌리기　　④ 교실 청소하기
⑤ 점심 식사 하기

남 너 점심 다 먹었니?
여 응. 지금 교실로 다시 돌아가려고.
남 왜? 우리 아직 시간이 좀 있어.
여 오, 맞네. 수업이 시작될 때까지 15분이 있어.
남 밖에서 캐치볼을 하는 게 어때?
여 좋아, 그런데 우리는 공이 필요하잖아. 너 공 있어?
남 없어, 그렇지만 체육 선생님께 빌릴 수 있어.
여 그래, 지금 가서 빌려 올래?
남 물론이지.

M　Are you _____ _____ your lunch?

W　Yes. I'm going to go back to the classroom now.

M　Why? We have some _____ _____.

W　Oh, you're right. We have _____ minutes until class starts.

M　Why don't we go play catch _____?
　　　　　　　　　　　　캐치볼 놀이를 하다

W　Sure, but we need a ball. Do you have one?

M　No, but I can _____ _____ from the P.E. teacher.
　　　　　　　　　　　　　　　= a ball　　♪정답 근거

W　Okay. Can you go do that now?
　　　　　　= borrow a ball from the P.E. teacher

M　No problem.

09 언급하지 않은 것 ②

대화를 듣고, 남자가 다음 날 여행에 대해 언급하지 <u>않</u>은 것을 고르시오.

① 방문 도시   ② 구입할 기념품
③ 출발 시각   ④ 아침 식사 장소
⑤ 이동 시간

W This has been a great trip _____ _____.

M I agree. We've visited so many different cities in Korea.

W We're going to a _____ _____ tomorrow, right?

M Right. We're going to Sokcho tomorrow.
🔑정답 근거

W Okay. What time does our _____ _____ leave in the morning?

M It leaves at _____ from our hotel.
정해진 미래의 일정은 현재시제로 나타낸다.

W Should we eat breakfast before we leave?

M No, the bus will _____ _____ to a restaurant to have breakfast.

W That's good. After breakfast, _____ _____ will it take to get to Sokcho?
(시간이) ~ 걸리다

M The tour guide told me it _____ _____ two and a half hours.

W Oh, that's not too long.

여 지금까지는 즐거운 여행이었어.
남 맞아. 한국의 매우 다양한 도시를 방문했어.
여 우리 내일은 또 새로운 도시에 가는 거 맞지?
남 맞아. 우린 내일 속초에 갈 거야.
여 좋아. 우리 관광버스가 아침 몇 시에 떠나지?
남 호텔에서 8시에 떠나.
여 가기 전에 아침을 먹어야 할까?
남 아니, 버스가 우리를 아침 먹을 식당에 데려갈 거야.
여 그거 좋네. 아침을 먹고 나면 속초까지 얼마나 걸릴까?
남 여행 가이드가 두 시간 반이 걸릴 거라고 말했어.
여 오, 별로 오래 걸리진 않네.

Solution Tip

① 방문 도시: 속초   ③ 출발 시각: 아침 8시   ④ 아침 식사 장소: 버스가 데려가는 식당
⑤ 이동 시간: 2시간 반

10 담화 주제

다음을 듣고, 여자가 하는 말의 내용으로 가장 적절한 것을 고르시오.

① 열차 고장 안내
② 열차 운행 지연 안내
③ 승강장 위치 안내
④ 역 구내 시설 안내
⑤ 열차 승차 시 주의 사항 안내

W Attention, please. This train _____ _____ here at County Station for a short while because the train
🔑정답 근거
잠시
앞서 가는 열차
ahead is still at the next station. We _____ _____ your understanding. We will depart _____ _____ _____ the train ahead leaves the next station. Please don't _____ _____ the train and wait for a minute. We apologize again _____ the inconvenience.

여 안내 말씀 드리겠습니다. 앞 열차가 아직 다음 역에 있는 관계로 이 열차는 이곳 County 역에 잠시 멈춰 있습니다. 양해 부탁드립니다. 앞 열차가 다음 역을 떠나는 대로 출발하겠습니다. 열차에서 내리지 마시고 잠시 기다려 주십시오. 불편을 드려 다시 한 번 사과드립니다.

11 일치하지 않는 것

대화를 듣고, 두 사람이 머물 호텔에 대한 내용과 일치하지 **않는** 것을 고르시오.
① 1박에 80달러이다. ② 수영장이 있다.
③ 사우나가 있다.   ④ 기차역과 가깝다.
⑤ 웹 사이트에서 예약할 수 있다.

남 Nicole, 잠깐만 이리 와 줄 수 있어? 네 도움이 필요해.
여 물론이지. 아, 너 호텔을 고르려고 하는구나.
남 맞아, 좋아 보이는 호텔이 두 곳 있고, 둘 다 1박에 80달러야. 이제 난 결정을 못 하겠어.
여 음, Crown Hotel은 수영장이 있네.
남 맞아. Rose Hotel은 수영장은 없지만 사우나가 있어.
여 음. 어느 곳이 기차역이랑 더 가까워?
남 Rose Hotel이 매우 가까워. 역에서부터 걸어갈 수 있어.
여 그러면 거기에 묵자. 지금 바로 예약할 수 있어?
남 물론이지. 웹 사이트에서 방을 예약할게.

M Nicole, can you come here for a minute? I need your help.

W Sure. Oh, you're trying _____ _____ a hotel.

M Yeah, there are two hotels that look good, and they both _____ _____ _____ a night. Now I can't decide.

W Well, Crown Hotel has a swimming pool.

M Right. Rose Hotel doesn't have _____ _____, but it has a sauna. 🎸정답 근거

W Hmm. Which one is _____ _____ the train station?

M Rose Hotel is very close. You can _____ _____ from the station.

W Then let's stay there. Can you _____ it right now?
　　　　　　　　　= at Rose Hotel

M Sure. I'll reserve a room on the website.

---

12 목적

대화를 듣고, 여자가 전화를 건 목적으로 가장 적절한 것을 고르시오.
① 테니스를 같이 치기 위해서
② 약속 시간을 물어보기 위해서
③ 볼링을 배우기 위해서
④ 파티에 초대하기 위해서
⑤ 안부를 묻기 위해서

(휴대 전화가 울린다.)
남 안녕, Maggie.
여 안녕, Robert. 너 지금 바쁘니?
남 아니. 난 지금 막 테니스 치는 걸 끝냈어.
여 아, 맞아. 너 매주 토요일 아침에 테니스를 치지.
남 응, 절대 빼먹지 않지. 그래, 무슨 일이야?
여 다음 주 일요일에 있는 내 졸업 파티에 너를 초대하려고 전화했어.
남 좋아. 시간이 있을 것 같아. 파티를 어디에서 하는데?
여 Star 볼링장에서 해. 너 볼링 좋아하니?
남 사실 한 번도 해 본 적 없어.
여 괜찮아. 내가 어떻게 하는지 가르쳐 줄게.

📞 Cell phone rings.

M Hi, Maggie.

W Hey, Robert. Are you _____ right now?

M No. I _____ _____ playing tennis.

W Oh, that's right. You play tennis every Saturday morning. 🐢함정 주의

M Yeah, I never miss it. So, what's up?

W I called _____ _____ _____ to my graduation party next Sunday. 🎸정답 근거

M Great. I think I'm free. Where are you having the party?

W I'm _____ _____ at Star Bowling Alley. Do you like bowling?

M Actually, I've _____ _____ it.
　　　　　　　　　　　　= bowling

W That's okay. I can teach you how to bowl.
　　　　　　　　　　　　　볼링 치는 법

13 금액

대화를 듣고, 남자가 지불할 금액을 고르시오.
① $2 ② $5 ③ $8
④ $10 ⑤ $20

남 안녕하세요. 이건 중고 의류인가요?
여 네, 이 벼룩시장에 있는 것은 모두 중고예요. 학생들이 집에 있는 물건들을 기부했어요.
남 그렇군요. 티셔츠가 있나요?
여 많이 있죠. 이쪽을 한번 보세요.
남 저는 이 티셔츠 두 장이 좋네요. 가격표는 어디에 있죠?
여 아, 가격표는 없어요. 모든 티셔츠는 한 장당 5달러예요.
남 두 장을 사면 할인을 해 주시나요?
여 음. 두 장을 사시면 2달러를 할인해 드릴게요.
남 좋네요. 여기 있습니다.

M Hi. Are these _____ _____ ?
W Yes, everything at this flea market is used. Students _____ items from home.
M Okay. Do you have any T-shirts?
W We have _____ . Have a look over here.
M I like these two T-shirts. Where are the price tags?
W Oh, there aren't _____ _____ . All T-shirts are five dollars <u>each</u>.
　　　　　　　　　　　　　　　　　각각
M Is there a discount if I buy two?
W Hmm. If you _____ _____ , I can give you a two-dollar discount.
M Sounds good. Here you are.

14 두 사람의 관계

대화를 듣고, 두 사람의 관계로 가장 적절한 것을 고르시오.
① 경찰관 – 시민 ② 택배 기사 – 수취인
③ 매표소 직원 – 관객 ④ 은행원 – 고객
⑤ 사진작가 – 모델

(휴대 전화가 울린다.)
여 여보세요?
남 여보세요. Banks 씨입니까?
여 네, 접니다. 무슨 일이시죠?
남 당신에게 온 택배가 있습니다. 초인종을 눌러 봤지만 아무도 대답하지 않더라고요.
여 아, 제가 지금 집에 없어요. 택배를 문 앞에 두고 가실 수 있으세요?
남 죄송합니다. 그건 회사 규정에 어긋나서요.
여 제가 직접 택배를 받아야 한다는 말씀이세요?
남 네, 그러셔야 할 것 같습니다. 언제 집에 오세요?
여 저는 6시쯤 집에 도착해요.
남 알겠습니다. 6시에서 7시 사이에 다시 오겠습니다.

📞 Cell phone rings.
W Hello?
M Hello. Is this Ms. Banks?
W Yes, speaking. What is this about?
M I have a package for you. I _____ _____ your doorbell, but nobody answered the door. 정답 근거
W Oh, I'm not at home right now. Can you _____ _____ _____ at the door?
M Sorry, that is _____ my company's policy.
　　　　　택배를 문 앞에 두고 가는 것
W You mean I have to receive the package _____ _____ ?
M Yes, I'm afraid so. When will you get home?
W I'll _____ _____ at around 6.
M Okay. I'll come back _____ 6 and 7.

15 부탁한 일

대화를 듣고, 여자가 남자에게 부탁한 일로 가장 적절한 것을 고르시오.
① 짐 나르기　② 학교 안내하기
③ 점심 함께 먹기　④ 책 반납하기
⑤ 도서관 청소하기

남　안녕하세요, 김 선생님. 절 찾으셨다고요?
여　그래. 와 줘서 고마워, Jay. 알다시피 우리에게 새로 온 학생이 있단다.
남　아, Nick 말씀이세요? 네, 오늘 아침에 만났어요.
여　좋아. 그럼, 네게 부탁할 게 있어.
남　네. 기꺼이 도와드리겠습니다.
여　네가 Nick에게 학교를 구경시켜 줄 수 있을까?
남　물론이죠. 점심을 먹은 뒤에 둘러보게 해 줄게요.
여　고맙구나. 아, 도서관을 보여 주는 것도 잊지 말고.

M　Hi, Ms. Kim. You wanted to _____ _____?
W　Yes. Thanks for coming, Jay. As you know, we have a new student.
M　Oh, you _____ Nick? Yes, I met him this morning.
W　Good. Well, I have _____ _____ _____ _____ you.
M　Okay. I'm always willing to help.
　　기꺼이 ~하는
W　Could you please give Nick _____ _____ of the school? 🔑정답 근거
M　Sure. I'll show him around after we finish lunch.
　　show around: ~에게 둘러보도록 안내하다
W　Thank you. Oh, and don't forget to _____ _____ the library.

16 이유

대화를 듣고, 남자가 쿠키를 먹을 수 없는 이유로 가장 적절한 것을 고르시오.
① 치과에 갈 예정이어서
② 초콜릿 알레르기가 있어서
③ 배가 불러서
④ 의사가 단 음식을 먹지 말라고 해서
⑤ 체중을 감량해야 해서

남　냄새가 좋아요. 뭔가를 굽고 계세요?
여　응, 초콜릿 칩 쿠키가 오븐에 있어.
남　맛있겠다. 디저트로 쿠키 몇 개를 먹어도 될까요?
여　미안하지만 너는 하나도 먹으면 안 돼.
남　정말요? 왜요? 하나나 두 개면 돼요.
여　의사 선생님이 하신 말씀 기억 못 하니?
남　네. 제게 단 음식을 먹지 말라고 하셨죠.
여　맞아, 그리고 내 쿠키에는 설탕이 많이 들어갔단다. 의사 선생님의 충고를 들어야 할 필요가 있어.
남　알겠어요, 쿠키 안 먹을게요.

M　It smells wonderful. Are you _____ _____?
W　Yes, some chocolate chip cookies are in the oven.
M　Yum. Can I have a few cookies for _____?
W　Sorry, you _____ _____ any of them.
M　Really? Why not? I only want one or two.
W　Don't you _____ what the doctor said?
　　🔑정답 근거
M　Yes. He said I shouldn't eat sugary foods.
W　Right, and my cookies have a lot of sugar. You need to listen to _____ _____ _____.
M　Okay, I won't have any cookies.

17 그림 상황

다음 그림의 상황에 가장 적절한 대화를 고르시오.

① ② ③ ④ ⑤

① 남 나 지갑을 잃어버렸어.
　여 넌 분실물 보관소에 가야 해.
② 남 저 모자는 얼마인가요?
　여 별이 있는 거요? 20달러입니다.
③ 남 너 돈 좀 있니?
　여 아니, 간식에 다 써 버렸어.
④ 남 몇 시야?
　여 8시 30분이야. 우리 늦었어!
⑤ 남 근처에 은행이 있나요?
　여 네, 한 블록 직진해서 좌회전하세요.

① M I lost my wallet.
　W You should go to the _____ and found.

② M How much is that cap?
　W The one with a _____ on it? It's 20 dollars.

③ M Do you have any money?
　W No, I _____ _____ all on snacks.

④ M What time is it?
　W It's _____ _____ _____. We're late!
　　　　　　　　　　　　　　　🔑정답 근거

⑤ M Is there a bank nearby?
　W Yes, _____ straight one block and turn left.

18 언급하지 않은 것 ③

다음을 듣고, 여자가 그림에 대해 언급하지 <u>않은</u> 것을 고르시오.
① 그림 속 인물의 국적 ② 그린 사람
③ 그려진 시기　　　 ④ 전시 장소
⑤ 경매 가격

여 여러분, 제가 모나리자에 대해 말할 수 있도록 조용히 해 주세요. 이것은 세계에서 가장 유명한 그림 중 하나 입니다. 모나리자는 얼굴에 신비한 미소를 짓고 있는 부유한 이탈리아 여성의 초상화입니다. 모나리자는 약 500년 전에 레오나르도 다빈치에 의해 그려졌습니다. 오늘날 파리의 루브르 박물관에 전시되어 있습니다. 매년 600만 명이 넘는 사람들이 모나리자를 보기 위해 박물관을 방문합니다.

🇬🇧
W Everyone, please _____ _____ so I can tell you about the Mona Lisa. It is one of the world's _____
　　　　🔑정답 근거
_____ _____. The Mona Lisa is a portrait of a rich Italian woman who has a mysterious smile on her face. The Mona Lisa _____ _____ by Leonardo da Vinci around 500 years ago. Today, it _____ _____ at the Louvre Museum in Paris. Each year, more than six million
　　　　　　　　　　　　　600만 명이 넘는 사람들
visit the museum to see the Mona Lisa.

🔘 **Solution Tip**
① 그림 속 인물의 국적: 이탈리아 ② 그린 사람: 레오나르도 다빈치 ③ 그려진 시기: 약 500년 전
④ 전시 장소: 파리의 루브르 박물관

19 이어질 말 ①

Woman: _____

① My favorite sport is basketball.
② Let's take bus number 105.
③ The stadium must be very crowded.
④ I will have some snacks after school.
⑤ How about exit 5 of Sports Complex Station?

W Steve, are you _____ baseball?

M Yeah, it's my favorite sport. What about you?

W I love it too. Actually, I have _____ to the game at Jamsil Stadium tomorrow. Do you _____ _____ come?

M Of course! The game starts at 6:30, right?

W Yes, but I'm thinking about _____ _____ at 5:30. Is
   ~할 생각이야
   that okay _____ _____?
                  정답 근거

M Sure. Where should we meet?

W How about exit 5 of Sports Complex Station?

여 Steve, 너 야구 좋아해?
남 응, 내가 가장 좋아하는 스포츠야. 너는 어때?
여 나도 굉장히 좋아해. 사실, 나에게 내일 잠실 경기장에서 하는 경기 티켓이 있어. 너 가고 싶니?
남 물론이지! 경기가 6시 30분에 시작하지, 맞지?
여 응, 그런데 난 5시 30분쯤에 갈 생각이야. 괜찮아?
남 그럼. 우리 어디에서 만날까?
여 ⑤ 종합운동장 역 5번 출구 어때?

① 내가 제일 좋아하는 운동은 농구야.　　② 105번 버스를 타자.
③ 경기장이 분명 굉장히 붐비겠다.　　④ 나는 방과 후에 간식을 먹을 거야.

20 이어질 말 ②

Woman: _____

① Not me. I thought it was ugly.
② Let's go with the original plan.
③ I told you, it's outside the town.
④ Perfect. I love the way you think.
⑤ I love to listen to heavy metal music.

M Molly, what did you do _____ the weekend?

W I went to a car show with my dad.

M Do you _____ the car show at Carlton Conference Center?

W Yes. How did you know?

M Because I was there too! _____ _____ we didn't see
                              = at the car show
   each other.

W Wow, what a coincidence! Did you see the car completely
              우연의 일치
   _____ _____ ?

M Yeah, I thought it was _____ _____ _____ there.
   I would love to have it someday.   정답 근거

W Not me. I thought it was ugly.

남 Molly, 너 주말 동안 뭐 했어?
여 아빠랑 자동차 쇼에 갔었어.
남 Carlton Conference Center에서 하는 자동차 쇼 말하는 거야?
여 응. 어떻게 알았어?
남 나도 거기 갔었거든! 우리가 서로 못 봤다니 놀랍다.
여 와, 이런 우연이 있나! 너 완전히 금속으로만 만들어진 차 봤어?
남 응, 거기에서 가장 멋진 차라고 생각했어. 나도 언젠간 그 차를 가지고 싶어.
여 ① 난 아닌데. 난 그게 보기 싫다고 생각했어.

② 원래 계획대로 하자.　　　　　　③ 내가 말했잖아, 그건 도시 밖에 있다고.
④ 완벽해. 나는 네가 생각하는 방식이 마음에 들어.　　⑤ 나는 헤비메탈 음악 듣는 것을 좋아해.

모의고사를 먼저 풀고 싶으면 346쪽으로 이동하세요.

🎧 다음 표현을 듣고 모르는 것에 표시하시오.

- ☐ 01 **prize** 상금
- ☐ 02 **taste** 취향
- ☐ 03 **bow tie** 나비넥타이
- ☐ 04 **normal** 평범한, 보통의
- ☐ 05 **eye-catching** 눈길을 끄는
- ☐ 06 **roasted** (오븐 등에서) 구운
- ☐ 07 **move** 이사하다
- ☐ 08 **flat** 아파트(식 주거지)
- ☐ 09 **jealous** 질투하는
- ☐ 10 **thanksgiving** 추수감사절
- ☐ 11 **smooth** 부드러운
- ☐ 12 **snorkel** 스노클(잠수할 때 호흡을 위해 쓰는 관)
- ☐ 13 **add** 더하다
- ☐ 14 **all the way** 완전히
- ☐ 15 **check out** 계산하다
- ☐ 16 **remind** 상기시키다
- ☐ 17 **cash** 현금
- ☐ 18 **wig** 가발
- ☐ 19 **be headed to** ~으로 향하다
- ☐ 20 **cucumber** 오이
- ☐ 21 **board** 승차하다
- ☐ 22 **championship** 결승
- ☐ 23 **faucet** (수도)꼭지
- ☐ 24 **gate** 탑승구

- ☐ 25 **costume** 의상
- ☐ 26 **feast** 연회, 잔치
- ☐ 27 **turkey** 칠면조
- ☐ 28 **whatever** 무엇이든
- ☐ 29 **set up** 세우다, 설치하다
- ☐ 30 **similar** 비슷한
- ☐ 31 **colorful** 형형색색의
- ☐ 32 **participate** 참가하다
- ☐ 33 **autumn leaves** 단풍
- ☐ 34 **goose** 거위(pl. geese)
- ☐ 35 **directly** 곧장, 곧바로
- ☐ 36 **aggressive** 공격적인
- ☐ 37 **clown** 광대
- ☐ 38 **based on** ~에 근거하여
- ☐ 39 **fall asleep** 잠들다
- ☐ 40 **fine dust** 미세먼지

📝 알아두면 유용한 선택지 **어휘**

- ☐ 41 **convenience store** 편의점
- ☐ 42 **premiere** (영화의) 개봉
- ☐ 43 **facilities** 시설, 설비
- ☐ 44 **fallen leaves** 낙엽
- ☐ 45 **withdraw** (돈을) 인출하다
- ☐ 46 **meal** 식사, 끼니

🎧 들으면서 표현을 완성한 다음, 뜻을 고르시오.

표현의 의미를 생각하며 다시 써 보기!

01 m⬜ve   ☐ 이사하다   ☐ 그리워하다   ➜ _____

02 ad⬜   ☐ 빼다   ☐ 더하다   ➜ _____

03 f⬜ll⬜sleep   ☐ 잠들다   ☐ 잠이 깨다   ➜ _____

04 agg⬜essive   ☐ 수동적인   ☐ 공격적인   ➜ _____

05 ⬜ostume   ☐ 약물   ☐ 의상   ➜ _____

06 simila⬜   ☐ 비슷한   ☐ 나이가 든   ➜ _____

07 r⬜mind   ☐ 기억하다   ☐ 상기시키다   ➜ _____

08 partic⬜pate   ☐ 나누다   ☐ 참가하다   ➜ _____

09 fe⬜st   ☐ 연회   ☐ 광속   ➜ _____

10 no⬜mal   ☐ 보통의   ☐ 인상적인   ➜ _____

11 di⬜ectly   ☐ 천천히   ☐ 곧장   ➜ _____

12 t⬜ste   ☐ 취향   ☐ 등급   ➜ _____

13 f⬜ucet   ☐ 수도꼭지   ☐ 하수구   ➜ _____

14 ch⬜ck o⬜t   ☐ 불을 끄다   ☐ 계산하다   ➜ _____

15 ⬜ig   ☐ 목걸이   ☐ 가발   ➜ _____

16 c⬜own   ☐ 광대   ☐ 왕관   ➜ _____

17 base⬜⬜n   ☐ ~에 근거하여   ☐ ~와 비교하여   ➜ _____

18 ⬜et up   ☐ 세우다   ☐ 해체하다   ➜ _____

실전 모의고사 [22]회

실전 모의고사 22회 →

실전 모의고사 22회 →
┌ 모의고사 보통 속도
└ 모의고사 빠른 속도

✎ 들으면서 주요 표현 메모하기!

01 다음을 듣고, 대전의 오늘 날씨로 가장 적절한 것을 고르시오.

02 대화를 듣고, 여자가 구입할 선물로 가장 적절한 것을 고르시오.

고난도 선택지에 하나씩 체크하며 듣기

03 대화를 듣고, 여자가 여행에 대해 언급하지 <u>않은</u> 것을 고르시오.

① 함께 여행한 사람　　② 장소　　　　　③ 한 일
④ 교통수단　　　　　⑤ 음식

04 대화를 듣고, 남자가 추수감사절에 한 일로 가장 적절한 것을 고르시오.

① 식당에서 식사하기　　② 샌드위치 만들기　　③ 칠면조 굽기
④ 파이 만들기　　　　　⑤ 친척 방문하기

05 대화를 듣고, 두 사람이 대화하는 장소로 가장 적절한 곳을 고르시오.

① 수영장　　② 길거리　　③ 해변　　④ 놀이터　　⑤ 편의점

06 대화를 듣고, 여자의 마지막 말의 의도로 가장 적절한 것을 고르시오.

① 불만   ② 사과   ③ 위로   ④ 조언   ⑤ 칭찬

✎ 들으면서 주요 표현 메모하기!

07 대화를 듣고, 여자가 공원에서 마음에 들지 않은 것으로 가장 적절한 것을 고르시오.

① 단풍   ② 날씨   ③ 연못   ④ 거위   ⑤ 얼음

08 대화를 듣고, 남자가 대화 직후에 할 일로 가장 적절한 것을 고르시오.

① 빵 굽기   ② 시장에 가기   ③ 요리책 찾기
④ 은행 가기   ⑤ 설거지하기

09 대화를 듣고, 여자가 singing contest에 대해 언급하지 <u>않은</u> 것을 고르시오.

① 대회 날짜   ② 대회 장소   ③ 참가 가능 곡
④ 참가 신청 방법   ⑤ 우승 상금

10 다음을 듣고, 남자가 하는 말의 내용으로 가장 적절한 것을 고르시오.

① 축구팀 경기 안내   ② 응원단 모집 안내   ③ 시설 사용 안내
④ 영화 개봉 홍보   ⑤ 경기장 사용 중단 공지

틀린 문제는 Dictation에서
완벽하게 이해하세요!

실전 모의고사 [22]회

들으면서 주요 표현 메모하기!

고난도 | 세부 사항에 유의하며 듣기

11 대화를 듣고, 프랑스어 수업에 대한 내용으로 일치하지 <u>않는</u> 것을 고르시오.
① 1년 과정이다.
② 선생님은 파리 출신이다.
③ 수준에 맞는 반을 고를 수 있다.
④ 교무실에서 등록을 할 수 있다.
⑤ 다음 주 화요일에 수업이 시작된다.

12 대화를 듣고, 남자가 가발을 구입한 목적으로 가장 적절한 것을 고르시오.
① 친구에게 선물하기 위해서
② 파티에 가기 위해서
③ 사탕을 얻기 위해서
④ 사진을 찍기 위해서
⑤ 여자를 돕기 위해서

13 대화를 듣고, 남자가 지불할 금액을 고르시오.
① $1.00 ② $1.50 ③ $2.00 ④ $2.50 ⑤ $3.00

14 대화를 듣고, 두 사람의 관계로 가장 적절한 것을 고르시오.
① 수리 기사 – 고객
② 호텔 직원 – 투숙객
③ 헬스 트레이너 – 고객
④ 소방관 – 시민
⑤ 식당 종업원 – 고객

15 대화를 듣고, 남자가 여자에게 부탁한 일로 가장 적절한 것을 고르시오.
① 종이 주문하기
② 컴퓨터 수리하기
③ 온라인 계좌 만들기
④ 현금 찾아오기
⑤ 미술 숙제 도와주기

16 대화를 듣고, 여자가 오늘 영화를 볼 수 없는 이유로 가장 적절한 것을 고르시오.

① 집 청소를 해야 해서
② 이사 준비를 해야 해서
③ 친구의 이사를 도와야 해서
④ 친구에게 저녁을 대접해야 해서
⑤ 과제를 해야 해서

✎ 들으면서 주요 표현 메모하기!

17 다음 그림의 상황에 가장 적절한 대화를 고르시오.

①   ②   ③   ④   ⑤

18 다음을 듣고, 여자가 school's choir에 대해 언급하지 <u>않은</u> 것을 고르시오.

① 예정된 공연   ② 연습 요일   ③ 연습 장소
④ 연습할 곡   ⑤ 가입 신청 장소

[19-20] 대화를 듣고, 여자의 마지막 말에 이어질 남자의 말로 가장 적절한 것을 고르시오.

19 Man: _____

① This is my friend, Rosa.
② It's across from the park.
③ I go there every Wednesday morning.
④ Let's try the strawberry flavor next time.
⑤ The bus stops right in front of the airport.

20 Man: _____

① I get up at 7:30.   ② Enjoy your meal.
③ See you tomorrow!   ④ I'd like ginger tea, please.
⑤ Let's meet at the front gate.

틀린 문제는 Dictation에서
완벽하게 이해하세요!

01 날씨

*들을 때마다 체크

다음을 듣고, 대전의 오늘 날씨로 가장 적절한 것을 고르시오.

①   ②   ③

④   ⑤

W Good morning! _____ _____ the weather report for today. We won't have clear skies in Seoul because of the high level of _____ _____. Please make sure you wear a mask. In Daejeon, there is an eighty percent 【정답 근거】 _____ of showers, and we should see rain by evening. However, Jeju will be very _____ and nice throughout 온종일, 하루 내내 the day. Enjoy the perfect weather for _____ _____.

여 안녕하십니까! 오늘의 일기 예보를 시작하겠습니다. 서울에서는 고농도의 미세먼지 때문에 맑은 하늘을 볼 수 없겠습니다. 반드시 마스크를 착용하세요. 대전은 소나기가 올 가능성이 80%이고, 저녁에 비가 오겠습니다. 하지만 제주는 온종일 따뜻하고 화창하겠습니다. 야외 활동에 완벽한 날씨를 즐기세요.

02 그림 묘사

대화를 듣고, 여자가 구입할 선물로 가장 적절한 것을 고르시오.

①   ②   ③

④   ⑤

M Hello, can I help you?

W Yes, please. My dad's birthday is _____ _____, and I want to buy him a new tie.

M This striped bow tie is a _____ _____. It looks special.

W Wow, I think that's too eye-catching for _____ 눈길을 끄는 _____. I think a normal necktie is better.

M Okay, then what about this polka-dot necktie?

W Oh, that one? I think he has _____ _____ _____ already. Do you have another one? = necktie 【정답 근거】

M How about this necktie with a wave pattern? This is _____, too.

W I'll take it. I hope my dad will love it. Thank you.
= the necktie with a wave pattern

남 안녕하세요, 도와드릴까요?
여 네. 아빠 생신이 이번 주말이라 새 타이를 사 드리고 싶어요.
남 이 줄무늬 나비넥타이가 제일 잘 팔리는 상품이에요. 특별해 보이죠.
여 와, 제 생각엔 아빠 취향에 너무 화려한 것 같아요. 평범한 넥타이가 좋을 것 같아요.
남 네, 그럼 이 물방울무늬 넥타이는 어떠세요?
여 아, 그거요? 아빠가 이미 비슷한 것을 가지고 계신 것 같아요. 다른 것이 있나요?
남 그럼 이 물결무늬 패턴이 있는 넥타이는 어떠세요? 이것도 인기 있습니다.
여 그걸로 살게요. 아빠가 좋아하셨으면 좋겠어요. 감사합니다.

Dictation 22회 →
「전체 듣기
└ 문항별 듣기

Dictation의 효과적인 활용법
STEP1 들으면서 대본의 빈칸 채우기
STEP2 축쇄 문제를 보며 다시 풀어 보기
STEP3 해석을 보며 영어로 말하거나 영작해 보기

공부한 날 [ ] 월 [ ] 일

03 언급하지 않은 것 ①

대화를 듣고, 여자가 여행에 대해 언급하지 <u>않은</u> 것을
고르시오.
① 함께 여행한 사람   ② 장소
③ 한 일   ④ 교통수단
⑤ 음식

남 여름 방학 때 뭐 했어, Rachel?
여 우리 가족과 나는 필리핀에 갔었어.
남 그거 참 좋겠다. 어땠어?
여 굉장했어! 우리는 스쿠버 다이빙을 하러 갔고 난 형형
　색색의 물고기들을 많이 보았어.
남 새로운 음식도 먹어 봤어?
여 물론이지! 난 그곳의 음식이 정말 좋았어. 그리고 거의
　매 끼니마다 망고를 먹었어. 망고는 내가 가장 좋아하
　는 과일이야.
남 정말 부럽다! 우리 가족은 이번 방학에 그냥 집에 있었
　어. 하지만 내년에는 베트남에 갈 계획이야.

M What did you do for summer _____, Rachel?

W My family and I went to the Philippines. 🎸정답 근거

M That sounds great. How was it?

W It was _____! We went scuba-diving, and I saw many colorful fish.

M Did you try _____ _____ _____?

W Of course! I really liked the food there. And I _____ mangoes almost every meal. They are my favorite fruit.

M I'm _____ _____! My family just stayed home this vacation. But next year we are planning to go to Vietnam.

⟨📢 Solution Tip⟩

① 함께 여행한 사람: 가족 ② 장소: 필리핀 ③ 한 일: 스쿠버 다이빙 ⑤ 음식: 그곳 음식이 마음에 들었고, 망고를 자주 먹었다.

04 과거에 한 일

대화를 듣고, 남자가 추수감사절에 한 일로 가장 적절
한 것을 고르시오.
① 식당에서 식사하기   ② 샌드위치 만들기
③ 칠면조 굽기   ④ 파이 만들기
⑤ 친척 방문하기

여 이봐, Roy. 너 식당에 안 갔니?
남 아, 안녕, Liz. 응, 점심으로 집에서 샌드위치를 가져왔
　어.
여 맛있어 보인다. 네가 만들었어?
남 아니, 아빠가 만드셨어. 안에 칠면조와 치즈가 들어 있
　어. 맛있어.
여 아, 맞아. 지난 주말이 추수감사절이었지. 너는 그날
　분명 커다란 칠면조를 먹었겠구나.
남 응, 굉장한 파티였지. 칠면조, 호박파이, 그리고 구운
　고구마를 먹었어.
여 너도 부모님과 같이 요리를 했어?
남 물론, 호박파이를 굽는 건 언제나 내 일이야. 내가 우
　리 가족 중 가장 파이를 잘 구워.
여 그거 놀랍다!

W Hey, Roy. Didn't you go to the cafeteria?

M Oh, hi, Liz. No, _____ _____ some sandwiches for lunch from home.

W They look delicious. Did you _____ _____?

M No, my dad did. They have turkey, cheese, and cranberry sauce in them. Delicious.
<u>= the sandwiches</u>

W Oh, right. _____ _____ was Thanksgiving. You must have had a big turkey on that day.
<u>= Thanksgiving Day</u>

M Yes, such a feast. We had _____, pumpkin pies, and
굉장한 파티였어
roasted sweet potatoes.

W Did you _____ _____ your parents?

🎸정답 근거
M Sure, baking pumpkin pies is _____ _____ _____. I can make the best pies in my family.

W That's surprising!

05 장소

대화를 듣고, 두 사람이 대화하는 장소로 가장 적절한 곳을 고르시오.
① 수영장　　② 길거리　　③ 해변
④ 놀이터　　⑤ 편의점

M　Can I help you _____ _____ the umbrella, Jenna?

W　That would be great. Thanks, Jimmy.

M　This is _____ _____ _____. The sand is nice and smooth.　🎣정답 근거

W　I think so too. It's not too _____, either.

M　Did you finish putting on your sunblock?

W　Yep! Let's _____ our tubes and go play _____ _____ _____!

M　I'll bring my snorkel too!

남　Jenna, 내가 파라솔을 설치하는 것을 도와줄까?
여　그럼 좋지. 고마워, Jimmy.
남　이곳은 완벽한 장소야. 모래도 좋고 부드러워.
여　내 생각도 그래. 그렇게 사람이 붐비지도 않고.
남　선크림 바르는 것을 끝냈니?
여　응! 튜브 들고 파도 타러 가자!
남　난 스노클도 가져갈게!

> **Solution Tip**
> 모래가 있고 파라솔을 펴는 장소이며, 튜브와 스노클을 갖고 가서 파도를 타며 놀자고 하는 것으로 보아 해변임을 짐작할 수 있다.

06 말의 의도

대화를 듣고, 여자의 마지막 말의 의도로 가장 적절한 것을 고르시오.
① 불만　　② 사과　　③ 위로
④ 조언　　⑤ 칭찬

W　Hey, Justin, are you okay?

M　Not really, Ms. Johnson. I feel _____.　🎣정답 근거

W　What happened?

M　My hamster Billy _____ yesterday. I _____ _____ it.

W　Oh, I'm so sorry. I know you really loved him.

M　Yeah, he was my _____ _____. I will never forget how cute and soft he was.

W　You must really _____ him.

여　안녕, Justin, 너 괜찮니?
남　아니요, Johnson 선생님. 기분이 너무 안 좋아요.
여　무슨 일이니?
남　어제 제 햄스터 Billy가 죽었어요. 믿어지지 않아요.
여　아, 정말 유감이구나. 네가 그를 정말 좋아했던 걸 알아.
남　네, Billy는 제 첫 애완동물이었어요. 저는 그가 얼마나 귀엽고 부드러웠는지 잊지 않을 거예요.
여　Billy가 많이 그립겠구나.

07 세부 정보

대화를 듣고, 여자가 공원에서 마음에 들지 <u>않은</u> 것으로 가장 적절한 것을 고르시오.
① 단풍   ② 날씨   ③ 연못
④ 거위   ⑤ 얼음

남 너 1번가와 2번가의 모퉁이에 있는 새로 생긴 공원에 가 본 적 있어?
여 응, 단풍을 보려고 지난주에 갔었어! 아름다웠어.
남 연못까지 걷기도 했어?
여 응, 우린 연못 옆에서 피크닉을 했어.
남 좋았겠다! 너무 춥진 않았니?
여 조금 쌀쌀했지만, 옷을 따뜻하게 입어서 괜찮았어.
남 나도 이번 주말에 거기 가고 싶어.
여 아, 거기에서 한 가지가 안 좋았어. 연못 옆의 거위들. 그러니 거기 가면 조심해.
남 거위들?
여 응, 거위들이 조금… 공격적이었어!

🇬🇧

M Have you been to the new park _____ _____ _____ of 1st and 2nd street?

W Yes, I went last weekend to see the autumn leaves! They were beautiful.
<u>단풍</u>

M Did you walk to _____ _____ as well?
또한, 역시

W Yes, we had a picnic next to it.
= the pond

M How nice! Wasn't it _____ _____?

W It was a bit chilly, but we dressed _____ so it was okay.

M I want to go there this weekend.
= to the park   🔍 정답 근거

W Oh, there was one thing I _____ _____ there. The geese by the pond. So _____ _____ if you go there.
거위(goose의 복수형)

M The geese?

W Yes, they were a little... aggressive!
= the geese

08 바로 할 일

대화를 듣고, 남자가 대화 직후에 할 일로 가장 적절한 것을 고르시오.
① 빵 굽기   ② 시장에 가기
③ 요리책 찾기   ④ 은행 가기
⑤ 설거지하기

남 엄마, 오늘 저녁은 뭐예요?
여 야채 스튜 만들고 있단다. 새로운 조리법이야.
남 냄새가 정말 좋아요!
여 고맙구나. 뭐 더 먹고 싶은 것이 있니?
남 같이 먹을 신선한 빵을 만들어 주실래요? 엄마가 만든 빵이 최고예요.
여 물론이지. 그런데 너에게 부탁이 있단다.
남 네, 뭔데요?
여 시장에 가서 큰 양파 두 개를 사다 줄래? 여기 돈이 있어.
남 네, 물론이죠! 금방 다녀올게요.

M What's for dinner, Mom?

W I'm making a vegetable stew. It's a _____ _____.

M It smells really delicious!

W Thanks. Is there anything else you'd _____ _____ _____?

M Will you make fresh _____ to go with it? Your bread is the best.
= the vegetable stew
~와 어울리다

W Sure. But I need you to do me a favor.
do ~ a favor: ~의 부탁을 들어주다

M Okay, what is it?
🔍 정답 근거

W Will you go to the market and get _____ _____ _____ for me? Here's some cash.

M Okay, sure! I'll be right back.

09 언급하지 않은 것 ②

대화를 듣고, 여자가 singing contest에 대해 언급하지 않은 것을 고르시오.
① 대회 날짜　　② 대회 장소
③ 참가 가능 곡　④ 참가 신청 방법
⑤ 우승 상금

W　Are you going to _____ the singing contest, Scott?
M　I'm not sure yet. _____ _____ of song should I sing?
W　You can sing whatever you want.
　　정답 근거
　　네가 원하는 것은 무엇이든
M　I love to sing, but singing in front of people _____ _____ _____.
W　You should do it! I've heard _____ _____ before. You have a good voice!
M　I'll think about it. When is it?
　　= joining the contest
W　It's _____ _____ April 2nd in the school gym.
M　If you join, I'll join.
W　I definitely want to join. The winner _____ a $100 prize!

여　너 노래 대회에 참가할 예정이니, Scott?
남　아직 확실히 모르겠어. 어떤 종류의 노래를 불러야 해?
여　네가 원하는 어떤 것이든지 부를 수 있어.
남　난 노래 부르는 것을 좋아하지만 사람들 앞에서 노래 부르는 것은 긴장돼.
여　넌 해야 해! 전에 네가 노래하는 것을 들은 적이 있어. 넌 좋은 목소리를 갖고 있어!
남　생각해 볼게. 언제인데?
여　학교 체육관에서 다음 주 토요일 4월 2일에 해.
남　네가 참가하면 나도 할게.
여　나는 분명히 참가할 거야. 우승자는 상금 100달러를 받아!

Solution Tip
① 대회 날짜: 4월 2일 토요일　② 대회 장소: 학교 체육관　③ 참가 가능 곡: 원하는 것은 무엇이든
⑤ 우승 상금: 100달러

10 담화 화제

다음을 듣고, 남자가 하는 말의 내용으로 가장 적절한 것을 고르시오.
① 축구팀 경기 안내　　② 응원단 모집 안내
③ 시설 사용 안내　　　④ 영화 개봉 홍보
⑤ 경기장 사용 중단 공지

M　Good morning, students! I'm happy to announce that
　　정답 근거
our girls soccer team _____ _____ _____ to the championship game. They will play _____ the East Coast school. It is a home game, so come out and _____ _____ our team! The game is _____ _____ at 5:00 p.m. at the North Soccer Field. See you there!
　　= at the North Soccer Field

남　안녕하세요, 학생 여러분. 우리 여자 축구팀의 결승전 진출 소식을 전하게 되어 기쁩니다. 그들은 East Coast 학교와 대결합니다. 홈 경기이므로 오셔서 우리 팀을 위해 응원해 주세요! 경기는 이번 수요일 오후 5시에 North Soccer Field에서 열립니다. 그곳에서 만나요!

11 일치하지 않는 것

대화를 듣고, 프랑스어 수업에 대한 내용으로 일치하지 <u>않는</u> 것을 고르시오.
① 1년 과정이다.
② 선생님은 파리 출신이다.
③ 수준에 맞는 반을 고를 수 있다.
④ 교무실에서 등록할 수 있다.
⑤ 다음 주 화요일에 수업이 시작된다.

남 안녕, Janice, 우리 학교가 이번 여름에 프랑스어 수업을 제공한대.
여 오, 좋은 소식이다.
남 네가 항상 파리에 관해서 말하니까 관심 있어 할 것 같았어.
여 맞아, 당연히 관심 있지! 난 항상 프랑스어를 배우고 싶었어.
남 선생님은 파리 출신이시래. 그리고 수준에 맞는 반을 선택할 수 있어.
여 정말 좋다! 어디에서 등록할 수 있어?
남 교무실에서 등록할 수 있어. 수업은 다음 주 화요일에 시작해.
여 말해 줘서 고마워, Brian. 가서 목록에 내 이름을 추가해야겠다.

M Hey, Janice, our school will _____ French classes this summer.

W Oh, that's good news.

M I thought you might _____ _____ because you always talk about Paris.

W Yes, I'm definitely interested! I've always wanted _____ _____ French.

M The teacher is from Paris. And you can _____ _____ based on your level.
~에 기초하여

W That's great! Where can I sign up?

M You can _____ _____ in the teachers' room. Classes start next Tuesday.
교무실

W Thanks for telling me, Brian. I'll go _____ my name to the list.

정답 근거

12 목적

대화를 듣고, 남자가 가발을 구입한 목적으로 가장 적절한 것을 고르시오.
① 친구에게 선물하기 위해서
② 파티에 가기 위해서
③ 사탕을 얻기 위해서
④ 사진을 찍기 위해서
⑤ 여자를 돕기 위해서

여 이봐, Robert! 오늘 너에게 택배가 왔어.
남 와, 정말 빠르다. 어젯밤에 주문했는데.
여 뭔데?
남 크고, 구불거리는 무지개색 가발이야.
여 무엇을 위한 거야?
남 Kelly가 이번 주말에 핼러윈 파티에 나를 초대했어. 나는 광대가 될 거야!
여 아, 맞아. 핼러윈이 다가오는구나. 같이 사탕을 얻으러 가자.
남 그래. 내가 의상 찾는 것을 도와줄게.

W Hey, Robert! A package came for you today.

M Wow, that was _____. I just ordered it last night.

W What is it?

M It's a big, _____, rainbow-colored wig.

W What is it for?

M Kelly _____ _____ to her Halloween party this weekend. I'm going to be a clown! 정답 근거
광대

W Oh, that's right. Halloween _____ _____. Let's go trick-or-treating together.
trick-or-treat 장난을 하러 가다

M Okay. I'll help you find _____ _____.

13 금액

대화를 듣고, 남자가 지불할 금액을 고르시오.
① $1.00   ② $1.50   ③ $2.00
④ $2.50   ⑤ $3.00

여 저희 동아리 빵 바자회에 오신 것을 환영합니다! 어떤 걸로 드릴까요?
남 모두 다 맛있어 보여요. 결정하지 못하겠어요!
여 저는 브라우니를 추천해요. 갓 구워서 아직 따뜻해요.
남 얼마예요?
여 작은 건 1달러 50센트이고 큰 건 2달러입니다.
남 쿠키는 얼마예요?
여 1달러에 세 개입니다.
남 작은 브라우니 하나와 쿠키 세 개 살게요.

W Welcome to our club _____ _____! What would you like?

M Everything looks delicious. I can't decide!

W I _____ the brownies. They were just _____ and are still warm.

M How much are they?

W ♬ 정답 근거
The small is $1.50 and _____ _____ is $2.00.

M How much are the cookies?

W You can _____ _____ for $1.00.

M I'll take a small brownie and three cookies.
    → $1.50   → $1.00

14 두 사람의 관계

대화를 듣고, 두 사람의 관계로 가장 적절한 것을 고르시오.
① 수리 기사 – 고객
② 호텔 직원 – 투숙객
③ 헬스 트레이너 – 고객
④ 소방관 – 시민
⑤ 식당 종업원 – 고객

(전화벨이 울린다.)
여 안내 데스크의 Julia입니다.
남 여보세요, 915호의 Jason Lee입니다.
여 네, 무엇을 도와드릴까요?
남 방에 뜨거운 물이 나오지 않아요.
여 수도꼭지를 왼쪽으로 완전히 돌리셨나요?
남 네, 왼쪽과 오른쪽 둘 다 시도해 봤는데 찬물밖에 안 나와요.
여 알겠습니다. 전엔 그런 문제가 없었는데요. 확인하러 누군가를 보내겠습니다.
남 감사합니다.

🇬🇧
📞 Telephone rings.

W Front desk, Julia _____.

M Hello, this is Jason Lee in room 915.

W Yes, may I help you?

M We don't have _____ _____ _____ in our room.

W Did you turn the faucet all the way _____ _____
                수도꼭지   완전히
_____?

M Yes, I tried _____ the left and the right, and there's nothing but cold water.
   그저 ~일 뿐인

W Okay. We've _____ _____ that problem before. I'll send someone to come _____ on it.

M Thank you.

15 부탁한 일

대화를 듣고, 남자가 여자에게 부탁한 일로 가장 적절한 것을 고르시오.
① 종이 주문하기　② 컴퓨터 수리하기
③ 온라인 계좌 만들기　④ 현금 찾아오기
⑤ 미술 숙제 도와주기

W　What's wrong, Brian?

M　I'm having _____ _____ my online banking account.
　　　온라인 은행 계좌

W　Oh, really? What's the problem?

M　I'm trying to order this _____ _____ for a school
　　project, but I can't check out.
　　　　　　　　　계산하다

W　Hmm, that's strange. Do you want me to _____
　　_____ my account?

　　　　　　　　　　　　　　　= the special
　　　　　　　　　　　　　　　　paper
M　Yeah, would you? If you order it for me _____ with your
　　card, I can give you _____ _____. 🎸정답 근거

W　Okay, no problem.

M　Thank you so much, Jessica!

여　무슨 일이니, Brian?
남　온라인 계좌 때문에 고생하고 있어.
여　아, 정말? 무엇이 문제야?
남　학교 과제 때문에 이 특수 종이를 주문하려고 하는데 결제를 할 수가 없어.
여　음, 이상하네. 내 계좌로 한번 해 볼까?
남　응, 그래 줄래? 만약 네 카드로 온라인 주문을 해 주면 내가 현금을 바로 줄게.
여　응, 알겠어.
남　정말 고마워, Jessica!

16 이유

대화를 듣고, 여자가 오늘 영화를 볼 수 없는 이유로 가장 적절한 것을 고르시오.
① 집 청소를 해야 해서
② 이사 준비를 해야 해서
③ 친구의 이사를 도와야 해서
④ 친구에게 저녁을 대접해야 해서
⑤ 과제를 해야 해서

M　Hey, Judy! Do you want to go _____ _____
　　_____ tonight?

W　That sounds fun, but I _____ tonight. Why don't we go
　　next weekend?

M　Okay, sure. What are you doing tonight?

W　I'm _____ _____ for my friend Tina. 🎸정답 근거

M　That's nice of you.

W　Well, it's to _____ _____ _____. She helped me
　　move last weekend. She also helped me _____ my new
　　'이사하다'라는 의미의 동사로 쓰였다.
　　flat.
　　아파트

M　She sounds like a really good friend.

남　안녕, Judy! 오늘 밤에 영화 보러 갈래?
여　재미있겠다, 그런데 오늘 밤엔 안 돼. 다음 주 주말에 가면 어때?
남　그래, 물론이지. 오늘 밤에 뭐 해?
여　내 친구 Tina를 위해서 저녁을 만들 거야.
남　너 정말 친절하다.
여　음, 감사 인사를 하려고 하는 거야. 그녀가 지난 주말에 내가 이사하는 걸 도와줬거든. 내 새 아파트를 청소하는 것도 도와줬어.
남　그녀는 정말 좋은 친구인 것 같아.

17 그림 상황

다음 그림의 상황에 가장 적절한 대화를 고르시오.

① ② ③ ④ ⑤

① 남 그 노란색 스무디는 무슨 맛이에요?
　여 망고 바나나예요.
② 남 Isabella, 네가 가장 좋아하는 한국 음식이 뭐야?
　여 나는 오이김치를 좋아해.
③ 남 우산 가져가는 것을 잊지 마!
　여 상기시켜 주셔서 고마워요, 아빠.
④ 남 부산으로 가는 기차를 어디에서 타는지 말해 주실
　　수 있나요?
　여 그 기차는 게이트 G에서 떠나요.
⑤ 남 마실 것을 드시겠어요?
　여 전 그냥 차가운 물을 좀 주세요.

① M What _____ is the yellow smoothie?

　W It is mango banana.

② M What's your _____ Korean food, Isabella?

　W I like cucumber kimchi.

③ M Don't forget your umbrella!

　W Thanks for _____ _____, Dad.

④ M Can you tell me where to board the train for Busan?
　　　　　　　　　　어디에서 타는지

　W That train _____ _____ gate G.

⑤ M Would you like something _____ _____?

　W I'd like just some cold water, please.

18 언급하지 않은 것 ③

다음을 듣고, 여자가 school's choir에 대해 언급하지
않은 것을 고르시오.
① 예정된 공연　　　② 연습 요일
③ 연습 장소　　　　④ 연습할 곡
⑤ 가입 신청 장소

W Good afternoon, everyone. I'd like _____ _____
that our school's choir will be singing in the Christmas
program at City Hall. We are _____ _____ more
people to participate. We will have two hours' practice
　　　　　　　　　　　　　　　　　　두 시간의 연습
every Tuesday and Thursday _____ _____ in the
music room. If you would like to join, come _____
_____ Mr. Bowen in room 204. Thank you.

여 안녕하세요, 여러분. 시청에서 있을 성탄절 프로그램
　에서 우리 학교 합창단이 노래할 예정임을 알려 드립
　니다. 우리는 참가할 사람을 더 찾고 있습니다. 매주
　화요일과 목요일 방과 후에 음악실에서 두 시간씩 연
　습합니다. 함께하기를 원하신다면 204호의 Bowen
　선생님에게 와서 말해주세요. 감사합니다.

19 이어질 말 ①

Man: _____

① This is my friend, Rosa.
② It's across from the park.
③ I go there every Wednesday morning.
④ Let's try the strawberry flavor next time.
⑤ The bus stops right in front of the airport.

M Where are you going, Ann?

W I'm _____ _____ the park to meet Julia.

M Will you do me a favor _____ _____ _____ there?
= to the park

W Sure. What is it?

M I need to mail _____ _____ before 5:00 p.m. Will you take it to the post office?

W Okay. _____ is the post office? 🔑정답 근거

M It's across from the park.

남 Ann, 너 어디 가고 있어?
여 Julia를 만나러 공원에 가고 있어.
남 거기 가는 길에 내 부탁 좀 들어줄래?
여 그럼. 뭔데?
남 나는 이 소포를 오후 5시 전에 우편으로 보내야 해. 이걸 우체국까지 가져가 줄래?
여 그래. 우체국이 어디야?
남 ② 공원 맞은편이야.

① 여긴 내 친구 Rosa야. ③ 나는 매주 수요일 아침에 그곳에 가.
④ 다음번엔 딸기 맛을 먹어 보자. ⑤ 그 버스는 공항 바로 앞에 서.

20 이어질 말 ②

Man: _____

① I get up at 7:30.
② Enjoy your meal.
③ See you tomorrow!
④ I'd like ginger tea, please.
⑤ Let's meet at the front gate.

M Mom, I can't _____ _____.

W Really? Is something wrong?

M I think I'm just _____ _____ the test tomorrow.

W Oh, honey, you'll do great. You've been studying so hard.

M Yeah, but English is my most _____ _____.

W Don't worry. I'll get you some warm tea. That should help you _____.
= (Drinking) Some warm tea

M Thanks, Mom.

W _____ _____ would you like? 🔑정답 근거

M I'd like ginger tea, please.

남 엄마, 저 잠을 잘 수가 없어요.
여 정말? 무슨 문제가 있니?
남 그냥 내일 시험이 걱정돼서인 거 같아요.
여 아, 얘야, 넌 잘할 거야. 아주 열심히 공부해 왔잖아.
남 네, 그렇지만 영어는 제게 가장 어려운 과목이에요.
여 걱정하지 마. 따뜻한 차를 가져다줄게. 자는 데 도움을 줄 거야.
남 고마워요, 엄마.
여 어떤 종류로 마실래?
남 ④ 생강차로 할게요.

① 저는 7시 30분에 일어나요. ② 식사 맛있게 하세요.
③ 내일 봬요! ⑤ 정문에서 만나요.

모의고사를 먼저 풀고 싶으면 362쪽으로 이동하세요.

🎧 다음 표현을 듣고 모르는 것에 표시하시오.

- [ ] 01 **rise** (해가) 뜨다
- [ ] 02 **original** 원래의
- [ ] 03 **trace** 따라가다, 베끼다
- [ ] 04 **confident** 자신감 있는
- [ ] 05 **entire** 전체의
- [ ] 06 **apply** (크림 등을) 바르다
- [ ] 07 **furry** 털로 덮인
- [ ] 08 **cabin** 오두막
- [ ] 09 **depend on** ~에 달려 있다
- [ ] 10 **work out** 운동하다
- [ ] 11 **advertise** 광고하다
- [ ] 12 **handwriting** 필적
- [ ] 13 **attend** 참석하다
- [ ] 14 **look around** 둘러보다
- [ ] 15 **gone** 가 버린, 끝난
- [ ] 16 **lead role** 주역
- [ ] 17 **introduce** 소개하다
- [ ] 18 **stitch** 바느질하다, 꿰매다
- [ ] 19 **staff** 직원
- [ ] 20 **make a team** 팀에 들어가다
- [ ] 21 **totally** 완전히
- [ ] 22 **serious** 진지한, 농담이 아닌
- [ ] 23 **reach** (손이) 닿다
- [ ] 24 **report** 알리다

- [ ] 25 **knit** 뜨개질하다
- [ ] 26 **lately** 최근에
- [ ] 27 **coworker** 동료
- [ ] 28 **hood** (옷에 달린) 모자
- [ ] 29 **run** 운영하다
- [ ] 30 **booth** 부스, 점포
- [ ] 31 **rink** 스케이트장
- [ ] 32 **relief** 안도, 안심
- [ ] 33 **spot** 자리
- [ ] 34 **locker** 사물함
- [ ] 35 **lead** 이끌다
- [ ] 36 **directions** 사용법, 설명서
- [ ] 37 **figure out** ~을 알아내다
- [ ] 38 **notice** 알아채다
- [ ] 39 **for real** 진짜의
- [ ] 40 **audition** 오디션
- [ ] 41 **skip** 건너뛰다
- [ ] 42 **shelf** 선반

📖 알아두면 유용한 선택지 **어휘**

- [ ] 43 **perplexed** 당혹스러운
- [ ] 44 **riverside** 강변
- [ ] 45 **calculate** 계산하다, 정산하다
- [ ] 46 **sharpen a pencil** 연필을 깎다

🎧 들으면서 표현을 완성한 다음, 뜻을 고르시오.

표현의 의미를 생각하며 다시 써 보기!

01 con☐ident ☐ 자신감 있는 ☐ 조심스러운 → _____

02 app☐y ☐ 떠나다 ☐ 바르다 → _____

03 atten☐ ☐ 참석하다 ☐ 찬성하다 → _____

04 g☐ne ☐ 가 버린 ☐ 슬픈 → _____

05 tr☐ce ☐ 도망치다 ☐ 따라가다 → _____

06 sti☐ch ☐ 바느질하다 ☐ 불을 켜다 → _____

07 boo☐h ☐ 기차 ☐ 부스, 점포 → _____

08 c☐bin ☐ 오두막 ☐ 반 → _____

09 ☐eport ☐ 알리다 ☐ 항의하다 → _____

10 lea☐ ☐ 도망가다 ☐ 이끌다 → _____

11 di☐ections ☐ 순서 ☐ 사용법 → _____

12 fi☐ure o☐t ☐ ~을 알아내다 ☐ ~와 비교하다 → _____

13 s☐ip ☐ 건너뛰다 ☐ 마시다 → _____

14 la☐ely ☐ 당장 ☐ 최근에 → _____

15 o☐iginal ☐ 새로운 ☐ 원래의 → _____

16 fu☐ry ☐ 털로 덮인 ☐ 작은 → _____

17 en☐ire ☐ 혼잡한 ☐ 전체의 → _____

18 de☐end☐n ☐ ~에 달려 있다 ☐ ~을 설명하다 → _____

실전 모의고사 [23]회

✎ 들으면서 주요 표현 메모하기!

01 다음을 듣고, 화요일의 날씨로 가장 적절한 것을 고르시오.

①
②
③
④
⑤

02 대화를 듣고, 남자가 만든 강아지 옷으로 가장 적절한 것을 고르시오.

①
②
③
④
⑤

03 대화를 듣고, 남자의 심정으로 가장 적절한 것을 고르시오.

① excited
② proud
③ disappointed
④ nervous
⑤ perplexed

04 대화를 듣고, 남자가 개학 첫날 한 일로 가장 적절한 것을 고르시오.

① 축구하기
② 에세이 쓰기
③ 자기소개하기
④ 사물함 청소하기
⑤ 선생님 돕기

05 대화를 듣고, 두 사람이 대화하는 장소로 가장 적절한 곳을 고르시오.

① 동물원
② 영화관
③ 애완동물 가게
④ 직업 박람회
⑤ 공원

06 대화를 듣고, 남자의 마지막 말의 의도로 가장 적절한 것을 고르시오.

① 동의　　　　② 사과　　　　③ 칭찬　　　　④ 공감　　　　⑤ 감사

✎ 들으면서 주요 표현 메모하기!

07 대화를 듣고, 남자가 매일 등교 전에 가는 장소를 고르시오.

① 병원　　　　② 공원　　　　③ 체육관　　　　④ 강변　　　　⑤ 친구 집

08 대화를 듣고, 여자가 대화 직후에 할 일로 가장 적절한 것을 고르시오.

① 물감 사 오기　　　　② 포스터 붙이기　　　　③ 벼룩시장 가기
④ 연필로 글씨 쓰기　　　　⑤ 연필 깎아 오기

09 대화를 듣고, 여자가 지난 주말에 대해 언급하지 <u>않은</u> 것을 고르시오.

① 날씨　　　　② 한 일　　　　③ 원래 계획
④ 구입한 물건　　　　⑤ 같이 보낸 사람

10 다음을 듣고, 남자가 하는 말의 내용으로 가장 적절한 것을 고르시오.

① 공원 주차장 정산 방법　　　　② 공원 행사 일정 안내
③ 놀이 시설 이용 시 주의할 점　　　　④ 어린이날 기념품 증정 안내
⑤ 미아 발생 시 행동 요령

틀린 문제는 Dictation에서
완벽하게 이해하세요!

실전 모의고사 [23]회

✎ 들으면서 주요 표현 메모하기!

고난도 세부사항에 유의하며 듣기

11 대화를 듣고, 남자가 응시하는 오디션에 대한 내용으로 일치하지 <u>않는</u> 것을 고르시오.

① 연극 오디션이다.　　　　　　　　② 슬픈 장면을 연기해야 한다.
③ 다음 주 수요일에 열린다.　　　　④ 축구 연습 후에 열린다.
⑤ 다른 축구부원도 참여한다.

12 대화를 듣고, 남자가 카페에 가는 목적으로 가장 적절한 것을 고르시오.

① 공부를 더 하기 위해서　　　　　② 간식을 먹기 위해서
③ 친구를 만나기 위해서　　　　　　④ 커피 만드는 법을 배우기 위해서
⑤ 다른 장소에 가기를 원해서

13 대화를 듣고, 두 사람이 내일 만날 시각을 고르시오.

① 1:00 p.m.　② 2:00 p.m.　③ 3:00 p.m.　④ 4:00 p.m.　⑤ 5:00 p.m.

14 대화를 듣고, 두 사람의 관계로 가장 적절한 것을 고르시오.

① 사장 – 직원　　　　② 교사 – 학생　　　　③ 배우 – 매니저
④ 경찰관 – 시민　　　⑤ 간호사 – 환자

15 대화를 듣고, 여자가 남자에게 부탁한 일로 가장 적절한 것을 고르시오.

① 오두막에 가기　　　② 같이 영화 보기　　　③ 선반에서 물건 꺼내기
④ 식사 준비하기　　　⑤ 게임 방법 설명해 주기

16 대화를 듣고, 두 사람이 케이크를 살 수 없는 이유로 가장 적절한 것을 고르시오.

들으면서 주요 표현 메모하기!

① 케이크가 다 팔려서   ② 집에 빨리 가야 해서   ③ 가게가 문을 닫아서
④ 돈이 모자라서   ⑤ 단 음식을 먹을 수 없어서

17 다음 그림의 상황에 가장 적절한 대화를 고르시오.

①   ②   ③   ④   ⑤

고난도 선택지에 하나씩 체크하며 듣기

18 다음을 듣고, 여자가 Christmas market에 대해 언급하지 <u>않은</u> 것을 고르시오.

① 열리는 장소   ② 열리는 시각
③ 자원봉사자가 와야 할 시각   ④ 참여하는 부스의 수
⑤ 살 수 있는 물건의 종류

[19-20] 대화를 듣고, 남자의 마지막 말에 이어질 여자의 말로 가장 적절한 것을 고르시오.

19 Woman: _____

① We love to watch the game.
② I'm good at playing soccer.
③ I'm sure he'll be proud that you tried.
④ I think your team needs more practice.
⑤ Could you tell me where the gym is?

20 Woman: _____

① I'd rather choose red one.   ② No, let me do that right now.
③ I'm afraid I have to go.   ④ I need time to check my email.
⑤ My favorite genre is comedy.

틀린 문제는 Dictation에서
완벽하게 이해하세요!

01 날씨

*들을 때마다 체크

다음을 듣고, 화요일의 날씨로 가장 적절한 것을 고르시오.

 ① ② ③

 ④ ⑤

남 저는 Tom Collins이고 일기 예보를 전해 드리겠습니다. 월요일에는 춥고 부분적으로 흐리겠습니다. 화요일에는 기온이 올라가고 구름이 완전히 사라지겠습니다. 햇빛이 매우 강하므로 자외선 차단제를 바르는 것이 중요합니다. 수요일에는 온종일 가벼운 비가 내릴 것으로 예상되며 비 오는 날씨는 목요일 밤까지 계속되겠습니다.

M I'm Tom Collins, and this is the weather report. On Monday, it will be cold and _____ _____. The temperature will _____ on Tuesday and the clouds will be completely gone. The sunshine will be _____ _____, so it is important to apply sunscreen. On Wednesday, we expect light rain _____ _____ all day, and the _____ weather will continue through Thursday night.

*정답 근거

가 버린, 끝난

(크림 등을) 바르다

02 그림 묘사

대화를 듣고, 남자가 만든 강아지 옷으로 가장 적절한 것을 고르시오.

 ① ② ③

 ④ ⑤

여 그건 뭐야, Dave? 정말 귀엽다!
남 내 강아지의 겨울용 스웨터야. 내가 직접 짰어.
여 네가 그걸 혼자 만들었다고? 네가 뜨개질을 잘하는 줄 몰랐어.
남 그에게 특별한 옷을 만들어 주려고 뜨개질을 배웠어.
여 오, 이 스웨터엔 모자가 달려 있네. 정말 따뜻해 보여.
남 그가 이걸 좋아하면 좋겠어. 봐, 내가 등에 그의 이름 Dori를 떠 넣었어.
여 이 스웨터를 입은 그를 만나는 모두가 그의 이름을 알게 되겠구나.
남 그게 내가 원하는 거야!

W What is it, Dave? It's so cute!

*정답 근거

M It's my puppy's sweater _____ _____. I knitted it myself.

W You made it _____ _____? I didn't know you were good at knitting.

M I _____ knitting to make him special clothes.

W Oh, this sweater has a hood. It looks _____ _____.

M I hope he will _____ it. Look, I stitched his name Dori on the back.

이름을 실로 떠 넣다

W Everybody who _____ _____ in this sweater will get to know his name.

알게 되다

M That's _____ I want!

Dictation 23회→
┌ 전체 듣기
└ 문항별 듣기

Dictation의 효과적인 활용법
STEP1 들으면서 대본의 빈칸 채우기
STEP2 축쇄 문제를 보며 다시 풀어 보기
STEP3 해석을 보며 영어로 말하거나 영작해 보기

공부한 날   월   일

03 심정 ☐☐

대화를 듣고, 남자의 심정으로 가장 적절한 것을 고르시오.

① excited   ② proud
③ disappointed   ④ nervous
⑤ perplexed

W   Brandon, I heard singing. Was that you?

M   Yes. _____ _____ for the school musical.

W   Oh, your performance is tomorrow, right? I _____ _____ to see it!
     = your performance   함정 주의

M   I'm glad you're looking forward to it. I don't feel _____ _____ though.

W   Why not? You have the lead role. You should _____ _____!

M   I'm concerned that I'll mess up.
     정답 근거   망치다

W   Try not to think about _____ _____ _____. Just be confident.
     to부정사의 부정: not+to부정사

M   It's not that easy. I don't think I'll be able to sleep tonight.

여   Brandon, 나 노랫소리를 들었어. 너였니?
남   응. 학교 뮤지컬을 위해서 연습하고 있어.
여   아, 네 공연은 내일이잖아, 맞지? 너무 보고 싶어!
남   네가 기다려진다니 기쁘다. 나는 같은 기분은 아니지만.
여   왜? 네가 주인공 역이잖아. 자랑스러워해야지!
남   내가 망칠까 봐 걱정이야.
여   실수를 하는 것에 대해 생각하지 마. 자신감을 가져.
남   그렇게 쉽지 않아. 오늘 밤에 잠들 수 없을 것 같아.

04 과거에 한 일 ☐☐

대화를 듣고, 남자가 개학 첫날 한 일로 가장 적절한 것을 고르시오.
① 축구하기   ② 에세이 쓰기
③ 자기소개하기   ④ 사물함 청소하기
⑤ 선생님 돕기

M   Phew! We're _____ _____ our first day of school. How was it for you?

W   It was a busy day. My teacher made us _____ _____ _____ and write an essay.

M   You had to speak in front of _____ _____ _____?

W   Yeah, I had to introduce myself to my classmates.

M   Oh, I didn't have to do that. I just had to _____
     정답 근거
     _____ my new locker.

W   You're lucky. I wish I were in your class.

남   휴! 개학 첫날이 끝났다. 넌 어땠어?
여   바쁜 하루였어. 선생님은 우리에게 발표를 하고 에세이를 쓰게 하셨어.
남   반 전체 앞에서 말해야 했다고?
여   응, 반 친구들 앞에서 내 소개를 해야 했어.
남   아, 나는 그건 안 해도 됐어. 나는 그저 사물함 청소를 해야 했지.
여   넌 운이 좋네. 나도 너의 반이고 싶다.

💡 **Sound Tip** had to
had to는 had의 끝소리 [d]가 뒤에 나오는 to의 첫소리 [t]와 만나 거의 소리 나지 않으므로, [해-투]와 비슷하게 발음된다.

받아쓰기 **23**회

05 장소 🔲🔲

대화를 듣고, 두 사람이 대화하는 장소로 가장 적절한 곳을 고르시오.
① 동물원　　　② 영화관
③ 애완동물 가게　　④ 직업 박람회
⑤ 공원

여 안녕하세요. 어떻게 도와드릴까요?
남 음, 애완동물을 갖고 싶어서 여기에 왔는데, 어떤 종류를 원하는지 잘 모르겠어요.
여 그렇군요. 털이 많은 동물을 좋아하세요?
남 아니요. 저는 동물 털에 알레르기가 있어요.
여 그러면 거북이나 뱀이 좋을 것 같아요.
남 오, 거북이 귀엽죠. 그들은 돌보기 어렵나요?
여 전혀 아니에요. 하루에 한 번 먹이를 주고 물을 주면 돼요.
남 좋아요, 여기 있는 거북이를 보여 줄 수 있나요?
여 네. 이쪽으로 오세요.

W　Hi. How can I help you?
M　Well, I came here because I want _____ _____, but I'm not sure what kind I want.
　　= what kind of pet I want (내가 어떤 종류의 애완동물을 원하는지)
W　Okay. Do you like furry animals?
M　No. I have _____ _____ _____ animal fur.
W　Then I think a turtle or a snake might be _____ _____ you.
M　Oh, turtles are cute. Are they hard to take care of?
W　Not at all. You just need to _____ _____ and give them water once a day.
　　전혀 아니에요.
M　Okay, can you _____ _____ the turtles you have here?
W　Sure. Come this way.

06 말의 의도 🔲🔲

대화를 듣고, 남자의 마지막 말의 의도로 가장 적절한 것을 고르시오.
① 동의　　② 사과　　③ 칭찬
④ 공감　　⑤ 감사

남 우리는 거의 산 정상에 다다른 것 같아.
여 좋아. 나는 정말 쉬면서 뭔가를 좀 먹어야 해.
남 조금만 더. (…) 우리가 정상에 왔어!
여 대단해! 이제 드디어 앉아서 간식을 먹을 수 있겠다.
남 네 가방에 먹을 게 있니?
여 아니. 내 간식을 네 가방에 넣었잖아.
남 음, 내가 네 간식을 모두 먹은 것 같아.
여 농담하는 거 아니지? 그걸 다 먹었다고?
남 난 네가 그걸 내게 준 줄 알았어. 정말 미안해.

M　It looks like we are almost _____ _____ _____ of the mountain.
W　That's good. I really need to rest and have something _____ _____.
M　Just a little bit more. (*Pause*) We made it to the top!
　　make it to: ～에 도달하다
W　Awesome! Now I can finally _____ _____ and have a snack.
M　Do you have something to eat in your bag?
W　No. I put my snacks _____ _____ _____.
M　Um, I think I already ate all your snacks.
W　Are you _____? You ate all of them?
　　= my snacks
M　I thought you gave them to me. I'm so sorry.

07 세부 정보

대화를 듣고, 남자가 매일 등교 전에 가는 장소를 고르시오.

① 병원   ② 공원   ③ 체육관
④ 강변   ⑤ 친구 집

W   Why does your face _____ _____?

M   I just came from the gym.

W   Were you _____ _____ there?
    🎵정답 근거   = at the gym

M   Yes, I exercise in the gym every day _____ _____.

W   I see. Isn't it hard waking up early to work out?

M   No, I like _____ _____ early. I usually wake up at 5:30.

W   Wow! That's too early for me. I wake up at 7:30, but I'm _____ _____ every day.

M   Hmm. Maybe you should _____ going to bed earlier.

여   왜 네 얼굴이 빨개 보이지?
남   나 막 체육관에서 오는 길이야.
여   거기에서 운동했어?
남   응, 학교 가기 전에 매일 체육관에서 운동을 해.
여   그렇구나. 운동하려고 일찍 일어나는 거 힘들지 않아?
남   아니, 난 일찍 일어나는 것을 좋아해. 보통 5시 30분에 일어나.
여   왜! 나한텐 너무 이르다. 난 7시 30분에 일어나지만 여전히 매일 피곤해.
남   음. 더 일찍 자려고 해 봐.

08 바로 할 일

대화를 듣고, 여자가 대화 직후에 할 일로 가장 적절한 것을 고르시오.

① 물감 사 오기   ② 포스터 붙이기
③ 벼룩시장 가기   ④ 연필로 글씨 쓰기
⑤ 연필 깎아 오기

W   Why do you have all that paint?

M   I'm going to _____ it to paint a poster.

W   Why are you making a poster?

M   _____ _____ the school flea market. Actually, can I ask you a favor?

W   Sure. What is it?

M   You have really nice handwriting. Can you write on the
                                   필적, 필체
poster in pencil?
    연필로

W   Oh, you mean I'll _____ _____ _____ and then you'll trace the words _____ _____? 🎵정답 근거
         글씨를 따라 쓰다, 베껴 쓰다

M   Exactly. Can you do it now?
            = write on the poster in pencil

W   Sure. Why not? I have _____ _____ to do.

여   너 저 물감을 전부 왜 가지고 있어?
남   포스터를 칠하는 데 사용하려고.
여   왜 포스터를 만드는데?
남   학교 벼룩시장을 광고하려고. 사실, 나 좀 도와줄 수 있어?
여   물론이지. 뭔데?
남   넌 필체가 정말 좋잖아. 포스터에 연필로 써 줄 수 있어?
여   아, 그 말은 내가 연필로 쓰면 네가 물감으로 그 단어를 따라 쓴다는 거야?
남   정확해. 지금 할 수 있어?
여   물론. 안 될 거 없잖아? 달리 할 일도 없어.

[Dictation] 실전 모의고사 **23**회

09 언급하지 않은 것 ①

대화를 듣고, 여자가 지난 주말에 대해 언급하지 않은 것을 고르시오.
① 날씨   ② 한 일   ③ 원래 계획
④ 구입한 물건 ⑤ 같이 보낸 사람

남 주말 날씨가 정말 좋았어, 그렇지 않니?
여 맞아, 그랬어! 난 동네 근처에 있는 숲으로 하이킹을 갔었어.
남 오, 좋겠다.
여 원래 계획은 쇼핑몰에서 쇼핑하는 것이었는데, 날씨가 너무 좋아서 실내에 있고 싶지 않았어.
남 너 혼자 갔니?
여 물론 아니지. Jennifer랑 같이 갔어.
남 너 Jennifer랑 친해? 난 몰랐어.
여 우리는 항상 같이 놀아. 그녀는 내 가장 친한 친구야.

🇬🇧
M It was a beautiful weekend, wasn't it?

정답 근거

W Yes, it was! I _____ _____ in the forest near the town.

M Oh, that sounds great.

W My original plan was to _____ _____ at the mall,
내 원래 계획은
but the weather was so nice that I didn't want to _____ _____.

M Did you go _____?

W Of course not. I went with Jennifer.

M You are _____ _____ Jennifer? I didn't know that.

W We _____ _____ all the time. She's my best friend.

Solution Tip

① 날씨: 매우 좋았다. ② 한 일: 숲에서 하이킹을 했다. ③ 원래 계획: 쇼핑몰에서 쇼핑을 하려 했다.
⑤ 같이 보낸 사람: Jennifer

10 담화 화제

다음을 듣고, 남자가 하는 말의 내용으로 가장 적절한 것을 고르시오.
① 공원 주차장 정산 방법
② 공원 행사 일정 안내
③ 놀이 시설 이용 시 주의할 점
④ 어린이날 기념품 증정 안내
⑤ 미아 발생 시 행동 요령

남 모든 방문자는 주목해 주세요. 저희는 여러분께 아이들을 주의 깊게 보라고 상기시키고 싶습니다. 이 공원은 매우 붐비기 때문에 아이들이 길을 잃기 쉽습니다. 길을 잃은 아이가 보이면 공원 입구에 있는 공원 관리소로 데려오십시오. 부모님들은 자녀를 찾을 수 없으면 즉시 저희 직원 중 누구에게든 알리고 공원 관리소로 오십시오. 감사합니다.

M Attention, all visitors. We want _____ _____ everyone to watch their children _____. As this park is
~ 때문에, ~이므로
very crowded, it is easy for children to _____ _____.
정답 근거
If you see a lost child, please bring him or her to the park office _____ _____ _____ of the park. Parents, if you cannot find your child, please _____ _____ any of our staff immediately and come to the park office. Thank you.

370 실전 모의고사 23회

11 일치하지 않는 것

대화를 듣고, 남자가 응시하는 오디션에 대한 내용으로 일치하지 <u>않는</u> 것을 고르시오.
① 연극 오디션이다.
② 슬픈 장면을 연기해야 한다.
③ 다음 주 수요일에 열린다.
④ 축구 연습 후에 열린다.
⑤ 다른 축구부원도 참여한다.

여 Billy, 너 울고 있잖아! 무슨 일 있니?
남 걱정하지 마. 진짜로 우는 것은 아니야. 난 연극 오디션을 연습하고 있어.
여 아, 연기하고 있구나. 안심이다. 무슨 연극이니?
남 몇몇 슬픈 부분이 있어. 그게 우는 것을 연습하는 이유야.
여 알겠어. 오디션은 언제야?
남 다음 주 수요일 방과 후야. 그날 난 축구 연습을 빠져야 해.
여 축구 코치님께는 알렸어?
남 응. 코치님은 괜찮아. 몇몇 축구부원들도 오디션을 보거든.

🇬🇧

W Billy, you're crying! What's the matter?

M Don't worry. I'm _____ _____ for real. I'm
<u>진짜로</u>
practicing for the play audition.

W Oh, you're acting. That's _____ _____. What is the
play about?

M There are _____ _____ _____. That's why I am
practicing crying.

W I see. When is the audition?

M It's next Wednesday after school. I'll _____ _____
_____ soccer practice that day. 🎵정답 근거
= next Wednesday

W Did you let your soccer coach know?

M Yes. He's _____ _____ it. A few of my soccer
= 축구 연습을 빠지는 것
teammates are auditioning as well.

12 목적

대화를 듣고, 남자가 카페에 가는 목적으로 가장 적절한 것을 고르시오.
① 공부를 더 하기 위해서
② 간식을 먹기 위해서
③ 친구를 만나기 위해서
④ 커피 만드는 법을 배우기 위해서
⑤ 다른 장소에 가기를 원해서

남 나와 같이 공부해 줘서 고마워. 그런데 난 지금 가야 해.
여 아, 벌써 5시인 줄 몰랐어.
남 응. 난 도서관 뒤에 있는 카페에 5시 30분까지 가야 해.
여 거기에서 친구를 만나니?
남 아니, 실은 나 거기에서 수업을 들어.
여 카페에서 수업이라고? 뭘 배우는데?
남 커피 만드는 법을 배워. 정말 재미있어.
여 나 커피 좋아해! 다음에 너랑 같이 가고 싶어.
남 물론이지. 수업에 들어올 자리가 있는지 물어볼게.

M Thanks for studying with me, but I _____ _____
_____ now.

W Oh, I didn't _____ it was already 5 o'clock.

M Yeah, I have to go to the cafe _____ the library by 5:30.

W Are you meeting a friend there?

M No, actually I'm _____ a class there. 🎵정답 근거
= at the cafe

W A class at a cafe? What are you learning?

M I'm learning _____ _____ _____ coffee. It's
really fun.

W I love coffee! I would like to come with you next time.

M Sure. I'll ask if there are any _____ _____ in the
~인지
class.

13 시각

대화를 듣고, 두 사람이 내일 만날 시각을 고르시오.
① 1:00 p.m. ② 2:00 p.m. ③ 3:00 p.m.
④ 4:00 p.m. ⑤ 5:00 p.m.

W Adam, do you want to go ice-skating with me tomorrow?

M It depends on when you're going. I'm busy _____
~에 달려 있다
_____ _____.

W Well, I wanted to go in the morning, but the afternoon is fine too.

M Great. Then how about meeting _____ _____
_____ at 3?

W Let me check their hours on the website. (*Pause*) Oh, they'll _____ _____ the rink at 3.

M Okay, let's go _____ _____ _____. Is 4 o'clock okay?

W Yes, they'll be done cleaning the rink by then. See you there.

여 Adam, 너 내일 나랑 스케이트 타러 갈래?
남 네가 가는 때에 달려 있어. 난 2시 정도까지는 바빠.
여 음, 나는 아침에 가고 싶었는데 오후도 괜찮아.
남 좋아. 그럼 스케이트장에서 3시에 만나는 게 어때?
여 웹 사이트에서 시간을 확인해 볼게. (…) 아, 스케이트장을 3시에 청소할 거래.
남 그래, 좀 늦게 가자. 4시 괜찮아?
여 응, 그때쯤이면 청소가 끝나겠지. 거기에서 보자.

14 두 사람의 관계

대화를 듣고, 두 사람의 관계로 가장 적절한 것을 고르시오.
① 사장 – 직원
② 교사 – 학생
③ 배우 – 매니저
④ 경찰관 – 시민
⑤ 간호사 – 환자

W David, can you come into my office for a moment?

M Sure, boss. Is there _____ _____? 정답 근거
직장의 상관, 사장

W Not at all. You've been doing _____ _____ _____ lately.

M That's a relief. Then why did you want to see me?

W I wanted to _____ _____ if you can come to work
~인지
early tomorrow.

M Of course. What time do you need me to come?

W 7 o'clock, _____ _____. Your coworkers are also coming to work early.

M Okay. Is there a company meeting?

W Yes, I will _____ _____ a meeting to talk about our company sales numbers.
매출

여 David, 제 사무실로 잠깐 올 수 있을까요?
남 물론이죠, 사장님. 무슨 문제가 있나요?
여 전혀요. 당신은 최근 아주 일을 잘하고 있어요.
남 다행이네요. 그럼 왜 저를 보자고 하셨죠?
여 내일 일찍 출근할 수 있을지 묻고 싶었어요.
남 물론이죠. 몇 시에 오길 원하세요?
여 가능하다면 7시요. 당신의 동료들도 내일 일찍 출근할 거예요.
남 네. 회사 회의가 있나요?
여 네, 우리 회사 매출에 관해 이야기하기 위해 제가 회의를 진행할 거예요.

15 부탁한 일

대화를 듣고, 여자가 남자에게 부탁한 일로 가장 적절한 것을 고르시오.
① 오두막에 가기
② 같이 영화 보기
③ 선반에서 물건 꺼내기
④ 식사 준비하기
⑤ 게임 방법 설명해 주기

여 너는 이 오두막이 마음에 들지 않니?
남 어, 별로. 여긴 너무 지루해. 할 게 아무것도 없어.
여 음. 주위를 둘러보자. 우리가 할 수 있는 게 분명 있을 거야.
남 오, 선반에 보드게임이 있네.
여 완벽해. 내가 가져올게. (…) 선반에 손이 닿지 않아. 선반에서 게임을 꺼내 줄 수 있어?
남 물론이지. 여기 있어.
여 고마워. 좋아, 설명서를 읽고 어떻게 하는지 알아보자.

W Don't you love this cabin?

M Um, not really. It's _____ _____ here. There's nothing to do.

W Hmm. Let's _____ _____. There must be something we can do.

M Oh, there's a board game on the shelf.

W Perfect. I'll get it. (*Pause*) I can't _____ _____
= the board game
_____. Can you get the game from the shelf? 🔑정답 근거

M Sure. Here it is.

W Thanks. Okay, let's read the directions and _____
설명서, 사용법
_____ how to play.
게임하는 법, 어떻게 게임해야 하는지

16 이유

대화를 듣고, 두 사람이 케이크를 살 수 없는 이유로 가장 적절한 것을 고르시오.
① 케이크가 다 팔려서
② 집에 빨리 가야 해서
③ 가게가 문을 닫아서
④ 돈이 모자라서
⑤ 단 음식을 먹을 수 없어서

여 좋아, 그러니까 엄마가 우리에게 파스타, 버터, 양상추를 사 오라고 하셨어. 그게 다지?
남 디저트도 사 와도 된다고 하셨어.
여 좋아, 돈이 얼마나 남는지 보자.
남 지금까지 총액이 16달러야. 엄마가 우리에게 20달러를 주셨어.
여 그러면 디저트로 먹을 만한 것을 살 4달러가 있어.
남 맞아. 이 케이크는 어때?
여 그건 7달러야. 돈이 충분하지 않아.
남 알겠어, 가서 아이스크림을 보자. 내가 3달러 50센트짜리를 좀 본 것 같아.

W Okay, so Mom _____ us to get pasta, butter, and lettuce. Was that it?
그게 다지?

M She said we could get something for dessert, too.

W Okay, let's see how much money we have _____
_____.

M Our total _____ _____ is $16. Mom gave us $20.

W So we have $4 to find something _____ _____.

M That's right. What about this cake?

W It's $7. We don't have _____ _____. 🔑정답 근거

M Okay, let's go look at the ice cream. I think _____
_____ some for $3.50.

17 그림 상황

다음 그림의 상황에 가장 적절한 대화를 고르시오.

① ② ③ ④ ⑤

① 남 봐! 하늘에 비행기가 있어.
　여 난 안경이 없어. 볼 수가 없어.
② 남 난 지쳤어. 우리 쉬어도 될까?
　여 당연하지. 벤치에 앉자.
③ 남 너는 왜 쇼핑몰에 가야 하니?
　여 새 운동화가 필요해.
④ 남 공원에 걸어가는 게 어때?
　여 너무 오래 걸릴 거야. 버스를 타자.
⑤ 남 조심해! 빨간불이야.
　여 아, 고마워. 나는 몰랐어.

① M Look! There's a plane in the sky.

　W I don't have my glasses. I _____ _____ it.

② M I'm tired. Do you _____ if we take a rest?

　W Of course not. Let's sit on the bench.
　= I don't mind., 즉 '꺼리지 않는다'라는 뜻이므로 상대방의 요청을 수락하는 표현이 된다.

③ M Why do you _____ _____ _____ to the mall?

　W I need a pair of new sneakers.

④ M How about _____ to the park?

　W It'll take too long. Let's take the bus.

　정답 근거

⑤ M Watch out! The light is red.
　조심해!

　W Oh, thanks. I _____ _____.

18 언급하지 않은 것 ②

다음을 듣고, 여자가 Christmas market에 대해 언급하지 않은 것을 고르시오.
① 열리는 장소
② 열리는 시각
③ 자원봉사자가 와야 할 시각
④ 참여하는 부스의 수
⑤ 살 수 있는 물건의 종류

여 학생 여러분께 알립니다. 우리 학교는 내일 크리스마스 시장을 엽니다. 시장은 학교 운동장에서 열릴 것입니다. 우리는 정오에 시장을 열 것입니다. 그러나 시장에서 자원봉사를 하는 경우에는 11시까지 도착하세요. 30개가 넘는 부스가 학생들에 의해 운영될 것입니다. 어떤 부스는 페이스 페인팅과 같은 서비스를 제공하고 어떤 부스는 제품을 판매할 것입니다. 그곳에서 멋진 시간을 보내세요!

W _____, all students. We are having a Christmas market

정답 근거

tomorrow. It will _____ _____ on the school

playground. We _____ _____ the market at noon.

However, if you are volunteering at the market, please

arrive by 11. There will be _____ _____ booths run

by students. Some booths will be _____ _____ like

face painting while others will sell goods. Have a great

time there!

19 이어질 말 ①

Woman: _____

① We love to watch the game.
② I'm good at playing soccer.
③ I'm sure he'll be proud that you tried.
④ I think your team needs more practice.
⑤ Could you tell me where the gym is?

여 Cody, 너 화나 보여. 무슨 문제 있니?
남 방금 내가 축구팀에 들어가지 못했다는 걸 알았어.
여 유감이다. 네가 그 팀에서 경기하길 정말로 원했다는 거 알아.
남 응, 기분이 정말 안 좋아. 더 안 좋은 건, 아빠한테 말하는 게 걱정돼.
여 무슨 뜻이야?
남 아빠는 내가 축구 경기 하는 걸 보는 것을 기대하고 계셨어.
여 ③ 난 그가 네가 노력한 것을 자랑스러워하실 거라고 확신해.

W Cody, you look _____. What's the matter?
M I just found out that I _____ _____ the soccer team.
W I'm sorry to _____ that. I know you really wanted to play on the team.
M Yeah, I feel terrible. _____ _____, I'm worried about telling my dad. 🎵정답 근거
W What do you mean?
M He _____ _____ _____ _____ watching my soccer games.
W I'm sure he'll be proud that you tried.

① 우리는 경기를 보는 것을 좋아해.　② 나는 축구를 잘해.
④ 내 생각에 네 팀은 연습이 더 필요해.　⑤ 체육관이 어디인지 알려 주실래요?

20 이어질 말 ②

Woman: _____

① I'd rather choose red one.
② No, let me do that right now.
③ I'm afraid I have to go.
④ I need time to check my email.
⑤ My favorite genre is comedy.

여 안녕, 너 오늘 밤에 계획이 있니?
남 아니, 난 완전히 자유야. 왜?
여 영화를 보고 싶은데, 혼자 보러 가고 싶지 않아서.
남 그래, 내가 같이 갈게. 〈Zombie Town〉을 보는 건 어때? 정말 무섭다고 들었어.
여 난 무서운 영화를 좋아하지 않아. 대신 〈Hard Times〉를 봐도 될까?
남 물론이지, 난 괜찮아. 영화 시간은 확인했어?
여 ② 아니, 지금 당장 할게.

W Hey, do you have any plans for tonight?
M No, I'm _____ _____. Why?
W I want to see a movie, but I don't like going to the movies _____.
M Okay, I'll go with you. How about seeing *Zombie Town*? I heard it's really _____.
W I don't like scary movies. Would you _____ _____ with seeing *Hard Times* _____?
M Sure, _____ _____ _____. Did you already check the movie times? 🎵정답 근거
W No, let me do that right now.
   = check the movie times

① 나는 빨간색을 고르는 게 좋겠어.　③ 난 가야 할 것 같아.
④ 난 이메일을 확인할 시간이 필요해.　⑤ 내가 가장 좋아하는 장르는 코미디야.

모의고사를 먼저 풀고 싶으면 378쪽으로 이동하세요.

🎧 다음 표현을 듣고 모르는 것에 표시하시오.

☐ 01 **community** 주민, 지역 사회	☐ 25 **vertical** 세로의
☐ 02 **first-aid kit** 구급상자	☐ 26 **bitter** 혹독한, 매서운
☐ 03 **play** 상영[공연]되다	☐ 27 **alien** 외계의; 외계인
☐ 04 **horrible** 끔찍한, 무시무시한	☐ 28 **daily** 매일의
☐ 05 **square** 직각의, 정사각형의	☐ 29 **public** 대중
☐ 06 **not ... at all** 전혀 ~ 아닌	☐ 30 **relieve** 완화하다
☐ 07 **autograph** 사인	☐ 31 **sparkling** 반짝거리는
☐ 08 **invader** 침략자	☐ 32 **positive** 긍정적인
☐ 09 **frost** 서리	☐ 33 **international** 국제의, 국제적인
☐ 10 **deposit** 맡기다, 예치하다	☐ 34 **national** 국가의, 전국적인
☐ 11 **hall** 복도	☐ 35 **mobile** 휴대 전화; 이동할 수 있는
☐ 12 **valuables** 귀중품	☐ 36 **attitude** 태도
☐ 13 **stay calm** 침착함을 유지하다	☐ 37 **come out** 나오다
☐ 14 **sound** 건강한, 건전한	☐ 38 **organization** 조직, 기관
☐ 15 **keep in shape** 건강을[몸매를] 유지하다	☐ 39 **luggage** 짐, 수하물
☐ 16 **suitcase** 여행 가방	☐ 40 **reduce** 줄이다
☐ 17 **sleeping bag** 침낭	☐ 41 **manage** 관리하다
☐ 18 **certified** 증명된, 면허를 가진	☐ 42 **run out of** 다 써 버리다
☐ 19 **fault** 잘못, 책임	
☐ 20 **occasion** 특별한 행사, 일	**알아두면 유용한 선택지 어휘**
☐ 21 **review** 비평, 논평	☐ 43 **well-balanced** 균형 잡힌
☐ 22 **instructor** 강사	☐ 44 **evacuation drill** 대피 훈련
☐ 23 **compete** (시합 등에) 참가하다, 겨루다	☐ 45 **seafood** 해산물
☐ 24 **guide** 이끌다	☐ 46 **book report** 독후감

🎧 들으면서 표현을 완성한 다음, 뜻을 고르시오.

표현의 의미를 생각하며 다시 써 보기!

01 ▢ertical ☐ 세로의 ☐ 가로의 → _____

02 horr▢ble ☐ 귀여운 ☐ 끔찍한 → _____

03 fro▢t ☐ 얼음 ☐ 서리 → _____

04 ▢ositive ☐ 긍정적인 ☐ 부정적인 → _____

05 inte▢national ☐ 국제적인 ☐ 지역의 → _____

06 autograp▢ ☐ 사인 ☐ 사진 → _____

07 ▢aluables ☐ 주식 ☐ 귀중품 → _____

08 re▢uce ☐ 사용하다 ☐ 줄이다 → _____

09 man▢ge ☐ 관리하다 ☐ 만들다 → _____

10 ▢ompete ☐ 겨루다 ☐ 등장하다 → _____

11 revie▢ ☐ 예고편 ☐ 논평 → _____

12 publi▢ ☐ 주민 ☐ 대중 → _____

13 attitu▢e ☐ 태도 ☐ 칭찬 → _____

14 f▢ult ☐ 추위 ☐ 잘못 → _____

15 certi▢ied ☐ 증명된 ☐ 오래된 → _____

16 bi▢ter ☐ 혹독한 ☐ 미세한 → _____

17 sou▢d ☐ 연약한 ☐ 건전한 → _____

18 lugg▢ge ☐ 수하물 ☐ 누더기의 → _____

✎ 들으면서 주요 표현 메모하기!

01 다음을 듣고, 속초의 토요일 날씨로 가장 적절한 것을 고르시오.

① ② ③ ④  ⑤

02 대화를 듣고, 여자가 구입할 여행 가방으로 가장 적절한 것을 고르시오.

① ② ③ ④ ⑤

03 대화를 듣고, 남자가 캠핑에 대해 언급하지 <u>않은</u> 것을 고르시오.
① 준비물　　　　　② 같이 가는 사람　　　　③ 캠핑 장소
④ 캠핑에서 할 일　　⑤ 집에서 출발 할 시각

04 대화를 듣고, 남자가 오늘 오전에 한 일로 가장 적절한 것을 고르시오.
① 영화표 예매하기　　② 영화 평 읽기　　　③ 영화 보기
④ 독후감 쓰기　　　　⑤ TV 수리하기

05 대화를 듣고, 두 사람이 대화하는 장소로 가장 적절한 곳을 고르시오.
① 식당　　② 도서관　　③ 공연장　　④ 교실　　⑤ 박물관

06 대화를 듣고, 남자의 마지막 말의 의도로 가장 적절한 것을 고르시오.

① 반대   ② 격려   ③ 칭찬   ④ 후회   ⑤ 부탁

✎ 들으면서 주요 표현 메모하기!

07 대화를 듣고, 여자가 평소에 하는 운동으로 가장 적절한 것을 고르시오.

① 등산   ② 탁구   ③ 걷기   ④ 수영   ⑤ 달리기

08 대화를 듣고, 여자가 대화 직후에 할 일로 가장 적절한 것을 고르시오.

① 교실로 돌아가기   ② 식당에 가기   ③ 과학실에 가기
④ 선생님께 물어보기   ⑤ 분실물 보관소에 가기

고난도 선택지에 하나씩 체크하며 듣기

09 대화를 듣고, 남자가 수영장에서 지켜야 할 사항으로 언급하지 **않은** 것을 고르시오.

① 귀중품은 안내 데스크에 맡기기
② 음식물 반입하지 않기
③ 사물함 열쇠를 직원에게 맡기기
④ 수영모 착용하기
⑤ 오일을 바르고 물에 들어가지 않기

10 다음을 듣고, 여자가 하는 말의 내용으로 가장 적절한 것을 고르시오.

① 방송 일정 안내   ② 무료 공연 홍보   ③ 무료 강좌 안내
④ 마라톤 대회 홍보   ⑤ 대피 훈련 안내

틀린 문제는 Dictation에서
완벽하게 이해하세요!

실전 모의고사 [24]회

✎ 들으면서 주요 표현 메모하기!

11 다음을 듣고, 학교 체스 팀에 대한 내용으로 일치하지 <u>않는</u> 것을 고르시오.

① 전국 대회에서 우승했다.
② 다음 달에 국제 체스 대회에 나갈 것이다.
③ 국제 대회에 참가하기 위해 모금을 하고 있다.
④ 오늘 방과 후에 빵 바자회를 연다.
⑤ 우승 상품으로 빵과 케이크 등을 받았다.

12 대화를 듣고, 여자가 부산에 가는 목적으로 가장 적절한 것을 고르시오.

① 해운대에 가기 위해서　　　　② 영화 촬영을 하기 위해서
③ 친구를 만나기 위해서　　　　④ 영화제에 가기 위해서
⑤ 해산물 요리를 먹기 위해서

13 대화를 듣고, 여자가 지불할 금액을 고르시오.

① \$2.00　　② \$3.50　　③ \$4.50　　④ \$6.50　　⑤ \$8.50

14 대화를 듣고, 두 사람의 관계로 가장 적절한 것을 고르시오.

① 과학자 – 학생　　② 리포터 – 배우　　③ 지휘자 – 연주자
④ 소설가 – 독자　　⑤ 영화감독 – 시나리오 작가

15 대화를 듣고, 남자가 여자에게 부탁한 일로 가장 적절한 것을 고르시오.

① 마늘 사 오기　　② 음식 재료 손질하기　　③ 삼촌에게 전화하기
④ 거실 청소하기　　⑤ 식탁 차리기

16 대화를 듣고, 남자가 콘서트에 같이 갈 수 없는 이유로 가장 적절한 것을 고르시오.

① 약속이 있어서 　　② 콘서트가 늦게 시작해서 　③ 저녁을 먹어야 해서
④ 콘서트 표가 없어서 　⑤ 숙제를 해야 해서

✎ 들으면서 주요 표현 메모하기!

17 다음 그림의 상황에 가장 적절한 대화를 고르시오.

① 　　　② 　　　③ 　　　④ 　　　⑤

18 다음을 듣고, 여자가 스트레스를 관리하는 방법으로 언급하지 <u>않은</u> 것을 고르시오.

① 규칙적으로 운동하라. 　　② 취미를 가져라.
③ 균형 잡힌 식사를 해라. 　④ 긍정적인 태도를 가져라.
⑤ 잠을 충분히 자라.

[19-20] 대화를 듣고, 여자의 마지막 말에 이어질 남자의 말로 가장 적절한 것을 고르시오.

19 Man: _____

① It's closed.　　　　　　② I'd like a large, please.
③ I can't find the bathroom.　④ No, I don't like onion rings.
⑤ The weather is rainy today.

20 Man: _____

① Don't be late.　　　　　② I needed to see a doctor.
③ The city was beautiful.　④ I went with my soccer club.
⑤ I'd like the cheese pizza, please.

틀린 문제는 **Dictation**에서
완벽하게 이해하세요! 💬

01 날씨

*들을 때마다 체크

다음을 듣고, 속초의 토요일 날씨로 가장 적절한 것을 고르시오.

①   ②   ③

④   ⑤

여 안녕하십니까, 속초 시민 여러분. 여러분은 Weather Now를 듣고 계십니다. 이번 겨울은 혹독한 추위가 계속되고 있고 이번 주도 좋지 않겠습니다. 오늘은 북쪽에서 강한 바람이 오고 있으며 창문에 서리가 끼는 것을 보시게 될 수도 있습니다. 내일 오후에는 눈이 올 것으로 예상되므로 모자와 장갑을 잊지 마세요. 토요일까지 계속 눈이 내리겠으므로 운전 조심하세요!

W Good morning, Sokcho. You're listening to *Weather Now*. The winter has been _____ _____, and this week is just as bad. Today, strong winds are coming in from the
꼭 ~와 같은
north, and you may notice _____ _____ _____
_____. Don't forget your hat and gloves tomorrow because we can expect _____ in the afternoon. It will keep snowing until Saturday, so _____ _____ while
keep+-ing: 계속해서 ~하다
driving! 🔑정답 근거

02 그림 묘사

대화를 듣고, 여자가 구입할 여행 가방으로 가장 적절한 것을 고르시오.

①   ②   ③

④   ⑤

남 안녕하세요! 제가 찾는 것을 도와드릴까요?
여 안녕하세요, 저는 2~3일 여행을 위한 가방을 찾고 있어요. 고르는 걸 도와주시겠어요?
남 물론이죠. 각진 형태와 둥근 형태 중 무엇을 선호하세요?
여 각진 것이 더 좋을 것 같아요.
남 알겠습니다. 가운데에 큰 하트가 들어간 이것은 어떠세요?
여 하트가 너무 큰 것 같아요. 저는 단순한 디자인을 좋아해요.
남 네, 그럼 이 세로 줄무늬가 들어간 것은 어떠세요?
여 오, 좋아 보이네요. 그것을 살게요.

🇬🇧

M Hi! Can I help you find something?

W Hi, I'm looking for a suitcase for a 2-3 day trip. Will you
2~3일 여행
help me _____ _____?

M Sure. Which do you _____, a square shape or round shape?

W I think a _____ _____ is better. 🔑정답 근거

M I see. What about this one with a big _____ in the center?

W I think the heart is too big. I would like a simple design.

M Okay, then what about the one with _____ _____?

W Oh, it looks nice. I'll take that.

Dictation 24회 →
전체 듣기
문항별 듣기

Dictation의 효과적인 활용법
STEP1 들으면서 대본의 빈칸 채우기
STEP2 축쇄 문제를 보며 다시 풀어 보기
STEP3 해석을 보며 영어로 말하거나 영작해 보기

공부한 날   월   일

03 언급하지 않은 것 ①

대화를 듣고, 남자가 캠핑에 대해 언급하지 <u>않은</u> 것을 고르시오.
① 준비물   ② 같이 가는 사람
③ 캠핑 장소   ④ 캠핑에서 할 일
⑤ 집에서 출발할 시각

W Did you check _____ for your camping trip, David?

M Yes. I _____ a first-aid kit, extra socks, a flashlight, and a sleeping bag.

W Good. Who is going _____ _____?

M Brian, Gordon, and Mr. Hanks.

W I see. Make sure you don't _____ _____ the tent
   반드시 ~하다
   near the water.

M Oh, Mom. We're going to the forest just _____
   _____ _____. There's no water there.
                              = in the forest behind the school

W Okay, okay. When are you going to leave tomorrow?

M Well, we _____ _____ in front of the school at 7 a.m.,
   so I'm going to leave at _____ a.m.

여 캠핑에 필요한 건 다 챙겼니, David?
남 네. 구급상자, 여벌 양말, 손전등, 그리고 침낭을 챙겼어요.
여 좋아. 누구와 같이 가니?
남 Brian, Gordon, 그리고 Hanks 선생님이요.
여 알겠다. 물 가까이에 텐트를 치지 않도록 하렴.
남 아, 엄마. 우린 학교 바로 뒤 숲으로 가는 거예요. 거긴 물이 없어요.
여 알겠다, 알겠어. 내일 언제 출발하니?
남 음, 아침 7시에 학교 앞에서 만날 거니까 전 6시에 출발하려고요.

Solution Tip
① 준비물: 구급상자, 여벌 양말, 손전등, 침낭 ② 같이 가는 사람: Brian, Gordon, Hanks 선생님
③ 캠핑 장소: 학교 바로 뒤에 있는 숲 ⑤ 집에서 출발할 시각: 아침 6시

04 과거에 한 일

대화를 듣고, 남자가 오늘 오전에 한 일로 가장 적절한 것을 고르시오.
① 영화표 예매하기   ② 영화 평 읽기
③ 영화 보기   ④ 독후감 쓰기
⑤ TV 수리하기

W Jack, are you _____ today?

M I have _____ _____ to do. Why?

W How about going to the movies, then?

M What movie? I don't think there are any _____
   _____ playing these days.
              상영하고 있는

W I'd _____ _____ see *Movie Stars*.

M *Movie Stars*? Sorry, I don't want to _____ that.

W Why not?

M I read the _____ this morning. People don't like that
   movie at all.
   = Movie Stars

여 Jack, 너 오늘 한가하니?
남 특별히 할 일은 없어. 왜?
여 그럼 영화를 보러 가는 게 어때?
남 무슨 영화? 요즘 상영되는 괜찮은 영화는 없는 것 같던데.
여 난 〈Movie Stars〉를 보고 싶어.
남 〈Movie Stars〉라고? 미안하지만, 난 그것을 보고 싶지 않아.
여 왜?
남 내가 오늘 아침에 비평을 읽어 봤어. 사람들은 그 영화를 전혀 좋아하지 않더라.

05 장소

대화를 듣고, 두 사람이 대화하는 장소로 가장 적절한 곳을 고르시오.
① 식당　　② 도서관　　③ 공연장
④ 교실　　⑤ 박물관

W Hello, may I help you?

M Yes, I couldn't find the book I was _____ _____.

W What is the title of the book?

M I'm supposed to read the book _____ _____
be supposed to: ～하기로 되어 있다, ～해야 한다
_____, but I can't remember the title.

W Do you know what _____ _____?

M It's about a school _____ students go to learn magic. I
목적을 나타내는 to부정사
think the main character's name is Harry.

W Oh, yes. I know just the book you're _____ _____.
Follow me. I'll show you where it is.
그것이 어디에 있는지

M Thank you.

여 안녕하세요, 도와드릴까요?
남 네, 제가 찾고 있는 책을 찾을 수가 없어요.
여 그 책의 제목이 뭔데요?
남 보고서를 위해 그 책을 읽어야 하는데 제목이 기억나지 않아요.
여 무엇에 관한 것인지 아세요?
남 학생들이 마술을 배우러 가는 학교에 관한 책이에요. 주인공의 이름은 Harry인 것 같아요.
여 아, 네. 당신이 말하는 책을 알고 있어요. 따라오세요. 어디에 있는지 알려 드릴게요.
남 고맙습니다.

06 말의 의도

대화를 듣고, 남자의 마지막 말의 의도로 가장 적절한 것을 고르시오.
① 반대　　② 격려　　③ 칭찬
④ 후회　　⑤ 부탁

M How did you do on the test, Anna?

W Well, I studied _____ _____, so I did pretty well.
How about you?

M Ah... I'd _____ _____ _____.

W Uh-oh. It sounds like it didn't go very well.

M It was horrible. I didn't think it would be _____
=the test
_____!

W That's too bad.

M It's my fault, though. I _____ _____ all night
playing games on my phone.

남 시험은 어떻게 봤어, Anna?
여 음, 난 밤새도록 공부를 해서 꽤 잘 봤어. 넌 어때?
남 아… 말하고 싶지 않아.
여 이런. 별로 잘 보지 않은 것 같구나.
남 끔찍했어. 나는 시험이 그렇게 어려울 거라고 생각하지 않았어!
여 그거 참 안됐다.
남 그래도 내 잘못이야. 나는 밤새도록 휴대 전화로 게임을 했어.

07 세부 정보

대화를 듣고, 여자가 평소에 하는 운동으로 가장 적절한 것을 고르시오.
① 등산　② 탁구　③ 걷기
④ 수영　⑤ 달리기

남 너는 건강을 유지하기 위해서 무엇을 하니?
여 난 주로 저녁에 1시간 동안 걸어.
남 오, 내 생각에 그것이 체육관에 가는 것보다 좋은 방법인 거 같아.
여 맞아, 나도 그렇게 생각해. 걷는 내게 완벽한 운동이야. 너는 어때?
남 나는 운동을 전혀 하지 않아.
여 건강한 신체에 건전한 정신이 깃든다고 하잖아. 넌 건강을 유지하기 위해서 매일 운동을 할 필요가 있어.
남 네 말이 맞아. 다음 주부터 수영이나 달리기를 시작해야겠어.

M　What do you do to _____ _____ _____?
W　I usually walk for an hour in the evening. 🎵정답 근거
M　Oh, I think that's _____ _____ _____ than going
　　(= 걷기)
　　to the gym.
W　Yeah, I think so. Walking is _____ _____ _____
　　for me. How about you?
M　I don't exercise _____ _____.
W　A sound mind in a sound body. You need to exercise every
　　건강한 신체에 건전한 정신(속담)
　　day to stay healthy.
M　You're right. I'll start to swim or run next week.

08 바로 할 일

대화를 듣고, 여자가 대화 직후에 할 일로 가장 적절한 것을 고르시오.
① 교실로 돌아가기　② 식당에 가기
③ 과학실에 가기　④ 선생님께 물어보기
⑤ 분실물 보관소에 가기

남 무슨 일이야, Sara?
여 어디서도 내 USB를 찾을 수 없어. 그 안에 내 과학 프로젝트가 있어!
남 교실 안을 찾아봤어?
여 응, 나는 모든 곳을 봤어. 식당, 도서관, 운동장을 확인해 봤어.
남 과학실에 두고 온 것 같지 않아?
여 과학 선생님께 이미 여쭤봤는데 거기 없다고 하셨어. 뭘 해야 할지 모르겠어.
남 침착해, 그리고 생각하려고 노력해 봐. 학교 분실물 보관소에 물어보는 것은 어때?
여 오, 좋은 생각이야! 지금 가 볼게!

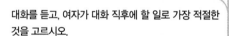

M　What's wrong, Sara?
W　I can't find my USB _____. It has my science project
　　　　　　　　　　　　　(= My USB)
　　in it!
M　Did you _____ _____ the classroom?
W　Yes, I've looked everywhere. I checked the cafeteria,
　　library, and playground.
M　Do you think you _____ _____ at the science room?
W　I already asked the science teacher, and she said _____
　　_____ _____. I don't know what to do.
　　　　　　　　　　　　무엇을 해야 할지
M　Stay calm, and _____ _____ _____. Why don't
　　you ask at the school lost and found? 🎵정답 근거
　　　　　　　　　　학교 분실물 보관소
W　Oh, that's a good idea! I'll go right now!

24회
받아쓰기

09 언급하지 않은 것 ②

대화를 듣고, 남자가 수영장에서 지켜야 할 사항으로 언급하지 <u>않은</u> 것을 고르시오.
① 귀중품은 안내 데스크에 맡기기
② 음식물 반입하지 않기
③ 사물함 열쇠를 직원에게 맡기기
④ 수영모 착용하기
⑤ 오일을 바르고 물에 들어가지 않기

여 와, 수영장을 봐! 당장 들어가고 싶어!
남 기다려. 나 수영장 규칙을 읽고 있어. 우린 먼저 귀중품을 안내 데스크에 맡겨야 해.
여 간식은 좀 가지고 들어가는 게 어때? 조금 있으면 분명 배고파질 거야.
남 하지만 음식물과 음료는 여기에서 허용되지 않아.
여 이런, 알겠어. 사물함에 넣자.
남 그리고 수영모를 써야 해.
여 알았어, 수영모. (…) 잠깐만. 나 태닝 오일도 좀 바를게.
남 안 돼, 물에 들어가기 전에 몸에 오일을 바르면 안 된다고 하는걸.
여 알겠어. 나 이제 준비됐어!

W Wow, look at the pool! I want to get in right now!

M Wait. I'm reading the _____ _____. We should deposit our valuables at the front desk first.
<u>귀중품을 맡기다</u>

W How about bringing _____ _____ in? We will definitely get hungry after some time.

M But food and drinks are _____ _____ here.

W Uh-oh. Okay. Let's put them in the locker.
= the snacks

M And we _____ _____ a swimming cap.

W Okay, swimming cap. (*Pause*) Just a second. I will also _____ some tanning oil.

M No, it says we should not _____ _____ _____ the body before getting in the water.

W All right. Now I'm ready!

---

10 담화 화제

다음을 듣고, 여자가 하는 말의 내용으로 가장 적절한 것을 고르시오.
① 방송 일정 안내
② 무료 공연 홍보
③ 무료 강좌 안내
④ 마라톤 대회 홍보
⑤ 대피 훈련 안내

여 여러분, 안녕하세요! 여러분은 지역 뉴스인 KSL을 듣고 계십니다. 여러분 중 많은 분들이 건강한 활동에 참여하기를 원하시죠. 자, 다음 이벤트는 당신에게 완벽합니다. 이번 일요일 오전 10시에 무료 주민 요가 수업이 있습니다. 시청 옆 Crosslands 공원에서 개최됩니다. 전문 요가 강사가 한 시간의 요가 수업 동안 여러분을 지도할 것입니다. 요가 매트와 물병만 가져오세요.

W Hello, everyone! You're listening to KSL, the _____ news. Many of you want to join in _____ _____. Well, this next event is perfect for you. There'll be a free community yoga class _____ _____ _____ at 10:00 a.m. It will be held at Crosslands Park _____ _____ the City Hall. A certified yoga instructor will
<u>면허를 가진, 자격증이 있는</u>
_____ _____ through a one-hour yoga practice. Just bring a yoga mat and a water bottle.

11 일치하지 않는 것

다음을 듣고, 학교 체스 팀에 대한 내용으로 일치하지 <u>않는</u> 것을 고르시오.
① 전국 대회에서 우승했다.
② 다음 달에 국제 체스 대회에 나갈 것이다.
③ 국제 대회에 참가하기 위해 모금을 하고 있다.
④ 오늘 방과 후에 빵 바자회를 연다.
⑤ 우승 상품으로 빵과 케이크 등을 받았다.

남 주목해 주세요, 여러분! 우리 학교 체스 팀을 축하해 주세요! 그들은 전국 대회에서 1등을 했습니다. 그래서 다음 달 워싱턴 D.C.에서 열리는 국제 체스 대회에 참가할 것입니다. 그들은 여행을 위해 모금을 해야 합니다. 그들이 오늘 방과 후에 빵 바자회를 엽니다. 쿠키, 케이크, 브라우니와 그 밖에 많은 것을 살 수 있는 식당으로 오세요. 가서 그들을 응원해 줍시다!

M Attention, everyone! Congratulations to our school's chess team! They won _____ _____ in the national 〔전국 대회〕 league. So they will _____ in the international chess 〔국제 체스 대회〕 competition next month in Washington, D.C. They need to _____ _____ for their trip. They are having _____ _____ _____ today after school. Come to the cafeteria where you can buy cookies, cakes, brownies, and much more. Let's go and _____ _____ _____!

12 목적

대화를 듣고, 여자가 부산에 가는 목적으로 가장 적절한 것을 고르시오.
① 해운대에 가기 위해서
② 영화 촬영을 하기 위해서
③ 친구를 만나기 위해서
④ 영화제에 가기 위해서
⑤ 해산물 요리를 먹기 위해서

남 너 어디 가니, Sally?
여 기차역으로 가는 중이야. 나 부산에 가.
남 오, 재미있겠다! 해운대 해수욕장에 가니?
여 이번에는 안 가. 나는 부산국제영화제에 가.
남 아, 진짜?
여 응. 내가 가장 좋아하는 배우를 보게 돼서 너무 기뻐. 그의 새 영화가 나오거든.
남 어쩌면 그의 사인을 받을 수 있을 거야!
여 나도 그러길 바라. 또 거기에서 여러 편의 흥미로운 영화를 볼 거야.
남 멋지다. 여행 즐겁게 해!

M Where are you going, Sally?

W I'm _____ _____ _____ to the train station. I'm going to Busan.

M Oh, _____ _____! Are you going to go to Haeundae Beach?

W Not this time. I'm going to the Busan International Film Festival.

M Oh, really?

W Yes. I'm so excited to see _____ _____ _____. His new movie is coming out. 〔come out: 나오다〕

M Maybe you can get his autograph! 〔사인〕

W I _____ _____. Also I'm going to see several _____ _____ there.

M That sounds great. Enjoy your trip!

13 금액

대화를 듣고, 여자가 지불할 금액을 고르시오.
① $2.00 ② $3.50 ③ $4.50
④ $6.50 ⑤ $8.50

남 네, 그러면 햄버거 하나와 곁들이 감자튀김 한 개죠, 맞습니까?
여 네. 아, 사과파이도 하나 주세요.
남 마실 것은요?
여 괜찮아요.
남 그러면 총액은 6달러 50센트입니다.
여 아, 깜빡할 뻔했어요! 이 모바일 쿠폰을 받으세요? 2달러를 할인받을 수 있다고 하네요.
남 그럼요, 사용할 수 있어요. 그러면, 4달러 50센트입니다.
여 좋아요! 여기 있습니다.

M Okay, so that's _____ _____ and a side of French fries, correct?

W Yes. Oh, and one apple pie _____ _____.

M Anything to drink?
마실 것은요?

W No thanks.

M Then _____ _____ is $6.50.

W Oh, I almost forgot! _____ _____ _____ this mobile coupon? It says I can get $2.00 off.
= This mobile coupon

M Sure, you can use it. So, you _____ $4.50. 정답 근거

W Great! Here you are.

14 두 사람의 관계

대화를 듣고, 두 사람의 관계로 가장 적절한 것을 고르시오.
① 과학자 – 학생
② 리포터 – 배우
③ 지휘자 – 연주자
④ 소설가 – 독자
⑤ 영화감독 – 시나리오 작가

남 오늘 우리와 함께해 줘서 정말 고마워요, Sandra.
여 천만에요, Todd.
남 대중은 당신의 새 영화를 정말 기대하고 있습니다. 영화에 대해 어떤 것을 말해 주실 수 있나요?
여 음, 저는 Samantha라는 캐릭터를 연기해요. 그녀는 외계인 침략자로부터 세상을 구하려는 비밀 조직의 일원입니다.
남 와. 영화에서 많은 액션을 기대할 수 있을 것 같네요.
여 네, 캐릭터마다 다른 초능력이 있습니다. 매우 흥미로운 줄거리죠.

M Thank you so much for _____ _____ _____ today, Sandra.

W It's my pleasure, Todd.

M The public is getting really excited about _____
대중
_____ _____. What can you tell us about it? 정답 근거
= your new movie

W Well, I play a character _____ Samantha. She is a member of a secret organization that's _____ _____ _____ the world from alien invaders.
외계인 침략자

M Wow. It sounds like we can _____ a lot of action in the movie.

W Yes, _____ _____ has a different superpower. It's a very exciting plot.

15 부탁한 일

대화를 듣고, 남자가 여자에게 부탁한 일로 가장 적절한 것을 고르시오.
① 마늘 사 오기　　② 음식 재료 손질하기
③ 삼촌에게 전화하기　④ 거실 청소하기
⑤ 식탁 차리기

여　뭘 요리하세요, 아빠? 맛있는 냄새가 나요.
남　버터 마늘 치킨과 미트볼이야.
여　오늘이 특별한 날이나 그런 건가요?
남　Julia! 잊었니? 오늘 밤 삼촌 가족이 저녁을 먹으러 오잖아.
여　아, 그렇네요!
남　내가 부탁한 대로 너 화장실 청소는 했니?
여　네! 반짝반짝 빛이 나요.
남　정말 고마워. 이제 삼촌에게 전화해서 언제 도착하는지 물어볼래?
여　네.

W　What are you cooking, Dad? It smells _____.

M　I'm cooking butter garlic chicken and meatballs.

W　Is today _____ _____ _____ or something?

M　Julia! Did you forget? Your uncle's family is coming _____ _____ tonight.

W　Oh, that's right!

M　Did you clean the bathroom, like _____ _____?

W　Yes! It's _____ clean.

M　Thank you so much. Now will you call your uncle and ask him _____ _____ _____? 정답 근거

W　Sure.

---

16 이유

대화를 듣고, 남자가 콘서트에 같이 갈 수 없는 이유로 가장 적절한 것을 고르시오.
① 약속이 있어서
② 콘서트가 늦게 시작해서
③ 저녁을 먹어야 해서
④ 콘서트 표가 없어서
⑤ 숙제를 해야 해서

여　너 이번 주 토요일에 바빠?
남　아니, 계획 없어. 너는 뭐 하는데?
여　Central Park에서 하는 무료 콘서트에 가려고. 너도 나랑 같이 갈래?
남　그래, 재미있겠다.
여　좋아. 밤 9시에 시작하니까, Central Park 역에서 8시 30분에 만나자.
남　음, 난 못 갈 것 같아.
여　왜? 너 그날 한가하다고 했잖아.
남　응, 근데 10시까지 집에 가야 해. 콘서트가 너무 늦게 시작하네.
여　아, 알겠어. 다음에 같이 놀자.

W　Are you _____ this Saturday?

M　No, I don't have _____ _____. What are you doing?

W　I'm going to a free concert in Central Park. Do you want to _____ _____ _____?

M　Okay, that sounds fun.

W　Great. It _____ _____ 9 p.m. Let's meet at Central Park Station at 8:30.

M　Um, I'm afraid I can't _____ _____.

W　Why not? You said you're free that day.

M　Yes, but I have to _____ _____ by 10. The concert　정답 근거
　　10시까지
　　starts too late.

W　Oh, I get it. Let's hang out another time.
　　알겠어

17 그림 상황

다음 그림의 상황에 가장 적절한 대화를 고르시오.

① ② ③ ④ ⑤

① 남 빨간 모자는 얼마입니까?
여 12달러로 할인하고 있어요.
② 여 우리 이번 주말에 무엇을 할까?
남 동물원에 가는 게 어때?
③ 남 봐! 새끼 사자가 엄마 사자 옆에 앉아 있어.
여 새끼가 정말 귀엽다!
④ 여 너는 커서 무엇이 되고 싶어?
남 나는 수의사가 되고 싶어.
⑤ 남 실례합니다, 화장실이 어디 있는지 말해 주실 수 있으세요?
여 복도를 따라가서 오른쪽입니다.

① M How much is the red hat?
W It's _____ _____ for 12 dollars.

② M What _____ _____ do this weekend?
　　　　　　　　　　　　　　　　함정 주의
W Why don't we go to the zoo?
　　　　　　　　　　　　　　　　정답 근거
③ M Look! The baby lion is sitting beside his mother.
W The baby is _____ _____!

④ M What do you want to be when you _____ _____?
W I want to be a vet.

⑤ M Excuse me, can you please _____ _____ where the restroom is?
W It's right down that hall to the right.

18 언급하지 않은 것 ③

다음을 듣고, 여자가 스트레스를 관리하는 방법으로 언급하지 않은 것을 고르시오.
① 규칙적으로 운동하라.
② 취미를 가져라.
③ 균형 잡힌 식사를 해라.
④ 긍정적인 태도를 가져라.
⑤ 잠을 충분히 자라.

여 좋아요, 여러분. 잘 들어 주세요. 오늘은 스트레스 관리를 위한 몇 가지 조언을 드리고자 합니다. 먼저, 규칙적으로 운동하세요. 매일 30분 동안 운동을 하면 스트레스 수준을 낮출 수 있습니다. 둘째, 취미를 위한 시간을 가지세요. 좋아하는 일을 하는 것은 스트레스를 해소하는 좋은 방법입니다. 그리고 셋째, 긍정적인 생각을 하세요! 긍정적인 태도는 긴장을 푸는 데 도움이 됩니다. 충분한 수면을 취하는 것도 중요합니다. 하루에 6~8시간을 자려고 노력하세요.

W Okay, class. Listen up. Today, I'd like to give you some tips for _____ _____. First, exercise _____. 30 minutes of daily exercise can help reduce your stress levels. Second, make time for _____ _____. Doing things you enjoy is a great way to _____ _____.
당신이 즐기는 일들
And third, think positive thoughts! A positive _____ will help you relax. Getting _____ _____ is also important. Try to sleep for 6-8 hours a day.

19 이어질 말 ①

Man: _____

① It's closed.
② I'd like a large, please.
③ I can't find the bathroom.
④ No, I don't like onion rings.
⑤ The weather is rainy today.

M _____ _____ _____ the onion rings here?

W No, I haven't. Are they good?
   = the onion rings here

M They are the best onion rings in town.

W Wow, I'll have to _____ _____. Did you decide
   what you want _____ _____?

M Yes, I'm going to have a strawberry shake. Will you order
   for me? I need to use _____ _____.

W Sure. What size do you want? 🎸정답 근거

M I'd like a large, please.

남 너 여기 양파링 먹어 본 적 있어?
여 아니, 없어. 맛있니?
남 이 도시 최고의 양파링이야.
여 와, 먹어 봐야겠다. 너는 주문할 것을 결정했어?
남 응, 나는 딸기 셰이크를 먹을게. 네가 주문해 줄래? 난
    화장실에 다녀올게.
여 그래. 어떤 크기를 원하니?
남 ② 난 큰 사이즈로 할게.

① 문이 닫혔어.　　　　　　　　③ 난 화장실을 못 찾겠어.
④ 아니, 난 양파링을 좋아하지 않아.　⑤ 오늘은 비 오는 날씨네.

20 이어질 말 ②

Man: _____

① Don't be late.
② I needed to see a doctor.
③ The city was beautiful.
④ I went with my soccer club.
⑤ I'd like the cheese pizza, please.

W How was _____ _____ to Seoul?

M Honestly, it was _____.
   솔직히

W Terrible? Why?

M I was sick _____ _____ _____.

W Oh, that's too bad.

M And the airline _____ our luggage.

W They did?

M And we _____ _____. We ran out of time to see
   N Seoul Tower.

W That does sound terrible. Who did you go with? 🎸정답 근거
   강조의 do

M I went with my soccer club.

여 서울 여행은 어땠어?
남 솔직히 말해서 끔찍했어.
여 끔찍하다고? 왜?
남 나는 내내 아팠어.
여 아, 너무 안됐다.
남 그리고 항공사가 우리 짐을 잃어버렸어.
여 그랬어?
남 그리고 우리는 길을 잃었어. N서울타워를 볼 시간이
    없었어.
여 정말 끔찍하게 들린다. 누구랑 같이 갔었어?
남 ④ 축구 동아리와 함께 갔었어.

① 늦지 마.　　　　　　　② 나는 진찰을 받아야 했어.
③ 그 도시는 아름다웠어.　⑤ 나는 치즈 피자를 먹을게.

[MEMO]

09회

01 warm, sunny, outdoors, are expected, area, be gone
02 have, with, no words, create, whatever, star, add, above
03 new shoes, unique, okay, look, aren't, sold out
04 already over, went, history camp, stuck in, rest, entered
05 wonderful, are baking, the best, try it, delicious
06 finished, so long, whatever, something outside instead, hiking, pretty, else
07 broken, turn on, call, search for, nearby, ask, three hours
08 ready for, cook, don't mind, cut up, while, started
09 run for, sign up, Prepare, give, president, script, poster, at least, helped
10 a tour, different kinds, how to grow, let me know
11 working on, be here, new film, leaves, a couple of, final goal
12 come with, out of, going there, several, liked, most people, going
13 are having, guess, get there, until 10, long lines, before, go earlier
14 keep, tough, proper, what, exercise, more fun, to pay, next
15 going out, back, have lunch, the one, close to, vegetables, What kinds
16 text, phone, was canceled, got, sick, at that time
17 get, moved, got lost, too loud, not sure
18 open, purchase, return, receipt, the third floor, our employees
19 to walk, far from, quite a while
20 getting ready, stay up, sleep, baseball team, nervous

10회

01 daily, rainbow, so lucky, strong winds, skies, drop, humid
02 cage, myself, runs, take a nap, even, lucky, so
03 purchase, worn outside, receipt, get, 14
04 on your face, pencil case, material, red, sticks
05 watch, big screen, order, come home, What kind of
06 seen, fresh, my favorite, take, from, can't tell you
07 to go, warm, too cold, could go, suppose, noodles
08 ready, finished packing, next to, passport, turn off
09 get, could knit, how, teach me, borrow mine, make, later
10 travel, someday, should know, 800, various kinds, experiences, opinions
11 planning to, warm, at night, pack, stay, to protect
12 the animal hospital, happened, surgery, bring him back, be there, better
13 are able to, heard back, call, snacks, where, 5
14 making, for, of you, messed, should add next, put in
15 off, help, with, empty seats, change, let, know
16 stop by, why don't you, to tell, out of town
17 on you, last, no worries, on, shouldn't cross
18 preparing for, free, help you with, Get ready
19 moved here, How, Fall, as well, favorite
20 be closing, something, any books, right here, check, out

11회

01 about, sunshine, come out, clouds, will rain, prepared
02 what, you like, anything, butterfly, looks, wear it
03 How was, looked, stay late, cleaning, alone, feel better
04 tiring, lessons, learned, raced, why, buy me
05 help you, good for, kinds, take it, 8
06 ready for, high, if, already waited, hold, Be brave
07 What movie, mood, can't sleep, in 10 minutes, get, as well
08 recipe, should be, missing, ripped, aside from, write, down
09 topic, decide, both, I'm sure, encouraging, submit, Friday
10 others, volunteers, donate, help us, the homeless
11 your plans, this Saturday, as well as, Where, sign up
12 called me, okay, finish, late, later, don't mind, any other
13 spine, slipped on, hurt, an appointment, open time, early
14 help, wrong, anything, look, relief, might, medicine, fine, back
15 see, ready, else, arrived, left, walk with, next to
16 class president, haven't, decide, makes, laugh, smart, vote for
17 new, from, so fun, How beautiful, would, sell
18 traveled to, help feed, the largest, 200, eat, make
19 two tickets, to sit, Which seats, the best
20 interested, before, free class, to come, anything

12회

01 it's time, windy, warmer, be careful, break, clear
02 mail, Isn't it, picture, leaves, hearts, how much
03 feel, practicing, mistake, having fun, my best, row, go out
04 around, race, at, join, ran, not, good at, more
05 wide, hurt, teeth, 3, healthy, sugar, next time
06 wrong, open, catch, ate, all of them, homework, upset
07 want to, fun, excited, miss, understand, whole, give
08 mess, clean, pick up, proper place, dust, get
09 haven't heard, ourselves, history, When, Friday, Saturday, admission
10 breakfast, healthy, even, how, the best, increases, feel better
11 management, parking lot, should find, details, color, see, doors, section
12 with something, to find, 2nd floor, sold out, some
13 One coffee, not open, came, not until, Saturday, 30
14 15, cash, change, wrong, 50, so sorry, rest
15 making, new stockings, finished, above, to hang, find, come
16 amazing, often, sign, offer, can't eat, make, sick, can have
17 went to, Isn't she, ordered, get, walk, homework
18 fair, all year, are, finished, gym, which one, prize
19 get, subway, should transfer, get off, how long
20 want, an exhibition, artist, can't go, will end

13회

01 this, clear, last, continue, chance
02 for sale, short, dots, aren't, plain, no, white one
03 hungry, cheer, up, just arrived, What kind, much better
04 almost, last, favorite place, had a picnic, some other
05 cold, cough, medicine, three, anything else, to rest
06 holiday, anything, going, there are, cheers
07 before, live, a report, much, the food, famous, all about
08 awesome, seen, sit, place, sitting, novel, comic, employee
09 paper, science camp, activities, field, scientists, get, fifth
10 lost, visit, valuable, next to, keep, wait
11 quiet, mayor, speech, tell us, answer, kind, have lunch
12 favor, ask, for, check, plans, cancel, better
13 festival, already, fall, 20th, check, changed, then
14 in, reserved, with, if possible, occupied, gym, located
15 chewed, angry at, more toys, buy, pet store
16 food, go out, paid for, expensive, treat you, fair
17 dirty, earlier, love, necklace, allowed to
18 normal, classmates, break, outside, go back
19 plans, hiking, Won't, true, Why don't you, other
20 over there, picking up, terrible, help, trash bags, extra

14회

01 mostly, cold, snow, so good, sunny
02 buy, green one, tall, drawers, five, free, possible
03 open, fill in, name, address, below, check, online account
04 card, have a party, ask, no time, miss, present, baked
05 print out, cost, pay for, in color, 100, are finished
06 off, using, all the way, off, died, something
07 free, usually, to be a singer, many books, teaching
08 since, we need, get, on sale, I'm planning, delicious
09 ready for, my list, take care, in charge of, the walls, all set
10 lost, third, looking for, six years old, find her
11 cute, take care, walks, 15, tell us, dance
12 calling, make, four, by a window, note, at 7
13 seen, interesting, now playing, at 6, stop by, before
14 late, The traffic, tired, soon, late, take, while
15 turn off, humid, energy, stand, open
16 no, still, busy learning, preparing for, together
17 boarding, on, wait, cut in line, since, careful
18 historic, famous, four, sculpture, until, finished, that year
19 terrible, happened, lost, something, sending money
20 coming, stay home, are coming, necessary, order, start

15회

01 isn't, cats and dogs, outside, foggy, picnic, windy
02 looking for, try, on, flower, good choice
03 novel, favorite authors, not yet, simply, attractive, based on, later
04 don't you, saw him, since, radio station, as, say hello, through
05 passport, check in, prefer, departs from
06 stressful, still, useless, hair length, better than, think so
07 take, right, the line, really bad, far from, near here
08 outdoor, walk anymore, any, take a break, thirsty, some drinks
09 anything, take, flour, all of them, Done, pour, simple, Remember, over
10 body, nod, slowly shake, crossing, shoulders, wave
11 How, tastes, salty, any more, doing well, the only, gets better, serve
12 promised, should have called, upset, hope, later
13 talk about, wrong, free, two, almost, later, is over
14 back pain, exercises, drive, 9 hours, exactly, lower back, get
15 looking for, lending, enough, took, getting ready, to show, editing, by email
16 inside out, laughed at, dead, how I look, anyone
17 I'd like, carry, No problem, looking for
18 open, Admission, Enjoy, offering, press
19 down, lost, the score, for, close game, better
20 have, plans, perfect, less than, the weather, climb

16회

01 partly, chance, warm, wear sunblock, not to catch
02 looking for, entering, popular, without, by himself, star
03 bad, forecast, hit, cancel, indoor, enjoy, pack
04 moving out, contract, That's why, enough money, own, whole
05 textbook, the artist, looks sad, scary, put snakes, under
06 lunch, was, tasty, the best, envy, missing
07 ate, climbed, went to, many kinds, board the ship
08 cleaning up, done, surprise party, coming back, some fruit, right back
09 putting, you've, be held, begin, by, amazing, various kinds
10 your safety, keep, from, never point, put on, dry out
11 lifestyle, with less, storing up, instead of
12 made a reservation, name, change, to add, your party, see you
13 send, scale, weighs, 4,000, pay, more, regular, express
14 bad cold, sore, need to go, call
15 almost done, finishing, help me prepare, want me, slice them
16 absent from, happen, nothing bad, passed away, missed school
17 usually, return, library, turn right, read, book
18 suggest, every other week, the elderly, with them, so glad, happier
19 remember, left it, walk, bus fare
20 go, ruined, fell down, hardly, a pity, chance

17회

01 sunny, warm, some areas, pleasant, The rain, during

02 choose, the best choice, better, your trip, twelve days, middle

03 reached, the winner, check, stepped on, can't believe

04 fun, came up, fell from, take him, wear a cast

05 Which floor, go down, goes, the parking lot, one, get off

06 continue to, I'm starving, order, go out, join us, here

07 memories, enjoyed, the mountains, schedule, too slippery, get

08 free, magic show, have to finish, due, with, Will you

09 to announce, opens, wide variety, a week, celebrate

10 ask you, turn off, while, kick the seats, enjoys

11 protect, selling goods, the poor, at low prices, good neighbor

12 ordered, have, your order, get, an hour, so long, the delay

13 her birthday, totally forgot, for money, celebrates, a week, prepare

14 borrow, return them, with me, fill out, bottom, leaves school

15 heavily, an umbrella, the matter, close the window

16 eat much, Didn't you, leave it, on my way, prepare dinner

17 usually, comes, lend, I'm afraid, so late

18 would hold, walk slowly, every runner, for free

19 blue, no clouds, favorite season

20 started learning, get over, anything

18회

01 tuning into, the first, in sight, fall, take advantage

02 look, your birthday, round, on top, with hearts, unique, get it

03 quiet, once, did you hear, wild animal, any signs, bear

04 flea market, just looked at, forgot to bring, actually, saved

05 cleaning, pick them up, pick up, would take, it is, ready

06 nap, are supposed, my presentation, tell me, disappointing

07 guess, aren't you, started, on, on sale, at that time, to give me

08 strange sound, cold, take a look, repair, fixing, Try sending

09 Ever since, came true, as, for women, new clothes, into

10 interrupting, is blocking, the owner, clear, your vehicle, a fine

11 got, saved money, What color, chose, dirty, very comfortable, can ride

12 not going, What for, go there, any of them, drop, before

13 free, wide open, won't work, meeting, see you

14 a problem with, solution, apologize, plug it, anything else

15 took it out, hang, up, before dinner, the clothes, clean

16 leave early, relax, go out, make plans, cancel, out of

17 across, only, all wet, missed, went jogging

18 being held, over 100, available on, you want

19 any copies, look it up, search for, in stock, two

20 must be, joining, to be, another, the plan

19회

01 windy, a little chilly, die down, until, won't need

02 find something, behind, with stars, any others, the material

03 art project, awesome, to describe, finished, worth it, turn it in

04 you riding, a huge fan, already over, fan event, signed by

05 the director, where, don't have, wrong, help, war history, in luck

06 Not too much, something fun, in mind, sounds, into, hang out

07 instead of, the capital city, the beach, anyway, favorite part

08 coming up, study abroad, learn, vocabulary book, my locker

09 next to, better than, any food, only, open on Sundays

10 which clubs, to join, ten, used for, a field trip

11 a huge sale, Each item, discount, such low prices, supporting

12 Is this, something wrong, ask you, volunteers, be on, Never mind

13 in line, just the sandwich, take, accept, smaller, change

14 What brings you, find, at least, interested in, show you

15 think about, yet, better, walk up to, braver, at lunch

16 wearing, just perfect for, a refund, donated, homeless people, wanted to

17 notice, order, looking, washed, yourself

18 released, came out, last, special features, the most unique, offer

19 make it, miss, any of, mind, feel

20 ask me, around here, directions, turn left, get lost

20회

01 clear skies, drive carefully, a bit chilly, showers, wear

02 something cold, Which size, really thirsty, as well, don't serve

03 wearing, had a game, played a match, scored, close game, must have been

04 field trip, I've been, changed colors, best, from eggs

05 on the subway, leave, turned in, lost jackets, white buttons, see

06 blow out, wished for, real, adorable

07 our order, asked for, change that, bring, right back

08 craving, what kind, much better, sick, half, half, both

09 science fair, music and plants, each plant, result, the tallest, makes sense

10 talent show, sign up, anything you want, whatever, before

11 choose from, enough for, Have a seat, soft, a discount, free delivery

12 installed, turned on, in, strange, come, until, send someone

13 a gift, thinking of, yet, over there, having a sale, check

14 regular, Time flies, put on, Raise your left hand

15 like, a little, getting married, color, good on, suit you, color

16 find something, on this wall, left, order them, mind waiting

17 look worried, turn on, your knee, favorite, hanging

18 bored, last week, completely new, additional, listening

19 been to, flavor, awful, in it, something cold

20 the garage, already checked, looked in, look again

05회

01 sunny, warm, rainstorm, all night, clear up

02 some help, looking, prefer, spider, spiders, recommend, rainbow, take it

03 is over, fifteen dollars, check, closed, only, next, on, put

04 making, more, his job, any of, be dangerous, favorite, Taking

05 in line, seats, all right, view, offer, eighteen

06 anything, free, need, history, fashion, come, could use, a, bit

07 last weekend, exciting, sea, lost, find it, keeping it, while

08 history, what, choose, some ideas, interests, open, sure, before

09 work in, lunches, one, two, only as, available, lasts for

10 don't talk, watch videos, should use, let, while riding, open, disabled

11 How, coming, most of, hours, open, only drinks, feed, helpful

12 going out, across, take, exercise, jogging, don't stay

13 ever watch, miss, final, come over, earlier, starts, thirty minutes early

14 ask, don't record, how long, joined, goal, hope to, write, reading

15 be ready, finished, right, need you, going there, set

16 meeting, didn't hear, Why, absent from, take care of, let

17 taller than, go to, train, carefully, interested in

18 history, opened, 10, one, including, learn more, over time

19 25th, allowance left, it all, any left, prepare dinner

20 texting, first visit, online, in person, meeting him

06회

01 are traveling, pay attention, cities, freezing, snowfall, any snow, clear

02 set, plate, the left, put, the right, done, as well, all set

03 any plans, parties, fun, around, feel nervous, still

04 a trip, told you, forgot, the biggest, be rainy, too wet

05 customer, 500, cut, into, wrap, up, 20, really fresh

06 where, at home, come, disappointed, next week, mistake

07 absent, on a trip, near, stayed, get there, two, picked us up, often

08 clean up, wash, the trash, done, out of, more, check

09 vacation, signed up, two, Fun activities, art, perform, interested, send

10 dream, perfect, enjoy, search for, experts, get

11 get, options, four days, choose, already, with, worth it

12 doesn't start, stop, spending, on weekends, forgot, find it

13 each shirt, The sale ended, two, all, sign up, available, take

14 like, request, as comfortable as, staff, check out, stay

15 to leave, be moved, boxes, over, a few, done

16 Check out, nice, them, a gift, own, happened, them, bought

17 waterfall, to order, huge, available, at noon, jump, worried

18 coming, keep silent, hang, to use, Each drink, open

19 with, practicing, so loud, need to study

20 hit, over, crashing, sounds like, hurry, in trouble

07회

01 short break, cloudy, last, finally return, rain

02 Which, can't decide, better, Thank you, draw, to the right

03 wonderful, swim, did, threw, trash can, so mad

04 something special, fun, ran, taught, Just one, out of, took

05 aisle, free, since, everything, include, decorating, a look, need

06 excited, together, bad news, can't, planning, safe, coming

07 my favorite, for free, really lucky, four, enjoy yourself

08 leaves, finish packing, comfortable, seen, while, It seems, broken, get

09 handing, out, how to make, thinking, Saturdays, the bottom

10 catch, protect yourself, plenty of, including, spread it, cough

11 guest speaker, during, upset, interesting, owns, French dishes, try some

12 borrow, stopped working, my laptop, not allowed, need to send

13 See you, remember, arrive at, at 7, traffic

14 open, another, another bank, an account, if possible

15 time flew by, having, to order, dead, plugged, in

16 startled, waking up, surprise him, alone, leave for work, see you

17 these words, up, turn on, hurts, sitting, the whole class

18 is called, discovered, goes through, one hour, four restaurants, fish dishes, from

19 almost here, bus card, forgot, I'll pay, kind

20 for your help, Pretty well, getting wet, extra, back

08회

01 for tomorrow, heavy rain, sunny skies, covered, any rainfall

02 fish tank, rocks, decoration, next to, two, second, top

03 fun, Camping, for two days, frist time, lots of, sounds like

04 looking through, busy picking, favorite, enter, third place

05 great seats, see, opening, talk, reminds, turned it off, no more

06 go in, decide, I'll order, is ready, ever had, isn't great

07 store hours, open, close early, same, another, deliver, cost, free

08 the hospital, until, two, feel better, wrap, get one

09 get rid of, before, needs a rest, jog alone

10 close, kind to, make, listen to, attention, a problem, solve

11 the finals, be held, buy tickets, can enter, starts, should arrive

12 after class, go straight, your turn, urgent, recital, make sure, fit

13 looking for, gold earrings, to spend, 25 dollars

14 come in, sneezing, check, some medicine, see, another, ready to

15 pick up, fixed, around 10, pay for, dropped

16 go shopping, so many, holes, sew up, old, throw, out

17 another one, to drink, borrow, reserved, two, fell down

18 on, called, look like, daytime, be sleeping, at night, the day, plants

19 go on, checked, warm, sunny, perfect, going, I've heard

20 been to, it's like, What kinds, mostly, teach

Answers for Dictation

01회

01 weather, fall, a lot, won't rain, sunny
02 How, pair, stripes, looking for, seen, Give
03 looking, myself, Go ahead, drawing, spent, glad
04 look, best friend, since, introduce, join us, already excited
05 many kinds, recommend, take it, can get
06 checked, out, return them, for you, anyway, of you
07 I'd like, with, instead, during, how about, have that
08 burned, new bag, else, left it, unusual
09 looking at, next, ago, older than, 18
10 are stressed, better, good for, lose, hurt, rather increase
11 flea market, second, sell, some notebooks, donate
12 walk home, save, drop by, walk, Let's go, like
13 to buy, only have, each, in total, 5,000
14 walk around, it, stay seated, will be landing
15 borrowed it, finish, give back, leaving, back, give it
16 skipped, no, bad, better, feel like
17 the matter, stay at, the sweater, haven't
18 learn about, We'll visit, historical, for lunch, travel together
19 Where, take long, by bus, is it
20 go to, at 11, have lunch, next, Sounds, kind of

02회

01 have a look, rainy, snowstorm, windy, will stop
02 Choose, one, on the front, better, What pattern, don't want
03 checking, the score, mistakes, do better, keep, good grade
04 fly, say hello, by, ride a bike, every weekend, visiting, watch
05 found, report, not yet, checked out, some snacks, Let's meet
06 a jog, fresh, Isn't it, go out, from tomorrow, set
07 to order, how about, for summer, recommend, have
08 raining, don't, either, out of, get it, 30 minutes, call them
09 baseball, in, every Saturday, watch, join, half, think about
10 emergency, guide you, escape, four corners, closest exit
11 poster, Tuesdays, next month, 30,000, joining, sign up, on
12 used, old, sell, buy, show, look around, different kinds
13 send, the scale, 5,000, special delivery, pay, 800
14 problem, chew, wide, a cavity, hurt, do it
15 busy, bought, the matter, bright, exchange, another, refund
16 had, it look, good on, right, long hair, feels
17 yourself, like to, later, haven't tasted, more
18 already, some other, learn about, depart, be back, get prepared
19 waiting for, What, going home, usually, movie theater
20 lose, swimming, started it, six, early bird

03회

01 weekly, coming close, start, turn into, windy
02 buy, striped, better than, vertical, take
03 the movies, one of, How, science fiction, great, How long, just
04 prepared, baked, community center, wooden, There'll be, if you want
05 book, the view, must have made, trading, the top
06 really good, never, treating, enough, some more
07 in it, position, goalkeeper, participating, important role, fair, I'll try
08 Not really, outside, All of, Be careful, broke it
09 singing practice, music room, start, What song, won't forget
10 part, discount, so on, 30, hurry, on seafood, enjoy
11 book, only on, two months, wanted to, 7, succeed in
12 for lunch, sell these, how to make, you've made, try
13 we're going, first one, before, in front of
14 Is, confirm, we'll go, adults, to order, get, ready
15 Wait for, the floor, turn, to empty, move, close
16 late, too far from, miss, had to take, hard
17 favorite day, replace, anytime, appreciate, Let's meet
18 tips, inside, protect, outside, from, over, keep calm
19 so late, for, enough sleep, one time, early than
20 hurt, fell down, serious, good care, How long

04회

01 national, covering, started to rain, cloudy, raining
02 mirrors, What kind, hang it, whole body
03 got an email, summer vacation, The whole family, stay there, a week
04 tired, volunteer, went there, before, find books, left, had to finish, enough
05 red, medicine, eye drops, come back, right medicine
06 Where, the same, a ride, not exactly, for asking
07 so excited, thinking, Let's share, I'd like to, how about, make
08 order books, something, nobody, right address, open the door, calling
09 last weekend, love story, playing, main actors, performances, pretty expensive, worth
10 Welcome, begin, go out, until, turn off, not allowed, consideration
11 noticed, water pipes, five, eight, cut off, use water, before
12 run, losing weight, feels, record, accomplish, join me, finish
13 packs, How much, one more, two, third, only pay
14 looking for, in, find, check, take, pay for, leave
15 concerned about, helping, taking, donate, work for, contact, write down
16 ready, skip, shouldn't eat, at lunch, as usual, easy
17 taller, get out, new, transfer, someone walking
18 October, on, at, Who else, as well, by
19 for inviting, How sweet, at home, grandparents, Whose
20 lost camera, in detail, seat, find it, looks like, call

21회

01 Due to, will last, fall, until, piled up, driving

02 over there, hold, Keep Out, open, looks like, use

03 took, day trip, peaceful, hearing, rocks, went there, is wearing

04 stay up late, out, to celebrate, two hours, so tired

05 how old, 900 years old, very skilled, for making, leader, third

06 Follow me, different games, the biggest, go in the back, any more

07 hear about, at our school, to enter, I wish, just okay

08 finished with, extra time, 15, outside, borrow one

09 so far, new city, tour bus, 8, take us, how long, will take

10 has stopped, ask for, as soon as, get off, for

11 to choose, cost 80 dollars, a pool, closer to, walk there, book

12 busy, just finished, to invite you, having it, never tried

13 used clothes, donated, lots, any tags, buy two

14 tried ringing, leave the package, against, in person, be home, between

15 see me, mean, a favor to ask, a tour, show him

16 baking something, dessert, can't eat, remember, the doctor's advice

17 lost, star, spent it, half past eight, go

18 quiet down, most famous paintings, was painted, is displayed

19 into, tickets, want to, getting there, with you

20 over, mean, I'm surprised, made of metal, the coolest car

22회

01 Let's start, fine dust, chance, warm, outdoor activities

02 this weekend, best seller, his taste, a similar one, popular

03 vacation, amazing, any new foods, ate, so jealous

04 I've brought, make them, Last weekend, turkey, cook with, always my job

05 set up, a perfect spot, crowded, grab, in the waves

06 terrible, died, can't believe, first pet, miss

07 on the corner, the pond, too cold, warmly, didn't like, be careful

08 new recipe, like to eat, bread, two large onions

09 join, What kind, makes me nervous, you singing, next Saturday, gets

10 has made it, against, cheer for, this Wednesday

11 offer, be interested, to learn, choose classes, sign up, add

12 fast, curly, invited me, is coming, a costume

13 bake sale, recommend, baked, the large, get three

14 speaking, any hot water, to the left, both, never had, check

15 trouble with, special paper, try with, online, cash directly

16 see a movie, can't, making dinner, say thank you, clean

17 flavor, favorite, reminding me, leaves from, to drink

18 to announce, looking for, after school, talk to

19 headed to, on your way, this package, Where

20 fall asleep, worried about, difficult subject, sleep, What kind

23회

01 partly cloudy, rise, very strong, to fall, rainy

02 for winter, by yourself, learned, so warm, like, meets him, what

03 I'm practicing, can't wait, the same, feel proud, making a mistake

04 done with, give a speech, the entire class, clean up

05 a pet, an allergy to, good for, feed them, show me

06 to the top, to eat, sit down, in your bag, serious

07 look red, working out, before school, waking up, still tired, try

08 use, To advertise, write in pencil, in paint, nothing else

09 went hiking, go shopping, be inside, alone, close to, hang out

10 to remind, carefully, get lost, at the entrance, report to

11 not crying, a relief, some sad parts, have to skip, fine with

12 need to leave, realize, behind, attending, how to make, open spots

13 until around 2, at the rink, be cleaning, a little later

14 a problem, a great job, ask you, if possible, be leading

15 so boring, look around, reach the shelf, figure out

16 told, left over, so far, for dessert, enough money, I saw

17 can't see, mind, need to go, walking, didn't notice

18 Attention, be held, will open, over thirty, offering services

19 upset, didn't make, hear, Even worse, was looking forward to

20 totally free, alone, scary, be okay, instead, I don't mind

24회

01 bitter cold, frost on your windows, snowfall, be careful

02 choose one, prefer, square one, heart, vertical stripes

03 everything, packed, with you, set up, behind the school, will meet, 6

04 free, nothing special, good movies, like to, see, reviews

05 looking for, for my report, it's about, where, talking about

06 all night, rather not say, so difficult, stayed up

07 keep in shape, a better way, the perfect exercise, at all

08 anywhere, look in, left it, it's not there, try to think

09 pool rules, some snacks, not allowed, should wear, apply, put oil on

10 local, healthy activities, this Sunday morning, next to, guide you

11 first prize, compete, raise money, a bake sale, cheer for them

12 on my way, how fun, my favorite actor, hope so, interesting movies

13 one burger, as well, your total, Do you accept, owe

14 being with us, your new movie, named, trying to save, expect, each character

15 delicious, a special occasion, for dinner, I asked, sparkling, when they arrive

16 busy, any plans, come with me, starts at, make it, be home

17 on sale, shall we, so cute, grow up, tell me

18 managing stress, regularly, your hobbies, relieve stress, attitude, enough sleep

19 Have you had, try them, to order, the bathroom

20 your trip, terrible, the entire time, lost, got lost